Ottmar Fuchs · Die Klage als Gebet

Ottmar Fuchs

Die Klage als Gebet

Eine theologische Besinnung
am Beispiel des Psalms 22

Kösel-Verlag München

CIP-Kurztitelaufnahme der Deutschen Bibliothek

Fuchs, Ottmar:
Die Klage als Gebet: e. theol. Besinnung am
Beispiel d. Psalms 22 / Ottmar Fuchs. –
München : Kösel, 1982.
ISBN 3-466-20223-X

ISBN 3-466-20223-X
© 1982 by Kösel-Verlag GmbH & Co., München
Printed in Germany. Alle Rechte vorbehalten
Satz: ts Ingrid Geithner, Walpertskirchen
Druck und Bindung: Fotokop, Darmstadt
Umschlaggestaltung: Günther Oberhauser, München

Inhalt

Vorwort

Die Klage ist eine vergessene Gebetsgattung geworden. Doch gerade für die – ganz besonders in diesem Jahrhundert – individuellen und kollektiven Leiderfahrungen ist die Möglichkeit der Leidbewältigung im Horizont der jüdisch-christlichen Tradition unabdingbar, will unsere Gebetskultur nicht außerhalb des menschlichen Erfahrungsbereichs bleiben.

Die hier angestellten Besinnungen bewegen sich im bibel- und praktisch-theologischen Bereich und wollen zwischen diesen – methodisch vertretbar – in Richtung auf eine qualifizierte Rehabilitierung des Klagegebetes in der christlichen Spiritualität vermitteln. In Erinnerung an Auschwitz und das unerhörte Maß der Leidenserfahrungen Israels, wofür dieser Name steht, kann die Besinnung auf die gemeinsame Wurzel von Juden und Christen in der biblischen Klagespiritualität tiefgehendes gegenseitiges Verstehen und Solidarität angesichts des gemeinsamen Gottes auslösen. Mein Wunsch ist, daß die vorliegenden Überlegungen nicht nur im binnenchristlichen Bereich, sondern auch im Verhältnis zwischen jüdischer und christlicher Geschichte und Gegenwart dazu beiträgt, Ehrlichkeit, Mut und Vertrauen im Umgang miteinander und mit Gott vorwärtszubringen.

Zunächst eine Bemerkung als Lesehilfe: Mancher Leser wird wesentlich mehr am gröberen Denkverlauf und am Ergebnisertrag der Arbeit als an differenzierteren methodischen Herleitungen und inhaltlichen Klärungen interessiert sein. Für ihn gilt das Angebot, die kleingedruckten Abschnitte zu überspringen; der Haupttext ist so gestaltet, daß er für sich durchgehend gelesen werden kann. Für die Erklärungen von Fachausdrücken aus der Sprachwissenschaft verweise ich für den, der nähere Informationen wünscht, auf das Glossar in meiner Dissertation „Sprechen in Gegensätzen" (1978).

Die vorliegende Untersuchung wurde unter dem Thema „Die Klage. Eine bibel- und praktisch-theologische Besinnung auf das Gebet der Klage am Beispiel des Psalms 22" im Sommersemester 1981 bei der Katholisch-Theologischen Fakultät der Julius-Maximilians-Universität Würzburg als Habilitationsschrift eingereicht. Ich danke Prof. Dr. Rolf Zerfaß und Prof. Dr. Josef Schreiner für die Erstellung der Gutachten und der Theologischen Fakultät, der ich mich von meiner Studiengeschichte her sehr verbunden weiß, für die Annahme der Arbeit. Erzbischof Dr. Elmar Maria Kredel, Bamberg, verdanke ich die Erlaubnis zur Habilitation und damit die Möglichkeit, in der universitären theologischen Forschungs- und Lehrverantwortung tätig zu werden. Das erzbischöfliche Ordinariat in Bamberg hat die Drucklegung mit einem finanziellen Zuschuß unterstützt.

Die Bemühungen um dieses Thema haben eine Motivations- und Begegnungsgeschichte, die zu skizzieren mir am Herzen liegt. Für die daran beteiligten, hier benannten, aber auch die unbenannten Personen empfinde ich herzlichen Dank:

Prof. Dr. Gottfried Bitter (Bonn) hat mich durch die Einladung, für das Heft 11 der Katechetischen Blätter des Jahres 1979 einen Artikel über die Sprachlichkeit des Gebetes zu schreiben, darauf gebracht, daß dieses Thema nicht nur der sich vermehrenden und sehr unterschiedlichen Gebets- und Meditationsliteratur überlassen werden sollte, sondern auch ein ausgiebiger Gegenstand der praktisch-theologischen Forschung zu sein hat. Über persönliche Krisen- und Konflikterfahrungen der letzten Jahre, die auch mit meinen spannungsreichen Aufgaben „zwischen den Stühlen" als Studentenseelsorger und als Mentor für die Laientheologen/innen in Bamberg zusammenhängen, sowie über die aktuellen Leid- und Schmerzerfahrungen mir sehr nahestehender Menschen ist mir immer mehr das Gebet der Klage auf den Leib gerückt.

In gleichzeitiger Verbindung damit stand ein anwachsendes Interesse für das Alte Testament, das durch die kritischen und hilfreichen Gespräche mit Prof. Dr. Dr. Manfred Görg (Bamberg), der als Gesprächspartner ständig anfragbar war, zu einer uneuphorischen Begeisterung heranwuchs. Zu denken ist in diesem Zusammenhang auch an Prof. Dr. Harald Schweizer (Mainz), der mir freundlicherweise bei der Diskussion bezüglich der Übersetzung des V. 22 des Psalms 22 durch seine Korrekturen behilflich war.

Prof. Dr. Rolf Zerfaß (Würzburg) hat meine Arbeit an diesem Thema von Anfang an freundschaftlich und höchst engagiert in vielen Gesprächen begleitet und mit entscheidenden Denkanstößen angeregt. Diese Wegbegleitung hatte dabei — in Erinnerung an unsere ausgedehnten Wanderungen — durchaus realistische Züge! Cand. theol. Rainer Bucher (Würzburg) hat die ersten Entwürfe kritisch durchgesehen.

Die Erstellung der Arbeit erfolgte neben meiner pastoralen Tätigkeit für die und mit den Studenten in Bamberg. Die Studenten/innen in der Hochschulgemeinde sowie die Theologen/innen im Mentorat haben es mir durch ihr Verständnis und ihre Rücksichtnahme während der Phase der Niederschrift ermöglicht, ohne allzuviel schechtes Gewissen am Schreibtisch zu sitzen. Besonders Gemeindeassistent Georg Ender und Pastoralassistent Abraham Punacherry waren über etwa ein Jahr lang durch ihre Mehrarbeit auf ihre Weise an der Entstehung der Untersuchung mitbeteiligt. Die mühsame Arbeit an der Schreibmaschine übernahmen mit großer Zuverlässigkeit und — gegen Ende zu — unter hohem Zeitdruck Frau Anni Toth und — für die Hälfte der Endschrift — Frau Galeffi-Schlötzer. Dem Kösel-Verlag danke ich für die Publikation und das damit verbundene Engagement. Bei der Durchsicht der Druckfahnen halfen: cand. theol. Wolfgang Bullin, Claudia Nietsch und Robert Ochs.

Meine Eltern und meine Schwester mit ihrer Familie haben durch ihre anteilnehmende und geistliche Solidarität viel zur oft nötigen Ermutigung und Geduld beigetragen. Sehr herzlich möchte ich schließlich der Theologiestudentin Ulrike Bechmann danken: nicht nur für die Hilfe bei der Literatursuche und die anstrengende Korrekturarbeit, sondern besonders auch für die Mitsorge und ansteckende Begeisterung, mit der sie an der Entstehung und Fertigstellung dieser Schrift wesentlichen Anteil hat. Ihr und allen Frauen, die sich im Engagement für die „ecclesia semper reformanda" auf den Weg der Theologie einlassen, widme ich dieses Buch.

Bamberg, im September 1981   Ottmar Fuchs

1 Einleitung

1.1 Das Thema

Menschliches Leben und menschliche Geschichte(n) vollziehen sich im Horizont von Gefährdung und Gebrochenheit. Leiderfahrung und Todesrealität buchstabieren den Torso menschlicher Existenz und bedrohen Glück und Lebensfülle mit zeitlicher Begrenztheit. Wo der Mensch noch zuläßt, Mensch zu sein, und nicht dem „Gotteskomplex" zum Opfer fällt[1]; wo der Christ sich in dieser Weltzeit als Geschöpf Gottes erkennt und somit die reale Situation des Menschseins in seiner Vergänglichkeit, Leidoffenheit und Gottesbezogenheit nicht verdrängt, sondern einsieht, da ist das Leben ausgespannt zwischen den Extremen des Glücks und des Leides, des Jubels und der Klage. Die Höhen und Tiefen des Lebens werden nicht mehr zugunsten von Apathie und Resignation bzw. Zweckoptimismus, Ausgeglichenheit und reibungslosem Funktionieren nach oben und unten abgekappt und abgepolstert. Was menschliches Leben in seiner tiefsten Wirklichkeit, seiner Möglich- und Unmöglichkeit aufscheinen läßt, ist der Extremfall, nicht das Kontinuum des Normal-Alltäglichen mit seinen energiesparenden existentiellen Investitionen. Nicht nur und nicht zuerst die Deduktionen von großen gemeinsamen Nennern für normale und sich häufig wiederholende Erscheinungen menschlichen Lebens und menschlicher Geschichte erschließen deren Erkenntnis, sondern auch und vor allem die an einem konkreten Extremfall angestrengten Induktionen menschlicher Einsichtsfähigkeit[2]. Darin blitzt oft auf, was den Menschen und seine Geschichte in Wahrheit Mensch und Geschichte sein läßt.
Wir gehen von der Annahme aus, daß hinsichtlich christlicher Spiritualität ähnliches zu sagen ist. Dieser verschwommene und mißbräuchliche Begriff gewinnt Profil und Konturen, wenn sein Bedeutungsbereich den „Testfall des Glaubens"[3] aufnimmt, nämlich die Extremsituationen menschlicher Existenz, Geschichte und Biographie: die Not und das Glück! Beide Situationen betreffen den Menschen zutiefst und offenbaren die Wichtigkeit, Gültigkeit und Relevanz dessen, was er bisher als Lebens- und Beziehungswert behauptet hat: sei es als Entlarvung, sei es als Bewahrheitung bisheriger Orientierungen und Begegnungen. Dem zutiefst betroffenen Men-

---

1 Zum Begriff „Gotteskomplex" vgl. Richter 1979, 17-31, 127-188.
2 Zum erkenntnistheoretischen Konzept, im Extremfall den Testfall für Wahrheit und Erkenntnis zu sehen, vgl. Benjamin 1972, 16/36.
3 Mit „Testfall des Glaubens" qualifizieren Greshake/Lohfink das Bittgebet (1978), doch geht es in den gesammelten Beiträgen weniger um den Testfall gelebten und gesprochenen Glaubens als um das Bittgebet als Testfall der Theologie und *ihrer* Vereinbarkeit mit dem bittenden Beten, vgl. dazu Schaller 1979.

schen ist die Täuschung und die Lüge nicht mehr leicht zugänglich. Verstummen und Stammeln liegen dann näher als Geschwätz. Klage und Jubel sind kaum korrumpierbarer Ausdruck menschlicher Grenzerfahrungen. Gesegnet ist, wer im Ernstfall für den einen bzw. anderen Sprechakt eine Sprache besitzt und einen Hörer erreicht.

Im Bereich der sprachlichen Gebetsbegegnung mit Gott scheint es diesen Segen hinsichtlich verbalisierter Klagegebete (z. B. in Gebetbüchern) wie auch reflektierter Klagespiritualität (in der Theologie) nicht zu geben. Sucht man in theologischen Lexika beim Stichwort „Gebet" nach, läßt sich feststellen, daß die Klage ein Stiefkind christlicher Gebetsreflexion ist[4]. Es begegnet allenfalls im historisch-exegetischen Teil (auf das Alte Testament bezogen) dieser Beiträge. Das Klagegebet scheint wirklich eine „verschwundene Gebetsgattung" geworden zu sein[5]. Dies verblüfft umsomehr, als der Anteil an Klagegebeten im Psalter etwa 40 % ausmacht[6]. Überhaupt scheinen die Psalmen ein Gebetsleben zum Vorschein zu bringen, das am Gebet des Jubels und am Gebet der Klage als den beiden entscheidenden polaren Gebetsarten israelitischer Spiritualität orientiert ist[7]. Die beherrschende Pespektive ist jedenfalls nicht die der Kontinuität und All-Täglichkeit eines geregelten Gebetslebens, sondern der aus besonderen Situationen heraus geborenen Gebetsbegegnungen mit Gott. Zwar ist der Psalter auch zum Gebetbuch der Kirche geworden, wurde hier freilich durch seinen neuen Ort im Kontext beispielsweise des Stundengebetes derart regelmäßiger Spiritualität verfügbar gemacht, daß sich allmählich auch die Polarität der in den Psalmen zutagetretenden Lebensäußerungen auf die Normalebene alltäglicher Erfahrungen projiziert.

Im ganzen scheint Unbehagen an der gegenwärtigen christlichen Gebetspraxis angeraten zu sein. Dies gilt nicht nur, weil sie in unverhältnismäßig hohem Maß die Grenzsituationen menschlichen Lebens vernachlässigt, sondern auch angesichts einer zunehmenden Ästhetisierung (die sich vor allem in „schönen" Gebets- und Meditationsbänden niederschlägt), in der die Gebetswelt als etwas Besonderes, Freizeitmäßiges und Urlaubhaftes sowohl vom normalen Alltag wie auch von den möglichen Grenzerfahrungen abgedrängt und für sich (gleichsam als artifizielle „Grenzerfahrung",

---

4 Vgl. Sudbrack Art. 1968, 158-174, bes. 168; Thum/Bea/Hillmann/Rahner/Wulf Art. 1960, 537-545. Vgl. Severus Art. 1972, 1162 ff., wo eine gute Einordnung des klagenden Betens in den entsprechenden kultischen und soziokulturellen Kontext geboten ist; hier finden sich auch weitere Hinweise auf entsprechende alttestamentliche Stellen. Auch neuere Werke über das Beten thematisieren das Klagegebet nicht: vgl. Pesch 1970, Bernet 1970, Spaemann 1972, Lenfers 1973, Boros 1973, Barreau 1977, Sekretariat der Deutschen Bischofskonferenz 1978, Läpple 1979, Lettmann 1979, Sudbrack 1981.
5 Vgl. Limbeck Art. 1977, 3 (Die Klage – eine verschwundene Gebetsgattung).
6 Vgl. Tsevat 1955, 34.
7 Vgl. Westermann Art. 1973, 85 ff.

die aber keine Verbindung mit dem realen Leben und auch keine Wirkung darauf hat) kultiviert wird. Kirchliche Spiritualität (einmal verstanden in ihrer Verantwortung, Gebetstexte bereitzustellen, um durch sie hindurch das Beten zu lehren) versagt dann, wenn sie verhindert bzw. nicht provoziert, daß authentische existentielle Vollzüge in die Versprachlichung angesichts Gottes eingehen können. Daß seit einigen Jahren anscheinend wieder mehr Interesse am Thema Gebet aufgekommen ist, kann nicht gleich Anlaß zur Beruhigung sein: Vielmehr steht die Frage nach dem richtigen Beten, nach der normativen Dimension in Theologie und Didaktik jüdisch-christlichen Gebetes an. Wie dies geschehen soll, dafür gibt es unterschiedliche Möglichkeiten.

Eine Vermittlung wissenschaftlich-theologischer Arbeit mit spirituellen Fragestellungen scheint nicht leicht und nicht häufig zu sein. Das Ergebnis ist vielmehr oft die Textsorte des Essays über spirituelle Themen, in der allgemein theologischer Wissenshorizont mit persönlichen spirituellen Erfahrungen zu einer mehr oder weniger intuitiv gelungenen Kombination verbunden werden. Diesen Weg wollen wir hier nicht gehen. Gerade jedes spirituelle Thema ist es wert, daß es mit theologischer Redlichkeit in Methode und Ergebnis mit relativ hoher intersubjektiver Nachprüfbarkeit angegangen wird[8]. Damit läßt sich unser Thema folgendermaßen entfalten:

1. Am Anfang steht das Unbehagen darüber, daß die Klage eine der offiziell kirchlich-christlichen Spiritualität verloren gegangene oder gar von ihr verdrängte Gebetsgattung darstellt[9]. Dieser Befund darf nicht dahingehend ideologisierend interpretiert werden, daß diese Gebetsgattung mit Recht nicht mehr da ist, weil sie womöglich eine nicht genuin christliche sei. Gegen eine solche Normativität des Faktischen ist die normative Dimension biblischer Überlieferung zu stellen[10].

---

8   Einen derartigen Versuch bietet Egger 1979, der eine wirkungsgeschichtliche Verbindung zwischen Mk 10, 17-31 und der Spiritualität des Franz von Assisi herstellt.

9   In diesem Zusammenhang könnte man eine innere Korrespondenz vermuten zwischen der Konfliktbereitschaft charismatischer Gruppen sowie deren Spiritualität, die besonders Klagetexte favorisiert: vgl. beispielsweise Luthers Arbeit zum Ps 22 (1521), dessen Auslegung im unmittelbaren Kontext seiner Kirchenkritik „wider die falsche Frömmigkeit" erfolgt (vgl. Luther 2/1977, 144-245). Korrespondiert der Klageverdrängung eine Konfliktverdrängung?

10 Es besteht also nicht die Notwendigkeit, zu definieren, was Klage nicht ist, bzw. welche Unterschiede zwischen den Gegen- und Nachbarbegriffen (z. B. Fluch, Hadern usw.) bestehen. Im traditionellen spirituellen Kontext der Gläubigen dürfte Klagen im Zusammenhang mit Gott mit „Hadern" identisch sein. Entscheidender ist von vorneherein darzustellen, was jüdisch-christliche Klage positiv darstellt und erst dann zu versuchen, die bestehenden Nachbarbegriffe mit dem gewonnenen Begriff zu vergleichen. So ist Hadern sicher ein Strukturelement biblischer Klage, aber nicht einfachhin mit ihr identisch. Ausgeblendet bleiben auch die sogenannten Klagen Gottes über den Menschen, wie sie besonders bei alttestamentlichen Propheten vorkommen, vgl. Hos 11, 1-9.

2. Wir haben uns um eine methodisch saubere Entdeckbarkeit der normativen Dimension in Richtung auf unser Frageinteresse nach dem Gebet der Klage zu bemühen. Als Quelle für die Bestimmung dessen, was Klagegebet sein kann und müßte, gelten die für das Erkenntnisinteresse einschlägigen biblischen Erfahrungen. Damit geht es uns nicht darum, die Klage aus irgendeinem anderen Bezugsfeld heraus zu definieren bzw. mit den entsprechenden Nachbarbegriffen aus dem heutigen semantischen Feld heraus zu kontrastieren. Wir haben also nicht den umgangssprachlichen repräsentativen Lexikonbegriff der Klage zu klären, da dieser unserer Arbeit nicht zugrundegelegt wird. Es geht vielmehr darum, die Klage inhaltlich und sprechaktbezogen mit den Inhalten aufzufüllen, wie sie in der biblischen Tradition positiv zum Vorschein kommen.

3. Die Erkenntnisperspektive ist begrenzt: Sie bemüht sich weder um das Theodizeeproblem als solches noch direkt um den Appell, daß Leid durch den Menschen soweit wie möglich verringert und abgeschafft werden sollte. Die Notwendigkeit, im systematisch-konzeptionellen Bereich über den Sinn des Leidens und im Aktionsbereich über die Reduktion von Leidenssituationen durch den Menschen nachzudenken, wird damit nicht geschmälert, sondern anderen Projekten zugewiesen. Uns geht es um die Frage, wie der Christ aus Leidenserfahrungen heraus diese in seiner Beziehung zum Gott des Alten und Neuen Bundes versprachlichen und bewältigen kann und sollte. Es wird sich freilich herausstellen, daß gerade eine solche Gebetsarbeit nicht nur Leidsituationen menschlich und christlich durchstehen hilft, sondern zugleich den Voraussetzungsprozeß für mögliche Veränderungsbereitschaft und die dazu nötigen Motivationen liefert.

4. Unter *Klagegebet* verstehen wir eine *sprachlich formulierte, theologisch-reflektierte Gebetsanleitung für unmittelbar sich in Not befindende Gläubige*, die damit, daß sie das Gebet zu ihrem eigenen machen, in den aktuellen Klagesprechakt Gott gegenüber eintreten. Also nicht spontane Gebetstexte aus der Gegenwart oder irgendeiner anderen Zeit sind Ausgangspunkt der Überlegungen, sondern Klagetexte, die theologisch-normative Qualität haben und so für die Klagebegegnung des Gläubigen mit Gott Orientierungen liefern. Wir suchen solche Texte in der biblischen Überlieferung auf und bemühen uns zugleich um ein Analysevorgehen, das deren Horizont der Muster-Gültigkeit in relativ intersubjektiv nachprüfbarer Weise auf die Gegenwart übertragen kann. Damit wird laufende Gebetspraxis mit in biblischen Texten auffindbaren Gebetserfahrungen verglichen und konfrontiert. Die einschlägigen biblischen Texte werden dabei als Niederschlag von theologisch qualifizierter und damit handlungsorientierender Gebetspraxis aufgefaßt und als solche sowohl im Rahmen bibel-theologischer wie auch praktisch-theologischer Methoden ernstgenommen.
Mit der ersten Idee und Entscheidung zu diesem Thema konnte noch nicht

abgesehen werden, welche Relevanz und Ausweitung es nehmen würde. Immer deutlicher wurde klar, wie sehr ein „nervus rerum" christlicher Spiritualität, christlicher Praxis in Kirche und Gesellschaft, kirchlicher Geschichte und christlicher Theologie sowie – spätestens seit Auschwitz – jüdisch-christlicher Ökumene und Solidarität durch dieses Thema betroffen ist. Deshalb tut besonders gründliches Vorgehen not: Auch wenn von vorneherein auf die dezidiert systematisch-theologische Perspektive des Themas verzichtet wird, erweist sich doch der hier gewählte bibel-theologische Ansatz der im Ziel praktisch-theologischen Untersuchung als umfangreich.

Die Klage Israels ist nämlich nicht nur aus inhaltlichen, sondern vor allem aus „formalen" Relevanzgründen mit der Betrachtung der Klage „im Munde Jesu" (hier wäre besonders Ps 22 im Markusevangelium zu nennen) zu ergänzen. Mag dabei inhaltlich nicht entscheidend Neues zum Klageprozeß hinzukommen, so bestätigt der Befund, daß die Klage auch in der *neutestamentlichen* Gebetspraxis einen wesentlichen Teil ausmacht, doch die über den Alten Bund hinausgehende und in den Neuen Bund hineinreichende authentisch-christliche Verbindlichkeit des Gebetes der Klage[11]. Mit der neutestamentlichen Botschaft ist die Klage des Alten Testamentes nicht abgegolten, sondern erfährt in ihr christologische Konzentration und christliches Profil.

Im Rahmen des praktisch-theologischen Erkenntnisinteresses an der Verstehbarkeit theologischer Daten und gegenwärtiger Realität sowie an der Handlungsorientierung in Richtung auf bessere gegenwärtige (spirituelle) Praxis müssen dann die einschlägigen Korrelationen der gegenwärtigen *human- und handlungswissenschaftlichen* Ergebnisse zum biblischen Klagevollzug aufgesucht werden[12].

---

11 Hier muß Luther widersprochen werden, wenn er schreibt „Christi Klage ist nicht, wie es bei uns wäre, Gotteslästerung." (2/1977, 150). Doch werden wir auf dieses Problem in einer weiteren Veröffentlichung im Zusammenhang mit einer markinischen „Christologie der Klage" genauer zu sprechen kommen.

12 Das verwendete Analysevorgehen selbst entstammt ebenfalls den Humanwissenschaften und hat hier zugleich die Funktion des Transfers zwischen biblischen und gegenwärtigen Texten, s. u. 1.3.2. Zum Gewinn an Verständnis, Einsicht, an Verwirklichungsmöglichkeit und didaktischer Vermittlung mit Hilfe humanwissenschaftlicher Analysearbeit im Bezug auf theologische Daten vgl. Fuchs Art. 1979 a, 854 ff., besonders 865 Anm. 8. Zur „Korrelationsarbeit" ist hinzuzufügen: Der Begriff der Korrelation ist hier nicht so zu verstehen, als setze er eine Trennung der beiden Bereiche (theologisch-normative Vorgabe und die den humanwissenschaftlichen Identifikationen zugrundeliegenden menschlichen Gegebenheiten) voraus. Eine solche Trennung ist im Horizont des Glaubens nicht möglich, weil der Glaube nicht ein zum „Menschlichen" äußerlich Hinzukommendes darstellt, das korreliert werden müßte. Er ist vielmehr die radikale Bejahung des Menschseins durch dessen Aufnahme in den Horizont Gottes (Auferstehung) bzw. den Einbruch Gottes in das Menschsein (Inkarnation). Jede Trennung, die einer neuen Korrelation bedürfte, widerspricht den christologischen Dogmen (Gefahr des versteckten Monophysitismus: die Göttlichkeit des Menschen und die Menschlichkeit Gottes werden nicht geglaubt). Der Glaube ist die radikale Aufwertung des

Mit dem Verständnis ausgerüstet, was Klagegebet theologisch ist bzw. sein sollte und was diesem Prozeß anthropologischerseits korreliert, könnte dann in die *Kirchengeschichte* gewandert werden, um die Vorgänge und Hintergründe zu entdecken, von denen her die Klage in bestimmten kirchengeschichtlichen Situationen und Gruppen möglich und provoziert bzw. verweigert und verdrängt wurde. Solche historisch-analytischen Streiflichter sind hilfreich für die Erkenntnis und mögliche Veränderung der gegenwärtigen Situation im Kontext der Geschichte der Kirche und ihrer Gottesbeziehung(en).

Erst nach dieser hermeneutischen Arbeit am biblischen Klageprozeß durch die Humanwissenschaft (ergänzend auch durch die historische Wissenschaft) kann verantwortetermaßen die die Gegenwart ergänzende bzw. korrigierende und in diesem Fall notwendig innovative *Handlungsorientierung* erfolgen: als theologisch begründete Rehabilitation und als der Gegenwart aufgegebene und ihr entsprechende Realisation dessen, was die Klage in ihrem normativen Kern ausmacht. Dieses Ergebnis müßte konkret in Form von Vertextungen von jüdisch-christlicher Klage erfolgen, die sowohl theologisch wie auch anthropologisch zu verantworten sind. Das der Gegenwart gerecht werdende sprachlich-semantische Material für solche Texte ist in der „profanen" Klageliteratur und Klagepoesie aufzufinden und entsprechend kritisch zu ergänzen bzw. zu korrigieren. Ziel ist dabei, daß in solchem Lernfeld neuer Gebetstexte aktuelle menschliche Klage in die christliche Spiritualität „heimgeholt" und reintegriert wird.

Der gesamte Untersuchungsweg bleibt ständig auf ein und dieselbe Textsorte konzentriert, auf die des Klagegebetes. Dies ermöglicht seine methodische Kontinuität und Konsistenz. Das biblische Klagegebet ist Grundlage der Untersuchung, wird zum Anlaß theologischer und humanwissenschaftlicher Überlegungen sowie historischer Reflexionen und mündet dann in neue und aktuelle Vertextungen der Klage: als handlungsorientiertes Ergebnis für eine angemessenere Gebetspraxis. Schunacks[13] lapidarer und entscheidender Satz: „Theologie ist an ihre Texte gebunden" wird damit methodisch eingelöst: sowohl vom bibel-theologischen Ansatz her wie auch in Richtung auf das praktisch-theologische Ziel hin. Im Rahmen bibel-theologischer und praktisch-theologischer Methodologie werden normative Texte an den Aporien des Lebens derartig beteiligt und mit ihnen in Verbindung gebracht, daß sie dieses Leben selbst entsprechend verän-

---

„Menschlichen". Er ist das am Menschlichen, wodurch der Mensch sich gegenüber aller Bedrohung durch die Beziehung zu Gott hindurch behaupten kann. Mit Korrelation meinen wir also die *methodisch-gedankliche* Arbeit (also nicht statisch ontologischer, sondern dynamisch-aktueller Art), die versucht, die Interrelationen der heute nun einmal voneinander getrennten wissenschaftlichen Disziplinen um der christologischen Einheit von Mensch und Gott willen aufeinanderzubringen. Unter der Voraussetzung des Ungetrenntseins sichert die Korrelationsarbeit auch wieder auf gedanklich-methodischer Ebene das Unvermischtsein beider „Bereiche" (vgl. Mette Art. 1979, 197).
13 Schunack Art. 1973, 300.

dern, bewegen und reformulieren können. Über die unten durchgeführte Analysemethode bahnt die Untersuchung einen methodisch ausgewiesenen und theologisch verantwortbaren Weg des Relevantwerdens biblischer Texte (als Niederschlag gültiger Praxis) für gegenwärtiges Handeln, und dies nicht nur auf der Ebene von Postulaten, sondern im Feld praxisgestaltender Konkretionen von Klagegebeten.

Das hier begonnene Forschungsprojekt müßte sich demnach auf fünf Untersuchungsschritte erstrecken:

Teil I: Strukturen und Motive der Klage Israels,
Teil II: Die Klage „im Munde Jesu",
Teil III: Humanwissenschaftliche Perspektiven des Klageprozesses,
Teil IV: Kirchengeschichtliche Streiflichter zur Spiritualität der Klage,
Teil V: Jüdisch-christliche Klage heute! (Realisationen in Kunst, Literatur und Gebeten).

Die vorliegende Arbeit widmet sich dem Teil I: Strukturen und Motive der Klage Israels! Wir werden freilich bei den folgenden Ausführungen über Ziele, Methoden und Aufbau immer auch die Gesamtarbeit im Blick behalten und mitbenennen. (Der Verfasser hofft, Teil II und III sowie Teil IV und V in insgesamt zwei weiteren Untersuchungen in absehbarer Zeit veröffentlichen zu können.)

1.2 Die Ziele

Inhaltliches Ziel dieser Arbeit ist eine Besinnung auf das Gebet der Klage, die sich qualifiziert durch den Rückgriff auf biblische Tradition als Normquelle christlichen Lebens und damit christlicher Spiritualität. Nun ist der intersubjektiv nachprüfbare Prozeß der Erkenntnis von Situation und Norm auf der einen und deren Übersetzung zueinander auf der anderen Seite anerkanntermaßen schwierig[14]. Die inhaltlichen Vorgaben des jeweils Interessierten und seiner Erkenntnisrichtung selektieren und transformieren bereits mit entsprechenden Präsumptionen, was gegenwärtig als akut Normativ-Kritisches aus der Schrift bzw. der Tradition gesehen und entsprechenden Handlungen zugeführt werden müßte.

So ist im Zuge unseres Themas die Gebetsgattung der Klage wichtig geworden, für die nun biblische Kriterien sowohl für ihre Berechtigung in christlicher Spiritualität wie auch für ihre Strukturen und Elemente zur möglichen Realisierbarkeit zu finden sind: Am erlittenen oder auch unbewußt verdrängten, aber durch eine vorwissenschaftlich geborene Idee bewußt ge-

---

14 Vgl. Zerfaß Art. 1974, 164-177; Mette 1978, 344-358; Herms 1978, 80-89; zum Prozeß der „Übersetzung" vgl. Fuchs 1978a, 17-21, 342 ff.

wordenen Defizit entzündet sich die Suche nach der Klage als wissenschaftliches Unternehmen[15].

Am Anfang steht also das Unbehagen und die Neugierde, die die Vermutung auslösen, daß das Klagegebet tatsächlich in der Spiritualität der Kirche ein verdrängtes Phänomen zu sein scheint. Ein Blick in liturgische Bücher, in Gesangbücher wie aber auch in einen großen Teil zeitgenössischer Meditationsliteratur bestätigt diese Vermutung: Der elementare menschliche Sprechakt der Klage und Anklage kommt weder auf weiten Strecken spririitueller Vorlagen noch im approbierten liturgischen Bereich christlicher Gebetstexte vor. Er scheint schon lange aus der christlichen Gebetswelt abgedrängt worden zu sein und läßt sich heute allenfalls in der Volksfrömmigkeit der Wallfahrtsorte[16], besonders in der marianischen Verehrung, aber auch in depravierter und „kriminalisierter" Form im Fluch wiederfinden.

Dies ist meines Erachtens eine anthropologisch wie theologisch gesehen äußerst problematische Situation, der wir den Grundimpuls und das Postulat gegenüberstellen wollen: Kirchlich-christliche Spiritualität muß sich auf die Klage als legitime Gebetsform besinnen, damit sie
1. *den Menschen* in einem entscheidenden existentiellen Kommunikationsbedürfnis, wie es der Sprechakt der Klage zum Ausdruck bringt, zutiefst *ernst nimmt* und ihn in der Extremsituation der Not und des Leides spirituelle Versprachlichungsmöglichkeit schenkt, dergestalt daß sich der Beter in eine Kommunikationssituation hineinbegeben kann, die — wie eine

---

15 Zur Freiheit des praktischen Theologen „zwischen Reflexion und Entscheidung" vgl. Mette Art. 1978, 40-93; Fuchs Art. 1981, 136-140; von methodischer Seite her vgl. Richter 1971, 31/189; vgl. auch Schunack Art. 1973, 299 f.
16 Auf Wallfahrten beispielsweise wird noch geweint, geklagt und gelobt. Herzinnige Gebete begegnen hier, die auf entsprechenden Andachtsbildern, abgezogenen Gebetszetteln und in kleinen Schriften gerne entgegengenommen und sorgfältig für das alltägliche Beten aufgehoben werden. Dadurch freilich, daß Maria zum Adressaten des Schmerzes wird, verliert die Klage ihren aggressiven Kern, nämlich die Anklage. Denn Maria ist in keinem Fall verantwortlich für das Leid. Sie wird als die angesehen, die hilft und helfen kann und will. Die entsprechenden Gebetstexte erscheinen deswegen auch oft weichlich. Das Element des Fragens, des Kämpferischen und der Auseinandersetzung fehlt. Die inständige Bitte herrscht vor. Es scheint das Beten der Unterdrückten zu sein. Gott selbst als der Fremde und Geheimnisvolle, dessen Wille unergründlich, nicht einsehbar ist, bleibt unausund unangesprochen. Die Auseinandersetzung also mit dem „Vater", das damit verbundene freie Partnerwerden zu Gott, findet nicht statt. Die Klage verliert ihren *maskulinen* Charakter. (Der Begriff des Maskulinen bezieht sich hier auf den Charakter der Klage selbst, nicht auf ihr Subjekt. Natürlich gibt es eine ernsthafte, bittere und vorwurfsvolle Klage sowohl bei Frauen wie auch bei Männern.) Dabei ist eine unterschwellige Tabuisierung zu verspüren: Zu Gott klagen, das darf man nicht, das ist ja nicht erlaubt! Das könnte nicht gut gehen, das könnte Sünde sein. Das sieht zu sehr nach Zweifel an ihm aus. Man muß das eben von ihm hinnehmen wie der — als solcher völlig falsch verstandene — „Dulder Job".

Ellipse – zwei kommunikative Kerne aufweist: einmal die im Sprechakt der Klage aufgenommene Ich-Du-Beziehung zu Gott als dem hörenden Adressaten, zum anderen die Ich-Ihr-(Beter und Gemeinde) und Wir-Du-(Gemeinde und Gott)-Beziehung des Beters im Kontext einer solidarischen Gemeinschaft, die seine Klage hört und mitträgt.

2. den Christen dazu ermutigt, sich in seinem menschlichen Bedürfnis nach der Aussprache der Klage hineinzubegeben in eine Begegnung mit Gott, die *Gott* tatsächlich zutiefst *ernst nimmt* als Partner des gesamten Lebens mit seinen Höhen und Tiefen, mit den extremen Erfahrungsmöglichkeiten eines Lebens, dergestalt daß Gott vom Menschen auch aus der Situation der Not heraus als ernsthafter und unverfügbarer Partner in eine Auseinandersetzung hinein angesprochen wird, der erst mühsam wieder abzuringen ist, wer denn nun, in veränderter Situation und Zukunft, Gott für das eigene Leben ist und sein wird[17].

Ein Gott, der das Leiden zuläßt, obwohl er von sich behauptet, ein Gott des Heils zu sein, ist nicht nur ein theoretisches Problem der Theologie. Dieser Widerspruch kann jederzeit im Leben des Menschen als existentielle und aktuelle Erschütterung von Vertrauen und Hoffnung aufbrechen. Die Situationsmöglichkeiten dafür sind vielfältig. Daß der Beter eine solche Krise in ein Konfliktgespräch vor Gott tragen kann, zeigt, daß der „sprechende Glaube"[18] vor diesem Problem nicht scheitern muß. Wir wollen uns bemühen, uns von diesem Vorgang einen Begriff zu machen, also auf dem Boden biblischer Überlieferung einen Begriff biblischer Klage zu entwickeln, der in der Lage ist, menschliche Leiderfahrung als für den jüdischen und christlichen Glauben relevant und nicht zerstörend zu behaupten. Es soll aufzuzeigen versucht werden, ob und daß es für diese Basisthese für gegenseitiges Ernstnehmen von Mensch und Gott im Sprechakt der Klage eine biblische Grundlage gibt, die wieder ausgegraben und für das spirituelle, pastorale und liturgische Handeln fruchtbar gemacht werden kann.

Methodisches Ziel der Arbeit ist ein an der linguistischen Texttheorie orientiertes Transferverfahren, das über das Medium von Texten geschichtliche Räume so durchläuft, daß Kerninhalte von als normativ angesehenen vertexteten „kommunikativen Handlungsspielen"[19] durch die Zeiten hin-

---

17 Dies entspricht auch einer offenen zwischenmenschlichen Begegnung zwischen Partnern, die im Moment nicht einer Meinung sein können: „Eine offene Äußerung in einer strittigen Sache ist eine Notwendigkeit in einem ehrlichen Gespräch, ist eine Notwendigkeit in einem Gespräch zwischen Gesprächspartnern, die sich gegenseitig achten und ernst nehmen." So formuliert Mosis Art. 1978, 55 im Bezug auf das, was zwischen Juden und Christen strittig ist und bleibt.

18 So lautet der begegnungsorientierte Titel eines Büchleins von Pesch über das Gebet (1970).

19 Zum Begriff „kommunikatives Handlungsspiel" vgl. Schmidt 1973, 43-88; (Er meint das „komplexe sprachlich-kommunikative Sprechvorkommen in einer Kom-

durch auf die Gegenwart gerettet werden, dergestalt daß sie heutige lebendig-aktuelle Begegnungsfelder kritisch berühren und innovatorisch beeinflussen können[20]. Es gilt, den Begegnungsprozeß von aktuell lebenden Gläubigen mit den Texten biblischer Überlieferung transparent zu machen, indem das damit verbundene Relevant-Werden der Texte mit Hilfe einer Methode vollzogen wird, die wenigstens einige wichtige Operationen des Transfers offenlegt und nachprüfbar macht. Die Erfahrung mit Texten soll so der Willkür entzogen und einigen objektivierenden Kriterien als die intuitive Rezeption flankierenden Größen zugänglich gemacht werden[21]. So gelangt die biblische Tradition tatsächlich zu ihrer kritischen und korrigierenden Relevanz für die Glaubensrezeption und -verwirklichung einzelner, der Gemeinden und der Kirche. Voraussetzung dafür ist der Konsens, daß die Texte der Bibel für christliches Leben als konstitutiv angesehen werden[22]. Diese Qualität muß nicht immer im dogmatischen Sinn des Wortes systematisch-argumentativ entfaltet werden, zumal solche Entfaltung im Bezug auf viele Bibeltexte darauf angewiesen ist, narrative Strukturen in argumentative zu überführen, um dann von solchen Behauptungskonzentrationen und Grundsätzen her wieder auf die gegenwärtig-reale menschliche Wirklichkeit zu kommen, wobei wieder eine Übersetzung in narrative Struktur nötig wird, weil menschliche Wirklichkeit immer in der Kategorie von Kommunikation und Geschichte erfolgt. Auf homiletischem Gebiet wird der deduktive Charakter dieses Weges deutlich, wenn der Prediger eine Geschichte „sucht", um mit ihr einen allgemein theologischen Satz zu bebildern. Die konstitutive Dimension eines Bibeltextes kann demgegenüber auch dadurch ernstgenommen werden, daß die in ihm liegende Kommunikationsstruktur *als solche* durch angemessene textlinguistische

---

munikationssituation" (a.a.O., 13))); fruchtbar gearbeitet wurde damit im Bereich der Dramaturgie von Zobel 1975; innerhalb der alttestamentlichen Exegese hat ihn Hardmeier 1978 aufgenommen (72-106), zum Begriff des Textes als Drama vgl. auch Fuchs 1978 a, 75-121, besonders 78.

20 Vgl. Schunack Art. 1973, 300: „So ist der konkrete geschichtliche Mensch sich . . . durch den Text entzogen, weil er sich im Text finden kann als der neue Mensch, an dem sich Gott selbst ausgelegt hat." Zum *Prozeß* dieser theologischen Option vgl. den an einer „dialektischen Hermeneutik" orientierten Interaktionsverlauf zwischen Text und Rezipient bei Wink 1976, 20 ff./28 ff.: Zur Verhinderung einer vorschnellen Einvernahme des Textes durch den Leser hat eine Distanzierungsphase zu erfolgen: „Sie stellt . . . ein dialektisches Moment notwendiger Entfremdung auf dem Weg zu Freiheit und Wahrheit dar." (a.a.O. 22). Solcher Abstand wird durch objektivierende Methoden provoziert und garantiert. Nach der Distanzerfahrung erst kann die Integrationsphase sich qualifiziertermaßen ereignen; sie entsteht mit der Betroffenheit des Lesers durch den Text als einem „Sich-in-ihm-Gemeint-Finden" und ermöglicht *so* eine *neue* Selbst-Auslegung des Rezipienten (s. u. 5.1.2).

21 Vgl. dazu Fuchs 1978 b, 120/173 Anm. 21.

22 Zum Begriff des „Konstitutiven " im Bezug auf biblische Texte vgl. Schunack Art. 1973, 299.

Analysemethoden offengelegt wird. Der in einem Text durchgespielte kommunikative Erfahrungsprozeß ist zwar in seiner Textsorte als Erzähltes singulär, hat aber durch seinen Ort im Kanon generelle, konstitutive und exemplarische Bedeutung für christliche Praxis. Als biblisch vertextetes Kommunikationsmodell hat er modellhaften Charakter der Mustergültigkeit[23]. Solcher Transferversuch enthält keinen Anspruch auf Ausschließlichkeit, vielmehr bleiben alle anderen Übertragungswege zur gegenseitigen Korrektur wichtig: Systematisch-argumentatives, historisch-exegetisches und struktural-texttheoretisches Vorgehen benötigen sich gegenseitig, wenngleich alle drei Wege aufgrund der unterschiedlichen Methoden zunächst getrennt voneinander zu begehen sind.

Das an den für Christ und Kirche konstitutiven Texten in ihrer gesamten synchronen textlichen Ausdrucksform interessierte Verfahren strukturaler Analyse (im Gegensatz zum systematischen Interesse, *über* den Text zu reden und ihn in argumentative Bezüge einzuspannen; im Gegensatz auch zum historisch-kritischen Interesse an der Entstehungs- und Bedeutungsgeschichte eines Textes mit Hilfe der Form- und Traditionskritik) muß dann (relativ) *panchronen* Charakter haben: Die inhaltliche Dimension des Konstitutiven, die den zeitlich singulären und geschichtlich-diachron kontingenten Texten innewohnt, muß herausgefiltert und auf eine synchrone Bedeutungs- und Beziehungsebene projiziert werden, so daß „überzeitlich" (für jede mögliche geschichtliche Zeit, also auch für heute) die generelle Qualität der Texte inhaltlich zur Entfaltung kommt. *Der* methodische Weg ist dann zu suchen, der der kontingenten Zeitgebundenheit normativer Texte die generellen konstitutiven Substrate entzieht und der gegenwärtigen geschichtlichen Situation als Konstitutivum für ihre eigene kontingente Vertextung bzw. Verwirklichung zuführt. Denn der Text kann in seiner Oberflächengestalt mit seinen von der jeweiligen geschichtlichen Situation her abhängigen variablen Ausdrucksformen nicht für alle Zeiten konstitutiv sein. Dies kann nur für seine semantische Tiefenstruktur als Repräsentanz der inhaltlichen Invariablen behauptet werden, in der die sequentiellen Aktionen des Textes auf das zugrundeliegende Kommunikationsmodell (z. B. zwischen Gott und Mensch) gebracht bzw. auf das invariante strukturelle Verhaltensmuster, das die einzelnen Aktionen generiert, konzentriert werden. „Die Exegese wird hier Anlaß zu einer Kritik von Struktur- und Verhaltensmustern einer anderen Zeit."[24]

Solche unmittelbar durch strukturale Textanalyse durchgeführte hermeneutische Arbeit wäre in ihrem Stellenwert überschätzt und gefährlich miß-

---

23 Zum Begriff „Modell" vgl. Fuchs 1978 a, 23, bes. Anm. 1 und 2; Ferré Art. 1972; Rossi-Landi 1973, 109-112.
24 Richter 1971, 187, vgl. auch 189.

verstanden, wollte man damit eine Objektivierung von zeitlosen Offenbarungsaussagen erreicht haben. Die Offenbarung ist nicht in der Kategorie der Zeitlosigkeit zu haben: ohne Geschichte ist sie ortlos. Vielmehr soll gerade beides mit Hilfe dieser Methode gerettet werden: nämlich die *geschichtliche* Energie *konstitutiver* Offenbarungserfahrungen für gegenwärtige bzw. künftige Zeiten. Die invarianten Strukturen besitzen kein Sein an sich, sondern werden immer nur wesentlich in Verbindung mit den entsprechenden geschichtlichen Aktualisierungen. Die Tiefenstruktur biblischer Texte hat keine ontologisch-metaphysische Qualität, sondern nur eine hermeneutisch-methodische. Dasselbe gilt für andere methodische Wege mit anderen inhaltlichen Implikaten und Aspekten, die zugleich ihre Begrenzungen ausmachen[25], sofern sie sich intersubjektiver Kommunizier- und Kritisierbarkeit aussetzen. Das dispensiert freilich nicht davon, sondern drängt vielmehr um der Transsubjektivität methodischer Arbeit willen dazu, das zur Anwendung kommende methodische Vorgehen möglichst konzis und geschlossen sowie in den Grenzen seines Geltungsbereiches zu beschreiben und zu definieren. „Weder wissenschaftliche Nachprüfbarkeit noch wissenschaftliche Kommunikation ist ohne eine methodische Reflexion möglich."[26] Inhaltliche Vorgegebenheiten durch Intuition oder Ideologie dagegen schließen hermeneutisch kurz, sind in ihrem Gewordensein nicht durchschaubar und sperren sich so einer deutlichen Beschreibung ihrer Voraussetzungen, Konsequenzen und Bezugssysteme. Solche allzu spontanen bzw. vorurteilsabhängigen Identifizierungen und Einträge gilt es durch eine durchschaubare Methodenprozedur zu neutralisieren[27].

Transsubjektivität hat die angewandte Methode deswegen, weil sie bei der quantitativen verbalen Form eines Textes ansetzt und seine Bedeutungsträger aus der Perspektive eines an einem formalen Kommunikationsmodell orientierten Strukturmusters klassifiziert und dann auf wenige entscheidende Invarianten reduziert, die schließlich in ein entsprechendes Verhaltensmodell investiert werden. Der empirische Ansatz besteht also darin, daß auf quantitativem methodischem Weg „invariante Strukturen" erhoben werden, deren inhaltliche Konzentration nicht mehr weiter reduzierbar ist. Richters Postulate kommen so zur Geltung: „Der formale Ansatz ermöglicht die Ausschaltung von herangetragenen Voraussetzungen; ... Die Form stellt das Bezugssystem des Inhalts dar, zeigt also die Grenzen, auf die sich die Aussage des Textes beschränkt."[28] Das Ergebnis be-

---

25 Zur Diskussion inhaltlicher Implikate der Analysemethode s. u. 1.3.2; vgl. auch Fuchs 1978 a, 93-96.
26 Richter 1971, 1.
27 Vgl. Richter 1971, 28, auch 176.
28 Richter 1971, 177. Zum Begriff des Verhaltensmodells und zu dessen methodischem Einsatz im Bezug auf biblische Texte vgl. besonders Dormeyer 1979, 90-112: Allerdings entwirft Dormeyer nicht einen an den Texten orientierten methodischen Weg, um relativ objektiv zu für die Gegenwart konstitutiven Aussagen zu kommen. Zum Begriff der „invarianten Struktur" vgl. Schunack Art. 1973, 312. – Natürlich geht in die hier vorgeschlagene Analysemethode an einer neuralgi-

steht in der Entdeckung einer „Grammatik", die dem Text als empirisch erfaßbares, konzentriertes Beziehungsgefüge innewohnt, und für die Produktion ähnlicher Texte mit anderen Varianten tauglich ist bzw. andere Texte auf ihre „grammatische Stimmigkeit" abtasten kann. Ebelings Wort wird damit methodisch ernst genommen: „Das primäre Verstehensphänomen ist nicht das Verstehen *von* Sprache, sondern das Verstehen *durch* Sprache."[29] Stock nennt in ähnlichem Zusammehang „die strukturelle Entsprechung der ‚Welten‘, der semantischen Mikro-Universen, die den Texten als Modelle eingelagert sind" und als solche die „Relevanz der Texte" für reale Welten ausmachen[30].

Durch die Reduktionsarbeit von vielen Varianten auf einige wenige Invarianten gelangen wir freilich auf ein inhaltliches Abstraktionsniveau, das für sich bedenklich wäre, wäre es nicht auf diesem Wege der Analyse gewonnen. Damit ist sichergestellt, daß das Ergebnis „nicht nur im Kopf des Forschers existiert und beliebig in die Texte eingetragen und dann wieder aus ihnen herausgeholt wird."[31] Vielmehr wird bei den infragestehenden Texten der konstante Interaktionskern ihres Verhaltensmusters und ihres kommunikativen Dramas (im Fall der Klage zwischen Mensch und Gott) erarbeitet. Darin erfolgt der methodische Versuch, den konstitutiven Gehalt eines Textes zu rekonstruieren und als Konstrukt neuen kreativen Realisationen zugrundezulegen.

Es ist einsichtig, daß die praktische Theologie, versteht sie sich als Handlungs- und Erfahrungswissenschaft, gerade an einer solchen methodischen Arbeit interessiert sein muß, die Texte als Kommunikationsmuster betrachtet und analysiert. Mehr als argumentativ-systematisch-theologische Aussagen, die im Grunde nur deduktiv der Praxis zugeführt werden können[32],

schen Stelle die Intuition des Analysanten ein: bei der Bestimmung der Repräsentanzwörter! Doch kann diese Bestimmung ja jederzeit an den dahinterliegenden semantischen Werten, wie sie in ihrer Quantität in den Strukturlisten vorkommen, nachgeprüft werden, vgl. Fuchs 1978 a, 118-121/363, bes. Anm. 4.

29 Ebeling 3/1967, 333: vgl. Schunack Art. 1973, 315 f.

30 Stock Art. 1974, 384.

31 Richter 1971, 155, vgl. auch 154 und 76/77. Das begriffliche Denken ist die Fähigkeit, das Konkrete als Fall zu betrachten. Begriffe eröffnen und stellen die Praxis in eine Perspektive. Damit ist die Abstraktion kein Gegensatz zum, sondern Voraussetzung für das Erfassen der Konkretheit der Dinge. Die Fähigkeit zur Abstraktion macht den Menschen frei von einer fixierten Eingebundenheit in die konkrete Situation.

32 Zur Problematik deduktionistischen Vorgehens in der praktischen Theologie vgl. Fuchs Art. 1981, 138/9, auch 136/7, Mette Art. 1978, 41. Ein gutes Beispiel für diese Vermittlungsstruktur von normativen Inhalten mit Hilfe erzählter bzw. realisierter Interaktionen (so ist jeder Psalm ein Realisat der Kommunikation zwischen Mensch und Gott) ist dagegen Jesu Gleichnisrede. Arens bemerkt dazu im Zusammenhang einer „pragmatischen Gleichnistheorie": „Die von einer Reihe von Gleichnissen thematisierte ‚Kommunikationsstruktur‘ wird als deren ‚Inhalt‘ dadurch vermittelt, daß diese Vermittlung in einer die Struktur genau realisieren-

sind am Interaktionsmodell orientierte analytische Methoden bezüglich ihrer Aussagestruktur dem Erkenntnisfeld der praktischen Theologie, der es um den jeweils besseren Handlungsvollzug von Gläubigen in ihrem jeweiligen Kommunikationskontext geht, in einer Art „induktiver Analogie" kongenial. Nicht mehr deduktive Ableitungsoperationen brauchen dann bemüht zu werden; es geht vielmehr um eine hermeneutisch-explikative Vergleichsarbeit zwischen biblisch vertexteter und gegenwärtig vertexteter bzw. gelebter christlicher Kommunikation zwischen Mensch und Gott bzw. den Menschen untereinander und im gleichen Zug um eine generative „Produktion" von an der Tiefengrammatik biblischer Texte orientierter neuer kommunikativer Realität[33]. Was strukturale Textanalyse und gegenwärtige christlich-kirchliche Wirklichkeitsbeschreibung als gemeinsamer „Nenner" verbindet, ist die Tatsache, daß sich beide in der Kategorie von Kommunikations- und Verhaltensmodellen bewegen. Gerade darin besteht die Bedingung der Möglichkeit, daß sie sich kritisch berühren. Innertextliche und außertextliche „Welten" werden durch die ihrer Wirklichkeitsstruktur entsprechende Analysemethode aufeinander zu bezogen. Demnach plädieren wir mit der hier vorgelegten Arbeit für eine verstärkte *methodische Zusammenarbeit von bibel-theologischer und praktisch-theologischer Disziplin*, insofern sie ein solches methodisches Aufeinanderbezogensein akzeptieren. Damit wird *ein* möglicher Weg methodisch reflektierten Transfers von konstitutiver Offenbarungsbotschaft zur gegenwärtigen geschichtlichen Situation eröffnet und künftighin begehbar.

Die strukturalsemantische Methode, die hier zum Einsatz kommt, wurde bereits innerhalb des praktisch-theologischen Forschungsbereiches entwickelt, und zwar mit dem Ziel, auf homiletischem Gebiet die Schriftgemäßheit einer Predigt hinsichtlich der ihr zugrundeliegenden Schriftstelle durch entsprechende textorientierte Analyseoperationen im Bereich

---

den ‚Form' geschieht: in mit-teilender Mitteilung dieser Kommunikationsstruktur, auf daß sie von den Opponenten geteilt werde. Darin liegt die spezifische Doppelstruktur der Gleichnisrede Jesu: Propositionaler Gehalt und illokutiver Akt sind derart aufeinander bezogen, daß das, worüber etwas ausgesagt wird, aufs engste verwoben ist mit dem, wozu dieses geschieht." (Art. 1981, 65). Vgl. auch Breuss 1979, besonders 7-15; 81-119: „Eine biblische Bedeutungslehre (Semantik) enthält implizit eine Handlungslehre (biblische Pragmatik)." (a.a.O., 10).

33 Zur Hermeneutik über *strukturanaloge Modelle* in der Homiletik vgl. Otto 1981, 15-17; Fuchs Art. 1981, 131-137. Enscheidend ist natürlich, zur Tiefenstruktur auch die entsprechenden *Transformationsregeln* zu formulieren, die gewährleisten, daß auch tatsächlich an der Textoberfläche etwa eines heutigen Klagegebetes eben diese konstitutive Basisstruktur realisiert wird. (Vgl. Gutknecht/Panther 1973, 47-76: zum Begriff der Transformationsregeln im Konzept der „generativen Transformationsgrammatik" von N. Chomsky; vgl. auch 127-160. Dies näher zu bestimmen, wird die Aufgabe der künftigen dritten Veröffentlichung sein (entspricht Teil V, s. o. 1.1). Zum Begriff sowie zur Geschichte des „Generativen" in der Linguistik vgl. a.a.O., 77-126.

empirisch nachprüfbarer Grundlagen zu qualifizieren[34]. Das gleiche text-empirische Vorgehen an einem durch ein bestimmtes Thema selektierten Textmaterial wird auch hier (mit einigen Modifizierungen s. u. 3.22) fort-gesetzt, allerdings in einem veränderten Zusammenhang eines neuen Er-kenntnisinteresses (also nicht nur im Bezug auf thematisch unterschiedliche Texte: dort war es die Textsorte persuasiver homiletischer Rede, hier ist es die Textsorte des Gebetes). Die Fortentwicklung der damaligen Ansätze wird darin sichtbar, daß dort die Methode *retrospektiv-statisch* (als nach-träglich qualifizierender Vergleich eines Verkündigungstextes mit dem normativen Schrifttext) verwendet wurde, während sie jetzt *prospektiv-dynamisch* zur Geltung kommt: als Weg zum generativen „Zellkern" eines inhaltlich konstitutiven Textes, um mit dessen Hilfe neue Texte und damit sprachliche Interaktionen (hier: Klagekommunikationen mit Gott) in heu-tiger Situation zu realisieren bzw. deren Verwirklichung zu provozieren. Zudem wird die Methode generell in eine *Konzeption praktisch-theologi-scher Forschung* integriert, als hier – über die interaktionelle Auslegung – ein nunmehr begehbarer Transferweg von konstitutiven biblischen Texten zu an diesen ausgewiesenem innovatorischem christlichen Handeln gewie-sen wird.

Es tut der praktischen Theologie in ihrem gegenwärtigen Forschungsstand gut, im Hinblick auf die in ihr praktizierte methodische Vielfältigkeit et-was zur Ruhe zu kommen, indem sie bereits gewonnene methodische Ansätze weiterverfolgt und in ihrer Relevanz wie in ihrem Geltungsbereich innerhalb der praktisch-theologischen Forschung ausschreitet. Die histo-risch-kritische Exegese beispielsweise hat sich durch eine jahrzehntelange Konstanz in ihrem methodischen Vorgehen das Ansehen wissenschaftlich gediegener Qualität verschafft. Daß sie im Grunde nur eine Methode zur Erforschung ihres Gegenstandsbereiches zugunsten immer wieder neuer Fragestellungen kultiviert hat, ist ihr weniger als wissenschafts-theoretisch erhebbarer Mangel an Methoden denn als methodisch konsequenter und kontinuierlicher Forschungsweg anzurechnen[35]. Der Gefahr, durch ähn-liche methodische Konzentrationen in Kürze in einen Methodenmonismus zu geraten, ist die praktische Theologie im Moment kaum ausgesetzt. Ihr Forschungsbereich ruft so mannigfaltige methodische Zugänge ab, wie sie die unterschiedlichen wissenschaftlichen Disziplinen in ihren Forschungs-projekten entwickelt haben. Eher besteht schon die Gefahr für die Zukunft der praktischen Theologie, daß sie sich in allzuvielen methodischen Ansät-

---

34 Vgl. Fuchs 1978 a, s. u. 1.3.2; zur Anwendung der Methode im Bereich der Be-nennung tiefenpsychologischer Dominanzen in Texten sowie ihrer homiletisch-hermeneutischen Bedeutung vgl. Fuchs 1978 b: Auch diese Weiterführung zeigt den größeren Zusammenhang in der Fortentwicklung des in 1978 a begonnenen Forschungsansatzes auf.
35 Zur Kritik eines stellenweise sich breit machenden Methodenmonismus innerhalb der exegetischen Wissenschaft vgl. Güttgemanns 2/1971, besonders 254-261; Wink 1976; Fuchs Art. 1981, 135, auch Anm. 43.

zen verliert, ohne sich noch genügend Zeit zu gönnen, einige Ansätze methodisch konsequent weiterzuverfolgen und in ihrem Gültigkeitsbereich (sowohl in methodischer wie auch in inhaltlicher Hinsicht) abzustecken. Erst so befindet sich die praktische Theologie auf dem Weg zu einer theologisch wissenschaftstheoretischen Penetration und Integration einiger entscheidender methodischer Forschungskonzepte[36].

Zusammenfassend geht es in der vorliegenden Arbeit demnach um ein *doppeltes Erkenntnisinteresse*: einmal um das *inhaltliche Anliegen*, das Gebet der Klage für die spirituelle Praxis gegenwärtigen christlichen Lebens zu rehabilitieren, zum anderen um die methodische Frage, wie denn die für ein mögliches Klagegebet konstitutiven biblischen Texte in transsubjektiver Weise eine gegenwärtige Aktualisierung der Klagespiritualität qualifizieren können. Der im Zuge der letzteren Fragestellung aufgefundene methodische Weg übersteigt den Anwendungsbereich des hier gewählten Themas und hat generellen Charakter für die praktisch-theologische Forschung, sofern es ihr um Themen geht, deren normative Qualität über biblische Texte mit der Gegenwart vermittelt werden kann[37].

Kommen wir nun zur genauen Begründung der Auswahl des biblischen Textes (1.3.1) wie zur genaueren Beschreibung des methodischen Vorgehens (1.3.2). Im Anschluß daran wird noch einmal die praktisch-theologische Relevanz der Methode im Zusammenhang mit dem Thema präziser zu erörtern sein (1.3.3).

---

36 Vgl. Stock Art. 1974, 385; vgl. auch Fuchs 1978 a, 19-21 (Literatur in den Anmerkungen!). Die Tatsache, daß in dieser Arbeit die gleiche Methode angewendet wird wie in den ersten beiden Arbeiten des Verfassers (1978 a und b), verhilft also ein Stück zur methodischen Konzentration. Die Entwicklung, gezielte Anwendung und Exemplifizierung einer Methode, wie dies besonders bei textorientierten Forschungsvorhaben möglich ist, bringt eine gewisse Kontinuität und Konstanz in die praktisch-theologische Forschung.

37 Die systematisch-theologischen Implikationen des hier vertretenen Analysevorgehens (mit seinen inhaltlichen Implikaten) können hier nicht erörtert werden; es sei nur kurz hingewiesen auf die Korrespondenzen zu Peukerts elementaren Strukturen zwischenmenschlichen Verhaltens durch die Rekonstruktion des normativen Kerns kommunikativen Handelns, wobei auf eine Ebene zurückgegangen wird, wo Faktisches und Normatives untrennbar verbunden sind (vgl. Peukert Art. 1977, 59). Die normativen Implikationen zwischenmenschlicher Interaktion („gegenseitige freie und gleichberechtigte Anerkennung der Interaktionspartner", a.a.O. 62) haben als die Grundlagen einer kommunikativen Ethik zu gelten. Im folgenden wird ein methodischer Weg versucht, einen ähnlichen normativen Kern aus den überbrachten Interaktionen biblischer Texte, die ebenfalls eine, wenn auch „nur" vertextete Faktizität besitzen, herauszuschälen und für gegenwärtige Kommunikationen (in diesem Fall für die Kommunikation der Klage zwischen Mensch und Gott) geltend zu machen; vgl. a.a.O. 63; Peukert 1976, 283-324.

1.3 Die Methode

1.3.1 Zur Auswahl des Ps 22

Auf der Suche nach biblischen Orten unter dem Stichwort „Klage" läßt ein Blick in die gegenwärtige Lexikonliteratur folgende Hinweise aufkommen: Klagelied (als Not- bzw. Totenklage), Klagelieder des Jeremias, auch Verweise auf die Gattung der Klagepsalmen und entsprechende Texte bei den Propheten und bei Hiob[38]. Dadurch ist bereits das Problem markiert: Daß es die Klage in Texten des Alten Testamentes gibt, ist zweifelsfrei. Sie begegnet freilich nicht nur in unterschiedlichen Büchern und Textsorten (poetische und prosaische Texte), sondern sie differiert auch in ihrer Herkunftszeit (unterschiedliche geschichtliche und lokale Orte ihrer Entstehung sowie ihrer Redaktionen) und in ihrer Funktion, die sie in der Rezeption (in der Wirkungsgeschichte) einnimmt.

Nun gilt Richters Postulat: „Die Wahl der Fragestellung bestimmt das Vorgehen. Sie bestimmt zunächst die Wahl der in Frage kommmenden Texte."[39] Von unserem *Erkenntnisinteresse* her, dem verfügbaren Textmaterial die Strukturen und Prozesse alttestamentlichen Klagens abzulauschen, was für das gegenwärtige, an der biblischen Botschaft orientierte Klagegebet eine Bereicherung und Ermutigung bedeuten könnte, stellt sich nun die folgende Frage: Wo und wie lassen sich Strukturen und Elemente alttestamentlicher Klage so finden, daß weder die Übersichtlichkeit noch die Gründlichkeit unseres Vorhabens zu kurz kommen. Denn zum einen darf kein wichtiges Strukturelement alttestamentlicher Klage einfach übersehen werden, zum anderen würde eine zu detaillierte Untersuchung aller in Betracht kommenden Texte eine zu große Anzahl von Beispielen und verästelten Kriterien der Klage aufbringen, mit denen man nicht mehr „operieren", also gegenwärtige Realität und Möglichkeit aufdecken kann. Eine solche enumerative Auflistung von Klagebeispielen und ihrer Strukturelemente müßte ohnehin wieder auf überschaubare Kernaussagen reduziert werden, die für einen Vergleich mit heutigen ähnlichen Prozessen und Möglichkeiten des Klagens handhabbar sind.

Sicher wäre dieser methodische Zugang nicht falsch, weil er sämtliche einschlägigen Textmaterialien bearbeitete und sie als Varianten behandelte, die auf eine gemeinsame Grundstruktur reduziert werden können. Doch ist

---

38 Vgl. Deissler Art. 2/1961, 312-313, Kraus Art. 3/1959, 1627-1629.
39 Richter 1971, 189, auch 199; vgl. 31: „Die Ordnung des Materials ist also nur mit Hilfe theoretischer Reflexion möglich, die sich als Entscheidungsprozeß über die Abgrenzung des Materials darstellt. Das verlangt Prüfung der Gesichtspunkte, unter denen der Enscheidungsprozeß geführt wird; sie müssen den Daten und den sie beschreibenden Regeln entsprechen und an ihnen kontrolliert werden."

bei diesem summarischen Weg der Preis zu hoch (abgesehen einmal davon, daß ein solches Vorhaben – will es mit wachsender Fülle nicht auch zunehmenden dilettantischen Umgang in der Methode provozieren – den Rahmen vom Material her sprengt): Einmal muß bei einem so umfangreichen Textkorpus auf jegliche semantische Feinanalyse verzichtet werden, zum anderen könnte damit die Frage nach der Gattung und nach dem Sitz im Leben eines Textes sowie seiner Rezeptionsgeschichte nicht mehr intensiv genug gestellt werden. Wie wichtig aber gerade diese Aspekte sind, wird sich später noch herausstellen (s. u. 1.3.3 und 5). Schließlich fällt die Möglichkeit weg, textnah die textinternen semantischen und eng damit verbunden die entsprechenden realen und potentiellen textpragmatischen Strukturen eines Textes zu analysieren. Schwerlich wäre dann Richters Hinweis zu befolgen: „Die Fragestellungen müssen innerhalb des Rahmens bleiben, den die formale Analyse errichtet hat."[40] Wo allzu fülliges Textmaterial eine textnahe Analyse verhindert, besteht die Gefahr inhaltlicher und formaler Vorgaben durch die Vermutungen und das Vorverständnis des Analysanten, die er nur zu leicht in den Texten bestätigt findet. Je größer das Textmaterial, desto größer ist auch die Versuchung, es formgerecht zu kneten, wenn nicht dafür speziell für so großes Material entwickelte gründliche Analysemethoden angewendet werden[41].

Hier soll deshalb ein anderer Weg gewählt werden: Im Gegensatz zum summarisch-deduktiven Vorgehen legt sich für das erwähnte Erkenntnisinter-

---

40 Richter 1971, 189, vgl. auch 188/9: „Hier geht es nur darum, zu fragen, welche Modelle im AT selbst zu erkennen sind."

41 Hier böte sich die in der empirischen Soziologie entwickelte „Inhaltsanalyse" als Methode für größere Textkorpora an; vgl. Alberts 1972, 37 ff.; Lütcke Art. 1974, 82-96 (mit Literatur); Albrecht 1974, 44 ff.; Schmälzle 1979, 66-72. Diese Analysemethode ist – neben vielen anderen Gründen – bereits aus einem entscheidenden Grund für unser Vorhaben nicht tauglich: Es kann nicht behauptet werden, daß sie in unserem Fall eine dem Textmaterial gegenüber kongeniale Methode darstellt. Analysemethode und das zu analysierende Material müssen zueinander eine gegenseitige Korrelationsstruktur haben. Die entscheidende Korrelation der im folgenden angewendeten Analysemethode mit dem Klagetext ist die Sehnsucht bzw. die Angst des Menschen im Kontext interaktioneller Beziehungen. Genau dies ist der Ort und der Schnittpunkt, an dem gleichsam das „Herz" des Analysemodells und des Textmaterials schlägt, denn Klagegebete sind zutiefst Ausdruck menschlichen Wunsches bzw. menschlicher Befürchtung. Die Auszähloperationen der Inhaltsanalyse mit den sogenannten Items dagegen fragen nach der Quantität inhaltlicher Merkmale, während die qualitative Frage meist bereits im Vorfeld der Analyse durch die Auswahl und Formulierung der Items – mehr oder weniger reflex durch den Wunsch des Analysanten – entschieden wird. Die Enumeration der Items bringt die qualitative interaktionelle Dimension der Gewichtung von Varianten (jedenfalls für unser Textmaterial) nicht genügend ins Spiel (vgl. allein schon die Gewichtung einer Aussage dadurch, daß sie in der Anfangsphase vorkommt, mag sie auch sonst kaum mehr im Text erscheinen. Zu nennen wären hier auch die syntaktischen, rhetorischen und poetischen Qualitäten der einzelnen Inhalte. Vgl. dazu Fuchs 1978 a, 149 f., 139 f.): Von der Inhaltsanalyse wird die textinterne Kommunikationsstruktur, also das Beziehungs- und Sprechaktgefüge, wie es im Text durchgespielt wird, nicht thematisiert. Gerade dieser Kommunikationsprozeß aber entspricht der Textsorte des Gebets ebenso wie unserem Erkenntnisinteresse, sie für gegenwärtige Interaktionen neu zu entdecken.

esse der *exemplarisch-induktive Weg* nahe: An *einem* Klagetext des verfügbaren Textkorpus soll gezeigt werden, was alttestamentliche Klage ist. Der Vorteil, diesen Text gründlich sowohl in seiner textinternen Qualität (also ohne inhaltliche Vorgaben die Strukturen der Klage methodisch sauber aus ihm selbst heraus freizulegen) als auch in seiner „Sitz-im-Leben"-Geschichte ernst nehmen zu können, überwiegt meines Erachtens weit die Gefahr, ein wichtiges Element außer Acht zu lassen. Vorausgesetzt muß freilich sein, daß der Text tatsächlich mit hoher Wahrscheinlichkeit als ein Exemplar, als ein Modellfall alttestamentlicher Klage gelten kann, von dem daher als Hypothese die Vermutung aufgestellt werden kann, daß er die entscheidenden Strukturelemente alttestamentlicher Klage zum Vor-Schein bringt! Eine solche Auswahl läßt sich durch folgende Überlegungen qualifizieren und konzentrieren:

1. Der ausgewählte Text müßte ein *Primärtext der Klage* sein, der diesen Sprechakt der Klage direkt zu Wort bringt. Sekundärtexte, die „über" die Klage oder den Klagenden reden, können wegfallen, zumal sie unserem praktisch-theologischen Untersuchungsgegenstand, dem Gebet, von der Textsorte her nicht entsprechen.

2. Es müßte aber auf der anderen Seite auch wieder ein Text sein, der bis zu einem *gewissen Grad generellen Charakter* besitzt, der also bereits als reflektierter und weiterhin für den klagenden Beter verwendbarer Ausdruck der Klage zur Produktion gekommen ist.

Kontextkontingente Klagetexte aus speziellen erzählten Situationen heraus tragen zu sehr an der Schwerkraft der akuten singulären Kommunikationssituation, als daß sie auf relativ kurzer Textstrecke die mögliche Gesamtstruktur alttestamentlicher Klage zum Ausdruck bringen und damit Basistexte des Klagens sein könnten. So sind die einzelnen Klagepassagen in der Mosegeschichte, im Hiobbuch (aber auch in den Prophetenschicksalen wie etwa bei Jeremia) Klagepartikel, die über den gesamten Erzähltext verteilt sind und in der jeweiligen Erzählsituation ihren konkreten Ort haben. Erst ihre Gesamtheit im Kontext der Gesamterzählung könnte auch das im jeweiligen Buch exemplarische Ganze alttestamentlicher Klage darstellen. Die Einzeltexte jedenfalls sind nicht dazu geeignet, die Grundstruktur und -prozedur jüdischer Klage aufzufinden[42].

---

42 So können etwa Klagepassagen bei Jeremia nicht für sich als Basistext jüdischer Klage herangezogen werden, weil sie beispielsweise nur das Moment der Auflehnung und der Anklage realisieren, nicht aber auch die anderen Elemente des Klagens zum Ausdruck bringen, z. B. Vertrauen, hoffnungsvolle Bitte und Erhörungsgewißheit. Die letzteren Elemente erscheinen auch bei Jeremia, aber an anderer Stelle in einem anderen Erzählkontext. Es wäre in methodischer Hinicht problematisch, die jeweiligen Klagepassagen aus dem Erzählkontext herauszuoperieren und sie zu einem „Text" zusammenzusetzen. Der Gesamttext würde dann in seiner einheitlichen synchronen Gestalt nicht mehr ernst genommen werden; aber auch von der diachronen Untersuchungsmethode her wäre eine solche Ausfilte-

3. Es müßte ein Text sein, der aufgrund seiner Eigenschaft als *direkte Klage* sowie seines relativ *generellen* Charakters auch einen, zusätzlich zur Entstehungsgeschichte, zweiten „Sitz im Leben" in der *Verwendung als Gebetsformular* besitzt, das jeder Israelit in der Not beten kann, auch als Ermutigung, daß er so beten darf, und als Hilfe dafür, daß er nicht an einer Stelle der Klage (etwa im Klagepartikel der Gottverlassenheit) stehen bleibt, sondern die anderen Elemente jüdischer Klage (z. B. neues Vertrauen auf Erhörung) in den Blick bekommt[43].

Dies gilt um so mehr, als es uns nicht um irgendeine Ausdrucksreaktion des Leidens, sondern um dessen Verbalisierung im Sprechakt des Gebetes geht. So sind nicht die wortlosen und oft primär-spontanen Ausdrucksmöglichkeiten des Schmerzes wie das Schreien, das Weinen, das Zerreißen der Kleider[44] Gegenstand unserer Überlegungen, auch nicht die schon

---

rung zu formal und dadurch willkürlich. Sicher weisen die in den Erzähltexten eingebrachten Redetexte auf ältere Gebetsformulare zurück, als die Erzählung als solche ist, z. B. das Mirjamlied und die in den Erzähltexten vorkommenden Volksklagelieder. Als Siegeslieder, Lieder zur Erinnerungsfeier, als Hymnen hatten sie bereits eine generelle Formularfunktion, bevor die Erzählungen entstanden sind, vgl. Wendel 1931, 123 ff.; Wolff 1970, 120-121; Westermann 1977, 61-76, 150 f. Aber zum ersten ist die Klärung des jeweiligen literaturgeschichtlichen Ortes, des „Sitzes im Leben" und der entsprechenden Zeit schwierig, zum zweiten sind diesen Stellen sicher Texte vorzuziehen – wenn es sie gibt –, die bereits pointiert und ausgesprochenermaßen in der „Agende" des jüdischen Volkes als Formulare des Klagegebetes verfügbar waren und in entsprechenden Buchsammlungen zu diesem Zweck kodifiziert wurden. Das Buch der Psalmen entspricht genau dieser Textsortenbeschreibung. Vgl. dazu Westermann Art. 1975, 577: Er nennt als Klagepartikel in Erzähltexten die Klage Rebeccas (Gen 25,22), die Klage Simsons (Ri 15,18), das Gelübde Jakobs (Gen 28,20-22) und bemerkt ebenfalls, daß solche Einzelelemente erst in den Klagepsalmen „ein Ganzes" bilden, mit einer „notwendigen Reihenfolge", die dem Klagespalm einen „festen Aufbau" geben (a.a.O. 577).

43 Sicher haben Gebetsformulare, die den ganzen Klageprozeß beinhalten, auch bei den konkreten Klageerzählungen von einzelnen oder auch des Volkes hintergründig Pate gestanden, doch werden sie dort mit unterschiedlichen Dominanzen und über den ganzen Erzähltext versprengt zum Ausdruck gebracht. Aber gerade deswegen ist für uns ja wichtig, auf diesen „Paten", auf diese Grundstruktur des Klagegebets zurückzugreifen, für deren konkrete Variation die jeweilige Erzählung dann durchaus ein Beispiel sein kann.

44 Zum wortlosen Klagen im Alten Testament vgl. Severus Art. 1972, 1163-1164, 1167-1168. Die Gefahr solcher Ausdrucksmöglichkeiten des Schmerzes besteht darin, daß sie zu verdrängenden Symptomhandlungen werden können, die vor einem Aushalten der Trauer fliehen, die sie vielmehr abgeben an Klageakteure und -aktionen, die „im Auftrag" und unpersönlich die Trauer „verarbeiten" oder verwalten (so etwa in der Institution der Klageweiber, die es auch in Israel gab. Vgl. Koester Art. 1961, 313-314: „Klageweiber . . . hielten im alten Ägypten und in Israel . . . berufsmäßig gegen Lohn die Totenklage . . .", vgl. heute etwa das „reibungslose Funktionieren" der Beerdigungsinstitute). Eine Klage, die nicht ins Wort kommt und nur beim Haareausraufen oder Kleiderzerreißen stehen bleibt, versinkt entweder in Verzweiflung oder versandet in der Verdrängung. Vgl. dazu Westermann Art. 1976, 578, wo er die Klage als die dem Menschen eigentümliche

31

gebundeneren Ausdrucksweisen in der Musik, dem dramatischen Singen und Tanzen, dem Malen, überhaupt in künstlerischen Expressionen. Aber auch eine zwar verbalisierte, aber doch völlig im Spontanen, Subjektiven und Expressiven verbleibende und nicht aus diesem Zustand herauskommende Klage könnte für unser Erkenntnisinteresse kaum tauglich sein, denn ihr geht die vom eben genannten Formularcharakter geforderte objektivierende, reflexive und weiterführende Qualität einer dann notwendig auch sprachlich (poetisch und rhetorisch) recht gebundenen Klagevertextung ab.

Diese drei Qualifikationen korrespondieren mit unserem praktisch-theologischen Ziel, die Kommunikationsstrukturen und -elemente christlich-jüdischer Klage mit den Erfahrungswerten der Gegenwart anzureichern und so in der Textsorte von Gebeten weiterzuschreiben, daß letztere die einzelnen in ihrer Not dazu ermuntern, selbst mit Hilfe dieser Texte spontan auf Gott zu die Klage zu riskieren: Wer sich in den Kommunikationsprozeß solcher Gebete integriert, kann sich und seine Situation über das dabei entstehende neue Vertrauen ein Stück transzendieren. Es geht also um eine theologisch verantwortete Modellbeschreibung jüdisch-christlicher Klage als Weg zum Kennenlernen ihrer Elemente und Phasen und zu ihrer Verwirklichung. Der normative Charakter jeder als exemplarisch vertretenen Größe setzt eine relative Abstraktion voraus, der in unserem Fall nur solche Basistexte entsprechen können, die ihrerseits bis zu einem gewissen Grad theologisch reflektiert sind. Diese relative Abstraktion muß freilich relational bleiben zur Erfahrungsbreite der Menschen[45].

Wenn nämlich Beten im pastoralen wie auch im religionspädagogischen Bereich lehr- und lernbar ist, wie das „Herr, lehre uns beten!" (Lk 11,1) der Jünger nahelegt, dann wird das nicht ohne die Suche nach Lernbarem vonstatten gehen können. Voraussetzung für Lernbares ist aber, daß letzteres einen ausreichenden Grad an generellen Strukturen aufweist, die dann auch vermittelt werden können. Die Antwort Jesu auf die Frage der Jünger, nämlich der Text des Vaterunsers, ist ein solcher Basistext christlichen Betens, gleichgültig zunächst, ob man den Text als solchen nachspricht, oder dessen Motive (z. B. das Motiv des Vaterseins Gottes) durch andere Verbalisierungen zum Ausdruck bringt[46].

Sprache des Leidens charakterisiert und den Schrei als unmittelbaren Reflex des Schmerzes oder der Angst, der nicht artikuliert zu sein braucht: „Es ist ein Reflex kreatürlicher Art, der dem Menschen mit vielen Tieren gemeinsam ist."

45 Ein Klagetext nämlich, der nicht mehr in seinen allgemeinen Formulierungen auch das Konkrete aufnimmt und durchscheinen läßt, nähert sich einer Gebetssorte, die den Alltag nicht mehr kennt. Vgl. Fuchs Art. 1979 a, 854 ff.

46 So kann das Motiv Gottes als des „Vaters" durchaus – bei entsprechenden negativen Vatererfahrungen und schlecht aufzuarbeitenden Fixierungen – besser mit der entsprechenden Mutterbeziehung aufgefüllt und variiert werden, gerade mit dem Ziel, den ursprünglichen Inhalt des Vatervergleiches für einen konkreten Men-

Die mit den eben genannten drei Postulaten angelegte Auswahlschneise hinsichtlich eines repräsentativen alttestamentlichen Textes für das Klagegebet bewegt sich, nachdem nun narrative, sekundäre und situativ-partikulare Texte vernachlässigt werden können, zielstrebig auf zwei Bücher des Alten Testamentes zu: auf das Buch der Klagelieder und das der Psalmen. Letzteres besteht bekanntlich fast bis zur Hälfte aus sogenannten Klagepsalmen.

Die Klagepsalmen sind dabei den Klageliedern (Threni) aus einsichtigen Gründen als Basismaterial für alttestamentliche Klage vorzuziehen:
1. Die Klagelieder sind von der Gattung her Mischformen, die Elemente des Leichenliedes, des individuellen und des kollektiven Klageliedes aufweisen. Ihrem Inhalt und Anlaß nach sind sie Klagelieder des Volkes: Die in Jerusalem nach der Zerstörung der Stadt und des Tempels (597 bzw. 586 v. Chr.) zur gottesdienstlichen Klagefeier zusammenkommende jüdische Restgemeinde beklagt den Untergang der heiligen Stätte[47]. Dieser sehr spezifische Entstehungsanlaß und Verwendungsort dürfte auch der Grund sein, warum die Klagelieder bereits in alttestamentlicher Zeit nie zum allgemeinen Gebetsformular für die Juden geworden sind, jedenfalls nicht abstrahiert von diesem kollektiven Katastrophenereignis[48].
2. Das Buch der Klagelieder weist inhaltlich als entscheidendes Theologumenon auf, daß Gottes richterliches Handeln gerechtfertigt sei. „In der bitteren Klage erwacht dann die Erkenntnis der Schuld."[49] Israels Schuld war es, die die Vernichtung als gerechtes Gericht Gottes herbeiführte. So münden die Lieder in Doxologien ein, die Jahwe als dem Richter Recht geben. Ziel ist dabei, die Gemeinde zur Buße und Umkehr zu rufen (vgl. Klgl 3).
In doppelter Hinsicht macht dieser theologische und moralische Skopus die Klagelieder für unser Erkenntnisinteresse nicht sehr geeignet: Sie haben nämlich eine „Theodizee"-Antwort parat, die schon erklärt, warum gelit-

---

schen zu retten. Vgl. Fuchs 1978 b, 28-45; zum Verhältnis von Vermittlung und generalisierender Strukturierung vgl. ders. Art. 1979 a, 855 ff., besonders Anm. 8. Die Textsorte der Gebetsformulare steht gewissermaßen zwischen Erzähltexten und systematisch generalisierenden Texten. Einmal spiegeln sie in sich die durch sie ermöglichte Interaktion zwischen Mensch und Gott, zum anderen aber ist gerade diese Interaktion theologisch (also im generellen und normativen Horizont) reflektiert und qualifiziert.
47 Die „Ich-Form" in Kapitel 3 der Klagelieder ist wohl eine „paradigmatische Demonstration", in der ein Beter die Gemeinde entsprechend anleitet, vgl. Kraus Art. 3/1959, 1628. Während also in den Psalmen von Hause aus die individuellen Klagelieder (und zwar als echte!) in relativ großer Zahl vorkommen, ist hier der individuelle Dialogcharakter zur reinen Form des Volksklageliedes geworden! Vgl. Kraus 3/1968, 8-15, 47-49, 58-61, 90-92.
48 Dafür zeugt allein der Umstand, daß die Klagelieder in der Septuaginta dem Erzähltext des Propheten Jeremia zugeschlagen wurden und in der Masora bei den Megilloth zwischen Prediger und Ester plaziert sind; vgl. Kraus Art. 3/1959, 1627.
49 Kraus Art. 3/1959, 1628; zur Theologie der Threni vgl. Kraus 3/1968, 15-18. Vgl. zum Bekenntnis zum „gerechten Gott" Klgl 1,18; zum relativ späten Stadium der Klage in den Threni vgl. Westermann 1977, 43, 131, 159.

ten und geklagt wird. Eine solche Klage hat nicht mehr den Stachel der Anklage, der zur echten Klage gehört. Es sind vielmehr Lieder des Trauerns und des Weinens, in denen die Weinenden die Gegenwart beklagen, aber durch das Schema „Schuld-Strafe-Not-Buße-Heil?" nur sich selbst als indirekte Urheber der Katastrophe anklagen können. Gott hat dies zwar verursacht, aber er tat dies notwendig als Richter über die Schuld Jerusalems. Die Klage im strengen Sinn ist nicht mehr möglich und auch nicht erlaubt, will man nicht an Gottes Gerechtigkeit zweifeln. Entscheidendes Handlungsziel ist die Umkehr, das Nicht-mehr-schuldig-Werden, damit Gottes Heil wieder erscheinen kann[50]! Es empfiehlt sich von vorneherein nicht, Klagegebete als Textmaterial zu haben, die menschliches Leiden explizit mit Schuld in Verbindung bringen und von daher die Not „erklären" und die zu leistende Veränderung des oder der Klagenden bzw. der anderen fordern. Uns geht es vielmehr um die „reine Klage", die nicht systematisch-spekulativ zu wissen vorgibt, sondern aus der Situation heraus die Frage nach dem „Warum?" stellt, gerade dann, wenn Katastrophen eingetreten sind, die verhindern, was von Gott her — nach menschlichem Ermessen — tatsächlich gut und gewollt (gewesen) wäre, wo also nicht die Schuld ihre Folgen zeitigt, sondern das Gutsein des Menschen Leid einbringt oder wo Unschuldige zu leiden haben, so daß höchstens von der Schuld anderer zu reden ist.[51] In die Sprachform der dritten Person hineinreichende systematisierende Erklärungsversuche für das Leid im Sinne einer Rechtfertigung Gottes (Leiden gibt es weil . . .!) haben zwar sicher ihren jeweiligen Wahrheitsgehalt, doch betreiben sie auch die Gefahr, Gott mit menschlichen Rechtfertigungskategorien abzudecken und ihn so als den gerade solchen Kategorien Entzogenen nicht mehr ernstzunehmen. Die unheimliche Diastase zwischen Gott und Mensch, die aufgefüllt ist mit Geheimnis, Unverfügbarkeit und Verborgenheit, droht zu verschwinden (s. u. 6.2). Dabei ist gerade diese Diastase der Raum, in dem der Mensch dem wirklichen (nicht dem gemachten) Gott, sowohl aus der Situation der Not wie auch des Beschenktseins, begegnen kann. Hier geht es aber dann nicht mehr primär um Erklärungsmuster, sondern um lebendige Beziehung im Ich-Du-Dialog. Die Entwicklung der Klage im Alten Testament bereits hat gezeigt, daß die theologisch-argumentative Rechtfertigung Gottes durch den Menschen der Tod der Klage (als Gebet!) ist (s. u. 5.3.2)[52].

---

50 Klagetexte, die auf die systematisierende Schuld-Strafe-Erklärung des Leidens verzichten, halten aus, daß die Frage nach dem „Warum" primärer ist als die Frage nach der Schuld und daß erstere Frage auf der Ebene der dritten Person, des Redens „über", nicht beantwortet werden kann. Ebensowenig kann sie über primär werkorientiertes Verhalten (moralischer Aufruf zur Buße) als Leistung des Menschen bewältigt werden. Es wird sich später bei der Analyse des Psalms 22 herausstellen, daß allein die aufgenommene Beziehung mit Gott als dem Nahen und zugleich Verborgenen, also die Ich-Du-Begegnung, die Möglichkeit offen hält, Leid im Vertrauen zu bewältigen.

51 Doch dürfte es kaum als Erklärung oder Trost für die Opfer ausreichen, aufgrund einer mythischen universalen Gleichgewichtshypothese von Schuld und Leid ihre Situation so zu erklären, daß die Opfer stellvertretend sühnend für die Schuld ihrer Henker leiden. Das Leiden der Unschuldigen kennzeichnet die Ursituation menschlicher Klage!

52 Vgl. dazu besonders Limbeck Art. 1977, 12 bes. Anm. 24, 16; vgl. Westermann 1977, 128-131. Es wird also von diesen nur kurzen Andeutungen her gut sein, die

Mit diesen Überlegungen zur Auswahl von Klagetexten, die Modellcharakter haben könnten, sind wir bei den Psalmen angelangt und können uns darin auf die Gattung der *Klagepsalmen* konzentrieren.

Seit der von Gunkel eingeführten „formgeschichtlichen Forschungsweise" unterscheidet die alttestamentliche Wissenschaft verschiedene „Gattunggen", die sich aufgrund einer dreifachen Kriteriologie herausschälen: Psalmen gleicher Gattung haben erstens einen bestimmten Ort im Gottesdienst, zweitens ein charakteristisches inhaltliches Gemeingut und drittens eine gemeinsame Formensprache[53]. Entscheidend bis heute bleibt dabei die Frage nach der Korrelation von literarischer Gestalt, inhaltlichen Elementen und dem sogenannten (kultischen und soziokulturellen) „Sitz im Leben" der Texte. Aufgrund dieses formkritischen Erkenntnisinteresses unterscheidet man in den Psalmen zwischen Hymnen (z.B. Ps 8), Klageliedern individueller (als Klage des einzelnen, z. B. Ps 7) und allgemeiner oder kollektiver (als Klage des Volkes, z. B. Ps 60) Art sowie individuellen und kollektiven Dank- bzw. Lobliedern[54].

Schuldfrage aus der Klage herauszuhalten. Der Adressat reiner Klage ist Gott, nicht indirekt wieder der Mensch, der be- und angeklagt wird. Gott braucht keine vom Menschen konstruierte Rechtfertigung auf Kosten der Menschen: Er will nicht bevormundet, sondern als Begegnungspartner ernstgenommen werden.

53 Vgl. Gunkel/Begrich 3/1975, 22 f.; Kraus 5/1978, XXXVIII ff. Aus zwei Gründen bieten sich tatsächlich die Psalmen als Textmaterial für unser Vorhaben besonders an: einmal sind die Psalmen von einer Gattungsart gekennzeichnet, die nicht nur einen speziellen „Sitz im Leben" (im Kult bzw. in dem auf den Kult orientierten individuellen Gebet) haben, sondern die dazu einen gleichsam kontinuierlichen „Sitz im Leben" innerhalb der Spiritualität der Israeliten in Familie, Tempel und Synagoge besitzen. Denn Psalmen haben Formularcharakter und sind Gebetsformulierungen, die sich für konkrete Situationen und die entsprechenden Gebetssprechakte der Israeliten angeboten haben. Dieser „Sitz im Leben" ist mindestens genauso entscheidend für unsere Auswahl der Gattung wie der erstere (vgl. Deissler 3/1966, 15-18; vgl. die Überschrift von Ps 102: „Gebet eines Gebeugten". In dieser Überschrift zeigt sich klar der Formularcharakter des folgenden Psalmes). Zum anderen stehen die Psalmen nach Westermann (besonders bezogen auf die Klagepsalmen) in der entwicklungsgeschichtlichen Mitte zwischen ursprünglich-spontaner Klage mit begrenzter theologischer Reflexion und dem späteren Verlust der Klage aus dem Gebet überhaupt (aufgrund überzogener systematisierender theologischer Reflexion; vgl. Westermann 1977, 150 ff.). Westermann unterscheidet eine Frühgeschichte der Klage (historisch sehr weit gestreut im vorexilischen Bereich plaziert), eine mittlere Zeit, die mit der Entstehung und Sammlung der Psalmen zusammenhängt, und schließlich eine Spätzeit der Klage, die in der späten nachexilischen Zeit anzusiedeln ist und in der die Klage dem Bitt- und Bußgebet weicht (vgl. a.a.O. 164). Dieses entwicklungsgeschichtliche Mittelfeld, in dem sich ein Großteil der Psalmen befindet, markiert auch deren Hochform, in der die wichtigsten Klageelemente ein Stück verallgemeinert und theologisch reflektiert, aber zugleich noch nicht abgelöst sind von den Erfahrungstiefen des Menschen hinsichtlich seines Leides und des Klagebedürfnisses auf Gott zu. Man kann mit Fug und Recht behaupten, daß der Psalm 22 im Zenit dieser Entwicklungsgeschichte und der Hochform von Klagegebeten steht; s. u. 4.2.1 (1); 5.2-3.

54 Diese Einteilung ist natürlich die klassische, die noch in einem hohen Maß von inhaltlichen Kriterien abhängig ist; sie wäre durch spezifische formkritische Unter-

Nach Kraus gibt es 36 individuelle und 8 kollektive Klagelieder in den Psalmen. Aber nicht nur wegen der quantitativen Repräsentanz konzentrieren wir uns auf die Klagelieder des Einzelnen, sondern hauptsächlich aus folgenden Gründen:

1. Strukturell entsprechen sich individuelle und kollektive Klagelieder in vieler Hinsicht, so daß mit der Untersuchung der individuellen in dieser Hinsicht kaum Entscheidendes vernachlässigt wird. Zudem enthalten individuelle Klagelieder die gleichen Motivelemente wie die kollektiven (Ps 22 sogar den Motivkomplex heilsgeschichtlicher Erinnerung), haben aber darüberhinaus weitere Klagemomente, die die Klagelieder des Volkes nicht aufweisen (z. B. fehlt weitgehend das Lobgelübde)[55].

2. Ausgangspunkt der kollektiven Klage ist immer eine spezifische Notlage des ganzen Volkes (Krieg, Hungersnot, Zerstörung Jerusalems u. ä.), das zum Volksklagefest an heiliger Stätte zusammenkommt. Im Gegensatz dazu geht es uns hauptsächlich um eine Klagemöglichkeit, die aus unterschiedlichen Notsituationen eines einzelnen oder auch einer begrenzten Gruppe (Gemeinde) heraus aufbrechen kann. Anlaß solcher Klage sind dann nicht nur globale Umwälzungen, sondern individuell bzw. lokal begrenzte „alltägliche" Leiderfahrungen. Bei den Volksklagepsalmen sind die Anlässe zur Klage dagegen zu sehr auf globale Katastrophen reduziert. Der einzelne kann sie nicht ohne weiteres als Formular für seine eigene Klage verwenden[56].

Die Befürchtung, man könnte sich mit der Festlegung auf *individuelle* Klagepsalmen zu leicht auf ein privatistisches Nebengleis abdrängen lassen, ist nicht berechtigt, denn das Moment des Kollektiven, des Volkes und der Gemeinde, ist auch entscheidend in der Klage des einzelnen. Es geht nicht an, daß modernes Vorverständnis die Gattung der individuellen Klagepsal-

---

suchungen hinsichtlich der Ausdrucksform zu bestätigen bzw. zu korrigieren. Wir sehen hier einmal ab von weiteren Sondergattungen wie etwa den Königspsalmen, den Zionsliedern, den Geschichts- und Thorapsalmen; vgl. Kraus 5/1978, LII ff., Wolff 1970, 128 f.; zur gattungsmäßigen Einteilung der Psalmen vgl. im ganzen Schmidt 1979, 303 f.; Deissler 3/1966, 15 f.; Weiser 7/1966, 35 f.; Wolff 1970, 119 ff.; Westermann 1977, 12 f.; Gunkel/Begrich 3/1975, 27 f.; Zimmerli 2/1975, 129 f.; sehr differenziert, aber im wesentlichen ähnlich Kraus a.a.O. XXXVII ff., dessen Haupteinteilungsprinzip weniger der jeweilige Sprechakt als der entsprechende Adressant (der einzelne oder das Volk) sowie die entsprechende Themenorientierung bilden; vgl. zustimmend dazu Deissler Art. 1981, 99 f. Vgl. Zimmerli 2/1975, 129 f.; vgl. etwas abweichend von den anderen Autoren Drijvers 1961, 235 f.; zur Geschichte der Klage des Einzelnen sowie des Volkes vgl. Westermann 1977, 126 ff.

55 Vgl. dazu Westermann 1977, 40 mit 49; zu den Differenzen vgl. Albertz 1978, 48 f. Hinsichtlich der Ähnlichkeit zwischen kollektiver und individueller Klage in den Psalmen vgl. Kraus 5/1978, LI. Zum Thema des Lobgelübdes vgl. Westermann 1977, 44-45, 55. Auch fehlt in den Volksklageliedern die Problematik des sogenannten Stimmungsumschwungs, die für unsere Betrachtung von großer Bedeutung ist; vgl. a.a.O. 51 f.; zur heilsgeschichtlichen Erinnerung in den Klageliedern vgl. Albertz 1978, 27 ff.

56 Deshalb kann auch die Bestimmung des „Sitzes im Leben" der Volksklagepsalmen relativ sicher durchgeführt werden, vgl. Kraus 5/1978, LI; vgl. Steck 1972, 48/9.

men als individualistisch diffamiert, weil es für den Israeliten den von der Volks- und Gemeindezugehörigkeit abgespaltenen privaten Raum gar nicht gibt[57]. Die Frage nach dem „Privaten" markiert aber gerade in den individuellen Klagepsalmen einen neuralgischen Punkt in einem viel umfassenderen Kontext: Das gerade vom einzelnen erlebte Leiden birgt immer die Gefahr, privat zu werden und in der Vereinzelung, Verlassenheit (von Gott und der Volksgemeinschaft) und verzweifelten Einsamkeit zu landen. Die individuellen Klagelieder weisen dagegen einen Weg aus dieser Gefahr heraus, indem sie dem Beter im Textprozeß dazu verhelfen, seine Not nicht nur mit Gott, sondern auch mit der Gemeinde kommunizierbar zu machen. Der letztere Prozeß eben kann nicht an den Volksklagepsalmen aufgezeigt wer-

---

57 Vgl. dazu Wolff 3/1977, 309-320. Wenn sich auch zunehmend über die Propheten sowie über die Volkskatastrophe der Exilerfahrung eine Individualisierung der alttestamentlichen Anthropologie feststellen läßt (besonders bei Ezechiel), so bleibt letztere doch weiterhin auf die Gemeinschaft als den Ort, wo sich alle treffen, die zum Willen Gottes Ja sagen, bezogen, vgl. Mosis Art. 1978, 67-70. Zur Gemeindegebundenheit auch der individuellen Klage vgl. auch Kraus 5/1978, 184. (Zum Neuzeitcharakter des „Privaten" vgl. Habermas 5/1971, 94-100.) Grundsätzlich gilt für die nomadische Kultur im Unterschied zur Kulturlandreligion, daß der einzelne nicht individualisiert, sondern im Blick auf die kollektive Situation der Sippe betet. In den Gebeten der außerisraelitischen Kulturlandreligionen kommt vor allem der Name des Betroffenen vor und hat hier eine besondere Bedeutung und interaktionelle Orientierung. Dies ist in den Gebeten des einzelnen Israels nicht der Fall. Auch die individuellen Psalmen sind jederzeit offen für kollektive Auffüllungen. Somit herrscht „von Hause aus" in Israel ein anderes Individuationsbewußtsein als in der Umwelt und etwa bei uns. Dies zeigt sich besonders auch spät- und nachexilisch in den Gottesknechtsliedern bei Jesaia. Letztere repräsentieren das Volk und erzählen in dieser Repräsentation, was das Kollektiv bewegt. Dies ist eine Schöpfung des Exils: In die Gottesknechtslieder hinein erfolgt die Projektion der Leiden Israels. Sie werden auf die fiktive Person konzentriert. Im Grunde wird hier das Individuum (als literarische Gestalt) erst durch das Kollektiv geschaffen. Das Kollektiv erfährt sich in dieser Figur als Spiegel seiner selbst. So gibt es das Individuum nicht emanzipiert und frei für sich. Freilich wird innerhalb des Kollektivs auch dem Individuum Erwählung und Rettung zugesagt: In der Figur des Gottesknechtes wird vorweggenommen, was de facto kommen wird, was das Volk und der einzelne erleben werden. Diese Projektion Israels schafft die große Zumutung, daß Israel sowohl als Ganzes wie in seinem Gliedern gerade im Leid (respräsentiert im Spiegel des Gottesknechtes) erwählt bleibt.
Es ist also kein Anzeichen für Individualismus im jüdischen Gebet, wenn die „Ich-Rede" vorkommt. Sie muß nicht ein Signal für den einzelnen sein, sie kann auch für das Kollektiv stehen. Die Entwicklung des Psalms 22 vom individuellen zum kollektiven Klagelied in und nach dem Exil ist ein ähnlich literarisches Phänomen wie die Figur des Gottesknechtes. In der exilischen Zeit wird verschärft gesehen, was alle an diesem Text anspricht. Die Ich-Figur des Psalms hat typologischen Charakter. Dies ist nur möglich, weil eine solche Interpretation von Haus aus im Text offen gehalten, ja geradelinig angelegt ist. Der Text ist also nicht für sich in abgeschlossener Weise individualistisch konzipiert: Als Klagelied des Einzelnen hat er zugleich die Potenz, auch als Lied einer Exilsgruppe zu fungieren. Freilich ist ein Individuationstrend feststellbar, in dessen Zug man den einzelnen als Vertreter des Kollektivs sprechen läßt. Dies ist nachexilisch greifbar (s. u. 5.2.2/2.3).

den, weil diese in ihrem reduzierten Anlaß wie auch in ihrer von vorneherein kollektiven Konzentration den einzelnen nicht in den Blick bekommen. Die individuellen Psalmen bilden die spirituelle Verbindung zwischen den einzelnen und dem Tempel bzw. der Gemeinde, zwischen den Laien und dem Kult. Die Scharnierstelle zwischen beiden Bereichen bildet in den freien Laiengebeten des Israeliten (in denen die Klagelieder des Einzelnen ihre Herkunftswurzel haben und die in ihnen aufgenommen und aufgehoben sind s. u. 5.2.1) das sogenannte Lobgelübde, in dem der Beter verspricht, als der von Gott Gehörte und Erhörte *vor der Gemeinde* dessen Lob zu verkünden[58].

Es gibt nun zwei methodische Wege, den durch die Selektionsüberlegungen verbliebenen Textkorpus der Klagepsalmen des Einzelnen auf unser Erkenntnisinteresse hin zu untersuchen: entweder sämtliche Psalmen auf gemeinsame Elemente zu untersuchen oder einen Psalm herauszugreifen, von dem begründetermaßen angenommen werden kann, daß er alle Elemente, die die anderen Psalmen auch haben, aufweist und repräsentiert. Der letztere Weg hat folgende Vorteile:

1. Ein nunmehr gut überschaubarer Text kann textnah einer feingegliederten Strukturanalyse unterzogen werden.

2. Bereits vorliegende Ergebnisse der alttestamentlichen Fachwissenschaft können dahingehend ausgewertet werden, daß schon erhobene Strukturelemente notiert und für eine Suche nach einem Repräsentanztext fruchtbar gemacht werden können. Ein Psalm, der annähernd diese Elemente (der Formen, der Motive und der Traditionen) in ihrer Einheit und Gewichtung aufweist, ist auch mit approximativer Sicherheit dafür geeignet, als Basistext alttestamentlicher Klage zu gelten und für die entsprechende Analyse zu taugen[59].

3. Ausgehend von den Strukturen und Motivkomplexen des als exempla-

---

58 Zum „Laiengebet in Israel" vgl. Wendel 1931; vgl. auch Westermann 1977, 21, 45, 116; während die alte Volksklage durch das Exil geradezu eine „Brechung" erfährt, kann dies für die Klage des einzelnen nicht im gleichen Maße behauptet werden. Dies läßt sich wahrscheinlich dadurch erklären, daß die Klage des einzelnen sowohl vor wie auch nach der Exilerfahrung des Volkes den gleichen „Sitz im Leben" hatte: die Leiden und Schmerzen eines menschlichen Lebens, die zwar auch, aber nicht ausschließlich von globalen Volkskatastrophen herrühren, vgl. Westermann 1977, 131; Albertz 1978, 47, besonders 178-189, wo die Rettung der Religion Israels durch die *persönliche Frömmigkeit* im Exil behauptet wird (s. u. 5.2-3).

59 Es wird in unserer Arbeit ja nicht beansprucht, exegetisch-fachwissenschaftlich Neues (sowohl auf synchroner wie auch auf diachroner Ebene) zu finden. Hinter die bereits erfolgten Forschungsergebnisse der alttestamentlichen Wissenschaft braucht nicht gegangen zu werden, wenngleich sie von unserem Erkenntnisinteresse miteinander in Diskussion zu bringen sind. Ziel ist vielmehr, die entsprechenden Ergebnisse vorauszusetzen, ihnen nachzugehen und sie von unserer Perspektive her sprechen zu lassen.

risch gewählten Psalmes können ohnehin zu deren Explikation bzw. Bebilderung und zu ihrem besseren Verständnis entsprechende plastische Passagen aus anderen Psalmen, aber auch aus narrativen Texten (z. B. aus dem
Buch Hiob) herangezogen werden[60].

Dieses Erinnern interessanter Ausformulierungen von Klageelementen
kann dann auf lockere Weise assoziativ oder/und aufgrund von Hinweisen
in der Fachliteratur geschehen. Denn diese Auswahl steht dann nicht mehr
unter dem Druck, analytisch exhaustiv und repräsentativ erfolgen zu müssen. Sie geschieht vielmehr kreativ und ist damit ein methodischer Vorschein dessen, was wir später einmal in dem auf die Gegenwart bezogenen
handlungsorientierten Teil der Arbeit versuchen wollen: nämlich für die
aufgefundenen Strukturen und Elemente jüdisch-christlicher Klage entsprechende Varianten und Realisationsmöglichkeiten aus dem Erfahrungs-
bereich gegenwärtigen Lebens zu finden.

So entscheiden wir uns dafür, anhand *eines* Psalmentextes die Strukturen
und Elemente alttestamentlicher Klage zu eruieren. Dies wird in dem Maße
möglich sein, als der gewählte Text exemplarisch und repräsentativ für alle
anderen individuellen Klagetexte alle Strukturelemente (wenn auch mit
unterschiedlicher Ausprägung) aufweist, die diese auch haben, und sofern
er diese in den Gesamtprozeß der Klage in *einem* Gebet integriert. Einmal
so weit gekommen, ist nun die Auswahl nicht mehr schwierig. Aus entscheidenden Gründen bietet sich der *Psalm 22 als Proto- und Urtyp alttestamentlicher (wie auch neutestamentlicher) Klage* an:
1. Ps 22 bietet sich als *Paradigma für alttestamentliche Klage* an, weil er
tatsächlich alle Klageelemente und -strukturen sowie in seinem Aufbau die
entsprechende integrierte Klageprozedur aufweist, wie sie andere Klagepsalmen auch oder nur zum Teil haben. Im Ps 22 kommt die alttestamentliche Klage in der Textsorte des Gebetes am dichtesten zur Ausführung. Es
ist legitim, diesen Psalm gleichsam als Fokus zu benutzen, um durch ihn
hindurch die wichtigsten Elemente und Strukturen der Klage aufzufinden[61].

---

60 Zwar kommen im Psalm 22 alle notwendigen Klageelemente vor, jedoch in stich-
   worthaften Konzentrationen und mit verschiedener Ausprägung. In anderen Psalmen sind gewisse Elemente stärker, ja fast total ausgebildet, etwa das Vertrauensmotiv in Ps 23, so daß es angebracht wäre, bei der Besprechung der jeweiligen
   Elemente auf diese stärkeren und plastischeren Ausführungen dessen, was auch
   im Ps 22 vorkommt, zu rekurrieren. Von Verdichtungen her, die anderswo vorkommen, können Verständigungshilfen der weniger ausgeprägten Elemente im
   Ps 22 herangezogen werden. Damit wird zugleich belegt, daß die Elemente auch
   anderswo vorkommen! Im Rahmen dieser Arbeit erfolgen solche Referenzen freilich nur sporadisch, meist in den Anmerkungen.
61 Vgl. Westermann 1977, 50; neuerdings auch wieder Deissler Art. 1981, 119-121;
   der Ps 22 zu den „wichtigsten und ‚repräsentativsten' Stücken des Psalters" zählt

2. Ps 22 bringt die entscheidenden *Klageteile in einem besonderen Extrem* zum Vorschein, der diesem Text sein exemplarisches Profil verleiht. Die Tiefe der Klage ist bis zum letzten, bis zum „Urleiden der Gottverlassenheit", ausgelotet. Aber ebenso extrem stark ist die Intensität des aufkommenden Vertrauens; schließlich wird eine Höhe des Lobpreises erreicht, wie dies in solcher Ausprägung in anderen Klagepsalmen nicht der Fall ist[62]. Dadurch stellt sich auch das Problem des sogenannten „Stimmungsumschwungs" in besonderer Schärfe. Gerade diese „Wende"[63] ist für die praktisch-theologische Fragestellung besonders interessant und fruchtbar: Wie geschieht diese Wende? Was „steckt dahinter"? Wie könnte sie heute geschehen?

3. Ps 22 hat außerdem eine *bedeutsame Rezeptions- und Wirkungsgeschichte bereits in alttestamentlicher Zeit*, was sich allein schon von der

---

und als ein „exemplarisches ‚Lehrstück' für das Sprechen aller betenden Gläubigen zu Gott hin" einschätzt (a.a.O. 120); s. o. Anm. 53.

62 Der Bruch zwischen V. 22 und 23 wurde bereits von Exegeten in seiner Spannung für so unaushaltbar gehalten, daß man ihn nicht gut in einem Text möglich glaubte und deshalb zwei unterschiedliche Psalmen annahm, die redaktionell verbunden worden sind. Die Majorität der Autoren hält dies jedoch aus guten Gründen für abwegig. Unsere Strukturanalyse wird zum gleichen Ergebnis kommen. Vgl. dazu Kraus 5/1978, 176; Ridderbos 1972, 189-192; Stolz Art. 1980, 132-133; Gese Art. 1968, 11; aus gattungskritischen, kompositorischen und aus Gründen semantischer Kohärenz (z. B. Redundanz gleicher Wortfelder in beiden Teilen) muß die Einheit des Psalmes behauptet werden. Zu den Extremsituationen, die der Psalm anspricht, vgl. Kraus 5/1978, 184-185; Stolz Art. 1980, 144; Gese Art. 1968, 6. – Die kritische Frage, ob es untypisch für alttestamentliche Klage sei, daß das Loblied derartig ausgebaut wird, verfängt methodisch nicht, weil es auf der Basismodellebene (s. u. 1.3.2) nicht von Bedeutung ist, wie viele Varianten ein tiefenstrukturelles Element an der Textoberfläche besitzt. Auch der jeweilige Sprechakt bleibt bestehen, er bekommt lediglich eine besondere Betonung; vgl. Kilian Art. 1968, 184. Das kräftige Lob schwächt jedenfalls nicht rückwirkend die Intensität der Klage ab, sondern hat in ihr einen mindestens ebenso kräftigen Gegensatz. Der mit der Texteröffnung einsetzenden Klimax der Klage entspricht die im Textschluß erreichte Klimax des Lobes. Diese Ausführung des Extremen unterstreicht vielmehr das „Typische und Paradigmatische der Leidens- und Lobaussage . . .". Der Ps 22 hat somit „etwas Urbildliches, Überindividuelles", Kraus 5/1978, 185.
Außerdem: Das Problem des Stimmungsumschwungs bzw. der Erhörungsgewißheit wird (verglichen mit allen anderen Psalmen) dadurch im Psalm 22 verschärft, daß der Übergang gebrochener (s. u. 4.1.2-1.3) und der Teil des Lobes bedeutend ausgebauter (s. u. 4.2.5) ist als in den anderen Klagepsalmen. Auch dies ist ein Argument dafür, diesen Psalm zur Analyse zu nehmen, weil er gerade in diesem Problem der Erhörungsgewißheit die pastorale Energie für eine zu lernende Spiritualität bereithält. Denn die neuralgische Frage nach dem sogenannten Stimmungsumschwung ist genau der Ort, der pastorale Kreativität provoziert. Es geht darum, was der Gläubige (mit dem Formular des Gebets) in der Notsituation tut, denkt, glaubt und fühlt, um sie durchstehen und überbrücken zu können. In allen Fällen ist er auf der Suche nach einem Impuls der Hoffnung in der Gebetsbegegnung mit Gott.

63 Vgl. Westermanns Titel seines Werkes „Gewendete Klage", 1957.

Gattung her nahelegt: Vor allem Ps 22 hat nicht nur Formularcharakter, sondern hatte auch eine beachtliche Bedeutung als verwirklichtes Gebetsformular im spirituellen Leben des Israeliten sowie der Synagoge. Besonders in der für die Israeliten äußerst bedrückenden Diasporasituation der exilischen und nachexilischen Zeit mußte dieser Text seinen zweiten wirkungsgeschichtlichen „Sitz im Leben" bekommen[64]. In Wechselbeziehung mit dieser Verwendungssituation gelangten natürlich auch seine theologischen Inhalte zur Bedeutsamkeit. Die inhaltliche theologische Deutekraft des Psalms wie auch sein formaler Charakter als Gebetsformular werden sich dabei gegenseitig zugespielt haben. So finden sich in ihm deutliche Anklänge an die Theologie des „leidenden Gerechten", wie sie besonders Deuterojesaja ausdrückt[65]. Die theologische Deutekraft wie auch der situationsbezogene Klagegebetscharakter machen ihn auch zu einem der favorisierten Gebets- und Deutetexte der zwischentestamentlichen Zeit, vor allem der Qumran-Gemeinde[66].

4. Mit dem Stichwort „Wirkungsgeschichte" gelangen wir auch zum entscheidenden Grund, der — zusätzlich zur ausreichenden Begründung vom Alten Testament her — den Ps 22 zum Basistext unserer exegetischen Grundlegung macht: Ps 22 erscheint sowohl als verwendetes Gebetsformular wie auch in seiner ganzen *theologischen Deuteenergie im Neuen Testament*, und zwar an entscheidender Stelle im ältesten Evangelium (vgl. Mk 15, 34), nämlich als aktuelles Gebet im Mund des sterbenden Jesus und damit zugleich als theologisches Deutemuster dieses Todes in der vormarkinischen Tradition und der markinischen Redaktion[67]. Damit bildet er ein zwischentestamentliches Verbindungs- und Vermittlungsmoment sowohl in seiner Funktion als Klageliedformular wie auch in seiner theolo-

---

64 Vgl. Deissler 3/1966, 14. Die Frage nach dem gleichsam zweiten „Sitz im Leben" von Gattungen, wie sie die Psalmen darstellen (Formulare), ist für unsere Fragestellung ausgesprochen interessant. Es gilt also nicht nur, nach dem „Sitz im Leben" eines Psalms in der Richtung zu fragen, wo (in welcher Kommunikationssituation) er (bzw. welche seiner Elemente und Formen) entstanden ist (sind), sondern wichtig ist auch die Frage, welche Wirkungsgeschichte ein Psalm als Gebetsformular im Leben und in der Kommunikationssituation der Israeliten hatte: in der Situation zwischen Gott und Mensch sowie der Menschen untereinander vor Gott (im Kult); s. u. 5.

65 Vgl. dazu Deissler 3/1966, 88-91; Art 1981, 106, der starke Anklänge des Ps 22 zu Jes 53 sieht. Vgl. Blank Art. 1979, 28-67; Westermann 1977, 168 f. Zum Begriff des „leidenden Gerechten" vgl. die Ausführungen in der künftigen zweiten Publikation, s. o. 1.1.

66 Zu den Ähnlichkeiten mit dem Qumram-Texten vgl. Stolz Art. 1980, 144-146. Dies zeigt deutlich, daß die Sammlung des Psalters und in ihr besonders der Ps 22 zum Liederbuch bzw. Gebet des nachexilischen Israel geworden ist, vgl. Deissler 3/1966, 11-14, 17-18; Westermann 1977, 195-202; Schmidt 1979, 300.

67 Vgl. Deissler Art. 1981, 120-121. Vgl. dazu die Ausführungen im neutestamentlichen Teil der geplanten zweiten Veröffentlichung zum Thema der Klage (s. o. 1.1; s. u. 1.4).

gischen Kraft, die im Sprechakt der Klage zum Ausdruck kommt. Das läßt tatsächlich aufhorchen: Ein Klagegebet ist die Brücke zwischen Altem und Neuem Bund, zwischen dem erwählten Volk Gottes und dem „Erwählten" Jesus von Nazaret. Ps 22 erfährt offensichtlich sowohl in seinem Sprechakt wie auch in seinen theologischen Inhalten eine Bestätigung und Weiterführung im Neuen Testament, die von nicht zu unterschätzender christologischer Bedeutung ist. Jedenfalls ist es diese neutestamentliche Replik auf den Psalm 22, die schließlich den Ausschlag für dessen Wahl als Basistext biblischer (alt- und neutestamentlicher) Klage gibt.

5. Ein weiterer, nicht gerade peripherer Grund für die Auswahl des Ps 22 ist schließlich, daß er auch eine *hochinteressante christlich-kirchliche Rezeptions- und Wirkungsgeschichte* aufweisen kann[68], und zwar nicht nur als im Stundengebet der Kirche weitertradiertes Gebetsformular[69], sondern auch in seiner theologischen Deuteenergie für die Christologie. Die lange theologische Tradition messianischer Interpretation des Psalmes gehört hierher[70], aber man wird auch daran denken müssen, daß an ent-

---

68 Dieser Hinweis auf die christlich-kirchliche Wirkungsgeschichte des Ps 22 sei hier nur zusätzlich eingebracht: Auf sie kann erst später im Teil IV in der dritten Publikation zum Thema eingegangen werden (s. o. 1.1). Sie muß zusammen mit Kirchenhistorikern untersucht werden, für die es überhaupt eine sicher lohnende Forschungsaufgabe wäre, die Wirkungs- und Rezeptionsgeschichte von entscheidenden Texten in der Kirchgengeschichte zu verfolgen, vgl. Fuchs Art. 1979 c, 67-69; vgl. Knuth 1971.

69 Wenigstens im offiziellen Gebet für Kleriker und Religiosen wurde also dieses Klagegebet durch die spirituelle Geschichte der Kirche weitergebracht. Vermutlich wurde es aber zu wenig mit dem Klagebedürfnis der Laien und ihrer Volksfrömmigkeit vermittelt. Vgl. dagegen die an konkreten Erfahrungen orientierten Versuche der Psalmenübertragung durch E. Cardenal 3/1968.

70 Die theolgische Kraft des Ps 22 schlägt sich vor allem in der sogenannten messianischen Auslegung dieses Textes durch die traditionelle katholische Exegese nieder, vgl. beispielsweise Herkenne 1936, 104 f.; Kalt 1935, 71 ff. Diese Tradition christologischer bzw. messianischer Interpretation des Ps 22 hat schon ihre inhaltliche Berechtigung, allerdings in einem etwas anders verlaufenden Sinn, als die Interpretatoren es annahmen: Von der historisch-kritischen Foschung her kann diese Auslegung zwar nicht abgedeckt werden, dergestalt daß Ps 22 als ein messianischer *verfaßt* worden wäre; diese Interpretation gewinnt jedoch von der anderen Seite, nämlich der zwischen- und neutestamentlichen Wirkungssituation her, *nach rückwärts* eine neue Bedeutung und Berechtigung. Nicht der Psalm als solcher deutet von sich aus in die Zukunft hinein das Schicksal Jesu messianisch, sondern das Schicksal Jesu deutet zurück in die Entstehungssituation des Psalms und bewahrheitet diesen Text und die darin aufgehobene Kommunikation zwischen Gott und Mensch als „messianisch", nämlich als originären Deutungsversuch für Leben und Tod Jesu. Damit der neutestamentliche Glaube (gegen die damalige herrschende jüdische Messiaserwartung) das Schicksal Jesu auch vom Alten Testament her als das des Messias verstehen kann, werden die Traditionslinien, die in (Jes 53 und in) Ps 22 angelegt sind, im nachhinein als messianisch identifiziert und weitergebracht. Diese alttestamentlichen Texte sind demnach die hermeneutische Brücke zum Verstehen des „fremden" Messias (vgl. Kraus 5/1978, 184-185). Ps 22 ist also nicht messianisch in dem prophetisch voraussichtlichen, prospektiven

scheidenden kirchengeschichtlichen Orten und Umwälzungen gerade dieser Psalm auftaucht: Luther hat beispielsweise über Ps 22 gelesen und ihm eine Kritik herkömmlicher Frömmigkeit abgerungen[71]. Es läßt auch hier aufhorchen, daß es gerade dieser Klagetext ist, der nicht nur im Markusevangelium, sondern auch in der Folgezeit eine ausgesprochen kritische theologische Energie entfaltet[72].

1.3.2 Das Analyseverfahren

Genauerhin sieht die methodische Legitimation der Untersuchung und somit der analytische Zugang zu den gesuchten Ergebnissen folgendermaßen aus[73]:

1. Der Basistext Ps 22 wird als *Dramenpartitur* aufgefaßt, als ein *textinterner Kommunikationsablauf*, der ein bestimmtes Geschehen mit bestimmten Akteuren (besonders Sender und Empfänger) und Handlungen „aufführt". Diese Dramatik eines Textes wird als textgewordenes *Realisat und Kondensat eines außertextlich ablaufenden Kommunikationsprozesses* verstanden, der diesen Text generiert (Entstehungssituation) bzw. verwendet (Formularsituation) hat. In beiden Fällen ist die im Text zutage kommende Kommunikationsstruktur das Spiegelbild der mit ihm aufgemachten textexternen Kommunikation. Der Text selber ist das gewählte Mittel und der sprechaktgestaltende semantisch begangene und zu begehende Weg, diese Situation herzustellen[74].

2. Damit wird eine *relative Zeitlosigkeit* des Textes postuliert, eine Synchronie, die sich aber potentiell jederzeit an einem Punkt der diachronen Geschichte mit seiner Verwendung in unterschiedlicher Situation zeitigen kann. Die im Text aufgehobenen Strukturen (also Beziehungsverhältnisse)

Sinn, sondern retrospektiv findet die Gemeinde das Schicksal Jesu in diesem Text abgebildet wieder. In diese gegenseitige hermeneutische Bestätigung vom Schicksal Jesu und Ps 22 gelangen auch Textsorte und Kommunikationsform der Klage zu einer christologischen Legitimation und werden von ihr mit eingeschlossen.

71 Vgl. Luther 2/1977, 144 ff. Auch Calvin hat einen Kommentar zum Buch der Psalmen verfaßt; vgl. Kraus 5/1978, 179, Anm. 1; Art. 1972 b.

72 Zur kritischen Funktion der markinischen Kreuzestheologie und seines Motivs des Messiasgeheimnisses gegen eine enthusiastische Auferstehungstheologie vgl. die Ausführungen im neutestamentlichen Teil der geplanten zweiten Publikation.

73 Was die folgenden Ausführungen anbelangt, sei auf die Erkenntnisergebnisse hingewiesen, die der Verfasser (in Fuchs 1978 a) vorgelegt hat. Dort sind an entsprechender Stelle die Hintergründe und Begründungen der folgenden Schritte nachzulesen: besonders 75-121. Hier sei nur – um unnötige Wiederholungen zu vermeiden – so viel zum Ausdruck gebracht, als zum Verständnis der angewendeten Methode notwendig ist.

74 Vgl. Fuchs 1978 a, 124-130, 75 ff.; zum Begriff des Sprechaktes vgl. a.a.O. 130 ff. (mit Literatur!); 1978 b, 21-24; Art. 1979 a, 857 ff. (Literatur: Anm. 15-17).

und Elemente (also Größen, zwischen denen die Beziehungen herrschen) werden dann wieder in einer aktuellen Verwendungssituation brisant. Gleichsam „harter Kern" der Zeitlosigkeit ist die im gleichbleibenden Text eingebackene und konstante Kommunikationsstruktur mit ihren charakteristischen Sprechakten und Rollenträgern. Nun ist ein Text eine sequentielle (also zeitliche) Abfolge von semantischen Werten in ihren syntaktischen Verbindungen. Die dieser Textoberfläche zugrundeliegende Grundstruktur wird aber an dieser Textoberfläche nicht unmittelbar einsichtig. Innerhalb der strukturalen Semantik wurden nun Analysemethoden entwickelt, die durch Reduktion der als Varianten aufgefaßten, an der Textoberfläche vorkommenden semantischen Werte auf entsprechende Repräsentanzwörter das nunmehr synchrone Tiefenmodell erstellen lassen, das die dem Text zugrundeliegende Kommunikationsstruktur auf einen Blick offenlegt[75].

3. Wenn die so aufgefundene *interaktionelle Tiefenstruktur* eines Textes im Prinzip „zeitlos" ist, können ihre Strukturen und Elemente *jederzeit*, auch heute, als Grundlage und *Maßstab entsprechender Kommunikation* (in unserem Fall des Klagegebetes) herangezogen werden, sofern man dieser Tiefenkommunikation normative Qualität zugesteht[76]. Diese Funktion als Maßstab und Kriterium für Gebete mit ähnlichem Sprechakt in heutiger Zeit geht nicht dadurch verloren, daß nicht der hebräische Urtext, sondern der deutsche Text für die strukural-semantische Analyse herangezogen wird. Denn die jeweilige Sprache ist zum größten Teil ein Phänomen der Textoberfläche; das Texttiefenmodell würde, wäre es vom hebräischen Text aus erstellt worden, nicht viel anders aussehen. Außerdem ist der dabei entstehende Gewinn anzurechnen, daß nicht nur des Hebräischen Kundige eine textnahe Analyse biblischer Texte, hier die strukurale Analyse des Ps 22, nachvollziehen können[77].

---

75 Zum Begriff der Texttiefenstruktur vgl. Fuchs 1978 a, 41, 82, 85, 100, 118-121. Nun ist Ps 22 ein poetischer Text, in dem bereits sehr viel, was ein Erzähltext viel verschwenderischer mit seinen eigenen Gestaltungsmitteln bringt, poetisch reduziert und dazu noch theologisch-gedanklich geformt und gebunden ist. Trotzdem ist gerade dieser peotische Text auch auf Redundanz angewiesen, einem besonderen Stilmittel der Poesie. Die Analyse wird zeigen, daß am Oberflächentext viele Varianten für die entsprechenden Invarianten erscheinen. Vgl. Ridderbos 1972, 187; Kilian Art. 1968, 184.

76 Zur normativen Dimension vgl. Fuchs 1978 a, 20, 296 f., 343 f., 364 f.; s. o. Anm. 22.

77 Zur Problematik der „fremden Sprache" s. u. 5.1.1; zur grundsätzlichen gegenseitigen Übersetzbarkeit vgl. Fuchs 1978 a, 296; zur praktisch-theologischen Begründung a.a.O. 329, auch Anm. 5. Mit der strukturell-semantischen Analyse kommt ein Verfahren zur Anwendung, das auch für die Methodik der alttestamentlichen Wissenschaft eine Bereicherung sein kann. Die Tatsache, daß sie ganz bewußt nicht den Urtext, sondern die jeweilige Übersetzung in der modernen Sprache als Ausgangspunkt der Analyse nimmt und „trotzdem" zu weitreichenden Ergebnissen

4. In Punkt 1 wurde gesagt, daß der Text das semantische Realisat einer erfolgten oder auch gewünschten textexternen Kommunikation darstellt. Dieser Prozeß ist auch umkehrbar: Wer das Tiefenmodell der textinternen Kommunikationsstruktur kennt, kann nicht nur den Text selbst besser verstehen, sondern wird auch versuchen, die Invarianten des Tiefenmodells nicht nur mit den Varianten des vorliegenden Textes nachzusprechen, sondern je nach seiner eigenen Situation *eigene Varianten zur gleichen Kommunikationsstruktur zu produzieren.* Ein modernes Beispiel dafür sind die lateinamerikanischen Psalmen von Ernesto Cardenal. Allerdings halten sich diese Texte noch sehr stark an die syntaktische Struktur der Psalmen. Die Kenntnis des Tiefenmodells kann auch dazu führen, völlig freie Gebetstexte zu formulieren und zu verfassen, die die gegenwärtigen Erfahrungen benennen und besprechen, ohne dabei die aus der Tiefenstruktur des Psalmes entnommene Kommunikationsstruktur im wesentlichen zu verändern. Natürlich werden zu verschiedenen Zeiten und Situationen und aufgrund des persönlichen Charakters und der jeweiligen Kreativität von einzelnen und Gruppen die Elemente des tiefenstrukturellen Beziehungsgefüges mit neuen Motivschwerpunkten „gefüllt" und variiert werden. Der *analytischen* Qualität des Tiefenmodells in Punkt 1 entspricht hier also seine *generative* Qualität.

In letzterer steckt überhaupt die Möglichkeit, Sprechakte und Kommunikationsprozesse, die mit Hilfe von Texten ausgeführt werden, zu erlernen.

---

gelangt, müßte innerhalb der Exegese zu einer intensiveren sprachtheoretischen Reflexion über Wert und Verhältnis von Urtext und Übersetzung anregen. Das stimmt ja bedenklich: Die Analyse bringt mindestens das im wesentlichen zur Bestätigung, was die historisch-kritische Exegese bislang in Bezug auf Ps 22 hinsichtlich seiner gattungsmäßigen Einheit, seiner Absätze und seiner inhaltlichen Strukturen erforscht hat (s. u. 6.1). Auf der anderen Seite freilich verhindern die motiv- und gattungskritischen Untersuchungen am Urtext, daß die differenzierteren Inhalte und Beziehungsmomente des Textes einfachhin den sozio-semantischen Konturen der Übersetzungssprache zum Opfer fallen. Grundsätzlich gilt aber vermutlich die These, daß eine philologisch verantwortbare Übersetzung zwar nicht die Geschichte, aber doch die „Materialität" des Urtextes rettet; vgl. in diesem Zusammenhang die Anliegen der sogenannten „materialistischen Bibellektüre", hier besonders Belo 1980, 127-129; Füssel Art. 1977, 49: „Die Textinterpretation darf nicht an esoterische Sprachkenntnisse gebunden werden, die über die umgangssprachlich erworbene Sprachkompetenz soweit hinausführen, daß ihre Erwerbung ein Interpretationsmonopol und einen privilegierten Zugang zum Text notwendig mit sich bringt (Gleichheitsgrundsatz)." Dies spricht natürlich nicht gegen eine intensive Erforschung des Urtextes innerhalb der universitären Theologie, wohl aber gegen Verkündigungs- bzw. Vermittlungsmethoden, die in der Oben-Unten-Interaktion von einem professoralen Fremdsprachenkenner auf die laienhaften Einsprachler zugebracht wird. Eine solche Vermittlungskommunikation verdeckt, ja zerstört die in biblischen Texten zu entdeckenden textinternen Interaktionsstrukturen zwischen Mensch und Gott. Das strukturale Analyseverfahren möchte den materialen oder auch substantiellen Kern dieser Kommunikationsstruktur profilieren.

In dem Maß nämlich, in dem die Tiefenstruktur eines in das eigene Leben zu übertragenden Textes internalisiert ist, kann der einzelne in ähnlichen Situationen mit seinen entsprechenden Varianten und Sprechoperationen einen Text schaffen, der genau diese Beziehung (in unserem Fall eben den Sprechakt der Klage mit der damit verbundenen Kommunikationsstruktur) realisiert oder realisieren möchte. In Analogie zu den Grammatikregeln, die ja auch sprachinterne Kommunikationsoperationen sind, ist auch jeder Sprechakt ein regelgeleitetes Sprechen, dessen Regeln der Mensch auf verschiedene Weise lernt[78]. Was der Mensch in Form von Sozialisation und Konvention an solchem regelbegleiteten Sprechverhalten internalisiert, sind nicht die jeweils damit verbundenen oft sehr langen gesprochenen Textsequenzen (höchstens bestimmte Wendungen), sondern die diesen Sequenzen zugrundeliegenden Grundtypen der Kommunikation. Was von psychologischer Seite „Internalisieren" heißt, schlägt sich auf sprachanalytischer Ebene in dem nieder, was das Tiefenmodell eines Textes ausmacht[79].

Mit diesen methodischen Erwägungen machen wir uns auf die Suche nach dem „normativen Anspruch" der Kommunikation, die im jüdisch-christlichen Klagegebet und mit seiner Hilfe dramatisch gelebt wurde und gelebt werden könnte. Die Analysemethode, die bei der Betrachtung des Ps 22 zunächst zur Verwendung kommt, entspricht den eben ausgeführten methodischen Zugängen und realisiert sie. Sie hat ihren Ursprung in der Erzähltextanalyse. Denn was eben ausgeführt wurde, gilt im besonderen Maße von narrativen Texten, die auf der einen Seite die Potenz der Identifikation (der Leser oder Hörer integriert sich in das ihm entsprechende Rollenspiel der Geschichte), auf der anderen Seite die Tendenz haben, mit unterschiedlichen Variationen immer wieder weitererzählt zu werden. Diese in den Geschichten liegende Rezeptionspotenz und Produktionskraft hat die Literatur- und Sprachwissenschaft zu erforschen versucht. Ihre Ergebnisse sind auch bereits schon seit geraumer Zeit im Bereich der Theologie rezipiert worden[80]. Die Erkenntnisse laufen — etwas plakativ gesehen — alle in die gleiche Richtung: Den Erzählungen liegt tiefenstrukturell ein Kommunikationsspiel zugrunde, das an der Erzähloberfläche mit ständig

---

78 Vgl. dazu Fuchs Art. 1979 a, 855-866; ders. 1978 a, 130 ff.; 1978 b, 21-24.
79 Es geht hier nicht nur darum, das auswendige Nachbeten etwa des Ps 22 zu lernen, sondern selbst frei das klagende Gebet sprechen zu können. Was der zeitgenössische Beter hauptsächlich (zuhause und in der Kirche) gelernt hat, ist das Bittgebet und die darin enthaltene Kommunikation mit Gott. Er kann nicht nur Bittgebete auswendig, er kann sie auch spontan formulieren. Interessanterweise spricht Jesus auch nicht bei seiner appellativen Einleitung zum Vaterunser: Dies sollt ihr beten, sondern: So sollt ihr beten (vgl. Mt 6. 9). Der Text des Vaterunser ist nicht nur das wichtigste Gebet, das man wirklich beten kann, sondern es gilt zugleich als Basismodell für christliches Beten überhaupt. Dieses Beten kann mit eigenen Worten die im Vaterunser enthaltenen Kommunikationsstrukturen zu Wort bringen.
80 Vgl. dazu mit weiteren Literaturangaben Fuchs 1978 a, 81 f.

neuen Variationen von Akteuren und Handlungen in scheinbar neue Geschichten (mit unterschiedlichen Überschriften und Akteuren) transformiert wird. Die Erzählungen haben dabei alle das gleiche kommunikative Tiefenmodell als konstante „Keimzelle" in sich[81].

Bezogen auf biblische Erzählungen besteht das Interesse an der *Produktionsstruktur* ähnlicher Geschichten aus heutiger Zeit (es gibt aber auch strukturähnliche Bilder, Symbole, Gedichte u. ä.[82]) nicht nur im textinternen semantischen Bereich und dem damit verbundenen kreativen Sprachspiel, sondern sie weist in eine entscheidende pragmatische Richtung mit sinnerschließender und handlungsleitender Relevanz: Heutige Hörer mögen nämlich ihre eigene Situation in der entsprechenden Geschichte wiedererleben und so die Erzählung als Modell ihrer konkreten Entscheidungen und Handlungen als Christen begreifen und annehmen. Dies geschieht durch Integration des Hörers in die Dramatik der Geschichte sowie durch Identifkation mit der entsprechenden erzählten Rolle, dergestalt daß der Hörer den dabei erlebten Kommunikationsprozeß in die textexterne pragmatische Situation seiner eigenen Lebenswelt extrapoliert und mit Mut, Vertrauen und Kreativität daran geht, eine eigene, aber doch strukturähnliche biographische Geschichte zu provozieren: mit den entscheidenden Konstanten, aber auch mit den eigenen persönlichen Variablen, die die Biographie unverwechselbar machen[83].

Der Verfasser hat in seiner ersten Arbeit linguistisch (semantisch und pragmatisch) nachgewiesen und exemplifiziert, daß diese Auffassung von Texten als Dramaturgie für ständig neu mögliche „Aufführungen" durch die Adressaten der Geschichte nicht nur für *narrative*, sondern auch für *persuasive* Texte gilt[84]. Auch hier können die jeweiligen Werte und textinternen Figuren als Akteure eines kommunikativen Handlungsspiels aufgefaßt werden, das ebenfalls durch entsprechende Analyse auf seine interaktionelle Grundstruktur gebracht werden kann. Dabei kann das Besteck der strukturalen Erzähltextanalyse mit einigen Modifizierungen auf diese Texte angewendet werden. Es hat nun keine Schwierigkeit, sondern liegt vielmehr nahe, diese bei den persuasiven Texten entwickelte Analyseprozedur auch für *rogative* Texte anzuwenden und für sie fruchtbar zu machen:

---

81 Zum Begriff der Keimzelle in diesem Zusammenhang vgl. ders 1978 a, 284-289; zum Verständnis des „Generativen" vgl. a.a.O. 94 Anm. 127; besonders Güttgemanns' „generative Poetik": Art 1974.
82 Auch Bilder können biblische Texte in ihrer Dimension entfalten, vgl. Stock 1980, 119 ff.; alle qualifizierten Textentfaltungen beruhen auf dem gleichen Prinzip, die Ausgangserzählung auf entscheidende Strukturen zu reduzieren und diese als Basis für neue Variationen der gleichen Erzählung heranzuziehen. Vgl. dazu Güttgemanns' generative Erzähltheorie für die Verkündigung, Güttgemanns Art. 1972; vgl. Otto 1981, 13 f.; Fuchs Art. 1981, 130-140.
83 Vgl. ders. Art. 1980, 192-193.
84 Vgl. ders. 1978 a, 96 ff., 124 ff.

1. Gerade Gebetstexte sind eingebettet in *eine (gewünschte) Kommunikation zwischen Beter und Gott* und stellen dafür das notwendige verbale Zeicheninventar bereit. Noch mehr als persuasive Texte, bei denen die Beziehung oft nicht direkt ausgesprochen, sondern in der dritten Person verschleiert wird[85], sind Gebete eine direkte Versprachlichung oder Vertextung der gewünschten Beziehung zwischen Sender und Adressat. Sie reden weniger indirekt über die Beziehung, sondern sind die unmittelbaren sprachlichen Mittel zur Herstellung einer gewünschten Begegnung. Textexterner Sender und Adressat gehen deshalb oft direkt (textintern) in den Text im Ich-Du-Dialog ein. Wo dies nicht ausdrücklich geschieht, sind sie textextern von der pragmatischen Situation her in jedem Fall für den textinternen Bereich vorauszusetzen. Die textintern ausdrückliche oder auch implizite Anrede bzw. Ich-Du-Beziehung ist die Bedingung der Möglichkeit, von der Textsorte des Gebetes zu sprechen. Die Analysemethode setzt mit ihren Kategorien genau mit dem an, was aus dem Psalm heraus eruiert werden soll: Sie fragt nach der Kommunikationsstruktur eines Textes und bringt die damit verbundenen inhaltlichen sowie beziehungsbezogenen Elemente in ein überschaubares Tiefenmodell. Es gibt bislang noch keine andere Analysemethode, die im gleichen Maße einen derartigen Skopus anpeilt.

2. Dazu kommt, daß Mittelpunkt und Kern des Analysemodelles durch die *menschliche Wunschbeziehung* bestimmt sind. In der im Modell visualisierten Beziehung zwischen Subjekt und Objekt befindet sich das Kraftzentrum der Methode[86]. Diese Qualität als Sehnsuchtsmodell hat ja die

---

85 Vgl. ders. 1978 a, 208 f., 288 f.

86 Innerhalb der strukturellen Analyse läuft also immer auch die kommunikationstheoretische Analyse des jeweiligen Sprechaktes als Ausdruck eines intentionalen Aktes. Strukturale Analysemethoden sind oft dem Vorwurf ausgeliefert, daß sie das Subjekt ausblenden. Diese Gefahr ist aber bei unserem methodischen Ansatz nicht gegeben, weil das Subjekt im Modell selbst als Interaktionszentrum thematisiert ist. Im Kernstück des Modells, der Subjekt-Objekt-Beziehung, geht es gerade um die motivationale Seite jeweiliger Texte. Die Methode bringt also das Subjekt selbst zum Vorschein; vgl. Fuchs 1978 b, 85-118; gegen die Ideologisierung des Strukturalismus ders. 1978 a, 23 f. – Vgl. Belo Art. 1980, 544: Im Gegensatz zu Belo muß auch nicht von einem Widerspruch von historischer und struktureller Betrachtungsweise ausgegangen werden, sofern man die Struktur von Texten im Horizont eines Kommunikationsmodells auffaßt, was (in der Entstehungssituation) eine historisch-pragmatische Interaktion repräsentiert und (in der Rezeptionsgeschichte) der wirkende Ausgangspunkt für neue in der Zeit ablaufende geschichtliche Interaktionen sein kann. (Zur theoretischen Vermittlung zwischen Strukturalismus und Handlungstheorie über die Auffassung vom agierenden Subjekt als einer Infrastruktur von Aktivitäten (nach einem Vorschlag von L. Sève) vgl. Füssel Art. 1977, 52; Kummer 1975, 9-26.) Auch muß eine in ihrem Zuständigkeitsbereich definierte und gemäßigte systemtheoretische Betrachtung von Gesellschaft und Religion nicht von vornherein das Subjekt zerstören: Das Medium nämlich, das beide miteinander verbindet, sind menschliche Handlungen. Diese

Methode bereits für persuasive Texte geeignet gemacht, die ebenfalls von einer entscheidenden Wunschbeziehung bestimmt sind, nämlich von der, dem Hörer gewisse Wertvorstellungen zu vermitteln und ihn in gleicher Richtung zu überzeugen. Ein ähnliches Korrelat findet das Analysemodell in weit größerem Maß in der Textsorte des Gebetes, besonders natürlich in der Bitte und Klage[87]. In ihr bringt der Beter ins Wort, was er wünscht und wovor er gründlich Angst hat. Voraussetzung solchen Betens ist die drängende Sehnsucht und das Bedürfnis, von Gott gehört und erhört zu werden, ist der Wunsch, wieder erlöst und befreit von der Not und dem Leiden leben zu dürfen, ist die Hoffnung, wieder neues Vertrauen und neuen Mut zu bekommen. Damit korrespondiert (wie das negative Tiefenmodell zeigen wird, s. u. 3.2.1) die Angst vor Untergang und Verzweiflung, vor Gottesverlassenheit, vor den Nachstellungen der Menschen und vor Katastrophen. Die Situation der Not verschärft also bei der Klage auf vitale und akute Weise die entsprechende Wunschrichtung des Gefährdeten. Dieses entscheidende Korrelat zwischen Klagegebet und dem Analysemodell, nämlich in beiden Fällen zutiefst von der menschlichen Sehnsucht auszugehen, legt es nahe, beide auch methodisch aufeinander zuzubringen und hinsichtlich dieser Textsorte[88] ebenfalls mit diesem Analysemodell zu operieren.

---

freilich können nun einmal aus einer doppelten Perspektive gesehen werden: einmal als Aktivitäten innerhalb der subjektiven Biographie des Einzelnen bzw. von Gruppen, zum anderen in ihren auf die Gesellschaft wirkenden Resultaten als mit anderen Handlungsprodukten verknüpfte Einheiten, die mit diesen dann das gesellschaftlich objektivierte Sozialsystem bilden. Vgl. Kummer 1975, 17; Sève 1972, 340 (vgl. zu dieser Problematik vor allem aus philosophisch-theologischer Sicht Werbick Art. 1981, bes. seine Kritik an Luhmanns Religionstheorie 131-133). Ähnlich sind Texte sprachlich objektivierte Strukturrealisate (auf synchroner Ebene) von zeitlich und in Geschichte abgelaufenen Handlungen menschlicher Subjekte. Auf der Ebene biblischer Texte gilt: Die konstitutive Funktion ihrer Strukturen geht mit der jeweiligen Freiheit des Subjekts eine spannungsreiche und kreative Verbindung ein zugunsten eines menschlichen Lebens, das sich mit all seiner Eigenständigkeit, mit seiner biographischen und geschichtlichen Einzigartigkeit in die Kommunikationsstruktur der Nachfolge hineinbegibt. – Insgesamt scheinen die neuen einschlägigen Überlegungen dahin zu tendieren, zwischen Struktur, Geschichte, Subjekt, Handlungsaktivität und Zeitlichkeit keine unversöhnlichen Gegensätze mehr wahrnehmen zu müssen, sondern die unterschiedlichen Größen zueinander in, wenn auch oft spannungsreiche, so doch recht fruchtbare Auseinandersetzung und Verbindung zu bringen; vgl. Füssel Art. 1977, 49-52.

87 Zum Begriff der Textsorte und den unterschiedlichen Textsorten vgl. Fuchs 1978 a, 122 f., 130 f., Dort findet sich auch weitere Literatur, besonders sei hier hingewiesen auf Große 1974 und 1976. Ein adressatenloses Klagegebet kann es nicht geben, vgl. Fuchs Art. 1979 a, 855 ff. Zur Wunschbeziehung im Tiefenmodell vgl. die Herleitung ders. 1978 a, 75 ff., 93.

88 Große rechnet das Gebet zu den rogativen Texten und damit zu der größeren Gruppe der aufforderungszentrierten Texte, vgl. Große 1974, 347, Fuchs 1978 a, 134. Es ist die Frage, ob man diese Einteilung durchhalten kann, wenn man bedenkt, daß im Horizont der Klage auch der Lobpreis Gottes plaziert ist. Hier

3. Die Methode arbeitet, was ihre Prozedur der Reduktion der Varianten auf Invarianten und deren Trennung in (der jeweiligen Wunsch- bzw. Angstbeziehung entsprechende) *positive oder negative Wortwerte* anbelangt, im entscheidenden Maß mit *Gegensätzen*, also mit dem Feststellen von Oppositionen und Similaritäten[89]. Diese Arbeitsweise spielt bereits den persuasiven Texten zu, denen es ja auch um die Vermittlung und zugleich die Konturierung einer Wertwelt geht, die explizit oder implizit eine andere verneint[90]. Auch hier findet die Methode in den Klagetexten eine umso radikalere Entsprechung: Aus vitalstem Beziehungs- und Lebensinteresse brechen die Gegensätze auf zwischen dem, was man als Not und Beziehungsferne erlebt oder befürchtet, und dem, was man als Heil und Nähe erwünscht und erträumt. Hier seien einige nur angedeutet: Der Gegensatz zwischen Freund und Feind, zwischen Nähe und Ferne Gottes, zwischen Klage und Lob, zwischen Tod und Leben, schließlich der entscheidende Gegensatz, der durch die Produktion des Gebetes überbrückt werden soll: nämlich zwischen der Beziehungsaufnahme, die durch die Klage geschieht, und dem durch die Not erfahrenen Beziehungsabbruch, der scheinbar mit dem fernen und verborgenen Gott nicht mehr kommunizieren läßt[91].

Soweit die Begründung und Darstellung des struktural-semantischen Analyseverfahrens im Zusammenhang mit dem gewählten Erkenntnisinteresse. Das Ergebnis bietet als *einen* konstitutiven Faktor für die Bestimmung der Klage die strukturellen Zusammenhänge der inhaltlichen Werte sowie ihre sprechaktorientierten Prozeßstufen. Doch reicht dieses Strukturgerüst noch nicht für die genauere inhaltliche Bestimmung der Klage aus: als *zweiter* konstitutiver Faktor muß die Besprechung der von der Analyse erhobenen Repräsentanzbegriffe durch die Ergebnisse der historisch-kritischen Exegese erfolgen: einmal dadurch, daß die in der Analyse erhobenen Invarianten und Sprechakte auch von der historisch-kritischen Forschung her als die entsprechenden Schlüsselbegriffe der Klage bestätigt bzw. korrigiert werden, zum anderen darin, daß die jeweiligen semantischen Werte in ihren pragmatischen (historischen und soziologischen) Ausweitungen und Konnotationen inhaltlich näher präzisiert werden[92].

---

dürfte ein differenzierteres Urteil nötig sein als das, was Gebet grundsätzlich mit Bitte identifiziert (s. u. 4.1.3).

89 Zu den gegensatzorientierten Operationen strukturaler Analyse vgl. Fuchs 1978 a, 17 f., 24 f., 29 ff., 96 ff.

90 Vgl. ders. 1978 a, 132 ff., 64 ff.

91 Es wird sich auch herausstellen, daß der Gegensatz im Ps 22 ein sehr wichtiges rhetorisch-poetisches Mittel darstellt. In der Kombination von Wiederholung, Parallelismus und Chiasmus kommt er an der Textoberfläche in hoher rhetorischer Qualität zum Vorschein; zum Verhältnis von Textoberfläche, rhetorischer Antithese und Gegensatz in der Tiefenstruktur vgl. ders. 1978 a, 35 f., 43, 151 f.

92 Vgl. Fuchs 1978 a, 296-300, 343-344, Art. 1979 c, 52. In der Darstellung der exe-

Die Diskussion der exegetischen Auskünfte (in der vorliegenden Arbeit hinsichtlich der alttestamentlichen Exegese, in der zweiten Publikation aus der neutestamentlichen Wissenschaft) im Zusammenhang mit den Ergebnissen der Analyse erfolgt demnach aus zwei Gründen:
1. Um ein Korrektiv der mit der synchronen Analyse[93] eruierten Ergebnisse durch die diachron orientierte historisch-kritische Exegese zu erhalten. Die gegenseitige Ergänzung beider methodischer Anläufe an biblische Texte ist unentbehrlich.
2. Um die Strukturelemente und Sprechakte der Klage besser aus ihren formkritischen Identifikationen sowie der gattungskritischen Einbettung heraus verstehen zu können: durch Kennenlernen der entsprechenden Motive, Traditionen sowie der Entstehungs- und Verwendungsverhältnisse[94].

Auf diese Weise gelangen die alttestamentlich-jüdischen (sprach- und kontextspezifischen sowie literatur- und religionsgeschichtlichen) Bedeutungshintergründe zur Geltung und verbinden sich kritisch mit den Ergebnissen der Strukturanalyse zu einem nunmehr strukturell und inhaltlich qualifizierten Modell biblischer Klage (s. u. 6.1). Im übrigen bedürfen die methodischen Schritte und inhaltlichen Implikate der historisch-kritischen Forschung hier keiner weiteren Begründung und können als hinreichend legitimiert und bekannt vorausgesetzt werden.

Nach der eben angestellten methodischen Reflexion soll nun noch einmal auf die praktisch-theologische Relevanz des Vorgehens aufmerksam gemacht werden, diesmal freilich im Sprachspiel und damit in den Kategorien und Präzisierungen der nun erreichten methodischen Klärungen. Zentrales Anliegen ist dabei das Problem der hermeneutischen Differenz zwischen biblischer Botschaft und jeweilig gegenwärtigem kirchlich-

---

getischen Ergebnisse soll ein Anhäufen biblischer Stellenangaben als Belege vermieden werden. Sie sind bei den einschlägigen Autoren und ihren entsprechenden Argumentationsgängen nachzuschlagen.

93 Man kann sich freilich auch bereits innerhalb der synchronen Betrachtung des gesamten Psalters Präzisierungen der entsprechenden Schlüsselbegriffe erarbeiten, nämlich dadurch, daß deren Stichworte in solchen Gebetsbeispielen aufgesucht werden, wo sie noch amplifizierter ausgeführt sind als im Ps 22. So erfährt beispielsweise das Element des Vertrauens aus Ps 22 in den sogenannten Vertrauenspsalmen (vgl. Ps 23) Verständnisvertiefungen; das gleiche gilt für das Moment des Hymnus in Ps 22 durch einen Blick auf dominante hymnische Psalmen. Die wichtigsten Elemente des Ps 22 können also noch einmal durch andernorts aufgefundene Verstärkungen dieser Elemente geklärt werden. Doch können wir auf diesen Weg verzichten: Denn einmal kämen wir damit nicht über die synchrone Analyse zur diachronen und damit die Geschichte der Bedeutungen ernstnehmenden Betrachtung hinaus, zum anderen begegnen eben diese Texte zum größten Teil auch in den Argumentationsgängen der historisch-kritischen Argumentationsarbeit.

94 Wichtig ist besonders die Gattungsfrage, also die Frage nach dem „Sitz im Leben" der Klagepsalmen (Gottesdienst, Tempelkult, Funktion der Klagepsalmen in der Frömmigkeit des einzelnen, zeitlicher Ort von Klage und Lobpreis usw.): Es geht hier nämlich um die historisch-soziologische Lokalität, um die „Konventionalität" der Klage (vgl. Fuchs 1978 a, 130 ff.); s. u. 5.1-2.

christlichem Handeln. Dies führt uns zum eingangs formulierten Problem des inhaltlich ausgewiesenen gestaltungskräftigen Transfers biblischer Texte (in unserem Fall der biblischen Klage) in unsere gegenwärtige, gesellschaftliche, kulturelle, kirchlich-pastorale und spirituelle Situation hinein.

1.3.3 Die praktisch-theologische Relevanz

Nun ist es in der literaturgeschichtlichen Rezeptionswissenschaft nichts Neues, wenn Texte und Autoren, die zu ihrer Zeit oder über Zeitperioden hinweg kaum rezipiert wurden, in einer bestimmten geschichtlichen Situation neu entdeckt werden. Dies ist ein Prozeß, der in der Gegenwart vor allem von drei Faktoren abhängig ist, die sich wechselseitig bedingen: einmal von dem Leseinteresse und der Nachfrage des Volkes, dann von der Publikationspolitik der Verlage und schließlich von der universitären wie literaturkritischen Reflexion von Literaturwissenschaftlern und -kritikern. Ähnliches geschieht auch häufig mit biblischen Texten, die nach mehr oder weniger langer Latenzzeit, vielleicht auch Inkubationszeit, durch bestimmte Situationen und Personen auf spontane oder reflektierte Weise neues Leben und neue Wirkung erhalten[95].

Dies hinsichtlich einer gewissen Textsorte zu provozieren, kann auch Ziel einer wissenschaftlich-theologischen Arbeit sein. Wir wollen mit dieser Untersuchung ein solches „Wiederauffind-Geschehen" anzetteln, freilich weniger auf die spontane Art und Weise der Identifikation mit Texten denn auf dem Weg praktisch-theologischer Reflexion. Andersherum formuliert: Der Prozeß des Wiederauflebens biblischer Texte in einer geschichtlichen Situation, der im Wechselspiel von Identifikation und Integration in den Text hinein und durch Transformation der Texte in das eigene Leben von einzelnen, einer Gruppe oder auch einer Gemeinde und Teilkirche abläuft, und an dem verschiedene Subjekte mit jeweils unterschiedlichem Einfluß beteiligt sind (Gemeinde, Gruppen, charismatisch begabte Laien, Verkündiger, Theologen, Amtsträger), soll hier auf intersubjektiv nachprüfbarem analytischen und kritisch-exegetischem Weg nachgezeichnet bzw. — da das Wiederaufleben real noch nicht stattgefunden hat — vorskizziert werden. Methodisch müßte dies dadurch geschehen, daß — bezogen auf biblische Klage — die entscheidenden Strukturen und Elemente dieses Sprechaktes definiert und dann mit in der Gegenwart auffindbaren ähn-

---

95 Vgl. Warning (Hrsg.) 1975; Fuchs 1978 a, 139-164 (dort finden sich in den Anmerkungen auch weitere Literaturhinweise); vgl. Egger 1979, 237 ff.; Fuchs Art. 1979 c, 64 f.; Art. 1980, 192 f. In den letzten drei Literaturhinweisen wird deutlich gemacht, wie ein biblischer Text für die aktuelle Situation von Christen entscheidend werden kann. (In der Markuspassion wird der Ps 22 entscheidend für die Klage Jesu wie auch für das Verständnis seines Schicksals.)

lichen Prozessen verglichen und entweder entsprechend identifiziert oder auch als nicht korrelierend qualifiziert werden. Das Ergebnis würden dann praktisch-theologisch ausgewiesene Verwirklichungsmomente gegenwärtiger christlicher Klage sein, die die Potenz haben, zur Identifikation und Realisation einzuladen und zu ermutigen. Das eigentlich ausführende Subjekt des Bedeutungstransfers des biblischen Textes in die Gegenwart hinein ist dann die Gemeinschaft der Gläubigen selbst, die diese Ermutigungen entweder verwirft oder rezipiert. Solches Vorgehen macht mit dem wissenschaftstheoretischen Axiom innerhalb der Theologie ernst, daß Subjekt aller Theologie die Gemeinschaft der Gläubigen ist. Als Glieder dieser Gemeinschaft haben die Theologen freilich die eminent wichtige Aufgabe, diesen Glauben nachzudenken, ihn aber auch immer wieder − entzündet an Defiziten und Krisen − kritisch und kreativ vorauszudenken. Sie tun dies füglich mit Rückgriff auf das kritische Potential von Texten biblischer und kirchlicher Tradition.

Von diesen Grundüberlegungen über die entweder charismatisch-spontane oder theologisch reflektierte (manchmal auch beides) Rezeption eines biblischen Textes oder biblischer Wirklichkeiten in einer gewissen geschichtlichen Situation her kann nun weiter gefolgert werden, daß die jeweilige dazwischenliegende Zeit zwischen Vertextung und einer bestimmten geschichtlichen Rezeptionssituation *methodisch ausgeblendet werden kann*. Denn uns geht es um die jeweilige Gegenwärtigkeit einer biblischen Vorlage in bestimmten geschichtlichen und menschlichen Situationen.

So untersuchen wir den Ps 22 auf unterschiedlichen Präsenzebenen: einmal auf der seiner Entstehungszeit, dann auf der seiner möglichen Verwendung als Gebetsformular beim alttestamentlichen Israeliten, später im neutestamentlichen Kontext, verbunden mit der Todessituation Jesu, schließlich im Kontext unserer Gegenwart und seiner dortigen Verwirklichungsmöglichkeit. Die genaue Untersuchung der entscheidenden Strukturen und Elemente der Klage sowie ihrer Inhalte auf den ersten drei biblischen Untersuchungsebenen läßt über ausreichend theologisch qualifizierte Kriterien verfügen, mit denen gegenwärtiges Klagegebet legitimiert und realisiert werden kann. Aus diesem Grund kann auch in unserer Untersuchung mit solchem bibel-theologischen Ansatz und solcher praktisch-theologischen Methodik und Zielrichtung das ausgeblendet werden, was eine systematisch-theologische Tradition und Reflexion bis zum heutigen Tag dazu zu sagen oder nicht zu sagen hätte. Es ist innerhalb einer, in der theologischen Disziplin nicht mehr ausschließlich mit der systematischen Theologie „verheirateten", sondern relativ emanzipierten praktischen Theologie methodisch legitim, wenn sie für bestimmte Forschungsvorhaben die biblischen Disziplinen als theologische Partner aussucht, um bei und mit ihnen die theologische Kriteriologie für die Beurteilung pastoraler Prozesse einzuholen. Dabei kann es die Exegese bereichern, wenn die praktische Theologie in solchen Fällen mit eigenen texttheoretischen und sprachanalytischen Methoden an biblische Texte herangeht und die dabei aufgefundenen Ergebnisse mit den Erkenntnissen der historisch-kritischen Exegese diskutiert und vermittelt[96]. Die in dieser Arbeit durchgeführte strukturaI-semantische Analyse des Ps 22 und die historisch-kritische Betrachtung der Bedeutungsgegenwarten seiner Strukturen und Elemente im Alten Testament (in der Entstehungs- und Verwendungssituation des Textes) und im Neuen Testament (besonders bei Markus) versuchen beide methodische Wege in der Erschließung von Texten zu kombinieren, um so die in diesem Text aufgehobenen Sprechakte und Handlungsfelder mit ihren Sinnkomponenten in den drei unterschiedlichen „Gegenwarten" zu beschreiben und von daher in biblisch fundierter Weise auf seine notwendige und mögliche Bedeutungsgegenwart in unserer Gegenwart zu sprechen zu kommen. Die systematisch-theologische Besprechung (wahrscheinlich besonders in der Gottes-, der Glaubens- und der Gnadenlehre) der dabei aufscheinenden Ergebnisse und Anregungen muß der systematischen Theologie als Aufgabe überlassen bleiben. Hier wird eine auf biblischer Basis nachdenkende praktische Theologie einmal mehr nicht zum Vollstrecker systematisch-theologischer Inhalte und Postulate, sondern ihrerseits zum Partner, der die systematische Theologie aus einem bibel- und praktisch-theologisch gewonnenen Postulat heraus zum systematischen Nachdenken anregt und provoziert[97].

Überblicken wir den damit angestrengten gesamten Untersuchungszusammenhang deutlicher: Ziel der strukturaI-semantischen Analyse ist es, auf der Ebene der Texttiefenstruktur die charakteristischen Strukturelemente und Sprechakte des für die biblische Klage repräsentativen Ps 22 offenzulegen. Diese tiefenstrukturellen Faktoren sind für eine Produktion jüdisch-christlicher Klage entscheidend, nicht zuerst und nur das wortgetreue

---

96 Vgl. zur Integration neuerer texttheoretischer Methoden in die Exegese: Richter 1971, Güttgemanns Art. 1973; Schweizer 1974; Hardmeier 1978; Egger 1979; Fuchs Art. 1979 c.
97 Zur Abhängigkeits- und Emanzipationsgeschichte der Praktischen Theologie hinsichtlich der systematischen Theologie vgl. Mette 1978, 19-159; zur Freiheit und Kreativität christlicher Praxis wie auch der Praktischen Theologie (im Anschluß an K. Rahner) vgl. ders. Art. 1978, 40-43. Natürlich ist eine strikte Trennung zwischen praktischer und systematischer Theologie unmöglich, denn wer mit Begriffen arbeitet, arbeitet implizit bereits systematisch. Wer die Bibel als konstitutive „Vor-Lage" für mögliches christliches Leben ansetzt, setzt bereits im Raum von Theologie den „Begriff" der Normativität voraus. Das in unserer Arbeit bibelexemplarisch angegangene Klageproblem ist eben auch ein systematisch gestelltes und auf dieser Ebene zu diskutieren. Die biblische Untersuchung unter der Perspektive praktisch-theologischer Fragestellung kann dabei für die systematische Weiterführung des Problems begriffsanalytische Arbeit leisten.

Nachbeten genau dieses Psalms bzw. einer seiner modernisierten Formen[98], was natürlich auch möglich ist, aber nicht nötig. Wollte man nämlich alle semantischen Werte der Textoberfläche, also wie der Text in seiner Sequenz vorliegt, als Basis für die Produktion neuer Texte ernst nehmen, würde erstens weniger Entscheidendes nicht mehr vom Zentralen unterschieden werden können (abgesehen einmal von der dadurch eingehandelten Unübersichtlichkeit); zweitens ist es zuweilen unsinnig und unmöglich, für alle Varianten, die zueinander ähnlich sind, in einer spezifischen veränderten geschichtlichen Situation neue Varianten zu generieren. Denn die Varianten sind Variablen der Geschichte, also der jeweiligen gesellschaftlichen, soziokulturellen, religionsgeschichtlichen und persönlichen Situation. Erst von ihrem geschichtlichen Ort her können sie verstanden bzw. geschaffen werden. Diese Variablen gehören nicht zum zeitlosen normativen Kommunikationskern, wie ihn das Texttiefenmodell zum Ausdruck bringt, das für jede Zeit die gleichen Invarianten anbietet[99]. Erst in den Tiefenmodellen gelangen wir also zu überschaubaren Strukturen der Klage, gleichsam zum Exzerpt und Substrat ihrer charakteristischen Kommunikation sowie zu dem, was ihr Gegenteil ausmacht.

Nun haben wir freilich selbst bei der Texttiefenstruktur von einer *relativen* „Zeitlosigkeit" zu reden. Denn die semantischen Verdichtungen und Bündelungen der tiefenstrukturellen Elemente und ihrer Beziehungen im Kommunikationsmodell sind ihrerseits Formulierungen, deren volle Sinnbedeutung erst von ihrem Ort in der (Glaubens-)Geschichte des *jüdischen Volkes* her zu erkennen ist. So kann ein Tiefenwert (z. B. Gottverlassenheit) zwar in seiner denotativen (also in dem, was er beschreibt) Bedeutung (eben: von Gott verlassen zu sein) wie auch in seiner formal-konnotativen Bewertung (ob er vom Text her eine positive und erwünschte bzw. negative und befürchtete Größe ist) vom synchronen Analysemodell her eingesehen werden, nicht aber in der konnotativen[100] (erfahrungsorientierten, erlebnishaften und emotionalen) Sinntiefe dieses Wortes für das auserwählte Volk Israel und seine Glieder. Deswegen werden wir zur Bestätigung wie auch zum besseren Verstehen unserer struktural-semantischen Analyseergebnisse nicht darauf verzichten können, die Ergebnisse der historisch-kritischen Exegese zu bemühen, um die Strukturelemente vom Ambiente der Zeit her konnotativ-semantisch „sättigen" zu können[101].

Weitersehend geht es nicht nur um die Bedeutungsdimension des Ps 22 in

---

98 Vgl. Cardenal 3/1968; vgl. dazu kritisch Limbeck Art. 1977, 15-16: „Wenn nun aber unsere Gotteserfahrung heute von anderer Art als zur Zeit des ersten Tempels ist . . ., müßte dann unsere heutige Klage nicht *andere* Inhalte haben? So daß es auch deshalb verfehlt wäre, wollte man Israels Klagegebete nur sprachlich ‚modernisieren'!" (16).

99 So ist bezogen auf unseren Psalm von der jeweiligen geschichtlichen Situation her völlig variabel, wer die Leute sind, die verspotten, welche Metaphorik dem „Rachen des Löwen" (V 22) entspricht, oder welche heilsgeschichtliche Erinnerung angeführt wird (V. 5-6) usw.: Diese Variablen aufzufüllen bzw. neu zu formulieren ist kreativ-hermeneutische Aufgabe des aktuellen Beters in seiner spezifischen geschichtlich-biographischen Lage.

100 Zum Begriff der Konnotation vgl. Fuchs 1978 a, 48 ff.; 1978 b, 28-63.

101 Vgl. zum Verhältnis von Strukturanalyse und historisch-kritischer Exegese Fuchs 1978 a, 296 f., 327 ff.

seiner Entstehungssituation und seiner Verwendungsgeschichte im jüdischen Volk, sondern um die christliche Bedeutungszugabe, die primär im Kontext des *Markusevangeliums* dem Ps 22 zukommt. Dieser neue Rezeptionskontext reichert nicht nur die Tiefenkommunikation des Psalms rückwirkend mit neuen hermeneutischen Momenten christologischer Art an, sondern ist zugleich für die normative Qualität der aufgefundenen Klagestrukturen und -elemente für das christliche Klagegebet entscheidend[102].

Schließlich gelangen wir mit dem derart aufgefundenen, legitimierten und angereicherten Strukturmodell der Klage in die *heutige geschichtliche Situation* des Menschen, was besonders seinen gesellschaftlichen, kulturellen und binnenkirchlichen Ort anbelangt, um für die Invarianten der Tiefenstruktur die entsprechenden Varianten, die wichtigsten Variablen unserer Zeit zu finden und sie zu einem neuen möglichen christlichen Klagegebet zu integrieren. Die Fundorte werden dabei im säkularisierten wie auch im religiösen Bereich zu suchen sein. Die zerstreut realisierten Wesensmomente der Klage werden gewissermaßen „heimgeholt" in einen möglichen Gesamtprozeß christlichen Klagebetens. Diese Suchphase ist eine kreative und abenteuerliche[103], die keinen Anspruch auf Vollständigkeit erheben kann und von dem Kenntnishorizont wie auch von den Perspektiven des Verfassers abhängig ist. Sie kann und will nur soviel einbringen, als es zum Weitersuchen und zum kreativen Produzieren aus der jeweiligen eigenen Situation heraus ermutigen mag.

Freilich hat diesem Suchprozeß eine andere Phase voranzugehen, die aber ebenfalls auf der Ebene gegenwärtiger Realisation der strukturellen Vorgabe aus dem Tiefenmodell plaziert ist: Wir werden Erkenntnisse aus den entsprechenden Humanwissenschaften bemühen, die mit den Strukturen, den Elementen, dem Prozeß und dem Sprechakt des jüdisch-christlichen Klagegebetes korrespondieren. Diese Korrelationsarbeit zwischen theologisch-normativer Vorgabe und humanwissenschaftlicher Identifikation der ihr zugrundeliegenden menschlichen Gegebenheiten trägt wesentlich zur Vermittlung von Vorgabe aus der Tradition und deren „Ausgabe" für die Gegenwart bei. So wird der Perspektive dessen, was in der (Sozial-)Psychologie zum Stichwort „Trauerarbeit" entdeckt wurde, für das bessere Verständnis des Klageprozesses einiges abzugewinnen sein, was dann auch die gegenwärtige Vermittlung der Klage plausibler und das Auffinden von entsprechenden Verwirklichungsmöglichkeiten leichter macht.

Fassen wir zusammen: Praktisch-theologisches Ziel des Unternehmens ist, einen pastoral-spirituellen Lernprozeß ingang zu bringen, und zwar auf-

---

102 Im markinischen Kontext bringt es nach der Meinung der Exegeten keine Schwierigkeit, daß nur der Eingangsvers des Ps 22 im Munde Jesu vorkommt: Dieser Eingangsvers evoziert den gesamten Psalm und seine Kommunikationsstruktur in die literarische Situation hinein. Es wäre daneben noch zu fragen, ob weitere Varianten der Klage Jesu im Markusevangelium (z. B. in Getsemane) vorkommen. Auch das „dein Wille geschehe" aus dem Vaterunser weist auf ein wichtiges Strukturelement des Psalms (Erhörung *und* Noterfahrung) hin.

103 Dieser Abschnitt ist methodisch bestimmt durch die im Horizont der generativen Strukturvorgabe bemühte Kreativität des jeweiligen „Produzenten". Es geht also hier nicht nur darum, Defizite festzustellen, sondern eine konstruktive Aufbauarbeit an einem möglichen Beten der Klage zu leisten.

grund einer klar grundgelegten theologischen Option, die im eruierten Basismodell christlicher Klage ihren inhaltlichen Kern zutage bringt und von daher die entsprechende alte pastorale Praxis kritisiert und ergänzt und so eine neue spirituelle Praxis provoziert. Wir können unser Vorgehen in folgende Graphik übertragen:

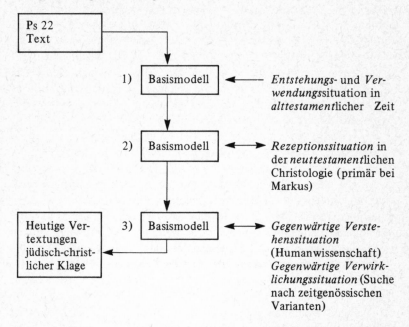

Die Graphik zeigt deutlich, wie über die Konstante des Basismodells der geschichtliche Abstand der verschiedenen Situationen überbrückt wird. Das Modell durchläuft gleichsam die Geschichte und wird an drei entscheidenden Zeitpunkten angehalten: am *alttestamentlichen* Ort der Entstehung und Verwendung, am *neutestamentlichen* der Rezeption im Munde Jesu und bei Markus, und schließlich an unserem *zeitgenössischen Ort*, der sich darum bemüht, die Strukturen der Klage zu verstehen und durch neue Vertextungen zu verwirklichen. Den Text des Ps 22 bringen wir auf die Tiefenstruktur und lassen das dabei erhaltene synchrone kommunikative Basismodell einen vertikalen Durchlauf durch die Geschichte machen und stoppen diesen Durchlauf an den drei genannten Stellen, wo wir das Basismodell gleichsam – wie aus einem Fahrstuhl – aussteigen lassen und sein historisch-horizontales Verhalten im jeweiligen Stockwerk betrachten[104]. Das Basismodell bleibt dabei zwar in seinen Elementen und ihren

---

104 Natürlich sind auch Rezeptionskontexte des Ps 22 aus der kirchlichen Tradition (z. B. Kommentare durch Kirchenväter, in Predigten usw.) von einer gewissen

Beziehungen zueinander konstant, doch bekommen diese in jedem Stockwerk eine charakteristische Einfärbung, wie — um ein anderes Bild zu gebrauchen — ein Stoff durch unterschiedliche Farbbäder taucht und dabei jeweils der gleiche Stoff bleibt, seine Einfärbung sich jedoch verändert. Diese Einfärbung ist mit dem identisch, was man historisch-kritisch Traditionen und Motive und im Bereich der Semantik Konnotationen nennt.

Dies bedarf einer Verdeutlichung: Wir haben den Ps 22 aufgefaßt als textinternen Niederschlag, als Realisat einer außertextlich ablaufenden bzw. erwünschten Kommunikationssituation. Das dem Psalm zugrundeliegende Tiefenmodell ist dann das nicht mehr weiter reduzierbare Substrat dieser Kommunikation. Wo immer der Text in späteren Situationen „zitiert" (wie etwa bei Markus im Munde Jesu) wird, spielt sich zweierlei ab:

1. Der jeweilige Beter *integriert* sich in die grundlegende Kommunikation (= Substrat), die der Text realisiert, und findet sich und seine Situation darin wieder bzw. will sie darin zum Ausdruck bringen, um ebenfalls textextern die gleiche Kommunikation zu erleben. Damit wird durch seine konkrete Integration die Allgemeingültigkeit, die Deutekraft des Tiefenmodells eingelöst. So wird bei Markus das Tiefenmodell des Ps 22 angereichert mit dem konkreten Schicksal Jesu, umgekehrt freilich erlangt dieses Schicksal durch die Deutekraft des dem Text zugrundeliegenden Tiefenmodells sinnerweiternde theologische Konturen: und zwar aus der Vergleichsarbeit mit Traditionen der Vergangenheit. Die Vergleichs*möglichkeit* liegt in der Gemeinsamkeit und damit diesbezüglichen Allgemeingültigkeit des tradierten Tiefenmodells des Textes auf der einen und des Tiefenmodells der neuen realen bzw. literarischen Situation auf der anderen Seite. Die hermeneutische Entdeckung des Sprechers besteht darin, daß er beide aufeinander zubringt.

2. Im gleichen Zug der Integration in das Kommunikationsmodell des Psalms geschieht aber ein umgekehrter Prozeß, nämlich der der *Projektion* (der „Einfärbung"): Gleichgültig ob der Beter die gleichen Worte gebraucht oder andere Varianten für das Tiefenmodell kreiert, in beiden Fällen bringt er sich und sein Schicksal in die Kommunikationskontur mit ein. Durch

---

Verbindlichkeit, doch kann diese nie so hoch anzusetzen sein wie die Verbindlichkeit biblischer Texte, weil auch erstere sich an den letzteren als zutreffend zu erweisen haben. So könnte man das durch die Geschichte durchlaufende Basismodell des Ps 22 an beliebigen kirchengeschichtlichen Orten seiner Rezeptions- und Wirkungsgeschichte Halt machen lassen und die daran anknüpfende Theologie und Spiritualität betrachten (vgl. z. B. Luthers Vorlesung über Ps 22; 2/1977, 144 ff.). Dies soll in Teil IV (in der dritten Publikation) geschehen! (Es handelt sich hier also um eine Bemühen im historischen Feld praktisch-theologischer Forschung.) Zum Verhältnis von Modell und Exemplar vgl. Rossi-Landi 1973, 111 f.

ihn selbst bekommt das abstrakte Modell konkrete Züge; diese Konkretion ist das einmalige Exemplar des generellen Basismodells.

Solange wir uns nun im biblischen Bereich bewegen, haben diese gegenseitigen Wechselbeziehungen zwischen konkreter Person bzw. Situation und abstraktem Modell Anteil an dessen normativer Qualität. Im Bild formuliert: Nicht nur der „synchrone" Stoff, sondern auch die „diachron" dazugekommenen Farben sind Basis der künftigen Kriteriologie der Klage. Die Grenze zwischen synchronem Modell und diachronem Bedeutungszuwachs ist also keine dünne Linie, sondern eine unscharfe Randzone, die durch die Geschichte hindurch mit dem Modell mitwandert.

Die *„ideologischen"*[105] *Voraussetzungen* bzw. inhaltlichen Implikate des bislang dargestellten methodischen Vorgehens müssen freilich klar benannt werden:
1. Texte haben ein vom jeweiligen Verfasser und der Entstehungsgeschichte (erster Sitz im Leben) emanzipiertes *Eigenleben*, wodurch sie selbst ständig neue „Sitze im Leben" anzetteln können: in jeder Situation, wo Text und Leser (mit seinem ganzen Kontext jeglicher Art) eine komplexe Kommunikationssituation aufbauen. Die Gesamtheit dieser realisierten Kontakte zwischen Text und Rezipient macht seine Wirkungsgeschichte aus. In ihr geschieht eine Expansion des Textsinnes, die im Text zwar material-potentiell, aber nicht verfasserintentional enthalten sein muß[106]. Der materiale Text besitzt eine Sinnpotenz, die sich jeweils in der bedeutungsschaffenden Kommunikation des geschichtlichen Hörers durch die Begegnung mit dem Text entfaltet. Der Text trägt bei dieser wechselseitigen Deuteproduktion als „harten Kern" seines Beitrags das jeweilige Texttiefenmodell bei, der Leser bringt seine konnotativen Varianten ein (also seine Erfahrungen, Projektionen, sein Schicksal, Wissen, seine gesellschaftlichen, seine biographischen Assoziationen usw.). Diese Texttiefenstruktur kann im Rezeptionsprozeß nicht angetastet werden, weil sonst der Text als Partner ausgelöscht und nur noch als ungeformte semantische Masse für die Assoziationen und Strukturierungen des Rezipienten mißbraucht wird.
2. Es gibt *Grundstrukturen* menschlicher Kommunikation, z. B. den Sprechakt des Versprechens, auch der Aufforderung u. ä., oder z. B. die

---

105 Wir benutzen den Begriff der Ideologie hier wertneutral vgl. Fuchs 1978 b, 31 f.; zum Verhältnis von Methode und inhaltlicher Implikation vgl. ders. 1978 a, 93. Zum Verhältnis von Text und Sinnentfaltung, dargestellt anhand des Gegensatzes, vgl. a.a.O., 139-151, 160-164, 171 ff., (in den Fußnoten findet sich weitere Literatur); vgl. auch ders. 1978 b, 85-126.

106 Unter „Sinn" ist nach Ricoeur jene Aussage verstanden, die ein Text in der Vergangenheit seiner Entstehung bzw. Verwendung hatte. Unter „Bedeutung" versteht er die Botschaft eines Textes für den heutigen Leser. Verstehen bedeutet für ihn beides, den Sinn wie auch die Bedeutung, zu erfassen; vgl. Ricouer 1969, 389; Egger 1979, 208. Wir können diese Begriffe nicht so zueinander abgegrenzt übernehmen, sondern möchten lieber *Textsinn* als das verstehen, was ein Text an gleichbleibender Tiefenstruktur durch die Geschichte bringt, während die *Textbedeutung* das Ergebnis der jeweiligen historischen Entstehungs-, Verwendungs- oder Rezeptionssituation ist.

Proposition der inhaltlichen Erfahrung der Not und Bedrängnis[107]. So präsumieren wir, daß es auch Grundstrukturen spiritueller Kommunikation gibt, die konstant sind und bleiben, so etwa den Sprechakt der Verheißung (von Gott her) und des vertrauenden Glaubens (vom Menschen her). Diese Grundstrukturen sind, wo sie vergessen wurden, wieder ins Gedächtnis zu rufen und zu lernen. Die Klage ist eine solche Konstante gläubiger Existenz oder sollte es sein und werden. Diese normative Formulierung zeigt deutlich, daß es sich bei den erwähnten Grundstrukturen menschlicher Kommunikation um zwei unterschiedliche Ebenen handelt:

Einmal sind es die anthropologischen Konstanten, die auf der untersten gemeinsamen Vielfachen bei allen Menschen vorkommen, wie etwa der Sprechakt der Aufforderung. Diese Konstanten existieren von vornehrein. Daneben gibt es aber auf einer höherliegenden Ebene kommunikative Konstanten, die, wie in unserem Fall, einem bestimmten Glauben, einem Kult und einem konfessionellen Kreis angehören. So ist das Gebet die im Kontext der Offenbarung von Gott ermöglichte Begegnungsform des Menschen mit ihm[108]. Diese Konstanten existieren nicht von vornehrein, sondern werden durch Sozialisation gelernt. Sie haben für den, der sich in die entsprechende Konfession hineinbegibt, konstitutiven Charakter[109]. Natürlich müssen auch die Grundstrukturen der Kommunikation auf dieser Ebene die Voraussetzung haben, daß sie auf den natürlichen Möglichkeiten der Basisebene aufbauen (so kann der Sprechakt der Verheißung von Gott her verstanden werden durch das, was Menschen unter sich als den Sprechakt des Versprechens erfahren).

Es sei nicht verschwiegen, daß alles, was unsere Untersuchung an Ergebnissen aufweisen wird, auch durch entsprechende Intuition aufgefunden werden könnte. So kann der Beter durchaus im Nachbeten des Psalms 22 die wichtigsten Elemente jüdisch-christlicher Klage realisieren. Aufgrund dieser Erfahrung kann er überhaupt dazu ermuntert werden, Gott gegenüber ähnlich mit eigenen Worten das Gebet der Klage in den Mund zu nehmen und dabei genau das weiterzutragen, was ihre Grundstruktur ausmacht. Uns liegt freilich daran, diesen Prozeß mit intersubjektiver Nachprüfbarkeit und methodischer Klarheit nachzuzeichnen und so ein Stück der Willkür zu entziehen. Die Intuition wird dadurch nicht getötet, sondern erweitert[110]. Auf wissenschaftlichem Weg wollen wir das Postulat einlösen, daß sowohl

---

107 Zu den aufforderungszentrierten Texten vgl. Fuchs 1978 a, 134 f.; zur doppelten Bedeutungsstruktur eines Sprechaktes durch Proposition und Illokution vgl. a.a.O., 130 f. (mit Literatur). Die Proposition entspricht in etwa dem Inhalt, die Illokution der Intention eines Sprechaktes. Vgl. auch ders. Art. 1979 a, 857 f.

108 Zum vorgegebenen Begegnungsgefüge zwischen Gott und Mensch vgl. ders. Art. 1979 a, 855-862. S. u. 5.1.1.

109 Zum Verhältnis von Verkündigung und Sozialisation vgl. ders. 1978 b, 28-63; Art. 1977.

110 Was beispielsweise nach Egger Franz von Assisi mit dem Text Mk 10, 17-31 „passiert" (Egger 1979, 237 ff.; Fuchs Art. 1980, 192), wird bei unserem Unternehmen methodisch reflektiert. Vgl. zum Prozeß der „Bibelauslegung als Interaktion" Wink 1976, 20-59; zum Begriff „Interaktion" vgl. Große 1976, 11 f.

die biblischen Texte wie auch die Gegenwart des jeweiligen Rezipienten ernst genommen werden. Überbordende Intuition charismatischer Provenienz kann so eingedämmt, die oft beklagte Sprachlosigkeit biblischer Texte, vor allem biblischer Gebete, kann entfaltet werden und zu Kreativität anregen. Zwei Gefahren werden dabei gemieden:

1. die *deduktionistisch-biblizistische*, die den Text bis in seine semantischen Verästelungen derartig zur Norm macht, daß er gegenwärtige Menschen und ihre Situationen nicht mehr ernst nimmt und damit ihren Geist auslöscht: Eine hermeneutisch-kreative und damit kreatorische, also geisterfüllte Transformation eines Textes in das eigene Leben findet nicht statt[111];

2. eine allzu *spekulative oder charismatische* Rezeption biblischer Texte, die sie mit den eigenen inhaltlichen Voraussetzungen, Ideologien oder persönlichen Lieblingsideen erschlägt.

Der methodische Transfer zwischen Text und Situation über das strukturelle Tiefenmodell hin zur Variabilität der jeweiligen geschichtlichen Varianten nimmt beide hermeneutische „Ufer" ernst: einmal die Norm des Textes und zum anderen die entsprechende geschichtliche Rezeptionssituation. Dadurch werden sowohl die konstitutive Qualität des Textes wie auch der Eigenwert des Rezipienten und seiner Gegenwart gerettet. So ist einmal mehr deutlich gemacht, daß eine derart durchgeführte bibel-theologische Grundlegung gegenwärtiger Gebetspraxis, ermöglicht durch die Rückbesinnung auf die biblischen Klagestrukturen und durch deren kreative Vermittlung für die Gegenwart, hinreichend ist für eine praktisch-theologisch verantwortbare Einladung zur Besinnung auf das Gebet der Klage.

Es sei in diesem Zusammenhang noch auf eine mit dem *bibel-theologischen* Ansatz des Unternehmens zusammenhängende spezifische Konsequenz und Bedeutung im Horizont praktisch-theologischer Forschung hingewiesen: Das unter unserem Erkenntnisinteresse zusammengetragene Referat der Diskussionen und Ergebnisse fachexegetischer Forschungsarbeit stellt ein theologisch-interdisziplinäres *Vermittlungsangebot* dar zwischen den in ihrer notwendigen Metasprache zum Teil schwer zugänglichen Ergebnissen der alt- und neutestamentlichen Exegese auf der einen und der kirchlichen pastoralen bzw. spirituellen Praxisreflexion auf der anderen Seite[112]. Die

---

111 Vgl. zum Begriff ‚kreatorisch‘ Josuttis Art. 1972; vgl. zum Verhältnis von Kreativität und praktischer Theologie bei Rahner: Mette Art. 1978.

112 Eine weitere *Vermittlung* erfolgt *innerhalb* der praktisch-theologischen Forschungsarbeit: nämlich indem eine Hermeneutik der durch den Ps 22 eingebrachten Strukturen und Inhalte einmal dadurch versucht wird, daß die (human- und handlungswissenschaftlichen) Partnerwissenschaften der praktischen Theologie mit ihren Empirien und Theoremen zu deren Verständnis und besserer Durchdringung im Horizont heutiger Wissens- und Erfahrungsmöglichkeiten bei-

jeweiligen Resultate aus alt- bzw. neutestamentlicher Fachkompetenz werden unter einem praktisch-theologischen Frageaspekt zusammengetragen und zu einem für die Praxis relevanten Aussagebündel integriert. Entscheidend dabei ist, daß diese Ergebnisse nicht abstrakt formuliert und auf die Praxis deduziert, sondern daß sie mit Hilfe eines vertexteten Verhaltensmodells konzentriert und in die Gegenwart hinein transportiert werden. Auf diese Weise kann die in der interaktionellen Dynamik biblischer Texte bereits inhärente Praxisrelevanz konstitutiver Überlieferung zusammen mit den entsprechenden inhaltlichen Präzisierungen modellhaft in die Praxis der Gegenwart hineinreichen. Die im Ps 22 realisierte Handlungsstruktur kann entdeckt und, nachdem die Handlungsfiguren und -elemente durch die Informationen der exegetischen Wissenschaft inhaltlich angereichert wurden, *als solche* den Interaktionen heutiger Praxis korrigierend bzw. innovativ zugänglich gemacht werden. Ps 22 bildet gleichsam ein kommunikatives Magnetfeld (der Klage nämlich), das entscheidende Theologumena israelitischen Glaubens an sich zieht und in der Form einer Glaubensinteraktion in die Gegenwart hineinträgt.

1.4 Der Aufbau

Im Sinne einer Orientierungs- und Lesehilfe soll nun ein Überblick über den Aufbau der vorliegenden Arbeit gegeben werden. Ziele und Methoden dieses Teils I innerhalb des gesamten Forschungsprojektes bestimmen die Prozedur und zugleich die relative Unabgeschlossenheit und damit Offenheit für die weiteren Teile II-V (s. o. 1.1).
Zentral ist der doppelte Anlauf zur Erstellung des struktural und inhaltlich qualifizierten und aufbereiteten Interaktionsmodells der Klage anhand des Ps 22: zum einen durch die struktural-semantische Analyse des Textes (Kap. 2 und 3), zum anderen durch Referat und Diskussion der einschlägigen alttestamentlichen Forschungsergebnisse (Kap. 4 und 5). Danach wird die Untersuchung vorläufig durch einen Ergebnisvergleich von semantischen Strukturen bzw. Elementen und exegetischen Einsichten abge-

---

gebracht werden, zum anderen dadurch, daß heutige Realisationen der Klagekommunikation aufgesucht und mit dem biblischen Modell sowie mit seinen Inhalten verglichen werden. Dadurch werden human-wissenschaftliche Erkenntnisse und vollzogene bzw. zu vollziehende Handlungsvorschläge auf dem Gebiet des Klageprozesses theologisch identifiziert bzw. kritisiert. Auf diese Weise wird ein besseres Verstehen menschlicher Wirklichkeit im Lichte biblischer Botschaft vermittelt, wobei sowohl die gegenwärtige Praxis und ihre Reflexion als auch die biblische Praxis und ihre Bedeutung selbst in ihrem spannungsreichen Zueinander ernstgenommen werden.

schlossen. (Die exegetische Untersuchung wird in der nächsten Publikation im Bereich neutestamentlicher Forschungen über die Markuspassion weitergebracht werden.)

Hier der Überblick im einzelnen:

Im *1. Kapitel* geht es um die Darstellung des praktisch-theologischen Erkenntnisinteresses am Thema des Klagegebets und die entsprechenden methodischen Entscheidungen. Charakteristisch ist dabei die Verbindung von bibel- und praktisch-theologischen methodischen Ansätzen zu einem integrierten Forschungskonzept auf der Basis eines gemeinsamen (beide Disziplinen interessierenden) textbezogenen Forschungsgegenstandes: des Ps 22. Herkunft, Begründung und Zielvorstellung dieses neuartigen methodischen Entwurfs mußte das Einleitungskapitel relativ umfangreich gestalten.

Im *2. Kapitel* erfolgt die strukturale Analyse des gewählten Textes, wobei die Eingangsphase besondere Beachtung erfährt (2.1). Die Prozeßfolge der Analyse orientiert sich an den Sequenzen des Textes und folgt den vorher begründeten drei Absatzeinteilungen (2.2.1-2.2.3). Jeder Absatz wird dem gleichen Analyseverfahren unterzogen: Auflistung der Varianten, Festlegung der Repräsentanzwörter, Erstellung der Tiefenmodelle und Bestimmung des dominanten Sprechaktes.

Kapitel 3 führt Kap. 2 weiter und erstellt die Basisstruktur des Gesamttextes in seiner positiven und negativen sowie in seiner im Text realisierten Form (3.1-2). Auf die die strukturale Analyse ergänzende Beschreibung der Oberflächen-Antithesen (3.3) folgt dann die Charakterisierung des Gesamtsprechaktes der Klage, wie ihn Ps 22 bietet (3.4).

Im *4. Kapitel* werden die Ergebnisse der fachexegetischen alttestamentlichen Wissenschaft in Hinsicht auf die einschlägigen Motive und Traditionen im Ps 22 besprochen. Zuvor (4.1) müssen noch einige für das Textverständnis wesentliche Überlegungen zum V. 22 sowie zur Einheit und Gliederung des Textes angestellt werden. Entsprechend der Abschnitteinteilung in Kap. 2 erfolgen auch in Kap. 4 die Ausführungen über die jeweiligen Bedeutungssyndrome in drei Unterabteilungen (4.2.1-2.3). Dabei wird vor allem auf die Bedeutungsdimension der in Kap. 2 und 3 aufgefundenen Repräsentanzwörter zu rekurrieren sein.

Im *5. Kapitel* weitet sich die Perspektive von Einzelmotiven auf die Besprechung der Klagegattung als ganzer (mit entsprechenden methodischen Präzisierungen unter Verwendung des historisch-kritischen Forschungsbestecks) und ihrer Redesituation (5.1). Beherrschend in diesem Kap. ist der Aspekt der Geschichte alttestamentlicher Klagegattung von der Früh- über die Hoch- zur Spätform (5.2.1-2.3). Abschließend werden kurz die theologischen Tendenzen in der Geschichte der Klage skizziert (5.3).

Insgesamt gilt für Kap. 2 und 3, daß die exegetischen Ergebnisse bis einschließlich zur Exilszeit bzw. zur Psalterredaktion besprochen werden. Die vor- und zwischentestamentliche Zeitstufe (mit den apokalyptischen, weisheitlichen Traditionen sowie den „personal" gefärbten Titeln und Konzeptionen des leidenden Gerechten, des jüdischen Märtyrers, des weisheitlich verstandenen Gottesknechtes sowie des Menschensohnes) werden wegen ihrer inhaltlichen Nähe zu neutestamentlichen Aussagen der Besprechung des Teils II vorbehalten.

Das *6. Kapitel* bringt die konzentrierte Zusammenfassung der wichtigsten inhaltlichen und zugleich methodischen Ergebnisse: indem die Resultate aus Kap. 2 und 3 mit denen aus Kap. 4 und 5 in eine kritisch-ergänzende Verbindung gebracht werden. Dabei geht es besonders um die Strukturelemente in ihren inhaltlichen Qualitäten sowie um den Prozeßverlauf der Klage als alttestamentliches Gebet (6.1.1-1.2). Die Arbeit schließt mit einem Plädoyer für das jüdisch-christliche Gebet der Klage (6.2).

2 Struktural-semantische Analyse des Psalms 22

Wir wollen nun dazu übergehen, den Ps 22 möglichst textnah Wort für Wort ernstzunehmen, sowohl was die im Text realisierten wie auch die möglichen gegensätzlich ergänzten Wortwerte anbelangt[1]. Dies geschieht in der Erstellung der Strukturlisten. Auffälligkeiten in ihnen werden mit den entsprechenden Numerierungen in den Erklärungen besonders behandelt[2]. Es folgt dann jeweils die Reduktion dieser Varianten auf möglichst repräsentative Invarianten, die in die Tiefenmodelle eingetragen werden[3]. Schließlich erfolgen die Beschreibung dieser Tiefenmodelle und die aus den Strukturlisten wie auch aus den Tiefenmodellen zu erschließende Bestimmung des Sprechaktes[4]. Dieser Dreischritt der Analyse wiederholt sich bei jedem der drei Abschnitte des Psalmes (2.2.1-2.2.3). Anschließend (3) erfolgt die Erstellung der Tiefenmodelle des gesamten Textes sowie die Bestimmung des Gesamtsprechaktes der Klage[5]. Doch zuvor bringen wir den Text, die Begründung der Absatzgliederung sowie eine Feinanalyse des den gesamten Psalm in entscheidender Weise eröffnenden Verses 2 (2.1 [1]-[3]).

2.1 Einführung

2.1.1 Der Text[6] des Psalms 22

2. *Mein Gott, mein Gott, warum hast du mich verlassen,*
   bist fern meinem Schreien, den Worten meiner Klage?
3. *Mein Gott, ich rufe bei Tag, doch Du gibst keine Antwort;*
   ich rufe bei Nacht und finde doch keine Ruhe.

---

1 Zur Analyseprozedur vgl. Fuchs 1978a, 182 ff. Zur Herleitung der Analysemethode vgl. a.a.O., 23-121; 1978 b, 86-118; Art. 1977. Ähnlich wie in 1978 a, aber etwas modifiziert dazu, wollen wir schrittweise vorgehen.
2 Zur Erstellung der Strukturlisten vgl. ders. 1978 a, 194 ff., 300 ff.; zu der Operation gegensätzlicher Ergänzung und der psychologischen Entsprechung der Assoziation vgl. a.a.O., 59 f., 100 f., 160 ff.; 1978 b, 137-147.
3 Zur Tiefenmodelle durch Reduktion der Varianten auf Invarianten vgl. Fuchs 1978 a, 245 f., 278 ff., 314 ff., 118f.
4 Zur Erstellung des Sprechaktes aus den Strukturlisten und den Tiefenmodellen vgl. a.a.O., 230 f., 323 f., 184, 136 f.
5 Vgl. zur Erstellung des Gesamttiefenmodells a.a.O., 278 ff. Erst in diesem Abschnitt geschieht auch die Sprechaktbestimmung für den Gesamttext, nachdem nämlich die rhetorisch-poetische Oberflächenstruktur anhand der Antithesen, die sich über den Gesamttext ziehen, untersucht worden sind. Auch sie sind eine Quelle der Sprechaktbestimmung, vgl. a.a.O., 153-164, 156.
6 Wir nehmen als Textgrundlage den approbierten Text der Einheitsübersetzung (1979/80). In Klammern (V. 22 b) erscheint eine entscheidende Übersetzungsvariante, die auf Kap. 4.1.2 vorgreift. Nach unserer Analysemethode werden wir

4. *Aber du bist heilig,*
   du thronst über dem Lobpreis Israels.
5. *Dir haben unsere Väter vertraut,*
   sie haben vertraut, und du hast sie gerettet.
6. *Zu dir riefen sie und wurden befreit,*
   dir vertrauten sie und wurden nicht zuschanden.
7. *Ich aber bin ein Wurm und kein Mensch,*
   der Leute Spott, vom Volk verachtet.
8. *Alle, die mich sehen, verlachen mich,*
   verziehen die Lippen, schütteln den Kopf:
9. *„Er wälze die Last auf den Herrn, der soll ihn befreien!*
   Er reiße ihn heraus, wenn er an ihm Gefallen hat."
10. *Du bist es, der mich aus dem Schoß der Mutter zog,*
    mich barg an der Brust der Mutter.
11. *Von Geburt an bin ich geworfen auf dich,*
    vom Mutterleib an bist du mein Gott.

12. *Sei mir nicht fern,*
    denn die Not ist nahe,
    und niemand ist da, der hilft.
13. *Viele Stiere umgeben mich,*
    Büffel von Baschan umringen mich.
14. *Sie sperren gegen mich ihren Rachen auf,*
    reißende, brüllende Löwen.
15. *Ich bin hingeschüttet wie Wasser,*
    gelöst haben sich alle meine Glieder.
    Mein Herz ist in meinem Leib wie Wachs zerflossen.
16. *Meine Kehle ist trocken wie eine Scherbe,*
    die Zunge klebt mir am Gaumen,
    du legst mich in den Staub des Todes.
17. *Viele Hunde umlagern mich,*
    eine Rotte von Bösen umkreist mich.
    Sie durchbohren mir Hände und Füße.

---

uns daran halten müssen, den Text als synchrone Einheit ernstzunehmen und die Ergebnisse der historisch-kritischen Exegese zunächst zu vernachlässigen. Letztere werden nur am Rande im Analyseteil erwähnt: Sie tragen dann dazu bei, die notwendigsten Klärungen bereits hier zu erwähnen sowie entsprechende Querverweise auf Kap. 4 und 5 zu liefern. Die Überschrift des Psalms, die seinen ersten Vers bildet (Für den Chormeister. Nach der Weise „Hinde der Morgenröte". Ein Psalm Davids.) gehört nicht zum eigentlichen Text und kann deswegen vernachlässigt werden; er beinhaltet vermutlich chortechnische Anweisungen, vgl. im Gegensatz dazu Luther 2/1977, 144; vgl. ebd. dagegen Anm. 1; vgl. Kraus 5/1978, XIX f., XXVII f.

18. *Man kann all meine Knochen zählen;*
    sie gaffen und weiden sich an mir.
19. *Sie verteilen unter sich meine Kleider*
    und werfen das Los um mein Gewand.
20. *Du aber, Herr, halte dich nicht fern!*
    Du, meine Stärke, eil mir zu Hilfe!
21. *Entreiße mein Leben dem Schwert,*
    mein einziges Gut aus der Gewalt der Hunde!
22. *Rette mich vor dem Rachen des Löwen,*
    vor den Hörnern der Büffel rette mich Armen!
    (Vor den Hörnern der Büffel: du antwortest mir).

23. *Ich will deinen Namen meinen Brüdern verkünden,*
    inmitten der Gemeinde dich preisen.
24. *Die ihr den Herrn fürchtet, preist ihn,*
    ihr alle vom Stamm Jakobs, rühmt ihn;
    erschauert alle vor ihm, ihr Nachkommen Israels!
25. *Denn er hat nicht verachtet,*
    nicht verabscheut das Elend des Armen.
    Er verbirgt sein Gesicht nicht vor ihm;
    er hat auf sein Schreien gehört.
26. *Deine Treue preise ich in großer Gemeinde;*
    ich erfülle meine Gelübde vor denen, die Gott fürchten.
27. *Die Armen sollen essen und sich sättigen;*
    den Herrn sollen preisen, die ihn suchen.
    Aufleben soll euer Herz für immer.
28. *Alle Enden der Erde sollen daran denken*
    und werden umkehren zum Herrn:
    Vor ihm werfen sich alle Stämme der Völker nieder.
29. *Denn der Herr regiert als König;*
    er herrscht über die Völker.
30. *Vor ihm allein sollen niederfallen die Mächtigen der Erde,*
    vor ihm sich alle niederwerfen, die in der Erde ruhen.
    Meine Seele, sie lebt für ihn;
31. *Mein Stamm wird ihm dienen.*
    Vom Herrn wird man dem künftigen Geschlecht erzählen,
32. *seine Heilstat verkündet man dem kommenden Volk;*
    denn er hat das Werk getan.

2.1.2 Bemerkungen zur Absatzgliederung

Bevor wir mit der Analyse der einzelnen Abschnitte beginnen, steht die Frage der Absatzgliederung an[7]. Auf einen Sprung nämlich das Gesamttiefenmodell des ganzen Textes erstellen zu wollen, nimmt nicht ausreichend im analytischen Vorgehen die Sequenz des Textes und die entsprechenden Abfolgen der Akteure, ihrer Handlungen und Sprechakte ernst. Die Absatzgliederung von V. 22 und 23 ist klar und von keinem Exegeten bestritten[8]. Schwieriger ist die nach einer entsprechenden Dritteleinteilung zu erwartende Limitierung des ersten Abschnittes[9]. Sie müßte etwa vom Textmaterial her zwischen V. 9 und 12 erfolgen. Mit und nach dem V. 9 ist tatsächlich ein Wechsel in der Realisierung der semantischen Akteure und Handlungen festzustellen[10]. Doch geschah ähnliches bereits weiter oben V. 4-6 und folgte auch dort im Gegensatz zu einer expressiv ausgedrückten unmittelbaren negativen Situation des Beters (konjunktionssemantisch durch das „aber" V. 4 signalisiert). Es ist also naheliegend, vom Aufbau her zu vermuten, daß je beide gegensätzlichen Teilabschnitte (V. 2-3 *und* 4-6 sowie V. 7-9 *und* 10-11) als konnotativsemantische (negative und positive Situationen) Kontrastfelder zusammengehören und nicht zu trennen sind[11]. Schwieriger ist nun die Zuordnung von V. 12. Die größere Anzahl der Autoren zählt ihn als Abschluß des ersten Abschnittes zu den ersten beiden Anläufen von Klage und Vertrauen[12]. Das mag richtig sein! Von der künftigen Analyse her legt sich aber abweichend dazu doch nahe, V. 12 zum kommenden Abschnitt dazuzunehmen: Erstens erfolgt hier das erste Mal der Übergang von der Klage in die Bitte[13]. Die Bitte freilich ist der charakteristische Sprechakt des zweiten Abschnittes (vgl. V. 20-22). Was nun mit der Bitte endet, könnte genausogut die gleiche Sprechakt-Eröffnung haben. Zweitens kann die Begründung der Bitte V. 12 c als Überschrift gelesen werden zu der folgenden Schilderung der feindlichen Aktionen[14]. Drittens gilt: Wenn auch V. 11 b bereits wieder in die Gegenwart reicht, so ist dieser Teilabschnitt V. 10-11 dennoch eine Phase der Vertrauenserinnerung, die die Gegenwart als Replik auf die Anrede des ersten Satzes „mein Gott" und als individuell-biographische Begründung dafür

---

7 Zur Bedeutung von Abschnitten und ihrer Limitierung vgl. Fuchs 1978 a, 148-153, 309-310.
8 Vgl. dort in den Strukturlisten den bedeutsamen Wechsel der im Text realisierten Werte von den Minus- in die Positivspalten.
9 Natürlich ist die rein mathematische Einteilung, die genau ab V. 11 ansetzen müßte, keine hinreichende Begründung; vgl. zur Diskussion dieser Absatzlimitierung Ridderbos 1972, 185-186 und s. u. 4.1.3.
10 Vgl. dazu in den Strukturlisten, wo die Akteure der Feinde aus den Negativspalten nun überwechseln auf den Akteur Gott in die Positivspalten mit entsprechendem positiven Objekt und Adressaten.
11 Dies wird auch von den meisten Exegeten bestätigt, vgl. Kraus 5/1978, 176-180; Ridderbos 1972, 185 f.
12 Vgl. Gese Art. 1968, 8; Kraus ist undeutlich 5/1978, 176/180.
13 Vgl. Kraus 5/1978, 176.
14 Vgl. dazu in den Strukturlisten das Minusobjekt: Im Folgetext wird ausgeführt, was die Ferne Gottes, die durch die Bitte abgewendet werden soll, mit sich bringt. Die Akteure der nahen Not werden nun genauerhin benannt.

erreicht, daß die Kommunikation der Klage zu Gott überhaupt eröffnet wird[15]. Aus diesen Gründen entscheiden wir uns für die Limitierung des Abschnittes I nach dem V. 11.

2.1.3 Feinanalyse der Psalmeröffnung (V. 2)

Die Eingangsphase eines Textes, vor allem wenn er wie der unsrige darauf aus ist, eine Beziehung zu eröffnen, ist von entscheidender Bedeutung für ein erstes Vorverständnis des Textinhaltes wie auch für die Intention der erwünschten Beziehung. Der Textanfang ist gleichsam das Tor, das mit seinem „Namensschild" und seiner Gestaltung viel von dem dahinterstehenden Gebäude verrät[16]. Mit dem „Zitat" des ersten entscheidenden Satzes wird der ganze dahinterstehende Text evoziert[17]. Damit kommen mit seinem Ausrufen mitten in der äußersten Not bereits im Vorgriff der weitere Verlauf und auch das „Ende" des Psalms in den Blick.
Hier also die Feinanalyse des ersten Verses[18]:

---

15 Der Sinnfortschritt von der kollektiven zur individuellen Erinnerung charakterisiert eine Steigerung des Klageliedes: Es geht primär um den Beter und um seine Geschichte, die freilich nicht ohne die Geschichte Israels zu haben ist. Zu unserer Limitierung des Abschnitts I vgl. bestätigend Ridderbos 1972, 185; neuerdings Stolz Art 1980, 134; in etwa auch Deissler Art. 1981, 102/113; s. u. 4.1.3.
16 Zur Bedeutung des Eingangsphase vgl. Fuchs 1978 a, 149-153. Wir wollen den gesamten Text als einheitlichen Text betrachten (dies ist auch das Ergebnis der Textkritik). Die Absatzgliederung kann als nicht so scharf durchgeführt werden, daß jeweils die ersten Sätze auch der Abschnitte besonders analysiert werden müßten. Bei Abschnitt II ist das nicht ratsam, weil dieser Einschnitt ehedem kein markant trennender ist, jedenfalls nicht in dem Maß, wie die Wende von V. 22 auf 23. Doch ist gerade bei diesem Übergang Vorsicht geboten. Auch er ist kein notwendig brechender, vor allem wenn die Übersetzungsvariante von 22 b in Betracht gezogen wird. Jedenfalls empfiehlt sich wegen der „unsicheren" Textlage (s. u. 4.1.2), keine gewichtigere, auf Einzelsätze an der Textoberfläche bezogenen Feinanalysen durchzuführen. Besonders behandelt wird also nur V. 2 und am Schluß noch, aber nicht so intensiv, V. 32 b (s. u. 2.2.3 (1)).
17 Die Bedeutung der Eingangsphase wird auch dadurch bestätigt, daß lediglich V. 2 im Munde Jesu zitiert ist. Der Konsens der Exegeten bestätigt, daß damit der ganze Ps 22 evoziert wird (allerdings nicht als Abschwächung der Klage: vgl. Teil II, s. o. 1.1; vgl. Steichele 1980, 225).
18 Zur Einführung in das Verfahren der auf die Oberfläche des Textes bezogenen Feinanalyse mit unserem Beschreibungsmodell vgl. Fuchs 1978 a, 208 ff., 183.

Adressant (Sender):	Objekt:	Adressat (Empfänger):
fragendes Ich des Beters (*mich* verlassen)	*Warum* hast du mich verlassen	mein Gott (*du* mich verlassen)

Subjekt [19]

Der Text startet eruptiv mit einer Anrede, die ihre besondere Intensität durch die Frageform (warum) erhält. Die Texteröffnung ist dadurch von vorneherein in aller Dichte beziehungsorientiert[20]: Der textexterne Adressat wird in der zweiten Person (du) und in dem Vokativ (mein Gott) textintern an- und ausgesprochen. Verstärkt wird diese Anrede durch die Stirnstellung des Vokativs, der dazu noch verdoppelt wird (mein Gott, mein Gott). Diese syntaktische Stellung treibt in Verbindung mit der rhetorischen Stilfigur der Wiederholung die Expressivität der Anrede auf die Spitze[21]. Auch das Possessivpronomen „mein" gibt der durch die Frage eröffneten Kommunikation eine unausweichliche Note. Denn im adjektivischen „mein" wird der Adressat als der genannt, der in die Beziehung zum Sprecher als der entsprechende Hörer einfach hin-,,ge-hört". Auf der Adressatenseite taucht der Adressant auf als der Adressat dessen, was der angesprochene Adressat getan hat (mich verlassen). Aber auch umgekehrt: Auf der Adressantenseite taucht seinerseits indirekt der Adressat auf als derjenige, der dafür verantwortlich ist, daß der Beter nun „verlassen" ist[22]. Dies zeigt das verflochtene Ineinander der kommunikativen Handlungen, in denen textinterne Adressanten und Adressaten verbunden sind. In eigenartiger Spannung stehen dabei die im präsentischen Perfekt stehende Verlassenheitstat Gottes und die anredende Zugehörigkeitsaussage „mein Gott" des Beters.

---

19 Das Subjektkästchen will graphisch sichtbar machen, mit welcher Sehnsucht der Adressant in die Kommunikation mit dem entsprechenden textinternen Adressaten über das entsprechende Objekt einsteigt. Es zeigt also die subjektive Seite (vgl. den Pfeilverlauf) des Adressanten in dem, was er erwünscht bzw. in dem, was er nicht will, wovor er Angst hat; vgl. dazu a.a.O., 90/91, 294, 325; vgl. auch 1978 b, 86 ff.

20 Vgl. ähnlich das Beispiel ders. 1978 b, 113 ff.; 1978 a, 301; im Gegensatz zu a.a.O., 294.

21 Zum Verhältnis von Syntaxstellung und Expressivität vgl. a.a.O., 208.

22 Deshalb erscheint das „mein" in der Strukturliste auch im Adressanten. Zum Verhältnis von Aktiv- und Passiveintragungen in den Strukturlisten vgl. a.a.O., 112-118.

Die im Modell visualisierte Subjekt-Objekt-Beziehung zeigt die Sehnsucht des Beters: Sie gipfelt in dem „warum", darin also, Gott die (an)klagende Frage zu stellen, um von ihm die Unverständlichkeit und Unergründlichkeit seines Handelns erklärt zu bekommen. Die Frage hat eindeutig im Plusobjekt zu stehen, denn sie liegt dem Beter mit der darin ersehnten „Antwort" (vgl. V. 3) am Herzen. Zugleich kann der textintern in der Frageform implizite Beter als Adressant in das Modell eingetragen werden, wobei die Eigenschaft vom Vollendetsein des Perfekts (du hast verlassen) her aus dem Objektbereich ausgelagert und als passivisches Partizip beim Adressanten genannt werden kann: Er fragt als (von Gott) Verlassener. Auf der Adressatenseite erscheinen zwei Qualitativa Gottes: einmal das doppelte „mein" und im Kontrast dazu die aus der Frage zum Adressaten hinübergeholte Aktion: Er ist als der angesprochen, der verlassen hat.

Genauerhin setzt also die gegenwärtige sprachliche Kommunikationsaufnahme eine Tatkommunikation voraus, die bis zum Augenblick andauert und auch Anlaß der jetzigen textgleichzeitigen Kommunikation ist, deren Anfang aber in der Vergangenheit liegt: Gott hat mich verlassen! Hier das Oberflächenmodell dieses Satzes, das dem obigen vorzeitig ist und worin Gott der Adressat war, als der er jetzt angesprochen wird[23].

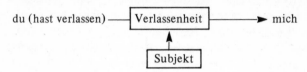

Der in V. 2a angeredete Adressat (du) ist der Adressant der Verlassenheit gewesen, der dem Adressanten des zur jetzigen Kommunikationssituation gleichzeitigen Textes Verlassenheit „gegeben" hat[24]. Gott erscheint als einer, der den Wunsch hat(te), Verlassenheit zu geben. Dies aber ist dem gegenwärtigen Beter der Anlaß der Frage. Das aus der Perspektive des Beters natürlich als negativ qualifizierte „Minusmodell" hat das Plusmodell der Frage provoziert. Hätte sich Gott nämlich so verhalten, wie das zu diesem Minusmodell ergänzbare Plusmodell zeigt, dann hätte diese Frage die Gebetskommunikation nicht eröffnen können[25]:

23 Die Adressantenschaft Gottes reicht also auch in den Gegenwartstext hinein (vgl. in den Strukturlisten die Pfeile von Adressat zu Adressant), so daß immer wieder ein Adressanten/Adressatenwechsel zwischen Beter und Gott mitschwingt.
24 Zur Beschreibung dieser Investitionsmethode vgl. a.a.O., 112 ff.
25 Dieser textinterne Befund, der eindeutig auf die unmittelbare faktische bzw. empathisch-identifikative (durch einen Dichter) Situation der Klage verweist, korrespondiert mit den Überlegungen über den „Sitz im Leben" der individuellen Klagelieder: s. u. 5.1.2.

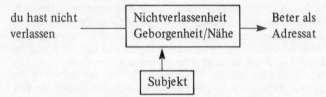

du hast nicht verlassen → Nichtverlassenheit Geborgenheit/Nähe → Beter als Adressat
↑ Subjekt

Diese positive Voraussetzungssituation hätte für die Gegenwart keinen Gebetstext der Klage und der Frage, sondern allenfalls den der Bitte, daß es so bleiben möge, oder des Dankes geschaffen:

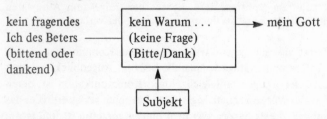

kein fragendes Ich des Beters (bittend oder dankend) → kein Warum ... (keine Frage) (Bitte/Dank) → mein Gott
↑ Subjekt

Letzteres Modell könnte auch eine negative Begründungssituation haben, nämlich daß der Beter aufgrund der Kontrasterfahrung zu seinem bisherigen Glauben und Erleben nicht mehr nach Gott fragt und ihn „abschreibt". Dieses Minusmodell gegenwärtiger „Kommunikation" würde die Beziehungsaufnahme in sich verunmöglichen, so daß der Gebetstext gar nicht zustande käme[26]: ‚Du hast mich verlassen, du bist nicht mehr mein Gott'; im Minusmodell zum realisierten Text eingetragen:

nicht (mehr) fragendes Ich (verzweifeltes Ich) → du hast mich verlassen → nicht (mehr) mein Gott
↑ Subjekt

Hier erscheint nicht nur eine Frage, sondern eine endgültige Feststellung, die jede Beziehungsaufnahme sinnlos macht[27]. Von daher ist einsichtig, daß im Plusmodell der Beter in seiner Eigenschaft als Klagender im Plusadressanten zu stehen hat, der mit diesem Sprechakt die Beziehung zu Gott aufnehmen will. Andererseits wäre der Adressant nicht zur Klage (vgl. V 2 b) gedrängt, wenn Gott ihn nicht verlassen hätte. Aus dieser Perspektive wiederum könnten Klage und Verlassenheit im Minusmodell stehen,

---

26 Bei allen sehr beziehungsorientierten Texten, bei denen der Inhalt beinahe mit der Beziehung identisch wird, ist die semantische Verneinung zugleich die Aufhebung des Textes und dadurch auch der erzielten Kommunikation, vgl. dazu ein entsprechendes Predigtbeispiel in ders. 1978 b, 137-153.
27 Vgl. die Strukturlisten, wo der negative Adressat (nicht mein Gott) durch das „du hast verlassen" als negativer Adressant zum Vorschein kommt.

wodurch der entsprechende Plusadressant (als Nicht-Klagender) Gottes Nähe loben könnte. Dies würde folgendes zum gegenwärtigen Text positiv ergänzbare Modell aufbauen, in dem dann nicht nur nicht geklagt, sondern gelobt wird:

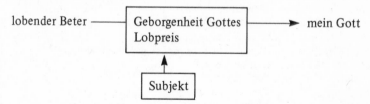

Interessant ist, daß diese zum vollzogenen Sprechakt der Klage ergänzbare Kommunikation des Lobes tatsächlich im Folgetext realisiert wird (V. 4 und besonders V. 22 ff)[28]. In der Texteröffnung und seinen möglichen Ergänzungen ist implizit bereits der ganze Folgetext ein gutes Stück enthalten. Dies ist übrigens auch ein Hinweis auf die Kohärenz und Einheit des Ps 22. Zugleich wird deutlich, wie vielschichtig und komplex diese Texteröffnung ist[29]. Dies hängt hauptsächlich damit zusammen, daß der Sprechakt der klagenden Frage eine schillernde Wertdimension hat: Daß der Beter klagen *muß* (aufgrund der Verlassenheit), ist negativ, daß er aber aus dieser Not heraus tatsächlich zu Gott klagt und so mit ihm Beziehung aufnimmt, ist positiv einzuschätzen (vgl. V. 6, wo das vertrauende Rufen der Väter eindeutig im Plusadressanten zu stehen hat).

Wenn auch nicht ausdrücklich als Frage, so doch in ihrem Bannkreis folgt nun der zweite, mehr indikativische Teil des Verses:
„(Warum) bist (du) fern meinem Schreien,
den Worten meiner Klage?"[30]
Es wird hier deutlich, daß das Fragen des Beters in V. 2a ein klagendes, flehendes, bzw. aus der Not heraus schreiendes ist.[31] Der Kommunika-

---

28 Vgl. ein ähnliches Beispiel aus dem Neuen Testament Fuchs 1978 a, 194 ff.

29 Vgl. dazu die schillernden Listeneintragungen beim Plus- und Minusadressaten (Nr. 1-3); vgl. auch die Spalte des positiven Adressanten und positiven Adressaten.

30 Weiser bringt hier, abweichend von den meisten anderen Exegeten „ich schreie um Hilfe, doch ach sie ist fern." (7/1966, 146; im Gegensatz dazu Kraus 5/1978, 174). Bei der Eintragung in das Modell machen die beiden Sätze keine sehr großen Unterschiede aus. Denn möglicher Adressant der Hilfe bleibt Gott, und ob das Schreiben oder das Klagen in der Nominalform substantiviert oder in der Verbalform begegnet, bleibt sich gleich. Der Adressant bleibt in jedem Fall auch der Beter. Aufgrund des Parallelismusstils bleibt der Satz in beiden Fällen im Fahrwasser der ersten Frage, vgl. Kraus a.a.O., 177/8.

31 Die Übersetzer bringen verschiedene Varianten: Flehen, Worte meines Schreiens (Gese), Schreien, Worte meines Flehens (Kraus), Schreien, Worte meines Stöhnens (Stolz), mein Fleheruf, mein Wehgeschrei (Deissler); s. u. 4.2.1 (1). In allen Fällen sind das Äußerungen, die im Kontext des klagenden Beters getan werden (vgl. Severus Art. 1972, 1163).

tionsprozeß klagender Frage, der oben noch implizit in der Grammatik der Frage abläuft, wird jetzt direkt in der Semantik des Textes ausgedrückt und als solcher qualifiziert. Vom Schreien zur geworteten Klage erfolgt eine Klimax, die von der Unaussprechlichkeit des eruptiven Notschreies zur Verbalisierung des Leides für den Hörer führt. Dies ist ein Übergang, der durch den vorliegenden Gebetstext im ganzen pragmasemantisch eingelöst wird[32]. Hier das entsprechende Modell des Satzes:

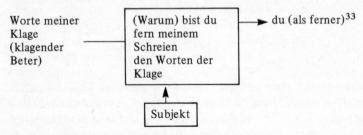

Auch hier ist eine vorzeitige Kommunikation vorausgesetzt, die zwar in die Gleichzeitigkeit des Textes hineinreicht, aber doch als seine Ermöglichung und Begründung auszugliedern ist:

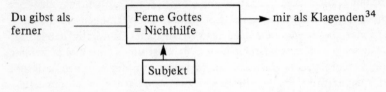

---

32 Zur Stilform der Klimax vgl. Ridderbos 1972, 52. Der Psalm realisiert auf interessante Weise durch sich selbst diesen Übergang ins Wort: Das hohe poetische Niveau zeigt sich dabei darin, daß der Text mit starken Wörtern („Schreien") die Vehemenz konkreter Notäußerungen aufnimmt, aber zugleich sparsam verbalisiert und in eine stilistisch wie auch inhaltlich (theologisch) durchdachte und geordnete semantische Bahn bringt, die generellen Charakter hat. Im Text findet sich also der konkrete Fall wieder; er kann dies aber nur, weil der Text im Allgemeinen das Konkrete zum Vorschein bringt und so das Vereinzelnde des Konkreten aufhebt. So können hinter dem Stichwort der Gottesferne sehr viele einzelne konkrete Erfahrungen stehen, sie werden aber alle in diesem Wort aufgenommen und in großer Stärke ausgedrückt. Im Zug dieses Prozesses wird der Beter mit seiner Situation ins Wort gehoben und entlang der Sequenz des Textes und seines Sprechaktes mitgenommen; vgl. dazu die Ausführungen zur Rezeptionsästhetik in Fuchs 1978 a, 139 ff.

33 Vgl. die Strukturlisten. Vgl. dazu die Stirnstellung des Wortes „fern" im hebräischen Text, (s. u. 4.2.1 [1]). Dieses Adjektiv „fern" bestätigt als gegenwärtige Qualifikation Gottes das ins Präsens reichende Perfekt des „du hast mich verlassen".

34 Diese Eintragung „mir als Klagenden" wäre die genauere im Gegensatz zu „Worte meiner Klage", wie sie in den Strukturlisten vorkommt. Doch verzichten wir auf die methodisch exaktere Eintragung des jeweiligen Adressaten und Adressanten, weil dadurch der Text recht stark verändert wird. Wir wollen deshalb in der Regel, soweit es sich nicht um Ergänzungen handelt, den Text nicht in adjektivische oder partizipiale Konstruktionen transformieren, sondern so bringen, wie er ist. Die Transformation erfolgt erst später in den Tiefenmodellen; vgl. dazu a.a.O., 112 ff.

Die Feinanalyse der ersten beiden Distichen der Texteröffnung zeigt deutlich[35], mit welcher Sprechaktrichtung (Illokution) und welcher Proposition (Inhalt) die mit diesem Text eröffnete Kommunikation einsteigt: Im Sprechakt der klagenden Frage wird die Erfahrung der Verlassenheit als Inhalt[36] auf Gott zugesprochen.

Wenn man die elementare Wichtigkeit einer Texteröffnung in Rechnung stellt, so kann die hier pointierte Ausgeprägtheit (und semantische Benennung in V. 2b) des Sprechaktes nur bedeuten, daß hiermit der *ganze* Psalm seine Weichenstellung, seine illokutive und propositionale Überschrift bekommt. Der Folgetext wird sich als Variantensequenz dieser beiden Sätze (einschließlich ihrer Ergänzungen) erweisen[37]. Im „Toreingang" des Textes ist bereits der ganze Psalm enthalten, auch – assoziativ – der dritte Abschnitt mit dem Gotteslob über die Nähe Gottes.

Bleibend wird auch die „Wechselhaftigkeit" von Beter und Gott sein, was ihre Adressanten- und Adressatenrolle anbelangt: Primär und grundlegend für die Entstehung des Textes ist die *gegenwärtige* Kommunikation zwischen Beter und Gott, die sich zwar textintern nicht immer explizit niederschlägt, aber doch allen Aussagen als Interaktionsimpuls zugrundeliegt. Erst *sekundär* erfolgt im Rahmen dieser Kommunikation die Benennung anderer Adressanten (vor allem Gott, aber auch im Negativbereich die Feinde und Spötter), die dem Beter (bzw. Israel, V. 5-6) etwas „geben" bzw. „gegeben" haben (Verlassenheit, Spott, Verfolgung, Nähe, Erhörung usw.), was jetzt den gegenwärtigen kommunikativen Prozeß des Betens provoziert und so die Bedingung der Möglichkeit seiner Entstehung ist[38].

2.2 Analyse der Abschnitte

2.2.1 Abschnitt I: Ps 22, 1-11

Überblick
Ein erster Überblick läßt folgende Teilabschnitte in den Versen 2-11 als inhaltliche Sequenzen erkennen:
V. 2-3: die texteröffnende Frage und die Schilderung der Dauer und Erfolglosigkeit des fragenden Klagens;

---

35 Die entsprechenden negativen Ergänzungen zu V. 2 können – analog zu den erstellten in V. 2 a – den Strukturlisten entnommen werden.
36 Dahinter steckt natürlich bereits eine personale Interpretation gegenwärtiger Not *als* Verlassenheit Gottes, s. u. 4.2.1 (1).
37 Vgl. die entsprechenden Eintragungen in Abschnitt II und III.
38 In den Strukturlisten wird dieser Wechsel von primärer zu sekundärer Kommunikation durch die entsprechenden Pfeile vom Adressaten zum Adressanten visualisiert.

V. 4-6: eingeleitet durch das „aber"[39] folgt eine Kontrastsequenz, die Gott als den Lobpreis Israels anspricht und die heilsgeschichtliche Erinnerung an das erfolgreiche (Rettung) Rufen der vertrauenden Väter gegenwärtig macht;

V. 7-9: durch die adversative Konjunktion „aber" erfolgt wieder die Situationsschilderung des Beters als Spottobjekt der Leute;

V. 10-11: bereits vorbereitet im Munde der Spötter (V. 9) folgt nun die biographisch-heilsgeschichtliche Erinnerung des Beters, die eigenartigerweise [40] bis in die Gegenwart reicht. Was die Leute als Spott im Munde haben (V. 9), ist gerade das Problem des Beters: Früher hatte Gott den Beter geborgen. Warum jetzt nicht mehr[41]?

Damit endet der erste Abschnitt mit der Spannung, die in V. 2 bereits aufgebrochen war: als gegenwärtig angesprochener „mein Gott" ist der Adressat doch zugleich der, der den Beter verlassen hat! Jetzt — parallel dazu — ist der Beter bis ins Heute hinein auf Gott geworfen, aber doch wieder der, an dem Gott — anscheinend — kein Gefallen hat (vgl. V. 11 gegen V. 9). Diese Spannung ist das Rätsel der Gottverlassenheit der Gerechten[42].

(1) Strukturlisten mit Erklärungen

Die Strukturlisten (siehe folgende Seiten)

---

39 Vgl. zur Gegensatzstruktur von Absätzen Fuchs 1978 a, 147 ff., 309 f.

40 Vgl. dazu die noch sehr von Unsicherheit zeugende Spannung in V. 2, die zum V. 11 bereits in einigem Gegensatz steht.

41 Vgl. zur Einteilung entsprechend (kaum abweichend): Westermann 1957, 9; Botterweck Art 1965, 61 ff.; Gese Art. 1968, 6 ff.; Ridderbos 1972, 185 f.; Stolz Art. 1980 a, 134 ff.; Deissler Art. 1981, 102 ff.

42 Vgl. Kraus 5/1978, 178/184 f.; Luther 2/1977, 146.

Strukturliste: Abschnitt I. Ps 22, 1-11

	Adressant:		Objekt:		Adressat:
positiv	**negativ**	**positiv**	**negativ**	**positiv**	**negativ**
2. (mein) (mein) *mich nicht verlassen*	(nicht mein)[1] (nicht mein) *mich verlassen*	mein Gott mein Gott *warum* hast du mich verlassen	nicht: mein Gott nicht: mein Gott nicht: warum hast du mich verlassen	mein Gott mein Gott du hast mich nicht verlassen	nicht mein Gott nicht mein Gott *du hast mich*[2] *verlassen*
du hast nicht verlassen nicht mein Schreien	*du hast verlassen* mein Schreien	(Nicht-Verlassenheit) *warum* bist du fern meinem Schreien	Verlassenheit nicht: warum bist du fern meinem Schreien	mich nicht verlassen du bist nahe	*mich verlassen* *du bist ferne*
keine Worte der Klage	*Worte meiner Klage*	... den Worten meiner Klage?	nicht: warum ... den Worten meiner Klage?	du bist nahe	*du bist ferne*
(mein Schreien,[3] mein Klagen) du bist nahe	(mein Nicht-Schreien, Nicht-Klagen) *du bist ferne*	(Nähe)	(Ferne)	meinem Nicht-Schreien nicht den Worten meiner Klage (mir, nicht schreiend, nicht klagend) (mir als Schreienden und Klagenden)	*meinem Schreien, den Worten meiner Klage* (mir als Schreienden, als Klagenden) (mir als nicht Schreienden und nicht Klagenden)
3. mein	nicht mein	mein Gott ...	nicht: mein Gott ... (nicht rufen)	mein Gott	nicht mein Gott
Ich rufe bei[4] *Tag*	Ich rufe nicht ...	(rufen)		(dich)	(nicht dich)

77

	Adressant:		Objekt:		Adressat:	
	positiv	negativ	positiv	negativ	positiv	negativ
	du gibst Antwort ich rufe bei Nacht und finde Ruhe (du gibst Ruhe)	du gibst keine Antwort ich rufe nicht … und finde doch keine Ruhe[6] (du gibst nicht Ruhe)	Antwort (rufen) Ruhe finden	keine Antwort (nicht rufen) keine Ruhe finden	du gibst Antwort (mir) (dich) (bei dir) (mir Ruhe gebend)	doch du gibst[5] keine Antwort (nicht mir) (nicht dich) (nicht bei dir) (mir nicht Ruhe gebend)
	4. aber du bist heilig du thronst[7]	du bist nicht heilig du thronst nicht	aber du bist … du thronst …	nicht: aber du bist heilig … nicht: du thronst …	aber du bist heilig (du thronst) über dem Lobpreis Israels (dich)	du bist nicht heilig du thronst nicht über dem Lobpreis Israels (dich nicht)
	(Israel lobpreist)	(Israel lobpreist nicht)	(Lobpreis)	(nicht Lobpreis)		
	5. unsere Väter vertraut Sie haben vertraut	(nicht) unsere Väter/haben nicht vertraut Sie haben nicht vertraut	vertrauen vertrauen	nicht vertrauen nicht vertrauen	dir (dir)	nicht dir (nicht dir)
	und du hast gerettet	(nicht) du hast nicht gerettet	Rettung	nicht Rettung .	und du hast sie gerettet sie	du hast sie nicht gerettet nicht sie

Adressant:		Objekt:		Adressat:	
positiv	negativ	positiv	negativ	positiv	negativ
6. *sie riefen*[8] *und wurden befreit* (du hast be-freit) *sie vertrauten und wurden nicht zu-schanden* (du hast nicht zuschanden werden lassen)	sie riefen nicht wurden nicht befreit (du hast nicht befreit) sie vertrauten nicht wurden zu-schanden du hast zu-schanden werden lassen	rufen Befreiung (Befreiung) vertrauen nicht zuschan-den werden (nicht zuschanden werden)	nicht rufen nicht Befreiung (nicht Befreiung) nicht vertrauen zuschanden werden (zuschanden werden)	zu dir (von dir) (sie) dir (von dir) sie (nicht zu-schanden ge-worden)	nicht zu dir (nicht von dir) (nicht sie) nicht dir (nicht von dir) sie (zuschanden geworden)
7. ich bin kein Wurm und ein Mensch ich bin nicht der Leute Spott nicht vom Volk verachtet *die Leute* spotten nicht das Volk ver-achtet mich nicht	*ich aber bin*[9] *ein Wurm* *und kein Mensch* *ich bin der Leute Spott* *vom Volk ver-achtet* die Leute spotten das Volk[10] ver-achtet	(sagen:) nicht Wurm sein Mensch sein nicht der Leute Spott sein nicht Verachtung des Volkes nicht Spott Nicht-Verachtung des Volkes (Achtung)	*ein Wurm sein* *nicht Mensch sein* *der Leute Spott sein* *Verachtung des Volkes* Spott Verachtung des Volkes	(vor dir) mir nicht nicht mich	(nicht vor dir) mir (verspottet) mich (verachtet)
8. keiner, der mich sieht verlachen nicht *verziehen nicht die Lippen*	*alle die mich sehen verlachen* *verziehen die Lippen*	nicht verlacht werden nicht Lippen verziehen	*verlacht* werden *Lippen verziehen*	mich nicht mich (nicht gegen mich)	*mich* (verlacht) *mich* (gegen mich)

79

Adressant:		Objekt:		Adressat:	
positiv	**negativ**	**positiv**	**negativ**	**positiv**	**negativ**
Sie schütteln nicht den Kopf 9. (und sagen nicht)	*sie schütteln den Kopf*[11] (und sagen)	nicht Kopf schütteln	*Kopf schütteln*	nicht über mich (nicht zu ihm)	(über mich) (zu ihm)
er wälze	er wälze nicht	nicht: er wälze die Last auf den Herrn, der soll ihn befreien der reiße ihn heraus, wenn er an ihm Gefallen hat. nicht die Last (Wälzen der Last)	*er wälze die Last auf den Herrn, der soll ihn befreien!* *der reiße ihn heraus, wenn er an ihm Gefallen hat.* die Last (Nicht-Wälzen der Last)	*auf den Herrn*	nicht auf den Herrn
der soll befreien *der reiße heraus* *wenn er Gefallen hat*	der soll nicht befreien der reiße nicht heraus er nicht Gefallen hat	*er soll befreien* *herausreißen* *Gefallen haben*	er soll nicht befreien nicht herausreißen nicht Gefallen haben	*der soll ihn befreien* *ihn* *ihn* an ihm	der soll ihn nicht befreien nicht ihn nicht ihn nicht an ihm
10. *du bist es,* *der mich aus* *dem Schoß* *meiner Mutter* *zog*	du bist es nicht, der mich . . .	du bist es . . .	nicht: du bist es . . .	*du bist es* *mich*	du bist es nicht, der . . . nicht mich
du bist es, *der mich barg* *an der Brust* *der Mutter*	du bist es nicht, . . .	du bist es, der *mich barg*	nicht: du bist es, der mich barg . . .	*du bist es,* *der . . .* *mich geborgen* (du bist Bergender)	du bist es nicht, der . . . mich nicht geborgen (du bist nicht Bergender)

Adressant:		Objekt:		Adressat:	
positiv	negativ	positiv	negativ	positiv	negativ
11. *ich bin von*[12] *Geburt an geworfen* (du hast mich geworfen) du bist *mein Gott vom Mutterleib an*	ich bin nicht geworfen (du hast mich nicht geworfen) du bist nicht mein Gott . . .	geworfen sein (geworfen sein) du bist mein Gott	nicht geworfen sein nicht geworfen sein du bist nicht mein Gott	*auf dich* auf dich *du bist mein Gott*	nicht auf dich nicht auf dich du bist nicht mein Gott

1-3: Die Erklärungen für diese Stellen können der Feinanalyse des V. 2 entnommen werden (s. o. 2.1.3). Hier genügt der Hinweis, daß die Wechselbewegung von Adressat zu Adressant und umgekehrt das Wesen dialogischer Texte deutlich macht: sie sind in ihrem textinternen Material selbst Interaktion. Sie bringen in ihrer Anrede ein Du zum Vorschein, das sie als (vergangenen, gegenwärtigen oder zukünftigen, gewünschten oder unerwünschten) *Adressanten* ansprechen und schildern. So ist in unserem Fall Gott als der Adressant (der Verlassenheit) der Adressat (der Klage)[43]. Das eigentliche Thema, der Inhalt solcher Texte ist die Begegnung, für die sie das sprachliche Medium bereitstellen.

4: In V. 3 vereindeutigt sich, was oben erschlossen wurde: der rufende Beter ist Plusadressant, besonders mit dem abermaligen „mein Gott" auf den Lippen. Deswegen kann das „rufen" als das, was auf den Adressaten zukommt (als Gabe, Nachricht usw.), im positiven Objektbereich stehen.

5: Die syntaktische Konjunktion „doch", die zum vorhergehenden V. 2 einen Gegensatz markiert, wird struktural-semantisch durch den Wechsel der Akteure in die Minusspalten realisiert. Aus dem Plusadressaten (mein Gott) wird der Minusadressat, der keine Antwort gibt und somit in die Spalte des Minusadressanten wandert (vgl. Pfeil). Das gleiche wiederholt sich im nächsten Halbvers. Poetisch durchgeführt ist diese Operation durch den Parallelismus membrorum.

6: Der zweite Stichos des V. 3 ist in der Form eines klimaktischen Parallelismus gebildet[44], bezogen auf beide Glieder: Der Beter ruft nicht nur bei Tag, sondern auch in der Nacht. Die Konsequenz darauf, daß Gott keine Antwort gibt, ist die Unruhe, deren indirekter Adressant also Gott ist: Er gibt keine Antwort, er gibt keine Ruhe. Dieses dahinterstehende indirekte „du gibst keine Ruhe" (Gott als Minusadressant) erfährt seinen Gegensatz im folgenden, mit dem adversativem „aber" eingeleitetem, „du bist heilig" im Plusadressanten[45]. Hätte der Beter die Plusspalten realisieren können (du gibst Anwort/Ruhe), hätte er mit „denn" weiterfahren und bereits hier Gott direkt (mit dem Lobpreis Israels) loben können. Umgekehrt: Würde der Beter aufgrund der Unruhe von Gott her diesen nicht mehr als heilig ansprechen wollen, könnte der Text gegensatzlos „denn du bist nicht heilig" in den nächsten Satz hinein weiterlaufen (vgl. Minusadressant). Damit sind wir bereits bei der nächsten Nummer:

7: Indirekt — gerade als Volksmitglied Israels — preist auch der Beter Gott dadurch, daß er ihm (allerdings in der 3. Person) zusagt, daß er Israels

---

43 Vgl. als Entsprechung zu der Ambivalenz von positiven und negativen Akteuren auch die Unsicherheit beim Eintrag in die Strukturlisten. Hinsichtlich des Klageaktes kann man sagen, daß er nicht so recht positiv, aber auch nicht so recht negativ, womöglich als „nezessiv" (als das eben Notwendige) zu qualifizieren ist.

44 Zur Stilfigur des Parallelismus membrorum in der hebräischen Sprache vgl. Ridderbos 1972, 11 ff.; Schmidt 1979, 298 f.; zum klimaktischen Parallelismus Kraus 5/1978, XXXI.

45 Vgl. weitere Stellen in Psalmen, die mit „aber" eingeleitet sind, und zur Funktion dieser Konjunktion Westermann 1977, 52 f. Die syntakto-semantische Bedeutung einer adversativen Satzkonjunktion schlägt sich in den Strukturspalten immer in einem Spaltenwechsel der realisierten Akteure nieder.

Lobpreis ist[46]. Das „thronen" läßt einen großen Abstand zwischen Israels Lob und Gott denken, der auch im „heilig" stark mitgemeint ist (als vom Beter anerkannte Entsprechung des „Ferneseins"?). Gott soll offenbar nicht als Helfer einfachhin auf die Erde geholt und klein gemacht werden nach der Funktion eines Lückenbüßers, der einzuspringen hat. Die Ferne Gottes als seine „Heiligkeit" versteht der Beter; das Fernesein, wie er es jetzt erfährt, versteht er nicht. Und das meint ja Israels Erfahrung: Der erhabene und große Gott „über den Höhen" ist auf der Seite des Volkes, auf der Seite des Armen und ihm wegbegleitend nahe[47]. Eben dies führen die beiden folgenden Verse aus, die sich nahtlos anschließen, sofern man die Nominalform in den Verbalsatz übersetzt und einbringt: Israel lobpreist den großen Gott, denn es hat(te) allen Grund dazu, denn die Väter hat Gott, als sie auf Gott vertrauten, erhört!

8: Entscheidend in der Erinnerung (sie steht im Perfekt!) ist das Rufen und das Vertrauen der Väter sowie die Rettung durch Gott. Poetisch ausgeführt wird diese Betonung in einem dreifachen Parallelismus membrorum (V. 5/6: vertrauen/vertrauen → gerettet, rufen → befreit, vertrauen → nicht zuschanden geworden). Die Väter haben in der Notsituation im Vertrauen zu Gott gerufen, und Gott hat erhört[48]. Hier wird klar, daß die Kontaktaufnahme der rufenden Klage den Beter zum Plusadressanten machen und machen soll (vgl. V. 2). Der Beter erinnert in typologischer Sprache den Parallelfall aus der Vergangenheit und integriert sich mit seinem jetzigen Rufen in die Rolle und Aktionseinheit mit den Vätern (er erscheint in gleicher Spalte wie diese, vgl. V. 2, 3 und 5, 6). Auch er ruft vertrauend: Müßte Gott ihn nicht dann auch retten, im Schema des auf das vergangene Heilsereignis bezogenen „So-Wie"? Das Entscheidende hat er wie diese: das Vertrauen (dieses Wort erscheint dreimal). Er ruft mit dem gleichen Vertrauen, obwohl − zunächst − alles anders als damals aussieht!

9: Analog zu V. 3 f. erscheint der textexterne Beter textintern in der Ich-Form und − korrespondierend mit den obigen negativen Eintragungen beim Adressanten − im Minusbereich, ganz im Gegenteil zu den Vätern (deshalb der Spaltenwechsel). Deren gegensätzliche negative Ergänzung (zuschanden werden) freilich scheint seine Situation zu sein (vgl. Pfeil), die er jetzt, im scharfen Gegensatz zu dem eben semantisch realisierten Vorgang der Väter, mit heftigen Ausführungen bebildert. Dabei ist der emphatische Einsatz „Ich aber bin ein Wurm . . ." im auffallenden Gegensatz zum Einsatz des letzten Abschnittes (V. 4: Aber du bist heilig) gestaltet. Gott befindet sich in den höchsten Höhen, der Beter in den tiefsten Tiefen: Das „Ich" des Beters hat deshalb im Adressanten zu stehen, erst sekundär (vgl. den Wechsel zum Minusadressaten und die gestrichelte Pfeilmarkierung) ist er Adressat des Spottes der Leute, weil er sich als Adressant vor Gott, den er anspricht, schildern will. Weil der Beter sich

---

46 Deshalb erscheint der Lobpreis Israels auch im Objektbereich, denn der Beter möchte Gott (nach wie vor) wenigstens indirekt den Hymnus darbringen: Du bist heilig, du thronst; vgl. Kraus 5/1978, 178-179.

47 Vgl. Ridderbos 1972, 53; vgl. Westermann 1977, 93 f., 101; s. u. 4.2.1 (1).

48 Dies korrespondiert mit der Bedeutung des Wortes „bṭḥ" im hebräischen Sprachgebrauch: Im Bezug auf Menschen meint es ein Vertrauen, das in der Regel enttäuscht wird. Nur in der semantischen Kollokation mit Gott meint es ein Vertrauen, das niemals enttäuscht wird: s. u. 4.2.1 (2).

und seine Situation vor Gott ausbreitet, läßt sich das „vor dir" im Plusadressaten ergänzen. Im Objektbereich erscheint nochmals, was von seiner (Minusadressant) Not (Minusobjekt) zu sagen dem Beter am Herzen liegt. Daß er es sagt, macht ihn zum Plusadressanten (vgl. das „sagen" im Plusobjekt).

10: Das Volk selbst (später auch der Feind) taucht nie (auch nicht im sekundären Kommunikationsfeld) als Adressat der Klage auf (paraphrasiert etwa so: Ihr verachtet mich, an eure Adresse sage ich, verachtet mich nicht mehr! Vgl. dazu die Minusadressatenseite, wo immer der Beter als Adressat der schlimmen Taten (passivisch), nie aber das Volk selbst (aktivisch als angesprochener Sender des Schlimmen) vorkommt). Vom Volk wird keine Hilfe und keine Einsicht erwartet. Das gilt umso mehr, als ihre Einsicht in das Handeln Gottes (daß er einem hilft, *wenn* er an ihm Gefallen hat, vgl. V. 9), die sich im Spott ausdrückt, insgeheim richtig ist in dem Sinn, als sie ausdrückt, was bisher des Beters Einsicht ebenfalls war. Sie sprechen *sein* Problem aus, das gerade im Vorwurf und in der Anfrage des Beters vor Gott durchschimmert: Sollen diese etwa Recht behalten mit ihrem Spott, mit ihrer beißenden Ironie[49]

Als Adressat der Leute wandert der Beter von der Adressanten- in die Adressatenspalte[50]. Weiterhin bleibt aber der Dialoghintergrund nicht vergessen: Als solcher, der verspottet wird, ist er weiterhin in der unmittelbaren Kommunikationssituation, die das Gebet eröffnet, Adressant, der vor seinem Adressaten (Gott) seine Not ausbreitet. Betrachtet man die Minusadressanten in V. 2 und 3, dann kommen die „Leute" übrigens in der gleichen Spalte vor und befinden sich damit offensichtlich in Aktionsfusion mit Gott selbst, sofern er der ist, der verläßt (vgl. auch V. 16). Unausgesprochen schimmert hier ebenfalls die Anfrage durch: Bist auch du jetzt auf der Seite derer, die mich im Stich lassen?

11: Das Kopfschütteln der israelitischen Volksgenossen[51] läßt nicht zuletzt den drohenden Zweifel des Beters selbst durchscheinen, den er aber nicht direkt verbal zuläßt. Ihr vorwurfsvoll spöttisch-ironischer Satz spricht das zentrale Rätsel an, das auch der Beter nicht zu lösen vermag und das den Eingangssatz des Psalms bestimmt („warum"). Als Gesamtobjekt (als „Botschaft" der Leute) steht der Satz als Zitat im Objektbereich (im negativen natürlich, da er vorher als Spott deklariert wurde).

Der Wert „Gefallen" Gottes zeigt sich als neuralgischer Punkt: Der Beter möchte das Gefallen Gottes auf seiner Seite haben, besser noch: Er weiß sich doch in Gottes Gefallen (vgl. V. 11). Das „wenn" der Spötter trifft ihn deswegen zutiefst, denn es ist eine drohende Infragestellung des „mein Gott" durch die unergründliche Realität der gegenwärtigen Erfahrung des Verlassenseins. Gerade von den Denkfiguren der „Leute" her, die der Beter bis dahin ja selbst als die seinigen kennt, haben sie Recht: Wenn Gott Ge-

---

49 Zum Begriff der Ironie vgl. Fuchs 1978 a, 59 f.: Zwischen V. 9 und V. 10-11 liegt so etwas wie eine „semantische Inversion" (= Ironie) vor.

50 Auf der Adressatenseite erscheint in Klammern (im Partizip Perfekt Passiv), was ihm angetan wird, vgl. dazu a.a.O., 112 f.

51 Zu diesem Gestus s. o. Kap. 4, Anm. 114. Zu seinem Volk steht der Beter übrigens in doppelter Spannung: einmal in der Spannung zwischen dem Erhörtwordensein des erinnerten Volkes und seinem Nichterhörtwerden, und jetzt in der aktuellen Spannung, daß er von dem Volk verspottet wird, weil Gott ihn nicht erhört.

fallen hätte, würde er helfen, hätte er längst geholfen. Die Konsequenz scheint, daß er den Beter hat fallen lassen, nur zu Recht vermutlich[52]. Obwohl hier die Frage nach der Schuld provoziert wird, bricht sie nicht auf. Der Beter kann und will seine Situation offensichtlich nicht mit Schuld in Verbindung bringen. Er tut es jedenfalls nicht. Dies läßt aufhorchen: Schuldbekenntnis und Buße werden verweigert, aus welchem Grund auch immer (s. u. 5.3.2; 6.2). Deshalb sucht der Beter auch nicht nach Erklärungsmöglichkeiten und Legitimationen für Gott und für die Rechtfertigung des Leides (nach dem Motto: Gott ist entschuldigt, weil ich schuldig bin), sondern bleibt bei der penetranten Frage des V. 2, nimmt sie jedenfalls nicht zurück. Vielmehr bringt er im Kontrast zu den Spöttern nun seine bisherige biographische Heils-, seine „Gefallensgeschichte" vor Gott (begründet in Geburt und Leben bis hin zum Augenblick des Gebetes). Beides (Geburt und Leben bis jetzt) sieht er als Gefallenserweis Gottes (ohne seinen Gefallen gibt es ja keine Rettung und kein Leben, vgl. V. 21). So hat der Spott der Leute tatsächlich eine interessante Scharnieraufgabe von V. 9 zu V. 10: Dies wird deutlich, wenn man den Spottsatz seiner Ironie im Munde der Leute beraubt und für sich investiert (vgl. die ausweitende Klammer). Das Minusobjekt „Last" soll er (als Imperativ erscheint das Wälzen im Plusobjekt[53]) auf den Herrn (als Plusadressaten) wälzen. Eben dies tut ja der Beter im Augenblick seines Betens: Er versetzt sich vor Gott: im neuralgischen Entscheidungspunkt, dem Ernstfall, den der Spott markiert. Er soll befreien, wenn, besser: weil er − im Bewußtsein des Beters − an ihm Gefallen hat (vgl. Plusadressant und -adressat zu V. 10 in der Strukturliste: Gott, der ja entreißen soll, hat den Beter bereits aus dem Mutterschoß gezogen und ihn geborgen: Von Geburt an ist er auf ihn geworfen). Ab V. 10 wird übrigens Gott wieder direkt angesprochen: Die dritte Person des Spottsatzes (er soll befreien, wenn er Gefallen hat) wird in den Folgeversen in die aktuelle Begegnung des Beters mit Gott transformiert: Du hast Gefallen an mir!

12: Schließlich gelangt in V. 11 der Beter über die Erinnerung seiner Biographie mit neuem Vertrauen in die Gegenwart. Dadurch werden die Anreden V. 2 und 3 (mein Gott) unterstrichen und verstärkt: Die letzte Bemerkung des ersten Abschnittes rekurriert im „mein Gott" auf den Texteingang[54]. Der erste Abschnitt ist mit diesem Rahmen abgeschlossen. Der Beter sucht also die Erlösung seiner Not nicht in ihrer Erklärungsmöglichkeit, sondern in der umso heftigeren und vertrauensintensiveren sprachlichen Beziehungsaufnahme zu seinem Gott. Von dieser Begegnung erwartet er sich von Anfang an alles. Deshalb wendet er den spöttischen Vorwurf der Leute (in der dritten Person) *über* Gott für seine Situation um in die Gebetsbegegnung *mit* Gott hinein, paraphrasiert etwa so: „Ja, ich wälze meine Last auf dich!

---

52 Vgl. dazu Hiob 22; vgl. nicht wenige Psalmen z. B. Ps 44, 11-17; 88, 9/19.
53 Alle semantischen Werte, die sich im Fahrwasser eines Imperativs (eines Jussivs, Kohortativs u. ä.) befinden, haben im Plusobjekt zu stehen: Denn sie sind von ihrer syntakto-semantischen Einordnung her als Wunschobjekte deklariert, vgl. Fuchs 1978 a, 219.
54 Es ist einsichtig, daß diese Wendung „bist du mein Gott" auch im Objektbereich erscheint, denn bei so beziehungsorientierten Texten, wie es Gebete sind, konzentriert sich im Objektbereich oft das Destillat des Dialogs und der darin erwünschten Interaktion.

Ja, du hast bis heute Gefallen an mir, du bleibst mein Gott!" Was, vom Gesamtkontext des Psalms, in ausgesprochener Weise fehlt, ist im Grunde nur noch: „Du wirst mich erretten!" Der erste Abschnitt geht „nur" bis hierher, bis zu der Vergewisserung, daß der Adressat weiterhin der Gott des Beters ist. Das andere, die Hoffnung auf die Errettung, wird damit aber in seiner wichtigsten Wurzel indirekt und vorsichtig vorbereitet (vgl. die Erinnerung der Vätererrettung, die allerdings in der Vergangenheit war).

Über die Notschilderungen und die Vertrauenserinnerungen bleibt der Beter nicht nur in fragender und hoffender Gebetskommunikation mit seinem Gott, sondern es ist bereits dabei die Entwicklung zu mehr Vertrauen, Mut und Beherztheit festzustellen: Die gleichsam noch zitternde und spannungsreiche Anrede V. 2 (mein Gott) wird am Ende des Abschnittes I ausgesprochen kräftig (Indikativ![55]) wiederholt: durch zwei Notschilderungen und zwei Vertrauenserinnerungen hindurch wurde dieses „mein Gott" zunehmend mit mehr Vertrauen angereichert. Die Gebetskommunikation, mit einer heftigen und zugleich schwankenden Frage begonnen, ist dichter geworden: „Du bist mein Gott" (V. 11). Im Prozeß des Betens[56] gelangt der Beter – ohne daß die Notschilderung zurückgenommen wird (ganz im Gegenteil: gerade *durch* das Aussprechen des Elends) und noch vor jeder Veränderung (Rettung) – aus der Erinnerung des Handelns Gottes in der kollektiven wie individuellen Heilsgeschichte heraus zu mehr Vertrauen und Beziehung zu Gott.

Im folgenden Abschnitt II erfolgt nochmals auf eine lange Textstrecke hin eine letzte und intensive Notschilderung, die aber bereits mit einer vertrauensvollen Bitte eingeleitet (V. 12) und einer längeren Bittphase (V. 20-22) beendet wird. Daß also im nächsten Abschnitt der Sprechakt der Bitte vorherrscht, zeigt, wie das Vertrauen, das bereits in Abschnitt I derart angewachsen ist, nun so weit geht, daß der Beter bereits mit großer „Erhörungsgewißheit" Gott um Rettung bitten kann (s. u. 4.1.2). Die Klage wird dabei nicht zurückgenommen (sie wacht gerade in der heftigsten Notschilderung indirekt auf), aber sie hat ihre drohende zerstörende Kraft verloren: Sie ist der Gefahr entkommen, adressatenlos zu werden, die Verbindung mit Gott abzubrechen und in der Verzweiflung zu landen. Die Überleitung

---

55 Der Unterschied zwischen den schwankenden, unsicheren Eintragungen der ersten beiden Stichen von V. 2 und der jetzigen Klarheit in V. 11 spiegelt die zunehmende Reduktion der Unsicherheit und Komplexität der Situation in Richtung auf mehr Geborgenheit und Vertrauen wider.

56 Dieser Prozeß ist nicht in erster Linie psychologisch zu interpretieren: Die zwar emotiv eindrucksvollen, aber auch wieder in ihrer Anzahl recht zurückhaltenden Wertwörter haben im Zusammenhang mit der ganzen semantischen Frequenz ausgesprochen reflektiert „theologischen" Charakter, im Sinne des Wortes: auf Gott bezogene Bedeutung. Dieser durch den Text gezeichnete Weg hat freilich auch psychologische Korrelate.

der Klage zu ihrem gleichsam neuen Aggregatszustand der Bitte signalisiert den darunterliegenden Vorgang eines angestiegenen Vertrauens und einer intensiver gewordenen Beziehungsaufnahme zu Gott. So entläßt die Klage aus sich heraus die Bitte, ja hat sie bereits latent in sich, doch ist dies eine Bitte, deren Stoßrichtung, wie die der Klage, personal bleibt und nicht instrumentalistisch wird. Instrumental ist eine Bitte, wenn es ihr weniger um den Partner geht, der um etwas gebeten werd, als um das Erbetene selbst (bis hin zu dem Extrem, daß der andere dabei völlig gleichgültig ist). Die Bitte freilich, die im Kielwasser der Klage läuft, bleibt zuerst und dominant auf den An-Geklagten gerichtet. Ihr Thema bleibt die in der Klage aufbrechende konfliktreiche Beziehung, die Krise in der Beziehung mit Gott[57].

(2)   Die Invarianten der Tiefenmodelle

Die Eintragungen in den Strukturlisten werden nun auf einige Repräsentanzwörter reduziert, die die Varianten der Spalten gleichsam „auf den Nenner" bringen werden[58]. Diese Invarianten werden dann in das tiefenstrukturelle Aktantenmodell[59] investiert.

Adressantenbereich
Plusadressant:
1. *(Klagend) rufender Beter* (Gegenwart): Besonders realisiert in den entsprechenden Spalten V. 2-3. Diese Invariante kommt im Text nicht explizit zutage, sondern wird (in dieser dritten Person) der im Text durchgeführten Beziehungsaufnahme des Ich zum Du (durch das Rufen) entnommen. Die Klage erfolgt in der Gegenwart der durch den Text eröffneten Kommunikation[60].
2. *Rufende Väter* (Vergangenheit, V. 5-6): Ihr Rufen wird in der dritten Person als abgeschlossenes (und erhörtes) Handeln erinnert. Der Beter weiß sich in Aktionseinheit mit den Vätern (gleiche Spalte). Auch er ruft mit Vertrauen (im Objekt!). Dies wird auch verstärkt durch die bleibende präsentische Du-Anrede: „Du hast sie gerettet" (V. 5 b).
3. *Erhörte Väter* (Vergangenheit, V. 5-6): Die Väter werden erhört. Sie

---

57 Jede Klage hat ihrerseits in sich auch immer die Dimension der Bitte, jedoch nur, wenn letztere in ihrer Stoßrichtung auf dieselbe Person orientiert bleibt; vgl. Fuchs Art. 1979 b, 866; 874-876; s. u. 4.1.3.
58 Zum intuitiven Anteil der Bestimmung der Repräsentanzwörter vgl. Fuchs 1978 a, 118 f., 363 Anm. 4.
59 Während die im Text, wie er sich darstellt (also an seiner Oberfläche), agierenden Figuren Akteure genannt werden, heißen die entsprechenden Repräsentanzwörter der Invarianten in dem Tiefenmodell die „Aktanten". Das Tiefenmodell heißt deswegen ursprünglich das Aktantenmodell; vgl. a.a.O., 75 ff.
60 Das hebräische Imperfekt bezeichnet hier wiederholte Handlungen (in V. 3). Das Rufen „am Tage und des Nachts" hat auf semantischer und die Wiederholung der Anrede auf syntaktischer Ebene verstärkende Wirkung in Richtung auf den bereits im Imperfekt liegenden Wiederholungszug (vgl. Baumgartner 1960, 75).

sind als Rufende in der Konsequenz des Rufens die Erhörten. Rufen und Erhörung gehören bei ihnen zusammen. Ein Blick auf die Spalten zeigt deutlich den Kontrast zwischen damals und heute: Die Aktionseinheit des Rufens führt nicht zur Konsequenzeinheit der erhörten Väter *und* des erhörten Beters (vgl. die Negativspalten in V. 3). Die vom Beter gewünschte Gegenwart ist bislang nur als die Vergangenheit der Väter geschildert.

4. *Sich bergender Beter* (Vergangenheit/Gegenwart, V. 9/10-11): Was dem Beter in seiner Situation − als bislang Unerhörten, Unbefreiten − bleibt, ist die Erinnerung an die biographische Vergangenheit und deren Heilserfahrung, die − trotz allem − bis in die Gegenwart ausgeweitet wird. Aus eigener Aktivität wirft sich der Beter auf Gott zu (V. 11) und intensiviert den Kontakt mit ihm: auf der Suche nach seinem Gefallen (vgl. Plusobjekt)[61].

In den folgenden mit Großbuchstaben markierten Invarianten der Adressanten und Adressaten wird die Kommunikation eingeholt, die der unmittelbaren des Textes als die sie begründende (kausal) oder/und sie vorbereitende (Vorzeitigkeit) zugrundeliegt oder ihr auch − als zukünftige − erst nachfolgt bzw. nachfolgen soll. Die Adressanten bzw. Adressaten können dabei mit negativen aber auch mit positiven Aktionen aufwarten (sie erscheinen im Plus- bzw. Minusobjekt). Diese gegenwärtige, vergangene oder zukünftige dem Text zugrundeliegende Realität bzw. Möglichkeit wird als gewünschte oder nicht gewünschte vor Gott „er-zählt", vor sein Angesicht gebracht und damit vor ihm eingeholt und reflektiert.

A: *Rettender (bergender) Gott* (Vergangenheit/Gegenwart, vgl. V. 4-6/9-11, vgl. auch die Ergänzungswerte in den gleichen Spalten): Gott ist es, der die Rettung (Objekt Nr. 3) schenkte und damit Gefallen schenkte und schenkt. Er ist der Adressat, der als der Adressant vergangener und möglicher gegenwärtiger Rettung angegangen wird.

B: *Nicht verachtendes Volk:* Diese Invariante ist nicht realisiert[62], aber kontradiktorisch ergänzbar (V. 7-9). Der rettende, Gefallen habende Gott steht in Aktionseinheit mit dem Volk, das nicht verachtet, sondern dann auch den Beter achten wird. Wenn (V. 9) Gott ihm die Last der Not abnähme, gäbe es keinen Spott mehr.

Minusadressant:

1. *(Nicht) klagend rufender Beter* (nicht realisierter Wert): Das „nicht" steht in Klammern: einmal verneint es die Klage als Beziehungsaufnah-

---

61 Deshalb der Eintrag in der Gegenwart „sich bergender Beter". Gott ist es, der geborgen hat und birgt (als solcher ist er Adressant vgl. A), doch wird sich hier der Beter dessen gewahr und ruft Gott mit dem Wunsch nach Bergung als den Bergenden an.

62 Vgl. die Verneinung „nicht". Wo also die kontradiktorischen Verneinungen (durch „nicht" oder „kein") in den Strukturlisten oder Invarianten vorkommen, sind sie, soweit sie nicht als solche im Text begegnen, immer ergänzt. Konträre Gegensätze sind im Text realisiert. Vgl. Fuchs 1978 a, 60 ff., 68-75, 116 f.

me überhaupt, zum anderen könnte sich die Klage als Ausdruck des Mißtrauens, der wachsenden Entfremdung zwischen „Beter" und Gott entwickeln (vgl. Minusobjekt).

2. *(Nicht) rufende Väter:* Dieser Aktant würde die Erinnerung an das Heilsereignis des Vertrauens und der Erhörung der Väter annulieren. Oder aber sie hätten gerufen, aber im Feld des Mißtrauens, daß kein naher Gott sie erhört.

3. *Unerhörte Väter:* Wer nicht ruft (oder mißtrauisch ruft), kann auch nicht erhört werden!

4. *Sich nicht bergender Beter:* Dieser — freilich nicht realisierte Aktant — würde die biographische heilsgeschichtliche Erinnerung bis in die Gegenwart hinein zunichte machen.

A. *Nicht rettender (nicht bergender) schweigender Gott:* Der schweigende Gott ist realisiert (V. 2 b-3), doch die Konsequenz der Nichtrettung wird nicht gezogen (vgl. die nur ergänzten Felder V. 5-6/9-11).

B. *Verachtendes Volk* (V. 7-9): Dieser Wert ist kräftig ausgeführt als Adressant des Spottes (vgl. Minusobjekt), wird jedoch nicht mit dem „verachtenden Gott" als Konsequenz identifiziert. Vielmehr wird weiterhin an der Diskrepanz zwischen den Taten des Volkes und denen Gottes festgehalten. Sie wird im Frageakt ausgehalten und nicht durch ideologische Konsequenzmacherei (hiesige Verachtung = Verachtung Gottes) aufgelöst. Im Gegenteil: Solche Ideologie wird durch anwachsendes Vertrauen — trotz der Notsituation — infrage gestellt.

Objektbereich

Im Objektbereich kommen alle Invarianten zu stehen, die aufgrund der im Text verwirklichten Kommunikation als stärkste Wunschfelder ausgedrückt werden. Dabei kommen nicht nur in ihrer grammatischen Struktur erkennbare „Objekte" zum Einsatz, sondern auch Aktionen der Adressaten bzw. Adressanten werden im Objektbereich als etwas, was besonders am Herzen liegt (erwünscht oder befürchtet), noch einmal gebündelt und aufgeführt[63]. In der Pfeilrichtung vom Subjektkästchen zum Objektkästchen wird diese Begehrens- bzw. Furchtbeziehung visualisiert: Im Plusmodell erscheint der Adressant im Subjektaktanten als wünschender, im Minusmodell als einer, der nicht wünscht bzw. Angst hat[64].

---

63 Übrigens bedeuten in den Tiefenmodellen die jeweiligen Pfeile vom Adressanten über das Objekt zu den Adressaten nicht in jedem Fall, daß die entsprechenden Numerierungen notwendig und ausschließlich zusammengehören: Sie können es. Zuallererst aber gelten die Invarianten des Objektbereichs als ein Block, dessen Adressat bzw. Adressant die entsprechenden Aktanten mit mehr oder weniger Dominanzen und Defiziten bilden. So ist der Beter *auch* Adressant des Vertrauens dessen Hauptadressanten die Väter sind (vgl. V. 3, 10-11). Dagegen entprechen sich die jeweiligen Adressanten und Adressaten in der Regel.

64 Zu den Fusionen der Aktanten, vor allem der Aktanten-Subjektfusion vgl. a.a.O., 97 f.; Beim Minusmodell handelt es sich übrigens um das zum Text äquipollente Kontrast-, nicht das Antimodell: vgl. a.a.O., 104 ff.

Plusobjekt:
1. „*Warum, mein Gott?*" (Gegenwart, V. 2-3/V. 11): Der Bedeutung der Texteröffnung wollen wir dadurch gerecht werden, daß wir ihre Formulierung als Invariante für das nehmen, was der Beter auf Gott zubringen will: sein Frage, wobei „warum" und „mein Gott" in der oben bereits geschilderten Spannung stehen.
2. *Vertrauen* (Vergangenheit): Die Väter haben in ihrem Rufen Vertrauen aufgebracht und Gott geschenkt. Dies in die eigene Situation hinein und auch für den eigenen Sprechakt zu erinnern, ist für den Beter wichtig (V. 5-6).
3. *Rettung – Geborgenheit* (Vergangenheit/Gegenwart, V. 5-6/9-11): Beide Werte haben eine starke semantische Realisierung und sind zentral in der Sehnsucht des Beters. Aus der Vergangenheit möchte er die Erhörung in seine Gegenwart herüberretten und so aus Vergangenheit Gegenwart machen. Adressant der Rettung ist Gott (vgl. A/B). Doch haben auch die erhörten Väter als indirekte Adressanten einen Bezug zum Objekt „Rettung", nicht auf der Ebene des Gebens (nicht sie können Gottes Rettung schenken), sondern auf der Ebene der Erinnerung und des Lobpreises (vgl. V. 4, V. 23 f.). Die Väter (und bereits hier indirekt auch der Beter, offensichtlich aber erst ab V. 23) lassen auf Gott den Lobpreis ihrer Rettung zukommen. Der Beter bringt in seine Kommunikation mit Gott die Erinnerung der Väter an den befreienden Gott ein: Er spricht ihn damit, wenigstens indirekt, als solchen an.
4. *Gefallen/Nicht-Spott* (Gegenwart, V. 9-11): Der Nicht-Spott ist nicht im Text realisiert, sondern ergänzt (V. 7-9): Der Beter sehnt sich nach Achtung Gottes und spricht ihn als einen an, der den Beter birgt, bergen kann und bergen will. Voraussetzung der Rettung ist diese Achtung Gottes, während die Rettung Voraussetzung der Achtung der Menschen wäre. Letztere steht aus. Erstere, die Achtung Gottes, wird im Prozeß des Betens (als Vertrauen darauf) erinnert und aufgebaut. Hier findet die Emanzipation des Vertrauens von der unmittelbaren Realität auf die Treue Gottes hin statt. Die Situation muß nicht Maßstab der Achtung Gottes sein. Freilich sehnt sich der Beter – wie sollte es anders sein – auch nach der Achtung der Volksgenossen und der Voraussetzung dazu: nach der Rettung.

Minusobjekt:
1. *Nicht: Warum, mein Gott?* (nicht realisiert): Dieser Eintrag bedeutet die Nihilierung der Kommunikation und des ganzen Textes. Die Klage findet nicht statt. Nicht nur ein inhaltliches Etwas, sondern die gesamte Beziehung, die ja Inhalt des Gebetes ist, wird als solche negiert. Man könnte freilich auch einen klagenden Beter annehmen, der so klagt, daß die Klage nicht bei anwachsendem Vertrauen, sondern – erst nach längerer Rede – beim Beziehungsabbruch landet. Die Gefahr des Klagens könnte darin bestehen, daß immer mehr Mißtrauen vergewissert wird: ‚Von diesem Gott ist nichts mehr zu erwarten, als potenter Hörer ist er am Ende und zu verabschieden.' Das „mein" in der Anrede wird annulliert. In diesem Fall wäre die Eingangsfrage offen für *beide* Entwicklungen der Klage, für eine Vertiefung oder einen Abbruch der Beziehung. Dies macht deutlich, daß die Klage tatsächlich ein Sprechakt sein

könnte, der gefährlich wird für jede Beziehung und Hoffnung[65]. Nimmt man eine negative Klage an, könnte die Frage (warum mein Gott) einfach stehen bleiben und in Verbindung mit den folgenden Eintragungen im Negativobjekt gesehen werden (2-4).

2. *Nicht-Vertrauen:* Wer nicht mehr ruft oder mißtrauend klagt, bringt Gott kein Vertrauen mehr entgegen. Letzterer wird dadurch zum fernen Gott; die Klage verliert den Kern des Vertrauens.

3. *Verlassenheit/Nicht-Geborgenheit:* Die Verlassenheit ist, als Fernezustand von Gott her, realisiert (V. 2, 7 f.), die Ungeborgenheit wird ergänzt (V. 9-11). Vor solcher Verlassenheit hat der Beter Angst, weil sie ihn ganz in dieses Verzweiflungsmodell (mit all seinen negativen Größen) menschlichen Lebens hineinziehen könnte: kein Rufen, kein Vertrauen mehr, kein erhörender Gott! Darin besteht seine Klage, daß diese Größe der negativen Welt (Verlassenheit) sein jetziges Los ist. Sein Problem ist es, dem Sog des Todes (als vollständiges Hineinfallen in das „Minusmodell") zu entkommen. Deshalb betet er und bringt die Werte, wie sie im Plusmodell als Repräsentanzen des realisierten Textes vorkommen, zum Ausdruck.

4. *Spott/Nicht-Gefallen:* Der Spott der Leute ist ausgiebig realisiert (V. 7-9), nicht aber das Nicht-Gefallen Gottes (vgl. Plusobjekt 4). Der Spott verstärkt das Erlebnis der Gottverlassenheit, ist zugleich dessen soziale Folge, aufgefüllt und vermittelt mit ideologischen Legitimationsfiguren (V. 9), die der Beter aber − so naheliegend es wäre und so sehr es ein Problem bleibt − nicht realisiert. (Im Tiefenmodell des Abschnitts I haben wir Spott und Nicht-Gefallen noch zu *einem* Aktanten gezogen: Zwar ist hier die Einheit nicht gerade durchgeführt, aber die Trennung wird auch noch nicht vollzogen: Der Trennungsprozeß allerdings ist eingeleitet).

Adressatenbereich
Plusadressat:

1. *Mein Gott* (Gegenwart, V. 2, 3, 11): Hier geht es um den direkten Adressaten des Beters, wie er Ziel der durch den Text ermöglichten pragmasemantischen Begegnungssituation ist[66]. *In* dieser Kommunikationssituation werden auf semantischem Weg andere (indirekte) Beziehungsfelder erinnert (Gott und Beter, Leute und Beter, vgl. die A/B-Eintragungen besonders im Abschnitt II). Das „mein" ist im Plusmodell Ausdruck des Vertrauens, des sich trotzdem „An-ihn-Haltens".

2. *Antwortender (naher) Gott* (Vergangenheit, V. 5-6): Dies ist der damalige Adressat der rufenden Väter, doch zugleich gibt die Erinnerung bereits an die Gegenwart einen wichtigen Bedeutungsanteil ab, indem es das „mein" vertrauensvoll einfärbt, freilich noch in der Spannung zwischen ferne erlebtem und nahe geglaubtem Gott (vgl. die Ergänzungen

---

65 Deswegen ist es wichtig, den Sprechakt der jüdisch-christlichen Klage zu „lernen" mit all seinen Teilsprechakten, die diese Klage enthalten muß: so ist beispielsweise ein verbales, sich immer mehr steigerndes Verbleiben in der Notschilderung ohne Erinnerung heilender Geschichte offen für ein Versinken in der Verzweiflung.

66 Die Beziehung Beter-Text-Gott ist die kommunikative Situation, die als pragmatische Dimension den Text textintern beherrscht, zum Vergleich von „außen" und „innen" bei der Textkommunikation vgl. a.a.O., 77 f.

in V. 2 b und V. 3, wo „nahe" und „antworten" in einer Spalte vorkommen: Die erlebte Nähe Gottes würde darin bestehen, daß er antwortet!).

3. *Befreiender Gott* (Vergangenheit, V. 4-6): Es ist der Gott, den die Väter tatsächlich als Adressaten ihres Rufens hatten, denn sie werden erhört durch die Befreiung, die von Gott kommt. Doch auch hier reichen die Spitzen der Rettung bereits in die Biographie, ja in die Gegenwart des Beters.

4. *Bergender Gott* (Vergangenheit/Gegenwart, V. 9-11): Auch für den Beter wird Gott in zunehmendem Maß der Adressat, von dem Bergung zu erwarten ist.

A. *Auf Gott geworfene Väter und Beter* (Vergangenheit/Gegenwart, V. 5-6/9-11): Wer sich auf Gott wirft, wird Adressat des rettenden und bergenden Gottes! Das ist die hier erinnerte und durchkommende Hoffnung des Beters.

B. *Nicht zuschanden werdende, geachtete Väter und Beter* (Vergangenheit/ Gegenwart, V. 6-9): Wem Gott mit seinem Gefallen und seiner Hilfe beisteht, der wird nicht zuschanden, der wird nicht Opfer (Minusadressat) des Spottes der Leute. Im Anschluß an das Nicht-Zuschandegewordensein der Väter sehnt sich der Beter nach dem gleichen Zustand. Doch wird er im Text nicht realisiert: Der Beter *wird* verachtet (vgl. Minusadressat).

Minusadressat:

1. *(Nicht) mein Gott?* Entweder wird Gott nicht als „mein Gott" angesprochen, was bedeuten würde, daß die Kommunikation überhaupt nicht aufgenommen wird, oder aber er wird im Laufe der Klage so infragegestellt, daß am Ende die Beziehung abgebrochen wird (vgl. die Bemerkungen zum Minusadressanten).

2. *Nicht antwortender (ferner) Gott* (realisiert in V. 2 und 3): Der Beter erlebt zu Beginn seines Betens (als einer Aktivität, die von ihm her die Beziehung zu Gott aufnehmen soll) diesen Gott als stummen Adressaten. Eben diesen Adressaten möchte er nicht gerne haben: Deshalb bricht er auf mit seinem Gebet, um die Ferne Gottes mit seiner Klage zu durchdringen. Es hält ihn gleichsam nicht im Minusmodell, er verläßt es in Richtung auf den erwünschten Gott zu (vgl. entsprechenden Wert im Plusmodell).

3. *Nicht befreiender Gott* (nur ansatzhaft realisiert V. 3, sonst ergänzt V. 5-6): Als Perfekt ist dieser Wert im Text nicht verwirklicht; für den Beter gilt er nur im Sinn des nicht abgeschlossenen Bereichs: „noch nicht befreit!" Im Minusmodell hat es dagegen den Zug zur Endgültigkeit, zum nicht befreienden Gott als Adressaten.

4. *Nicht bergender Gott* (nicht realisiert): Er entspricht dem Adressaten, von dem nichts mehr erwartet wird, der auch keine entsprechende Erinnerung mehr auslösen kann.

A. *Nicht auf Gott geworfene Väter und Beter:* Begründende Voraussetzung für die obigen Minusadressaten ist, daß Gott schweigt und nicht rettet und zugleich Adressaten hat, die ihrerseits sich Gott nicht anvertrauen (im Text nicht realisiert).

B. *Zuschanden werdende (verachtete) Väter und Beter:* (nicht realisiert): Dies ist das Ende der Minuswelt, die totale Verneinung einschließlich sozialer Verachtung. Es ist das Zuschandewerden als Adressat der ächtenden Umgebung.

Adjuvant und Opponent

Die Eintragungen der Adjuvanten- bzw. Opponentenaktivitäten entstehen durch Substantivierung der Aktionen von Adressant und Adressat, wobei die Aktionen des positiven Adressanten bzw. Adressaten im Adjuvanten, die negativen Aktionen der entsprechenden Minusadressanten bzw. -adressaten im Opponenten auftauchen. Im Negativmodell begegnen sie mit vertauschten Vorzeichen[67]. Im Modell weisen sie auf die Werte, Größen, Einstellungen, Handlungen usw. hin, die der zentralen Subjekt-Objekt-Beziehung zugutekommen bzw. ihr widerstreben. Ihre Funktion im Modell ist, die Bedingungen der Möglichkeit für die Erreichung des Wunschobjektes bzw. dessen Verhinderung in den entsprechenden Faktoren auszuformulieren. Sie sind also dem Beziehungsfeld von Adressant, Objekt und Adressat abgelauscht und zeigen noch einmal deutlich, was in diesem Feld für die Beziehung und die entsprechende Wunscherfüllung (mit-)entscheidend ist.

Adjuvant:
1. *Vertrauendes Rufen/Klagen des Beters/der Väter* (vgl. Adressant 1 und 2): Das vertrauende Rufen ist Voraussetzung für die Beziehungsaufnahme mit Gott.
2. *Antworten Gottes (Nähe) als Erhörung der Väter* (vgl. Adressat 2 und Adressant 3 sowie Plusadressat B, auch Adjuvanten 5): Dieser Adjuvant kommt aus der Erinnerung, bezieht sich damit auf die Väter und „hilft" jetzt, auf die entsprechende Erhörung zu hoffen und wie sie nicht zuschanden zu werden. Diese Erinnerung wird gegen die (noch) als Nicht-Erhörung erfahrene gegenwärtige Not (die Nicht-Erhörung ist im Abschnitt I zum Teil noch realisiert) gestemmt, um in dem dabei frei werdenden Raum wieder neues Vertrauen ansiedeln zu können.
3. *Auf-Gott-Geworfensein des Beters* (vgl. Adressat A): Die Erinnerung an die Erhaltung durch Gott von Geburt an drängt in die Gegenwart als Hilfe für neues Vertrauen (Plusobjekt 1 und 2).
4. *Rettung und Bergungswille Gottes* (vgl. Adressant A und Adressat 3): Bestätigende Voraussetzung für den Hoffnungswunsch auf Rettung (Plusobjekt 3) ist die erfolgte Rettung in der Vergangenheit (Väter) und der weitere Bergungswille Gottes hinsichtlich des Beters.
5. *Keine Verachtung (des Volkes)* (vgl. Adressant und Adressat B): Dieser Adjuvant ist im Text nicht realisiert, denn das Volk spottet, und so besteht die Gefahr, daß der Beter im Gegensatz zu den Vätern zuschanden

---

67 Zum Adjuvanten bzw. Opponenten, seiner Herleitung und Bestimmung vgl. a.a.O., 100 ff., 120-121. Semantische Werte, die bereits durch Fusion von Adressant bzw. Adressat mit dem Objekt im Objektbereich auftauchen, werden nicht mehr im Adjuvanten bzw. Opponenten gedoppelt.

wird. Der Beter hat also als Ansatz für sein Vertrauen keinen Adjuvanten in der gegenwärtigen äußeren Situation, alle seine Adjuvanten sind „innere", also innerpsychisch-vorgestellter Art[68] (hier starke Bilder der Erinnerung), die im Gebetsprozeß aktiviert werden[69].

Opponent:
Hier erfahren die entsprechenden Adjuvanten ihre Verneinungen (vgl. Modelle), die (bis auf Nr. 5) ergänzt, also im Text nicht realisiert sind. Der einzige realisierte Opponent ist die *Verachtung des Volkes*, die den Spott hervorbringt, den der Beter nicht wünscht (vgl. Objekt 4). Gemäß der Argumentationsfigur V. 9 ist die Unverständlichkeit des Volkes ein für den Beter auch innerpsychischer Opponent (s. u. 4.2.2 (2)), mit dem er sich auseinandersetzt, den er aber in Abschnitt III durch sein Vertrauen auf Gottes Gefallen, das Ende des Abschnitts I bereits angelegt wird (Objekt 3), überwindet. Alles kommt darauf an, im Gebetsprozeß die Verachtung des Volkes und die dahinterstehende Not von der Ideologie zu trennen, daß dadurch auch eine Verachtung Gottes zum Vorschein käme.

Im Opponenten reichen die Adjuvanten aus dem Minusmodell in das Plusmodell hinein und werden dort zu einer Gefahrenquelle: Zwischen beiden Faktoren entsteht auf der Ebene des Subjektes eine Auseinandersetzung, eine Krise, ein Konflikt[70]. Wichtig ist, daß dabei das Subjekt das, was es zutiefst erwünscht, nicht aus dem Auge verliert; dies geschähe, wenn es in der Kampfsituation stecken bliebe. Ps 22 verfällt dieser Gefahr nicht: Der Beter vermag es, sich von der realen Not und Verachtung abzustoßen, gerade sie selbst als Anlaß zum Gebet zu nehmen und so wieder zu dem Partner seines Lebens, der ihm am Herzen liegt, zu gelangen (vgl. Subjekt-Objekt-Beziehung). Die im Gebet realisierte „Phantasiebegegnung" mit Gott als einem, der den Menschen hört, erhört, achtet und sein Heil will, kann so als „Gegenerfahrung", als Alternative in die Gegenwart einbrechen.

(3)   Beschreibung der Tiefenmodelle und des Sprechaktes

Die Tiefenmodelle (siehe folgende Seiten)

Die Gegenüberstellung des positiven und negativen Tiefenmodells zeigt den Beter an einer Kippe, an der die Entscheidung zwischen zwei Welten fällig wird: entweder alle Kommunikation und alle Hoffnung auf Rettung aufzugeben bzw. sich in eine Klage hineinzubegeben, die der Schwerkraft der gegenwärtigen Notsituation zum Opfer fällt und in der Verzweiflung landet, oder aber mit dem Sprechakt der vertrauenden Klage den Dialog mit Gott sprachlich aufzunehmen, in der Hoffnung, daß der Adressat helfend handelt. Mit einer unglaublichen Kraft des Vertrauens bricht der Beter aus

---

68 Vgl. zu innerpsychischen Adjuvanten bzw. Opponenten a.a.O., 80-81, 100 f.
69 Real ist natürlich auch die Not, die aber dominant im Minusmodell als nicht gewünschter Zustand, und zwar im Objektbereich, vorkommt. Im Plusmodell kommt sie implizit im Wort „Rettung" zum Vorschein, das ja eine Not voraussetzt und die Nicht-Not will.
70 Zur Kampfsituation zwischen Opponent und Adjuvant im Subjektbereich vgl. a.a.O., 91, 100 f., 104 f.

Tiefenmodelle (zu Abschnitt I)
Das positive Tiefenmodell (Tp):

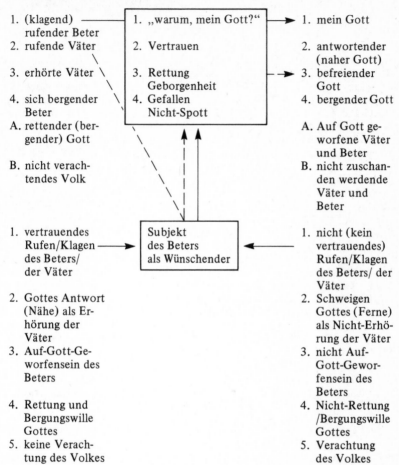

1. (klagend) rufender Beter
2. rufende Väter
3. erhörte Väter
4. sich bergender Beter
A. rettender (bergender) Gott
B. nicht verachtendes Volk

1. „warum, mein Gott?"
2. Vertrauen
3. Rettung Geborgenheit
4. Gefallen Nicht-Spott

1. mein Gott
2. antwortender (naher Gott)
3. befreiender Gott
4. bergender Gott
A. Auf Gott geworfene Väter und Beter
B. nicht zuschanden werdende Väter und Beter

1. vertrauendes Rufen/Klagen des Beters/ der Väter
2. Gottes Antwort (Nähe) als Erhörung der Väter
3. Auf-Gott-Geworfensein des Beters
4. Rettung und Bergungswille Gottes
5. keine Verachtung des Volkes

Subjekt des Beters als Wünschender

1. nicht (kein vertrauendes) Rufen/Klagen des Beters/ der Väter
2. Schweigen Gottes (Ferne) als Nicht-Erhörung der Väter
3. nicht Auf-Gott-Geworfensein des Beters
4. Nicht-Rettung /Bergungswille Gottes
5. Verachtung des Volkes

seiner Not auf und widersetzt sich im Gebetsdialog dem Chaos der Minuswelt, in dem „nichts mehr geht", das aber den ungeheuer gefährlichen Sog ausübt, mit Gott, mit allen anderen und im Grunde auch mit sich selber zu brechen (sofort durch die Nicht-Kommunikation oder durch eine Klage, die sich von Gott mißtrauisch und enttäuscht entfernt). Gegen die realen Erfahrungen, ja *in* ihnen holt der Beter im Kielwasser seines bisherigen Glaubens dessen Adjuvanten ein, um Vertrauen, Hoffnung auf Rettung und Geborgenheit im Gefallen Gottes zu erreichen. Gelebter Glaube macht sich im Gebet breit genug und setzt sich durch gegen die erfahrene Not, die —

Das negative Tiefenmodell (Tn):

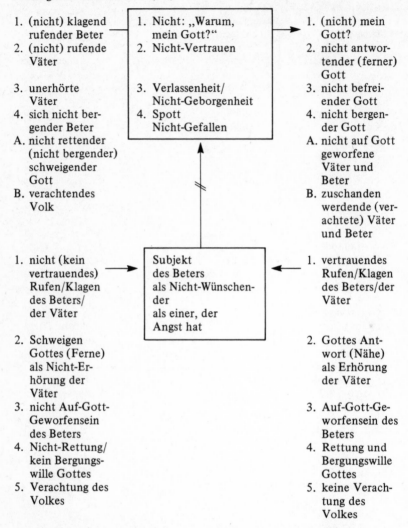

1. (nicht) klagend rufender Beter
2. (nicht) rufende Väter
3. unerhörte Väter
4. sich nicht bergender Beter
A. nicht rettender (nicht bergender) schweigender Gott
B. verachtendes Volk

1. Nicht: „Warum, mein Gott?"
2. Nicht-Vertrauen
3. Verlassenheit/ Nicht-Geborgenheit
4. Spott Nicht-Gefallen

1. (nicht) mein Gott?
2. nicht antwortender (ferner) Gott
3. nicht befreiender Gott
4. nicht bergender Gott
A. nicht auf Gott geworfene Väter und Beter
B. zuschanden werdende (verachtete) Väter und Beter

1. nicht (kein vertrauendes) Rufen/Klagen des Beters/ der Väter

Subjekt des Beters als Nicht-Wünschender als einer, der Angst hat

1. vertrauendes Rufen/Klagen des Beters/der Väter

2. Schweigen Gottes (Ferne) als Nicht-Erhörung der Väter
3. nicht Auf-Gott-Geworfensein des Beters
4. Nicht-Rettung/ kein Bergungswille Gottes
5. Verachtung des Volkes

2. Gottes Antwort (Nähe) als Erhörung der Väter
3. Auf-Gott-Geworfensein des Beters
4. Rettung und Bergungswille Gottes
5. keine Verachtung des Volkes

zunächst — als Verlassenheit Gottes gesehen wird. Das Ende des Psalmes wird es zeigen: Dort wird der Prozeß vollendet sein, an dessen Abschluß sich der Beter das Gegenteil dessen wieder ins Leben geholt hat[71], den er

---

71 So werden die entscheidenden Gegensätze, die aus dem Glauben an den erlösenden Gott der Geschichte kommen, in die Gegenwart hinein angesagt, vgl. Magaß Art. 1976, 27, Fuchs Art. 1979 b, 876.

in dem von der Not ausgehenden Textanfang nicht mehr und noch nicht im Blick hatte.

So provoziert die Klage als Gebetsbeziehung mit aufkommendem Vertrauen in einem aufregenden Prozeß eine innovatorische und kritische Dimension, die sowohl die Situation der eigenen Not wie auch das bisherige Bild (von seiten des Beters und der Leute) Gottes verändert: Gegen die reale soziale Ächtung setzt sich die Zuversicht auf das Gefallen Gottes durch. Gegen die reale Not und in ihr erhebt sich die Anrede „mein Gott". Der Beter läßt Gott nicht los, weil er glaubt, daß dieser ihn nicht losgelassen hat. Freilich hat er keinen gegenwärtigen realen „Beleg" für Gottes Gefallen in der Hand. Es ist dies allein ein Akt seines Glaubens, gegen alle das Verhältnis Gottes zu den Menschen ideologisierenden Tendenzen (z. B. Not als Nicht-Gefallen Gottes zu interpretieren, vgl. V. 9).

Die beiden Tiefenmodelle lassen zwei entscheidende Zeitdimensionen erkennen: die Gegenwart und die Vergangenheit. Im Perfekt werden die abgeschlossenen und in diesem Fall vergangenen Heilsereignisse erinnert, in gegenwartszeitlicher Unabgeschlossenheit laufen alle Aktionen, die in der Gleichzeitigkeit mit dem Beten angesiedelt sind bzw. in diese hineinreichen und/oder über sie hinausgehen.

Der Sprechakt

Die Bestimmung des Sprechaktes sowohl aus den Strukturlisten wie auch aus den Tiefenmodellen beruht auf der Erkenntnis, daß die Aktionen der Adressanten und Adressaten zueinander (vermittelt über das Objekt) sowie das darin enthaltene subjektive Verhältnis zum Wunschobjekt wie auch zum Adressaten (vgl. gestrichelten Pfeil) eine Charakterisierung des Sprechaktes zulassen. Dies kann direkt geschehen, wo die Sprechakte ausformuliert sind, direkt auch noch, wo sie syntakto-semantisch abgelesen werden können (z. B. aus der Grammatik der Frageform), der Sprechakt ist aber auch indirekt erschließbar aus dem textinternen Verhalten der Akteure bzw. Aktanten zueinander[72].

Die Varianten der semantisch zum Vorschein kommenden Illokutionen (V. 1-6: schreien, Worte (= sprechen), klagen oder flehen, rufend lobpreisen,

---

72 Zur Beschreibung des Sprechaktes vgl. ders. 1978 a, 136, 156, 184; Beispiele 230, 292, 323. Die dritte Quelle der Sprechaktbestimmung (neben Strukturlisten und Tiefenmodell) ist der Oberflächentext und vor allem seine poetischen und rhetorischen Realisierungen. Darauf werden wir erst später (s. u. 3.3) zu sprechen kommen können, weil die poetische Verwirklichung der Antithese sich über den Gesamttext erstreckt. Die poetische Analyse wird sich vor allem deswegen auf die Analyse der Antithesen konzentrieren, weil gerade diese Stilfigur für die Wertwelt und für den Sprechakt entscheidend ist und die bereits gewonnenen Ergebnisse vereindeutigen kann; vgl. a.a.O., 153 ff., 41 f.

vertrauend rufen) fassen wir zu dem domianten Sprechakt der *vertrauend rufenden Klage* zusammen. Diese Klage trifft auf einen Adressaten, der (noch) nicht hört, der den Adressanten anscheinend verlassen hat, der jetzt schweigt, der aber dennoch „mein Gott" bleibt. Er wird im Moment als fern erlebt, aber noch und wieder stärker als nah geglaubt (V. 9-11). Dabei wird das Fernesein Gottes aufgrund der intensiv erfahrenen Not (als Minusobjekt des doch bisher immer geglaubten Plusadressanten, vgl. V. 2-3/7-9) vermutet. Sein Nahesein wird geglaubt in der Erinnerung der Väter und ihrer Errettung sowie in der in die Gegenwart reichenden Erinnerung der heilvollen Biographie (V. 5-6/9-11). Doch gibt es im Moment zwischen dem erfahrenen (Verlassenheit) und geglaubten (Nähe) Gott keine vermittelnde Brücke in der äußeren Realität. Eben dies macht den Sprechakt der Klage aus, daß der Adressat (aufgrund seiner vermuteten Funktion als Minusadressant der Not) unergründlich geworden ist und jeglicher bisherigen Einordnung und Erwartung widerstrebt. Deshalb entsteht *die Frage*[73], die den ganzen Abschnitt I durchtränkt und in ihm bestimmend bleibt: Warum ist das so? Warum gibt es den Kontrast zwischen damals und heute, zwischen meinem Glauben und der realen Erfahrung? Die ersehnte Rettung wird durchgespielt und semantisch aufgefüllt in den Kontrastschilderungen, was die Frage wiederum verschärft: Warum diese gegenwärtige Not gegen die bisherige Erinnerung (des Volkes wie auch des Beters)?

Das also macht den Sprechakt der vertrauenden Klage aus: Sie lebt in und von der Spannung, die zwischen der Erwartung und Erfahrung hinsichtlich des Adressaten liegt, wobei beide im Gegensatz zueinander stehen. In diesem Gegensatz lauert die *Erfahrung der Krise*, der Entscheidung, entweder im Kielwasser der bisherigen Vertrauenserwartung zu bleiben und entsprechend zu klagen oder aber im Bannkreis der gegenwärtigen Noterfahrung dieses Vertrauen aufzugeben. Aus solcher Spannung heraus und in sie hinein spricht das klagende „warum" des V. 2. In eigenartigem Gegensatz, aber auch in Einheit mit dem Vertrauen der Klage, besitzt dieser Sprechakt deshalb immer auch die Dimension der *Anklage*, der Auflehnung, weil die Frage ja tatsächlich in Frage stellt, sofern die Klage über die Not einen

---

73 Die erste syntakto-semantische Quelle für den Sprechakt der Frage ist V. 2, also eine Beobachtung an der Oberfläche des Textes. Wir können aber diesen, wenn auch nur am Anfang realisierten Oberflächenwert deswegen tiefenstrukturell ernst nehmen, weil er den Text eröffnet (und eben von der Eingangsphase her eine ganz besondere Bedeutung bekommt), aber auch im besonderen Maße deswegen, weil er indirekt bestätigt wird durch die gegensätzlichen Kontrastbilder, die implizit die Frage aufwerfen, warum es so war und jetzt anders ist. (Vgl. dazu die Absatzgegensätze, die konträren Werte in den Versen mit einem Parallelismus membrorum). So wandert inhärent im Text die Frage immer mit: Warum existiert dieser Gegensatz? (Vgl. die Bestätigung bei der Untersuchung der Antithesen in 3.3).

Adressaten bekommt, der mit ihr etwas zu tun hat, der sie verursacht oder verhindern könnte bzw. sollte. Im gleichen Zug hat die vertrauende Klage die Dimension *zuversichtlicher Erwartung*, die Gottes neue Antwort zuläßt und ersehnt, auch, wieder in eigenartiger Spannung und Einheit mit der Anklage, die Dimension des Gehorsams, jedenfalls den Ansatz dazu, sich am Ende der Klage in Gottes Willen hineinzubegeben. Wir werden beide gegensätzlich erscheinenden Dimensionen der Klage als solche hier nebeneinander stehen lassen müssen. Wichtig ist, daß beide in der Klage mitschwingen und ausgesprochen werden bzw. ihre Chance haben. Denn wenn die Klage nur noch die anklagende Frage ist, die mit der gestellten Frage nicht auch noch eine alternative Antwort erhofft, dann versinkt sie in der Gegenwelt (vgl. Tn) der Verzweiflung und des Kommunikationsabbruches.

In der *klagenden Frage* spricht der Beter die Not aus und Gott an. Dabei hält er die *Diastase* aus zwischen Erinnerung und Situation und bringt diese zur Sprache. Kein Pol der Klage wird aufgegeben, weder die Erinnerung noch die Situation, weder das Vertrauen noch die Wahrnehmung des Elends. Er steht im Klageschrei noch mitten in der Spannung zwischen beiden Extremen und versucht in *einem* Text der Klage ihre Vermittlung, noch ohne daß das dabei zwar schon etwas anwachsende Vertrauen soweit kommt, die Bitte aus sich zu entlassen (sie folgt erst in Abschnitt II). Es scheint dies die *Phase des Schocks* zu sein, wo Noterfahrung und Gottesglaube unvermittelt nebeneinanderstehen und der Beter beginnt, aus seiner Sprachlosigkeit herauszukommen, um diese Differenz in einem Kommunikationsversuch mit Gott hinein zu verbalisieren. Er kann im Moment nur beides beim Namen nennen und sich mit beiden in die Begegnung mit Gott hineinbegeben. Das ist alles, was er jetzt vermag. Weil beides bleibt, die Not (als Ferne Gottes erlebt) und der geglaubte „mein Gott", deshalb bleibt jetzt nur die Frage: Warum?

Diese klagende Frage wird da überflüssig, wo die Not verschwindet (bzw. verdrängt wird) oder wo Gott verschwindet bzw. verdrängt wird, oder auch, wo beides ideologisch miteinander verbunden wird: beispielsweise mit der Argumentationsfigur: Weil du schuldig bist, deshalb erfährst du die Not durch deinen Gott. Diesen Weg allerdings geht der Ps 22 nicht! Er hält die Spannung aus und nihiliert weder die tödliche Not noch den treuen Gott noch den unergründlichen, nicht erklärbaren Gott. Die bisherige Zuversicht auf den treuen Gott kommt in die Krise und wird trotzdem aufrecht erhalten in der versprachlichten Begegnungsaufnahme mit ihm. Dieses Sprechen läßt in seinem Prozeß neues Vertrauen entstehen, das nicht mehr das unangefochtene Leben (Wohlstand, keine Not usw.) als beherrschende Begründung braucht. Es ist dies ein Glaube, der seine ganze Lebenskraft aus der Beziehung mit Gott erhält und nicht davon abhängig ist, welche Gegenwart sich einstellt.

Der Sprechakt der Klage im engeren Sinn (denn wir haben bisher ja nur die *erste Phase der Klage vor uns*[74]), wie ihn der Ps 22 nahelegt, läßt sich nach den bisherigen Beobachtungen im Sinne eines sprechakttheoretisch regelgeleiteten Verhaltens charakterisieren, soweit er im Text durch- und mit normativer Dimension vorgespielt wird[75]. Die folgenden Faktoren sind demnach die Bedingungen für das gelingende Zustandekommen des Sprechaktes der Klage (im engeren Sinn)[76]. Es handelt sich um diese Konditionen:

1. Der Beter beginnt aus seiner Situation der Not heraus diese auf Gott zu auszusprechen und Gott mit wachsendem Vertrauen dabei anzusprechen.

2. Dieses Ansprechen verläuft in Form einer *Frage*, die das Nichtverstehen

---

74 Der Sprechakt der Klage führt ja im Text weiter und wird in sich den Sprechakt der Bitte und des Lobes aufnehmen. Ohne diese Offenheit wäre der Sprechakt der Klage nicht der dem Text entsprechende.

75 Zum normativen Verständnis einer ursprünglichen deskriptiven Sprechakttheorie vgl. die entsprechende Verwendung der sprechakttheoretischen Kategorien für die Beschreibung eines idealen rhetorischen Prozesses bei Kopperschmidt 1973, 74 ff., 82 ff. und für die Beschreibung des affektiv-homiletischen Prozesses bei Fuchs 1978 b, 21-24. Mit Recht bemerkt Peukert (1976, 170 f.), daß die Regeln für die Bedingungen, unter denen ein Sprechakt gelingt, nach Austin und Searle der jeweiligen Konvention und Institution der gesellschaftlichen Umgebung entnommen sind. Wer sich an diese Regeln hält, kann „reibungslos" kommunizieren. Diese Theorie kann damit innovatorische, also ausgesprochen reibungsvolle Sprechakte, die zu Konventionen und Institutionen kritisch stehen, nicht erfassen (vgl. ders. Art. 1977, 61, 63 ff.). Eine solche Normativität des Faktischen kann und darf natürlich im Sinne einer veränderungsfreudigen sprachlichen Interaktion nicht akzeptiert werden. Im Bezug auf unser Forschungsvorhaben jedoch hat gerade diese Dimension der Sprechakttheorie einen ausgesprochen konstruktiven und hermeneutischen Wert, insofern nämlich von der für den Christen als normativ angesehenen „Konvention" und „Institution" erzählter biblischer Interaktionen ausgegangen wird. Um deren Sprechen und Kommunizieren als regelgeleitetes Verhalten zu entdecken und zu elementarisieren, bietet die Sprechakttheorie ein angemessenes Untersuchungsbesteck. Dieses Vorgehen schmälert ja nicht die pragmatische Konsequenz, daß derart aufgefundene Handlungsvorschläge für gegenwärtige Konventionen und Institutionen ausgesprochen innovatorischen Charakter haben. Auch in diesem Sinn gilt Peukerts Bemerkung: „Damit wird alles Reden der Theologie zurückgebunden an eine *bestimmte* kommunikative Praxis, die einen aufweisbaren und sowohl theologisch wie humanwissenschaftlich und philosophisch-ethisch diskutierbaren normativen Kern hat und nicht in Beliebigkeit stehen bleibt." (a.a.O., 1977, 73 Anm. 32.) Dies wird umso einsichtiger, wenn man bedenkt, daß die konstitutive Konvention biblisch erzählter Interaktionen inhaltlich gerade darin besteht, daß ihre Sprech- und Handlungsvorschläge selbst im Horizont der Jahweverheißung bzw. des Reiches Gottes innovatorischen und verändernden Charakter haben. Dies zeigt sich besonders am Sprechakt der Klage selbst, innerhalb dessen ein Wandel im Gottesbild (s. u. 5.3 und 6.2; vgl. Peukert Art. 1977, 70) sowie die Veränderung in der Einstellung des Beters zu seiner Situation wie auch zu seiner sozialen Umwelt geschieht.

76 Zum Verständnis und Verhältnis von gelingendem und erfolgreichem Sprechakt vgl. Fuchs 1978 a, 131; vgl. dazu, daß diese Unterscheidung Gelingen und Erfolg für den Sprechakt des Gebetes unwesentlich ist, ders. Art. 1979 a, 858. Gebet ist von vornherein gelungen *und* „erfolgreich"! (s. u. 4.1.2 und 4.2.3 (2)).

und die Betroffenheit im Kontext des Gegensatzes von bisherigem Glauben und gegenwärtiger Situation zum Ausdruck bringt.
3. Der Beter formuliert beide entscheidenden Pole seiner gegenwärtigen Problematik (glaubende Erwartung und gegenwärtige Erfahrung) im Sprechprozeß durch Erinnerung (des Heils) und durch Schilderung (der Not) gründlich und gleichgewichtig aus.
4. Der Beter sieht in dieser Diastase (noch) keine andere Vermittlung als seinen lebendigen gegenwärtigen Dialog mit dem nahe geglaubten und scheinbar real fern gewordenen Gott.

Voraussetzung dafür, daß diese Bedingungen der vertrauenden Klage erfüllt sein können, ist deshalb zum einen die geglaubte vorgängige Kommunikation Gottes mit dem Menschen, die in der zeitlichen Dimension der Erinnerung in die Gegenwart eingebracht wird. Gott wird von dieser Erinnerung her geglaubt als einer, der hört, der antwortend retten kann und will, dem man vertrauen kann, auf den der Beter geworfen ist (vgl. bes. die A- und B-Aktanten). Zum anderen aber muß die gegenwärtige Situation der Not vorausgesetzt sein, die Gott als „Anderen" erfahren läßt, der aber trotzdem Adressat der Zuversicht bleibt. Er muß sich gegenwärtig aufdrängen als einer, der (noch) nicht hört, der (noch) nicht antwortet, der nicht rettet, aber doch retten will und kann (das eben provoziert die Frage), auf den der Beter weiterhin geworfen bleibt.

Die Klage hat so etwas Unabgeschlossenes, Wartendes, Offenes auf Gott, die Zukunft und andere Sprechakte (im folgenden die Bitte und der Lobpreis) hin. In ihr zerreißt der Kordon der Antwortlosigkeit, der Verlassenheit und Ausweglosigkeit, den die Not (vgl. Minusmodell) gefährlich schnell aufbaut. Die Klage eröffnet in ihrer Frage die Situation nach vorne und erwartet – im Klagen – doch noch etwas Neues und Antwort. Die Situation – so verfahren und hoffnungslos sie sein mag – ist kein Schlußstrich, kein Tod, sondern das Wartezimmer zu einem anders werdenden und anders gewordenen Leben mit sich, den Menschen und mit Gott. So ist die Klage der anfangs noch dornige und enge Pfad, auf dem sich die Hoffnung einen neuen Weg sucht bzw. sich schenken läßt. Dornig ist dieser Weg, weil er etwas kostet, in der Not zu dem fremd gewordenen Gott in sprechende Beziehung einzutreten, und zwar in eine offene und ungeklärte, die so in der Schwebe bleiben kann, daß sie weder in der Schilderung der eigenen Not rotiert und versinkt[77], noch im Höhenflug zu Gott hin die Realität der

---

77 So bekommt der Beter den entscheidenden Wider- und Einspruch zu seiner eigenen Situation in den Blick. Voraussetzung dafür ist freilich, daß das Sprechen ein gebundenes Sprechen ist und sich nicht in den expressiven Einzelheiten und damit im Chaos verliert. Die Vorgabe des poetisch gestalteten und theologisch durchdachten Ps 22 ist eine solche Möglichkeit, seine eigene Situation in eine gebundene Sprache hineinzubringen, die dann auch tatsächlich für diese Situation und für den Betreffenden *Bedeutung* schafft, wobei diese Bedeutungsproduktion eine

Not bagatellisiert, verdrängt oder gar (in einer eigenartigen Leidensmystik, die den Widerspruch zwischen Situation und den als befreiend geglaubten Gott verkleistert) verklärt, noch systematisch argumentativ das Problem mit Erklärungsfiguren lösen will.

Wer so klagt, arbeitet sich ab an der Wirklichkeit wie auch an einem verborgenen Gott, der Herr des Lebens ist und bleibt, von dem nichts einzufordern ist, aber dem alles gesagt werden kann, von dem allein alles zu erwarten ist. In solchem Sprechakt lernt der Beter, daß Vertrauen zu Gott nur in der Spannung von beiden Polen tatsächlich biblischer Gottesglaube ist: nämlich zwischen Kennen und Nicht-Kennen, zwischen Offenbarung und Verborgenheit. Die aktuelle Phase der Dunkelheit bringt den Beter in eine Begegnung, in der er sich selbst behauptet und Gott als Geheimnis sehr ernst nimmt.

Fassen wir zusammen: Der Sprechakt der Klage (im engeren Sinn[78]) ist definierbar

— als das vom Beter auf Gott zu vollzogene *Aussprechen der Not*, die in Form der Frage mit dem geglaubten und erwarteten Heilswillen Gottes konfrontiert wird (Erinnerung),

— und von daher als das zunehmend *vertrauende Ansprechen Gottes*, das von ihm in und trotz der Erfahrung der Realität und über sie hinaus Antwort und Rettung erwartet.

Der Sprechakt der Klage ist also komplex und setzt sich aus folgenden Teilillokutionen zusammen: 1. *Fragen*, 2. *Schildern* (der Not), 3. *Erinnern* (des vergangenen Heils), 4. *Vertrauen*, 5. *Erwarten*. Das letztere Moment führt hin zur Bitte, ja ist bereits ein Element von ihr.

2.2.2 Abschnitt II: Ps 22, 12-22

Überblick
Der zweite Abschnitt steigt mit einer *Bitte* ein[79], die über die kausale Konjunktion „denn" mit der Proposition, der Realität der Not, begründet wird.

Funktion der Beziehungsaufnahme mit Gott ist. Wo diese gebundene Sprache nicht vorhanden ist, werden sprechende Menschen (mit ihren Texten) und überhaupt Texte zu „hilflosen Helfern".

78 Dies ist also der erste Teilaspekt der Klage, gleichsam die erste Phase. Die Beobachtung der Phasen gehört zur Bedeutung des sequentiellen Charakters jedes Textes. Diesen sequentiellen Charakter holen wir dadurch in die Analyse mit ein, daß wir von jedem Abschnitt gleichsam auf mittlerer Ebene zwischen Tiefenmodell des Gesamttextes und den Strukturlisten die jeweiligen Tiefenmodelle zu den Abschnitten erstellen, um so — auf mittlerer tiefenstruktureller Ebene — zu den drei Schritten der Klage zu gelangen; vgl. Fuchs 1978 a, 151-153.

79 Der neue Einstieg wird poetisch betont durch einen Tristichon, vgl. Ridderbos 1972, 185 f.

Der begründende Nebensatz erfährt seine schildernde und bildhafte semantische Füllung in den folgenden Versen: niemand hilft, die Not ist zugegen
in Form der Stiere und Löwen (V. 13/14), der Hunde und der Bösen (V.
17-19), unterbrochen mit der – als Konsequenz der Verfolgung eingescho-
benen – Beschreibung des jämmerlichen Zustandes des Beters in der Ich-
form (V. 15-16, vgl. V. 7 f.). Der Abschnitt endet mit einer breiten drei-
versigen Bitte (V. 20-22), die schließlich – so präsumieren wir – in einem
Vertrauenshöhepunkt endet (V. 22 b). Die ausgiebige Elendsschilderung
hat also den formalen Rahmen und das wohl auch inhaltliche Ziel der
Bitte. In der Notschilderung vor allem zieht die Klage weiter, es kommt zu
ihr allerdings sprechaktmäßig eine neue Dimension hinzu, nämlich die der
Bitte (und – bereits hier? - der Erhörungsgewißheit)[80].

(1)   Strukturlisten mit Erklärungen

Die Strukturlisten (siehe folgende Seiten)

---

80 Die Erhörungsgewißheit wächst jedenfalls an und bereitet den sogenannten
„Bruch" von V. 22 zu V. 23 vor. Hier erhebt sich schon die Frage, ob denn der
Sprechakt der Klage nicht bereits bis V. 22 b derart an Kraft verloren hat, daß er
als charakteristischer Sprechakt nicht mehr für den Folgetext zu bemühen ist.
Lassen wir dieses Problem im jetzigen Stadium der Analyse zunächst stehen und
konzentrieren wir uns auf die Frage, ob es Sprechaktmomente gibt, die den ganzen Text durchziehen und ihm so eine gewisse Kontinuität verleihen, die auch für
eine Kontinuität des Sprechaktes der Klage spricht, und welche Momente dies
sind!

Strukturliste: Abschnitt II. Ps 22, 12-22

Plusadressant:	Minusadressant:	Plusobjekt:	Minusobjekt:	Plusadressat:	Minusadressat:
(bittender Beter)					
12. sei nicht fern denn nicht die Not ist nahe und jemand ist da, der hilft	(sei) ferne denn die Not ist nahe und niemand ist da, der hilft	sei nicht fern / die Not ist nicht nahe / (Hilfe)	sei fern / die Not ist nahe / (nicht Hilfe)	sei nicht fern[1] mir / nicht mir / mir	(du: sei mir fern) nicht mir (mir) / nicht mir
13. viele Stiere umgeben nicht die Büffel von Baschan umringen nicht	viele Stiere[2] umgeben die Büffel von Baschan umringen	(nicht umgeben) (nicht umringt werden)	(umgeben) (umringt werden)	nicht mich nicht mich	mich (umgeben) mich (umringt)
14. sie sperren nicht auf nicht reißende, brüllende Löwen	sie sperren ihren Rachen auf reißende, brüllende Löwen	(nicht aufgesperrter Rachen) (nicht reißen und brüllen)	aufgesperrter Rachen (reißen und brüllen)	nicht gegen mich (nicht gegen mich)	gegen mich (gegen mich)
15. ich bin nicht hingeschüttet	ich bin hingeschüttet wie Wasser	nicht hingeschüttet sein	hingeschüttet sein	ich bin nicht hingeschüttet wie Wasser (vor dir)	ich bin hin-[3] geschüttet wie Wasser (von dir)
...					

Plusadressant:	Minusadressant:	Plusobjekt:	Minusobjekt:	Plusadressat:	Minusadressat:
all meine Glieder haben sich nicht gelöst	all meine Glieder haben gelöst	nicht gelöste Glieder	gelöste Glieder	nicht sich	sich gelöst
mein Herz ... nicht zerflossen	mein Herz in meinem Leib wie Wachs zerflossen	mein Herz ist nicht wie Wachs zerflossen	mein Herz ist in meinem Leibe wie Wachs zerflossen	(vor dir)	(nicht vor dir)
16. meine Kehle ist nicht trocken die Zunge klebt nicht	meine Kehle ist trocken wie eine Scherbe die Zunge klebt mir am Gaumen	meine Kehle ist nicht trocken die Zunge klebt nicht ...	meine Kehle ist trocken wie eine Scherbe die Zunge klebt mir am Gaumen	(vor dir) (vor dir)	(nicht vor dir) (nicht vor dir)
du legst ... nicht ...	du legst in den Staub des Todes	du legst mich nicht ...	du legst mich in den Staub des Todes	du legst mich nicht	du legst mich[4] in den Staub des Todes mich (im Todesstaub)
17. viele Hunde umlagern nicht	viele Hunde um-[5] lagern	nicht umlagert sein	umlagert sein	nicht mich	mich (umlagert)
keine Rotte von Bösen ... sie durchbohren nicht	eine Rotte von Bösen umkreist sie durchbohren	nicht umkreist werden von Bösen durchbohren nicht Hände und Füße	umkreist werden von Bösen durchbohren Hände und Füße	nicht mich nicht mir	mich (umkreist) mir Hände und Füße (durchbohrt)
18. man kann nicht zählen	man kann zählen	nicht gezählt werden	meine Knochen können gezählt werden	nicht meine Knochen	meine Knochen (gezählt)

Plusadressant:	Minusadressant:	Plusobjekt:	Minusobjekt:	Plusadressat:	Minusadressat:
sie gaffen nicht	sie gaffen	nicht begafft werden	begafft werden	(nicht begafft)	(begafft)
und weiden sich nicht	und weiden sich	sie weiden sich nicht	sie weiden sich	nicht an mir	an mir
19. sie vertei-len nicht	sie verteilen unter sich	meine Kleider werden nicht verteilt	meine Kleider werden verteilt	nicht meine Kleider	meine Kleider
und werfen nicht	und werfen das Los	sie werfen nicht das Los	sie werfen das Los um mein Gewand	nicht um mein Gewand	um mein Gewand
20.	nicht du, nicht Herr	du aber, Herr	nicht Herr	du aber Herr	
du aber[6] Herr halte nicht fern	nicht: aber Herr, halte fern	halte dich nicht fern	halte dich fern	dich nicht fern (du bist nicht ferne)	halte dich fern (du bist ferne)
du meine Stärke eile zu Hilfe	nicht du, nicht meine Stärke eile nicht zu Hilfe	du bist meine Stärke eil mir zu Hilfe	du bist nicht meine Stärke eil mir nicht zu Hilfe	du, meine Stärke	nicht du, nicht meine Stärke
				eile mir zu Hilfe!	nicht mir zu Hilfe
21. entreiße dem Schwert	entreiße nicht ...	entreiße mein Leben dem Schwert	entreiße nicht ...	du, entreiße mein Leben ...	du, entreiße mein Leben ... nicht
(du sollst entreißen)	(du sollst nicht ...)	entreiße mein einziges Gut aus der Gewalt der Hunde	entreiße nicht, nicht mein einziges Gut ...	du, entreiße mein einziges Gut	du entreißt nicht

Plusadressant:	Minusadressant:	Plusobjekt:	Minusobjekt:	Plusadressat:	Minusadressat:
(nicht die Hunde	die Hunde haben in der Gewalt	mein Leben nicht in der Gewalt	mein Leben in der Gewalt haben	nicht mein Leben	mein Leben)
22. rette vor dem Rachen des Löwen rette vor den Hörnern der Büffel	rette nicht ... Rachen des Löwen rette nicht ...	rette mich vor dem Rachen des Löwen rette mich Armen vor den Hörnern der Büffel	du rettest nicht (nicht: rette mich: rette mich nicht ...)	du, rette mich du, rette mich ... (mich als einen zu Rettenden) rette mich Armen	du rettest nicht mich vor ... du rettest nicht micht vor ... nicht mich Armen vor den Hörner der Büffel
nicht vor den Hörnern der Büffel du antwortest mir	vor den Hörnern[7] der Büffel: du antwortest mir nicht	(Antwort) du antwortest	(keine Antwort) du antwortest nicht	du antwortest mir	du antwortest mir nicht
(du rettest mich)	(du rettest mich nicht ...)	(du rettest mich)	(du rettest mich nicht)	(du rettest mich)	(du rettest mich nicht)

1: Der Adressat wird mit einer Bitte angesprochen, die ihn − da die Bitte ein Handeln des Adressaten zum Inhalt hat − auf die Adressantenseite plaziert (als eine zur primären Kommunikation des gegenwärtigen Textes gewünschte sekundäre Kommunikation, die erst noch zu geschehen hat). Die Ergänzungen der Minusspalten zeigen an, daß die Negation der Bitte zugleich den Kommunikationsabbruch bedeutete: Von Gott wird dann nichts mehr erwartet, er kann fern bleiben. Die Aktionseinheit vom Nahesein Gottes und dem Nahesein eines Helfers bzw. dem Fernsein der Feinde zeigt wiederum die Spannung zwischen erfahrenem und erwünschtem Gott bzw., wenn die Spannung zusammenbricht, die entsprechende Ideologie (Nähe Gottes = Nähe des Wohllebens, während dem Fernesein Gottes die Nähe der Not entspricht, vgl. Minusadressant und Minusobjekt) an. Die Bitte kommt als solche (ausdrücklich durch die Imperativform gekennzeichnet) im Plusobjekt zu stehen.

2: In Zeile 13-19 (vgl. die Einheitlichkeit der negativen Spalteneintragungen) wird die ,,erzählte" Welt der Noterfahrung im sprechakttheoretischen Feld der Bitte ,,besprochen"[81]. Die eben apostrophierte nahe Not und das Fehlen eines Helfers wird nun positiv (als realisierter Text) durch die entsprechenden aggressiven Akteure beschrieben, die als Varianten für die Feinde zu gelten haben[82]. Weil diese Schilderung der Not (= Proposition, vgl. Objekteintragung zu V. 12) dem Beter am Herzen liegt, erscheinen die gefährlichen Handlungen ebenfalls als das, was an Information auf Gott zukommen soll, im Objektbereich. Die Feinde stehen in der Adressantenspalte in Aktionsgemeinschaft mit dem fernen Gott (vgl. V. 16).

3: Der Adressat der feindlichen Figuren schildert nun seine Erlebnissituation auf intensivste Art. Als solche gehört er zugleich in die Adressantenspalte, denn er ist im aktuellen Gebet der Elende, der diesen Zustand zu Gott ruft, ja dessen Schilderung implizit ein klagender Ruf zu Gott ist[83].

4: So folgt denn auch der Ichform des bedrängten Beters folgerichtig das Du in Verbindung mit einer ausgesprochen überraschenden Aussage, die sich aber bereits oben in den Spalten zum Abschnitt I in der erschließbaren Aktionseinheit von Spöttern und Gott ankündigte: Gott wird als Minusadressat und Minusadressant (an)erkannt, aber weiterhin kommen die Notschilderung und die damit verbundene Bitte auf ihn zu, damit er zum Plusadressaten und damit Plusadressanten einer neuen Situation wird. Zunächst ist es Gott selbst, der den Beter in den Todesstaub legt. Nicht (nirgends!) werden die Feinde irgendwie angesprochen als Adressaten und Urheber der Aggressionen, derart daß sie vielleicht durch die Bitte des Beters ihr Verhalten verändern könnten. Vielmehr wird Gott in unabgeschlossener Gegenwart als Minusadressat, weil er momentan als Minusadressant erfahrbar ist, angeredet.

---

81 Zum Verhältnis von besprochener und erzählter Welt vgl. Fuchs Art. 1979 a, 862 ff.; Weinrich 2/1971, 42-50.

82 Zum typologischen, ja projektiven Charakter der im Psalm vorkommenden Ausdrücke für die Feinde s. u. 4.2.2 (2).

83 Vgl. die in Klammern ergänzten Werte des Plusadressaten. Im Objektbereich wird das ,,ist" unterstrichen, weil es dem Adressanten darum geht, Gott die Tatsächlichkeit einer Lage zu überbringen.

Was oben durch die Auflistung bereits (V. 12) angedeutet war, kommt nun semantisch zum Vorschein: Gott selbst steht gegenwärtig in Aktionseinheit mit den Feinden. Er ist kein Feind (sonst würde er nicht angesprochen werden), aber er (er-)scheint einem solchen in gegenwärtiger Erfahrung überraschend ähnlich. Hier bricht die Klage, das Warum des V. 2, etwa in der Mitte des Abschnittes II zwischen Feindschilderungen und Bitten indikativisch als implizite Anklage „gegen" Gott durch, etwa so paraphrasiert: ‚Du bist es „eigentlich", der dies alles tut, der zumindest alles zuläßt und so mich verläßt.' Der bekannte und vertraute Gott als „Befreier" erscheint mit einem fremden Angesicht, schier als Feind. Dieses „in den Todesstaub legen" ist gleichbedeutend mit der Verlassenheit Gottes, die die Frage V. 2 als Erfahrung voraussetzt (vgl. Gott als Minusadressaten in V. 2). Hier allerdings erscheint das ganze nicht nur als Frage, sondern als *Feststellung*, die auch Resignation bedeuten könnte. Dagegen spricht aber der Rahmen der Bitte, die noch Rettung erwartet von dem, der offensichtlich Herr über Leben und Tod ist. Die Fremdheit und Verborgenheit seines Handelns bzw. Nichthandelns wird Gott im Du zugesagt und auch ernüchtert zugestanden. Dies geschieht sicher mit dem Ambiente der Anklage und des Vorwurfs, also nicht mehr nur mit der expliziten Anfrage. Selbst als der, der dieses tut, bleibt er dennoch der angesprochene „mein Gott", der es mit dem Beter auch noch im Todesstaub zu tun hat. Damit wird auch der fremde Gott im Dialog umklammert und nicht losgelassen (vgl. dazu die archetypische Szene vom Kampf Jakobs in Gen 32, 23-33, bes. V. 27). Der Beter klagt ihm freilich deutlich, was die Konsequenz der Gottesverlassenheit ist: ‚Du verläßt mich, dadurch bringst du mich in den Tod!' Ohne die Verbindung mit Gott gibt es nur den Tod. Der Betende sucht diese Verbindung mit dem so anders gewordenen Gott gerade jetzt, weil er weiterhin glaubt: Er allein und sonst niemand kann durch seine Nähe Leben schenken.

5: Doch dauert diese Anrede Gottes nur ein Stichon (V. 16 c). In V. 17 folgt wieder (analog zu V. 12 f.) die semantische Sättigung dieses „Todesstaubes" durch die Aktionen der Hunde und Bösen, die ihn schließlich besiegen oder kurz vor den Tod bringen. Womöglich schildert der Beter hier auch prospektiv, was geschehen wird, wenn Jahwe nicht hilft. Die extremste Bedrohung wird geschehen, der Tod! Gott selbst wird also die Konsequenz seines Nichteingreifens gesagt, gleichsam als merkte er nicht, daß er damit den Beter „hineinlegt" in den Todesstaub. Mit der letztmöglichen Schilderung seines Elends will der Betende Gott auf diese Not aufmerksam machen, darauf, daß es nun ums Ganze geht. Seine Bitte (vgl. 12 und 22 f.) ergibt sich also nicht bei irgendeiner Kleinigkeit, sie kommt in der höchsten Krise. Deshalb ist diese Bitte aufgrund der intensiven Notschilderung durchtränkt von der Klage.

6: Ab V. 20 folgt ein totaler Spaltenwechsel, entsprechend V. 12 a: der Adressant bittet den Adressaten, daß dieser sich zum Adressanten des Erbetenen macht (vgl. die Pfeile). Syntakto-semantisch kommt dieser Wechsel im „aber" zum Ausdruck. Gott − in V. 16 c noch Minusadressat bzw. Minusadressant − wird jetzt im Sprechakt der Bitte als Plusadressat bzw. -adressant (nach der Schilderung der extremst gefährlichen Situation) angesprochen[84]. Als den Herrn seines Lebens (V. 20, vgl. V. 2 und V. 29)

---

84 Gott wird als Plusadressat angesprochen mit dem Ziel, er solle sich gleich selber

spricht ihn der Beter an. Die starke Du-Ausrichtung auf Gott als den Plus-adressaten bleibt; fast hymnisch leitet sie über in die Anrede Gottes als „meine Stärke" (vgl. V. 4), das an „mein Gott" (V. 2) erinnert. Die starke Hoffnung wird auf Gott zu ausgesprochen, daß er seine Stärke einsetzen wird für den Beter, ja er ist diese Stärke bereits im Prozeß der Anrede geworden (zur Steigerung dieses Prozesses vgl. die Erhörungsgewißheit im V. 22 b). Der Beter traut ihm zu, daß er sein „einziges Gut", das Leben nämlich, aus der Gewalt des Todes errettet. Auf diesem Kurs läuft nun die klagende Bitte, die in neuen Anläufen variiert (V. 21-22) wird und die Feinde nochmals nennt, von denen der Beter gerettet werden will, und damit rückwirkend eine Anknüpfung an die extreme Elendsschilderung schafft. Es geht also ums Ganze. Genau das möchte er Gott sagen. Deshalb muß er ihn bitten!

7: Nicht wenig spricht für die Übersetzungsvariante:

> Entreiß mich dem Rachen des Löwen!
> Vor den Hörnern der Büffel: du antwortest mir![85]

Der Vers und der ganze Abschnitt II enden dann mit einer Erhörungsge-wißheit in einem eben so dringenden wie sicheren Futur[86]. Noch in der Situation der Not weiß der Adressat im Vorgriff um die Sicherheit der Er-hörung: In der großen Sehnsucht nach Rettung wird diese bereits in das Perfekt einbeschlossen und deshalb als unweigerlich geschehen müssend hineingebannt. Die Verbform nimmt die noch nicht geschehene Hilfe im Wort als geschehen voraus, damit sie wirklich geschieht, weil sie auch als wirklich Geschehendes erwartet wird[87]. Es ist dies die Grenze zu einem Vertrauen im Prozeß der Klage und Bitte, das kurz vor dem qualitativen Sprung steht: von der Bedrängnis in die Weite der Zuversicht, die die ge-genwärtige Not überragt, obgleich ihr Faktum bleibt. Der Sprechakt der zutiefst vertrauenden und damit erhörungsgewissen Bitte holt die rettende Zukunft in die Gegenwart hinein und schafft in ihr Raum für neue Hoff-nung und neuen Mut[88].

Die textinterne strukturale Analyse spricht jedenfalls für die Übersetzung des Verses 22 b als erhörungsgewisses Perfekt mit futurischem Einschlag,

---

als Plusadressanten senden, er soll *sich* nicht fern halten, sondern sich selbst als Helfer (Objekt) nahebringen: Gott wird so Adressant seiner selbst.

85 Für die von uns favorisierte Variante sprechen auch Kilian Art. 1968, 137; Stolz Art. 1980 a, 129 ff.; ausführlich dazu s. u. 4.1.2.

86 Das „du antwortest mir" hat dabei die Dimension, die das hebr. Ambiente des Perfekt (vgl. Baumgartner 1960, 27/28, bes. 75) in sich trägt: Erhöre mich drin-gend, du mußt mich erhören, du erhörst mich gewiß!

87 Eine ausgesprochen komplexe psychologische und theologische Mischung mag hier mitspielen: intensivste Bitte wird hier aufgrund ihrer vertrauenden Energie selbst bereits zur fast schon erhörten Bitte, die den Dank aus sich entläßt (V. 22 f.).

88 Der Beter erwartet alles von Gott, von dessen Stärke. Nichts erwartet er von seiner eigenen Leistung, auch nicht der Leistung des gegenwärtigen Betens. Er hat keine Angst, Gott in Frage zu stellen und zu ihm zu klagen. Jedes magisch angehauchte Umgehen mit Gott, etwa durch eine den Psalm einleitende ‚captatio benevolen-tiae', die Gott durch Lob umschmeicheln und zum Handeln bewegen will, wird unterlassen (vgl. Westermann 1977, 33, wo genau dies als Unterschied zwischen den israelitischen und babylonischen Psalmen herausgearbeitet wird). Der Beter muß nicht ein Gebet leisten, damit Gott hilft, sondern er leistet sich die Klage zu einem Gott, der in jedem Fall Gott bleibt und bleiben darf.

weil genau darin die Bitte zu ihrem Höhepunkt, dem grenzenlosen Vertrauen zu Gott in der Not, getrieben wird und den sogenannten „Stimmungsumschwung", der den Exegeten soviel Schwierigkeiten macht, kontinuierlich vorbereitet (vgl. Übergang von V. 22 zu 23). Diese Entwicklung ist in der Sequenz des Psalmes von Anfang an gelegt[89]. Die favorisierte Übersetzungsvariante brächte folgerichtig die Steigerung der Bitte zur Erhörungsgewißheit zutage, die dann auch „umschlagen" kann in das Lobgelübde, das Lob Gottes, der „erhört", nicht unbedingt „erhört hat". Dieses ansteigende Vertrauen bis hin zu solcher Gewißheit entsteht nicht abgehoben von der Notsituation, sondern läuft durch ihre intensivste Extremheit hindurch bis hin zu der extremen Höhe des vertrauenden Trotzdems in die Gewißheit, Gott für die künftige Rettung − bereits jetzt in der Not − loben zu können. Einem Außenstehenden, der nicht in dieser Beziehung zu Gott lebt, mag diese Erlösungsphantasie verrückt erscheinen. Für den Beter allerdings ist diese Phantasie genau der Geist, der von Gott her sein Gebet auffüllt. Durch die Not hindurch läßt sich der Beter in Gottes Hand fallen und lernt von neuem, ja weiß schließlich, daß er aus der Geborgenheit nicht herausfallen kann. Er kann Gott vertrauen, obwohl dieser ihm fremd kommt[90].

Trotz unseres entschiedenen Plädoyers für diese Übersetzungsvariante macht es für die Gesamtstruktur der Klage nicht allzuviel aus, ob nun eine psychointerne Erhörungsgewißheit, ein externes Heilsorakel (durch den Priester im Kult) oder das Faktum der Erhörung vorliegt. In jedem Fall bringt der Text zum Ausdruck, daß Gott mit Gewißheit erhört.

(2) Die Invarianten der Tiefenmodelle

Als Verdichtungen der Listen lassen sich folgende Aktanten für das Tiefenmodell dieses zweiten Psalm-Abschnittes formulieren:

---

89 Gattungsfremd ist unsere Version ebenfalls nicht; vgl. Westermann 1977, 48 f.; Kilian Art. 1968. Hier freilich in Ps 22 ist der ganze Prozeß, im Gegensatz zu den meisten anderen Psalmen, schon sehr pointiert und herausgehoben (vor allem durch das äußerst ausführliche Lob in V. 23 ff.). Vielleicht gab es schon immer in der Rezeption dieses Psalms diese Schwierigkeit, daß es Rezipienten schwergefallen ist, diesen Übergang mitzuvollziehen. Dies kann aber ein Problem der Rezipienten sein und ihres Glaubens und muß nicht in den Text projiziert werden. Die Textunsicherheit und teilweise Verderbtheit mag von Kompilatoren stammen, die hier nicht ganz mitziehen konnten und deswegen Veränderungen „gelesen" haben (statt „du antwortest mir": „rette mich Armen"). So wird einerseits die Erhörungsgewißheit abgeschwächt und andererseits der Bruch zum Folgetext noch vertieft, so daß zu seiner Erklärung nur noch eine pragmatische Lösung bereitsteht: die der faktischen Veränderung der Situation. Innertextlich − auf der semantischen Ebene − konnte und mußte dann keine Verbindung mehr gezogen werden.

90 Solches sich nach Geborgenheit sehnende Bitten gehört zur Klage, zu ihrer „mütterlichen" Phase, in Differenz und Ergänzung zur „väterlichen" Phase der aggressiven Anklage.

Adressantenbereich
Plusadressant:
1. *Bittender Beter:* Dieser Aktant wird aus der syntakto-semantischen Beschaffenheit von V. 12 und 20-22 entnommen (vgl. Imperativ, den Ich-Du-Stil V. 15, 16 c, 20 f.). Der Sprechakt der Bitte bleibt weiterhin Klage (vor allem aufgrund der Elendsschilderung), hat sich aber in die Bitte hinein verändert und vollzogen (die Bitte war vorher nur implizit in der Klage enthalten).
2. *Nicht vergehender Beter* (V. 15-16): Diese Invariante steht für die ergänzten Varianten und ist im Text nicht realisiert. Sie würde ja auch der Bitte ihre reale Basis rauben.
A. *Helfender Gott* (V. 12 (in 16 c ergänzt), V. 20-22): Wenn Gott die Bitte erfüllt, erweist er sich als helfender Gott. Als solcher wird er bereits im Vorgriff des Imperativs als handelnder Adressant der Hilfe realisiert.
B. *Nicht feindliche Tiere und Menschen* (ergänzt V. 12 b -14/17-19): Es handelt sich hier durchweg um ergänzte Werte, denn diese Aktanten sind (noch) keine Faktoren der Realität (vgl. Minusmodell).
Minusadressant:
1. *(nicht) bittender Beter* (nicht realisiert): Ein solcher Aktant würde den Abschnitt im ganzen nihilieren, denn Bitte setzt Vertrauen voraus (nicht so bei der Klage, die auch Abbruch des Vertrauens sein könnte, vgl. die entsprechenden Beschreibungen zu Abschnitt I). Das „nicht" läßt sich allerdings insofern in Klammern setzen, als ja die Notwendigkeit der Bitte (nämlich die Situation der Not) - wohl aber die Bitte selbst in dieser Situation — nicht erwünscht ist.
2. *Vergehender Beter:* Hier erscheint diese Notwendigkeit und Voraussetzung der Bitte: Der Beter ist kurz vor dem Ende oder im Ende (realisiert V. 15-16, 22 b).
A. *Nicht helfender Gott:* Im ganzen ergänzt (V. 20-22/12), zumal dieser Aktant (als Imperativ ergänzt, vgl. die entsprechenden Minusspalten V. 20 f.) die Bitte verunmöglicht. Dennoch, als Indikativ, erscheint er in V. 16 c, doch geht es dort hauptsächlich um die Beschreibung des Zustandes vor Gott, darum also, Gott vor Augen zu halten, was er tut und wohin es führt, wenn er nicht eingreift. Gott hat zwar aktuell das Gesicht der Feinde, aber er wird nicht als feindlicher Gott angesprochen und damit als helfender desavouiert.
B. *Feindliche Tiere und Menschen* (stark realisiert in V. 12 b-14, 17-19, indirekt auch V. 20-21): Diese Invariante ist in einer beträchtlichen Reihe von Konkretionen vertreten. Die breite (aber nicht ausladende) in die Einzelheit gehende, freilich mehr typologisch als individuell gründliche sprachliche Aufnahme der Not liegt dem Beter am Herzen, um Gott seine „Minussituation" vor Augen zu halten. Hinsichtlich Abschnitt I stehen sie in Aktionseinheit mit den Spöttern, sind aber als Akteure wohl nicht mit diesen identisch: Ihre Handlungen sind weitaus gefährlicher und feindlicher. Die „Leute" gehören zur eigenen sozialen Umgebung des Volkes, die anderen sind Fremde, Feinde, Außenstehende[91].

---

91 Zum Begriff der Feinde und dem Verhältnis der Akteure zueinander vgl. Gese Art. 1968, 7-10; s. u. 4.2.2 (2).

Objektbereich

Plusobjekt:

1. *„Rette mein Leben!" (Nähe Gottes)* (realisiert V. 12 a/20-22, dazu gehören aber auch die vielen Ergänzungen in den entsprechenden Spalten, die ja ebenfalls als Zustand erwünscht sind): Der Aktant faßt das Erbetene zusammen, wobei die Nähe Gottes als Voraussetzung für die Rettung zu buchstabieren ist. Der Eintrag erfolgt in der syntaktischen Form der Bitte, weil so der beherrschende Sprechakt des Absatzes auch tiefenstrukturell markiert wird (vgl. dazu die vielen Varianten, bes. V. 21/22).

2. *(Keine) nahe Not/(keine) Todesnähe* (bes. V. 15-16): Dieser Wert ist nicht realisiert im Text, aber im Sprechakt der Bitte erwünscht. Die Klammern markieren den Anteil der Sehnsucht, Gott die Tatsache des Elends zu schildern, also ihm diese Information zukommen zu lassen.

A. *(Meine) rettende Stärke Gottes.* Dem Beter ist wichtig, Gott als den anzusprechen, der seine Stärke ist (V. 20 f.). Indirekt bekundet diese Stärke auch V. 16 c: Wer in den Todesstaub legt, kann auch wieder heraushelfen[97]. Ist die Rettung (Objekt Nr. 1) mehr adressaten-(reflektierend auf das Leben des Beters) bezogen, so ist sie hier deutlich aus *der* Perspektive im Objektbereich formuliert, *woher* sie nur kommen kann: von der Stärke Gottes (vgl. Adressant A).

B. *Keine feindliche Umlagerung, keine Todesnähe:* (ergänzt V. 16 b-19/12 b-14). Dieser Aktant kann aufgrund der Not nicht realisiert sein.

Minusobjekt:

1. *Keine Rettung meines Lebens:* Diese ist nicht realisiert, weil sie der Beter nicht wünscht. Man kann auch so sagen: Wenn freilich der Beter von Gott nichts mehr erwartet, braucht er auch nicht mehr zu bitten. Der Sprechakt der Bitte fällt zusammen.

2. *Nahe Not/Todesnähe* (bes. 12 b, 15-16, 18-19): Beide sind Realität und auch als solche im Text semantisch realisiert: eine Situation, die da ist, die der Beter aber nicht will. Wider Willen bringt sie ihn ein Stück in das Minusmodell des Lebens, mit dem Sog, daß er auch in die anderen Strukturelemente dieser Gegenwelt geraten könnte (Nicht-Bitten, Hoffnungslosigkeit usw.).

A. *Keine rettende Stärke Gottes:* Wäre dieser Aktant im Text verwirklicht, würde der Einsatz von Gottes Stärke für das eigene Leben nicht mehr erwartet und erbeten.

B. *Feindliche Umlagerung (Stärke der Feinde)* (realisiert V. 13-14/17-19): Die Aktionen der Feinde sind es, die die nahe Not und die Todesnähe schaffen (vgl. Objekt 2): Auch Gott hat an einer Stelle das Gesicht der Feinde (V. 16 b). Doch kann dies hier vernachlässigt (vgl. die Ausführungen oben) bzw. in A. mit aufgehoben gedacht werden. Die Bemerkung in den Klammern soll andeuten, daß es hier womöglich um eine Kraftprobe geht, ob die Stärke der Feinde über die Stärke Gottes triumphiert.

Adressatenbereich

Plusadressat:

1. *Naher Gott* (realisiert V. 12 a/20 ff.): Diese Repräsentanz meint den unmittelbar angesprochenen und nahe geglaubten Adressaten der ak-

tuellen Gebetskommunikation, der über die Bitte zum Adressanten der Rettung wird bzw. werden soll.

2. *Nicht sterben lassender Gott* (V. 16 c und alle entsprechenden Ergänzungen der Spalte): Als Imperativ ist dieser Aktant (V. 20 ff.) realisiert, als Indikativ jedoch nicht. Dieser steht noch aus. Die Situation jedenfalls läßt zunächst vermuten, daß Gott sterben ließe (vgl. den entsprechenden Aktanten im Minusmodell).

A. *Geretteter Beter:* Dieser Wert ist im Sprechakt der Bitte realisiert, also nicht als Beschreibung einer Situation (ergänzt in V. 12 b-19, im Sprechakt der Bitte V. 20-22), es sei denn, man nimmt V. 22 b als Ort, wo Bitte und Erhörungsgewißheit als Vorwegnahme der Rettung zusammenlaufen.

B. *Nicht verfolgter Beter:* Da der Beter Adressat der Feinde ist, ist dieser Aktant im Text nicht realisiert.

Minusadressat:

1. *Nicht naher (ferner) Gott:* Ohne Rettungshoffnung und ohne die Bitte ist Gott ferne, die Begegnung mit ihm ist unmöglich. Umgekehrt würde die Annahme, daß Gott mit Sicherheit ferne ist, die Bitte unsinnig machen.

2. *Sterben lassender Gott:* Hier zeigt sich das Ineinander von Kommunikations- (s. o. Minusadressanten) und Lebensabbruch: Ohne Verbindung mit Gott gibt es nur Tod; Gott begegnen heißt leben. Der Wert ist realisiert, allerdings nur äußerst kurz V. 16 c; auch verunmöglicht er nicht die Begegnung mit Gott, sondern ist vielmehr eine Information in ihr.

A. *Nicht geretteter Beter:* Als Endzustand (Perfekt) ist dieser Aktant nicht realisiert, wohl aber in einem für die Zukunft offenen Im-Perfekt, das das „Noch-nicht-Gerettet-Sein" des Beters meint. Letzterer Zustand ist ja die Bedingung dafür, daß die Bitte überhaupt möglich und nötig ist.

B. *Verfolgter Beter:* Der Wert ist durchgehend realisiert als gegenwärtiger Zustand des Beters, auf den die feindlichen Aktionen treffen (V. 12 b-14, 16 b-19).

Adjuvant und Opponent
Adjuvant:

1. *Bitten des Beters* (Adressant 1): Ohne das Bitten und das in ihm zutage tretende Vertrauen (bis hin zur Erhörungsgewißheit) könnte die gewünschte Subjekt-Objekt-Beziehung nicht entstehen.

2. *Nähe Gottes:* Sie ist Bedingung wie Möglichkeit, daß die Bitte erhört wird (Adressat 1). Im Glauben des Beters handelt es sich dabei um eine gegen den erlebten „fernen Gott" erfahrene Nähe Gottes im Gebet.

3. *Nicht-Sterben (Leben) des Beters* (Adressant und Adressat 2): Damit wird die Voraussetzung dafür genannt, daß der Beter überhaupt bitten kann (als Lebender) und die Erhörung der Bitte erwartet: von Gott, der ihn nicht vergehen läßt!

4. *Hilfe Gottes als Rettung* (Adressant und Adressat A): Das Vertrauen, daß die Bitte um Hilfe und Rettung erfüllt wird, ist Adjuvant. Dieser Aktant meint also noch nicht die Realität, wird aber als Adjuvant immer stärker für die gewünschte Beziehung zu Gott, wenn die Erhörungsgewißheit oder das Faktum eintreten. Doch sind letztere nicht der pri-

märe Grund der Bitte, die dann ausgesprochen werkorientiert wäre; dieser ist vielmehr zu suchen im Interesse des Beters an seiner Beziehung mit Gott.

5. *Keine Feindlichkeit von Tieren und Menschen* (Adressant B): Dies wäre ein Adjuvant für die unkomplizierte Begegnung zu einem nahen und helfenden Gott. Im Falle der Erhörung wird es soweit sein, vielleicht ist es schon bald soweit (V. 22 b-23 ff.).

Opponent:

(wegen der „Kampfsituation" in Abschnitt II im einzelnen besprochen):

1. *Nicht-Bitten des Beters* (nicht realisiert).
2. *Ferne Gottes:* indirekt realisiert als die Wirklichkeit der Not, die aus der Sicht des Beters als Ferne Gottes interpretiert wird, jedoch offen bleibt für Bitte und Nähe.
3. *Sterben des Beters:* realisiert als noch nicht abgeschlossen und für die Rettung offen; dies entspricht dem eben Gesagten zum Opponenten 2.
4. *Nicht-Helfen Gottes als Rettung* (als Situation realisiert, aber nicht als abgeschlossenes Perfekt, das die Bitte unmöglich machte): Der Aktant meint, daß jede Bitte in Richtung auf eine neue Gegenwart und Zukunft unsinnig sei, weil Gott ohnehin nicht retten will: Dieser Opponent ist nicht realisiert und gehört zutiefst in die Adjuvantenrolle des Minusmodells.
5. *Feindlichkeit von Tieren und Menschen* (stark realisiert): Dieser Aktant ist ein echter Opponent für das Verhältnis des Beters zu Gott, er hat aber nicht das Gewicht, daß er die Beziehung zu ihm abbrechen könnte.

(3) Beschreibung der Tiefenmodelle und des Sprechaktes

Die Tiefenmodelle (siehe folgende Seiten)

Im Unterschied zur klagenden Frage in Abschnitt I ist die Texteröffnung des Abschnitts II eine *Bitte*. Gleich ist bei beiden, daß sie die jeweiligen folgenden Abschnitte durchdringen und diesen den Rahmen geben (in Abschnitt I durch das Stichwort „mein Gott" in V. 2 und V. 11, in Abschnitt II durch die direkte Anredeform der Bitte in V. 12 und 21). In beiden Abschnitten ist zudem die entsprechende Steigerung festzustellen: In Abschnitt I von der Anfrage zum Indikativ, in Abschnitt II von der Bitte zur intensivierten Bitte bzw. zur Erhörungsgewißheit. Auch die in Abschnitt I schon vorgekommenen Aktanten tauchen wieder auf (nicht vergehender Beter, rettender Gott, naher Gott, gerettete Beter und Väter); im Objektbereich besonders: Rettung bzw. Nicht-Rettung, wobei letztere durch die entsprechenden Gegenaktionen der Feinde illustriert wird: einmal durch den Spott, zum anderen durch die Umlagerung. Die *Kontinuität* zeigt sich auch darin, daß die in Abschnitt I genannten Größen implizit in Abschnitt II weiterziehen: etwa das *Vertrauen*, ohne das eine Bitte umsonst ist; das *Rufen*, das von der Klage zur Bitte gewandert ist. Auch die *Klage* zieht weiter in der verstärkten Elendsschilderung, ja wird bis in den „Todesstaub" hinein ausgelotet, bis hin zur Anrede Gottes als den, der hierfür verantwortlich ist, jetzt jedenfalls Anttwort geben „muß" (V. 22), eine Antwort, die nun nicht mehr nur indirekt in der Frage als ausstehend beklagt und ersehnt, sondern ausdrücklich erbeten wird.

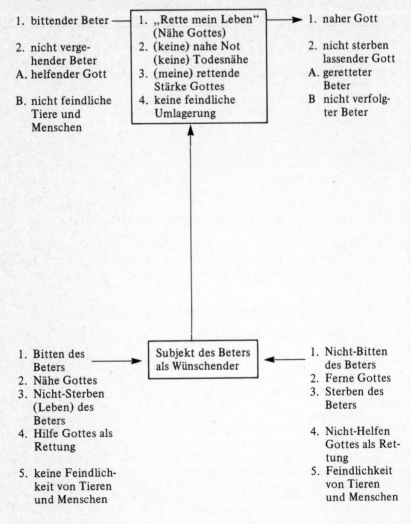

Tiefenmodelle (zu Abschnitt II)

Das positive Tiefenmodell (Tp):

1. bittender Beter ⟶	1. „Rette mein Leben" (Nähe Gottes) ⟶	1. naher Gott
2. nicht vergehender Beter	2. (keine) nahe Not (keine) Todesnähe	2. nicht sterben lassender Gott
A. helfender Gott	3. (meine) rettende Stärke Gottes	A. geretteter Beter
B. nicht feindliche Tiere und Menschen	4. keine feindliche Umlagerung	B nicht verfolgter Beter

Subjekt des Beters als Wünschender

1. Bitten des Beters ⟶
2. Nähe Gottes
3. Nicht-Sterben (Leben) des Beters
4. Hilfe Gottes als Rettung

5. keine Feindlichkeit von Tieren und Menschen

⟵ 1. Nicht-Bitten des Beters
2. Ferne Gottes
3. Sterben des Beters

4. Nicht-Helfen Gottes als Rettung
5. Feindlichkeit von Tieren und Menschen

116

Das negative Tiefenmodell (Tn):

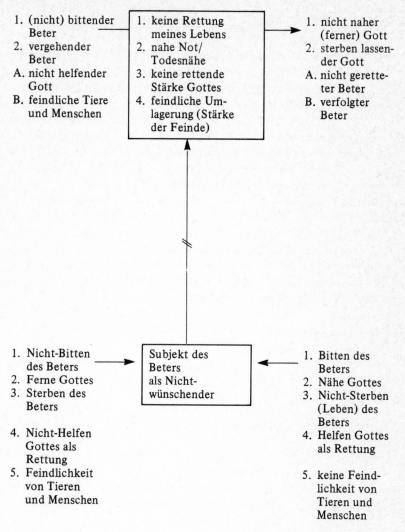

1. (nicht) bittender Beter
2. vergehender Beter
A. nicht helfender Gott
B. feindliche Tiere und Menschen

1. keine Rettung meines Lebens
2. nahe Not/ Todesnähe
3. keine rettende Stärke Gottes
4. feindliche Um- lagerung (Stärke der Feinde)

1. nicht naher (ferner) Gott
2. sterben lassen- der Gott
A. nicht gerette- ter Beter
B. verfolgter Beter

1. Nicht-Bitten des Beters
2. Ferne Gottes
3. Sterben des Beters
4. Nicht-Helfen Gottes als Rettung
5. Feindlichkeit von Tieren und Menschen

Subjekt des Beters als Nicht- wünschender

1. Bitten des Beters
2. Nähe Gottes
3. Nicht-Sterben (Leben) des Beters
4. Helfen Gottes als Rettung
5. keine Feind- lichkeit von Tieren und Menschen

Der Beter richtet sich nun – nach der konzentrierten Klage (im engeren Sinn) – an den nahegeglaubten Gott und bittet ihn dringend um Rettung. Dabei wird ihm als Begründung und Verstärkung der Dringlichkeit des Imperativs die Situation der Verfolgung und des „Todesstaubes" geschildert: Es ist höchste Zeit zur Rettung! Er bittet nicht an irgendeiner Stelle seines Lebens um Not, sondern am Extrem, am Endpunkt. *Eben dies gibt der Bitte weiterhin die Dimension der Klage*, die Gott als den anspricht, der mit diesem Elend irgenwie zu tun hat, der es zumindest zuläßt, bis hin zur Gott-Verlassenheit. Letztere versucht er in ihrer situativen Qualität Gott entgegenzubringen: Er soll durch den Mund des Beters – eben dadurch, daß er das Elend als Ferne Gottes beklagt – hören, was es für den Beter bedeutet, von Gott verlassen und im Elend zu sein. Aus der als Ferne Gottes *erlebten* nahen Not sucht der Beter im Text die *geglaubte* Nähe, er realisiert sie bereits seinerseits im Wort, das Gott von der Situation erzählt, und ihm das eigene Leben ans Herz legt. Das Minusmodell zeigt, wie die Situation auch eine andere, verheerende Wirkung haben könnte: Da schon einige Aktanten aus dem Minusmodell als wirkliche im Text realisiert sind, besteht die große Gefahr, daß der Beter der Schwerkraft der Realität nicht mehr entkommt, sie festschreibt als „Perfekt", als endgültiges „Sterbenmüssen" und so auch keine Kommunikation mit Gott mehr erwartet und aufnimmt. Diesem Sog der erlebten Wirklichkeit versucht der Beter durch seinen Text, die die positive Gegenwelt dazu wieder aufnimmt, zu entkommen. Aber von diesem erwünschten Bereich sind „nur" realisiert: seine eigene Beziehung der Bitte und sein Vertrauen auf den nahen Gott, auf dessen Stärke, auf die Erhörungsgewißheit seiner intensiven Bitten. Die Realität selbst hat sich nicht verändert.

Im *dialogischen Akt* des Gebetsprozesses wird Gott als kommunikativer Partner, wie er bislang vom Beter geglaubt ist, eingebracht. Jede Kommunikation lebt von der *Voraussetzung des Vertrauens*, von der proleptischen Vermutung, daß der andere hört, zuhört und erhört[92]. Indem der Beter dieses Vertrauen in sich aufbaut, entzieht er sich der Schwerkraft des Nihilismus und der Verzweiflung und bricht neu in die Pluswelt der Kommunikation mit dem nahen Gott ein (der freilich nicht mehr so „integer", sondern „lädiert" ist), die nun ihre (scheinbaren) Ausfälle und Schadstellen hat. Dennoch vollzieht er den Ausbruch, weil allein mit dieser Transzendenz seiner selbst in solcher Situation die Stärke seines Gottes noch angesprochen, apostrophiert und vergewissert werden kann. Aus der Eindimensionalität des Minusmodells (Gottverlassenheit und Hilflosigkeit) gelangt er so zu einer *Wiederaufnahme der Spannung zwischen dem ge-*

---

92 Vgl. beispieisweise die Bedingungen, die den Sprechakt des Versprechens konstituieren, in Searle 1971, 88 ff.; vgl. dazu auch Peukert Art. 1977, 51-62.

glaubten und erfahrenen Gott, zwischen dem Heilshandeln Gottes und der gegenwärtigen Realitätserfahrung.

Gleichzeitig ist der Beter durch die Not und die von ihr evozierten Sprechakte der klagenden Frage und klagenden Bitte auch nicht mehr in der Eindimensionalität einer heilen und harmonischen Welt belassen, wo Wohlbefinden und naher Gott sich entsprachen bzw. entsprechen. In der Not lernt er die Härte der Realität und die Fremdheit Gottes kennen. In dieser Zwischenwelt befindet sich der Prozeß der Klage hin zur Bitte[93]: auf dem Weg zu einer anwachsenden Annäherung an das nunmehr neu in die unveränderte Situation zu integrierende Plusmodell. Dies geschieht dadurch, daß im realisierten Text die Notsituation im Sprechakt von Frage und Bitte aufgenommen und mit Gott in Verbindung gebracht wird: Diese Verbindung schafft ein neues gegenwärtiges „Plusmodell" des durch die Not gegangenen Gläubigen (s. u. 5.2.2), das positive Welt bleibt, obwohl jetzt auch negative Erfahrungen aufgenommen sind. Die Not wird darin zwar semantisch realisiert und zunächst auch als Ferne Gottes gesehen, aber nicht in der naheliegenden Konsequenz, daß diese Ferne endgültig sei (dies wäre das Minusmodell). Vielmehr macht sich der Beter Gott nahe, indem er zu ihm spricht und so die Not bespricht: einmal in der Illokution klagender Frage, darauf als klagende Bitte. In der Sehnsucht nach seiner Nähe wirft er sich auf ihn, obgleich er ferne scheint.

Der primär entscheidende Fokus, mit dem die Gegenwart gesehen und eingesehen wird, ist die Perspektive, ob *Gott nahe oder ferne* ist. Das entscheidende Problem liegt also nicht in der Notsituation als solcher, sondern darin, ob sie ein Anzeichen für die Ferne Gottes ist. Auch die Rettung ihrerseits hat keinen begegnungsentfernten Selbstwert, sondern nur im Kontext der Hoffnung, daß sie ein Zeichen der Nähe Gottes ist. Das Gebet macht hier eine echte *Revolution* durch: es vergewissert sich einer neuen Nähe Gottes, die auch gegen den Augenschein gilt, wenn Not nahe ist[94].

---

93 Im Abschnitt III mit dem dominierenden Sprechakt des Lobes (= intensive Beziehung zu Gott) ist diese Zwischenwelt überwunden und der Beter hat die Reintegration in die Beziehung zu Gott und damit in ein relativ stabilisiertes Leben im Textprozeß eingeleitet und vollzogen. Diese Reintegration ist aber keine regressive, die auf den früheren Stand zurückfällt, sondern eine innovative, die die Noterfahrung voraussetzt und integriert. Vgl. dazu die zwei Typen von Erzählungen, besonders Märchen, in Fuchs 1978 a, 81 f., besonders 86: Es geht hier also nicht um die Reintegration in die alte, sondern in eine neue Ordnung.

94 Die ausschlaggebende Größe ist die Nähe Gottes. In dem Maß, in dem seine Nähe *im Gebetsprozeß* verstärkt erfahren wird, stellen sich auch die Gewißheit der Erhörung und schließlich das Lob, die intensivste Form der Gottesbegegnung, ein.

Bei der Beschreibung der tiefenstrukturellen Kommunikation wurde bereits notwendigerweise viel vom Sprechakt gesprochen, was jetzt nur noch eine Konzentration braucht, die auch den *Prozeß* der Klage bis hierher nachzeichnen will.

In Abschnitt I bestand die Klage darin, daß der Beter beide auseinanderklaffenden Pole der vergangenen bzw. bisherigen Heilserfahrung und der gegenwärtigen Unheilserfahrung unverbunden nebeneinander bringt und ihre unverständliche Beziehung zueinander als Frage an Gott formuliert. Eine andere Verbindung beider Realitäten, etwa eine rationalisierende Auflösung des Widerspruchs, der die faktische Negation des bisher erfahrenen und geglaubten Heilswillens Gottes ausmacht, wird nicht einmal in Betracht gezogen. Jetzt freilich, in Abschnitt II, überbrückt der Beter selbst diese Diastase: durch die Bitte! In ihr und in dem in ihr zum Vor-Schein kommenden Vertrauen wird die erhoffte gute Zukunft in die gegenwärtige Beziehung zu Gott hereingeholt: bei bleibender negativer Situation. Der Beter versinkt nicht in der Not, sondern überbrückt sie mit seiner Bitte um Rettung und der damit verbundenen Erhörungshoffnung. Die gegenwärtige Not wird nicht mehr – wie in der Klage – mit ihrer gegensätzlichen Vergangenheit konfrontiert (die ihr unvermittelt gegenübersteht), sondern mit der erwünschten alternativen Zukunft, die die Gegenwart durch den Sprechakt der Bitte überbrückt und auch, so will es die Bitte, ablösen wird. Die Situation wird mit ihrem eigenen (zunächst unvermittelbaren) geglaubten und erhofften Gegenteil vermittelt. Die im Gebet neu erfahrbare und in solcher Bitte vergewisserte Nähe Gottes ist der Weg zu solcher Zukunft.

Die Erhörungshoffnung und -gewißheit leitet damit die Negation der als Negation Gottes erfahrenen Not ein. Die in Abschnitt I unvermittelten Pole der Erinnerung bisheriger Erfahrungen Gottes als Heil und der Situation als Verlassenheit Gottes werden über die erbetene heilvolle Zukunft (Rettung) durch den nahen Gott miteinander verbunden: Mit der Erinnerung hat die erbetene Zukunft die Vermittlung, daß sie wie diese heilvoll ist; mit der Gegenwart, daß sie auf diese verändernd einwirken kann (was die Erinnerung als solche nicht vermochte).

Die *breite Elendsschilderung* verleiht der Bitte um so mehr Schubkraft: Jetzt, am kritischen Endpunkt, wird, ja muß Gott rettend eingreifen. Gott wird die Konsequenz seines Vergessens und Nicht-Handelns plastisch klargemacht. Die gesteigerte und intensive Elendsschilderung treibt das Vertrauen hin bis zum Visionären und Traumhaften, in dem die Zukunft fast schon als Gegenwart erlebt wird[95].

---

95 Vgl. V. 22 b ff. Der Psalm rückt mit dieser Stelle stark in den Bereich des Prophetischen, wenn nicht Apokalyptischen (zum letzteren vgl. Stolz Art. 1980 a). Vgl.

Voraussetzung für diesen Prozeß freilich ist, daß der Beter Gott seine gegenwärtige Fremdheit, Unverständlichkeit und Verborgenheit, seine ‚Negativität" zugesteht und nicht zum Anlaß des Nicht-mehr-Fragens, Nicht-mehr-Bittens, des Nicht-mehr-mit-ihm-Redens, des Kommunikationsabbruches macht (vgl. Minusmodell), was ja durchaus bei entsprechender Not und Verzweiflung zum zerstörerischen Wunschobjekt des Menschen werden kann. Der Beter übermittelt sich dem fremd kommenden Gott durch intensiveres Vertrauen, das trotzdem zu ihm hält, sich an ihn hält, in ihm Halt findet. Dabei wird nicht etwa jetzt zur Situation der Not Ja gesagt – die soll nach wie vor abgewendet werden –, sondern zu diesem Gott, der in eigenartiger Weise verborgen ist und offenbar, fern und nahe. Weder in der klagenden Frage noch in der klagenden Bitte wird dieses Ja zurückgenommen.

Insgesamt ist die *Bitte die mittlere Phase der Klage*, während die Frage ihre erste ist. Konstant in beiden Phasen bleibt die Elendsschilderung. Konstant bleibt auch die Form der Ich-Du-Anrede, des Dialogs. Es wäre verfehlt zu glauben, die Klage würde durch die Bitte abgelöst. Sie gehört vielmehr zu ihr, markiert freilich einen Fort-Schritt in ihr von der Frage in einen weiteren Aggregatzustand der Klage. Daß die Bitte einen Fortschritt im Zuwachs an Integrationsfähigkeit (Vermittlung) und sich stabilisierendem Vertrauen vollzieht, zeigen auch die Elemente der fragenden Klage, die in ihr in unterschiedlicher Ausprägung weiterziehen (letzteres bestätigt auch, daß die Klage in der Bitte nicht verlassen wird): Es bleibt in der Bitte zunächst überhaupt das (Weiter-)Sprechen, dann in ausgeprägter Form die *Schilderung der Not*. Die Momente der *Erwartung* und des *Vertrauens* wachsen verstärkt weiter und konzentrieren sich in den Sprechakt der Bitte hinein. Die Bitte selbst kann nicht mehr in weitere Momente, wie es bei der Klage im engeren Sinn (Abschnitt I) der Fall war, differenziert werden[96].

Ps 126 „Wir sind wie Träumende . . ." und die Studie zu diesem Psalm von Beyerlin 1977: „Die Jahwegemeinde in Südpalästina . . ., die hinter dem Psalmgedicht steht, stellt sich, was Gott zu tun im Begriff ist, glaubend antizipierend Träumenden gleich, die . . . Künftiges vorhererleben. Auf Grund solcher Vorwegerfahrung ist sie schon jetzt von Freude erfüllt und zum Lobpreis bereit." (67) . . . Sie kommt, indem sie glaubend antizipiert, prophetisch Träumenden gleich. (69) . . . das Gedicht . . . nimmt das Leiden hinein in den Prozeß zum endgültigen Heil . . ." (70).

96 Die Momente dieser Bitte sind: Sei nicht fern, halte dich nicht fern, eil mir zu Hilfe, entreiße mein Leben, rette mich, erhöre mich. Diese Varianten differenzieren die Invariante der Bitte in einzelne Momente dieses Sprechaktes hinein. (Was sie unterscheidet, befindet sich nicht auf dem Niveau der Illokution, sondern auf dem der Proposition hinsichtlich der erbetenen Aktionen Gottes: er soll das und das tun.) Diese unterschiedlichen Formulierungen für die Bitte zeigen beziehungsorientierte Dominanz. *Gott* soll nahe werden, er soll erhören, er soll kommen. Das andere, die Abschaffung der Not, ist dann sicher die erwünschte Konsequenz; primär bedeutsam für den Sprechakt dieser Bitte aber ist, daß sie nicht werkorientiert, sondern personalorientiert ist (vgl. Beschreibung zu den Tiefenmodellen).

Nicht mehr weitergeführt aus dem Sprechaktbündel des Abschnitts I wird das Moment der *Erinnerung*. Die Erinnerung an die kollektiven und individuellen Heilstaten haben gleichsam ihren „Dienst" getan. Sie waren Sprungbrett in ein Vertrauen, das den Schock der Diastase überwunden hat und so zur Bitte gelangt ist. Im ganzen wird deutlich, daß diese wohl implizite wie auch definierte (V. 5-6) und zunehmend stärker werdende Konstante der beiden Sprechaktphasen der Klage im *Vertrauen* besteht: Es wandert durchgehend (auch in Abschnitt III) mit und bildet den roten Faden bzw. das Rückgrat im Sprechakt der Klage. So fügt sich die Bitte dem bislang beschriebenen Sprechakt der Klage ein und verstärkt die Elemente des Vertrauens und der Erwartung, indem sie beide zu einem relativ eigenständigen Sprechakt im Prozeß der Klage bündelt. Freilich wandert auch die Illokution der Frage indirekt und implizit in der Bitte weiter, nämlich in der Elendsschilderung und besonders im Indikativ des Verses 16 c, dem die Frage inhärent ist, ob denn das aktuell feindlich erscheinende Antlitz Gottes tatsächlich ihn als Feind vermuten lassen muß.

Hinsichtlich des V. 22 sei hinzugefügt, daß zwischen der Faktizität der Rettung und der bloßen Bitte, die noch keinen realen Anlaß für ihre Verwirklichung in den Händen hält, das Vertrauen des Beters die *Brücke der Erhörungsgewißheit* baut, daß seine Bitte Wirkung haben wird, auch wenn das „wie" dieser Wirkung noch nicht einzusehen ist: Das „daß" steht fest! Diese Erhörungsgewißheit ist nicht nur psychologisch, sondern auch semantologisch (also von der Bedeutungsentwicklung im Psalm her) und theologisch einsichtig: Der ganze Psalm wäre sinnlos in seiner begegnungsschaffenden Kraft und der darin anwachsenden Entwicklung zur Zuversicht, wenn der Beter nicht erhörungsgewiß würde und die Erfahrung der Erinnerung derart für seine Situation realisierte: Die Väter riefen. Du hast erhört! – Ich rufe. Du wirst erhören! Der Gesamtakt der Klage läuft dahin, daß der Beter aus der Ferne Gottes im Prozeß des Betens immer mehr sich wieder in die Nähe zu diesem fern erscheinenden Gott vortastet und in diese dialogische Begegnung neuen Mut und neues Vertrauen gewinnschaffend einbringt. Denn die wenigstens ansatzhaft (vgl. V. 2 f.) eingespeiste Zuversicht vermehrt sich kontinuierlich und bringt neues Licht in das gegenwärtige Dunkel hinein. Im Anlaufen und Anrennen an Gott, der so sperrig und kommunikationsfern erscheint, investiert der Beter neues Vertrauen, das im Verlauf der Gebetsanlage tatsächlich „Zinsen bringt"[97]. Die

---

97 Sicher erfolgt dieser Prozeß vom Schock über die Not bis hin zu einer neuen Integration in das Vertrauen in diesem Gedicht in Form eines Textes und zugleich poetisch äußerst gerafft. Der Text konzentriert eine längere Zeit der Klage im engeren Sinn von Abschnitt I, der Bitte und schließlich des Lobes, die sich über Tage und Wochen erstrecken kann. Vom Formularcharakter des Textes her gesehen wird der Israelit diesen Text über längere Zeit hin beten dürfen und je nach der Phase, in der er sich befindet, die verschiedenen Sprechakte in unterschiedlichem

Schubkraft zu diesem Vertrauen hat also zwei entscheidende Quellen: einmal die *Erinnerung* an die kollektive und individuelle Treue Gottes, zum anderen die *aktuelle Gebetskommunikation* selbst, die Erinnerung und Situation mit tiefem Ernst in die sprachliche Beziehung zu dem unergründlichen Gott bringt.

2.2.3 Abschnitt III: Ps 22, 23-32

Überblick
Der folgende Teil ist ausgesprochen überraschend, wenn man ihn mit Abschnitt II und besonders I vergleicht. Der Beter möchte jetzt — auf den ersten Blick sehr plötzlich und unvermittelt — *Gott loben und preisen.* Auch ruft er die Gemeinde mit allen Nachbarn Israels auf, Gott zu fürchten und zu loben (V. 23/24). Allerdings war bereits das Stichwort des Lobpreises ziemlich am Anfang des Textes gefallen (V. 4). Zu dem dort apostrophierten Lobpreis Israels fordert er jetzt selbst auf. V. 25 folgt die Begründung, daß Gott den Armen nicht verachtet, sondern erhört (hat). Darin wird offensichtlich eingelöst, was der Beter vorher als ausstehend beklagte (V. 3).
V. 26-28 folgt eine zweite Phase des Lobpreises, wieder beginnend mit dem Beter-Ich und weiterziehend in der Aufforderung an die Armen und an alle Enden der Erde, ebenfalls in den Lobpreis miteinzustimmen. V. 29 ergibt abermals eine Begründung[98], nämlich die der universalen Herrschaft des Königs. V. 30-32 a folgt die dritte Phase des Lobpreises, die jetzt als Adressaten alle Mächtigen, ja sogar alle Toten meint, dann aber wieder beim Beter einsetzt und von ihm abermals sich ausweitend an die nähere soziale Umgebung seines Stammes adressiert wird, der vom Herrn und seiner Heilstat dem kommenden Volk erzählen wird. V. 32 b schließlich erfolgt der Abschluß des Textes als letzte prägnante Begründung des Lobes: Er hat das Werk getan!

(1) Strukturlisten mit Erklärungen

Die Strukturlisten (siehe folgende Seiten)

Maße realisieren können. Die mitgebeteten Sprechaktanteile der Klage des Gesamttextes gewährleisten dabei, daß auch über eine bestimmte Phase der Klage, in der sich der einzelne befindet, hinaus die anderen Momente nicht in Vergessenheit geraten, sondern wenigstens im Wort benannt und damit einer künftigen Nachvollziehbarkeit zugeführt werden. Zum Gesamtsprechakt der Klage s. u. 3.4.
98 Hier und oben V. 25 wie auch unten V. 29 und 32 b erfolgt ein Spaltenwechsel: Der lobgepriesene Gott erscheint als Plusadressant, dessen Aktionen Grund für den Lobpreis sind; sie stehen in der Vergangenheit, wobei der genaueren Behandlung im exegetischen Kapitel überlassen werden muß, um welche Art von „Perfekt" es sich handeln mag (s. u. 4.1.2).

Strukturliste: Abschnitt III. Ps 22, 23-32

Plusadressant:	Minusadressant:	Plusobjekt:	Minusobjekt:	Plusadressat:	Minusadressat:
du *antwortest mir* →	du antwortest mir nicht	(Rettung) →	(Nicht-Rettung)	*du antwortest*	du antwortest nicht
23. *ich will*[1] *verkünden* →	ich will nicht verkünden	*ich will deinen Namen verkünden*	nicht deinen Namen	*deinen Namen*[2] *meinen Brüdern*	nicht deinen Namen meinen Brüdern
ich will preisen	ich will nicht preisen.	*ich will dich preisen* inmitten der Gemeinde	ich will nicht preisen	*dich inmitten der Gemeinde*	nicht dich inmitten der Gemeinde
24. *die ihr fürchtet, preist!*	die ihr nicht fürchtet, preist nicht	die ihr den *Herrn fürchtet, preist ihn*	keine Furcht des Herrn, kein Lobpreis	(ihr, fürchtet) *den Herrn, preist ihn*	ihr fürchtet den Herrn nicht, preist ihn nicht
ihr alle vom Stamme Jakobs rühmt erschauert alle	nicht ihr alle vom Stamme Jakobs, rühmt nicht erschauert nicht ...	*ihr alle vom Stamme Jakobs rühmt ihn!* *erschauert alle vor ihm*	ihr alle, ... rühmt ihn nicht keiner erschauert vor ihm	ihr, *rühmt ihn*	nicht ihr ..., rühmt ihn nicht
ihr Nachkommen Israels	nicht Nachkommen Israels			ihr, *erschauert vor ihm*	keiner erschauert vor ihm
				ihr Nachkommen Israels	nicht ihr Nachkommen Israels
25.				3 denn *er hat nicht verachtet er hat nicht verabscheut* ...	er hat verachtet er hat verabscheut

124

Plusadressant:	Minusadressant:	Plusobjekt:	Minusobjekt:	Plusadressat:	Minusadressat:
denn er hat nicht verachtet nicht verabscheut	er hat verachtet, verabscheut	*er hat nicht verachtet, nicht verabscheut das Elend des Armen*	er hat verachtet, verabscheut das Elend des Armen	das Elend *des Armen* nicht verachtet, nicht verabscheut	das Elend des Armen verachtet, verabscheut
er verbirgt nicht	er verbirgt	*verbirgt nicht sein Gesicht*	verbirgt sein Gesicht	*nicht vor ihm*	vor ihm
er hat gehört	er hat nicht gehört	*hat gehört auf sein Schreien*	hat nicht gehört auf sein Schreien	*sein Schreien (den Schreienden)*	nicht sein Schreien (den nicht Schreienden)
26. *ich preise*	ich preise nicht	preise deine *Treue*	preise nicht, nicht deine Treue	*deine* Treue *in großer Gemeinde*	nicht deine Treue, nicht in großer Gemeinde
ich erfülle	ich erfülle nicht	ich erfülle[5] *meine Gelübde*	nicht meine Gelübde		
die fürchten	die nicht fürchten	Gott fürchten	nicht Gott fürchten	*vor denen, die Gott fürchten* Gott, gefürchtet	*vor denen, die . . . Gott,* nicht gefürchtet
27. die Armen ...	nicht die Armen	*sollen essen[6] und sich sättigen*	sollen nicht essen und sich nicht sättigen	die *Armen sollen*	die Armen sollen nicht (von Gott her)
die ihn suchen	die ihn nicht suchen	*sollen preisen*	sollen nicht preisen	*den Herrn*	nicht den Herrn
die suchen	die nicht suchen	ihn suchen	ihn nicht suchen	*ihn*	nicht ihn
euer Herz	nicht euer Herz	*soll aufleben für immer*	soll nicht aufleben für immer	*für immer*	nicht für immer
28. *alle Enden[7] der Erde* (denken) *und werden umkehren*	nicht alle Enden der Erde (keiner)	*sollen daran denken*	sollen nicht denken	*(sollen) daran* denken	nicht daran denken
	nicht umkehren	werden umkehren zum Herrn	nicht umkehren	*zum Herrn*	nicht zum Herrn

125

Plusadressant:	Minusadressant:	Plusobjekt:	Minusobjekt:	Plusadressat:	Minusadressat:
alle Stämme der Völker	kein Stamm der Völker, nicht alle Stämme	*werfen sich nieder*	werfen sich nicht nieder	*vor ihm*	nicht vor ihm
29. *denn der*[8] *Herr regiert er herrscht*	der Herr regiert nicht er herrscht nicht	*denn der Herr regiert als König er herrscht über die Völker*	der Herr regiert nicht als König er herrscht nicht	(du regierst . . .) *über die Völker*	(du regierst nicht) nicht über die Völker
30. *die Mächtigen der Erde, niederfallen alle, die in der Erde ruhen meine Seele, sie lebt*	nicht die Mächtigen der Erde, nicht niederfallen nicht alle, keiner der in der Erde ruht nicht meine Seele, lebt nicht	*sollen niederfallen vor ihm allein* *sollen sich niederwerfen* *meine Seele, sie lebt für ihn*	sollen nicht niederfallen sollen sich nicht niederwerfen (können sich nicht?) sie lebt nicht für ihn	*vor ihm allein* *vor ihm* *für ihn*	nicht vor ihm allein nicht vor ihm nicht für ihn
31. *mein Stamm* *man wird erzählen*	nicht mein Stamm man wird nicht	*wird dienen* *man wird vom Herrn erzählen*	wird nicht dienen man wird nicht vom Herrn erzählen	*ihm* *dem künftigen Geschlecht*	nicht ihm nicht dem künftigen Geschlecht
32. *man verkündet*	man verkündet nicht	*seine Heilstat (verkünden)* *denn er hat*[9] *das Werk getan das Werk (tun)*	nicht seine Heilstat (verkünden) er hat das Werk nicht getan nicht das Werk (tun)	*dem kommenden Volk*	nicht dem kommenden Volk
denn er hat getan	er hat nicht getan			(für mich, für uns) (denn er hat das Werk getan)	(nicht für mich, uns) (denn er hat nicht getan)

1: Das Problem der Überleitung ist alt[99]. Unvermittelt käme Abschnitt III, wenn die Übersetzungsvariante „mich Armen" richtig wäre. Zwischen der heftigen Bitte V. 22 und dem Lobpreis V. 23 wäre dann kaum eine inner-textliche Verbindung auszumachen, wollte man nicht einen pragmatischen Grund, also einen textexternen Anlaß annehmen (z. B. Heilsorakel, das Faktum der Erhörung). Allenfalls V. 4 (Lobpreis Israels) wäre hierfür ein vorbereitendes Element, doch ist diese Formulierung mit der kollektiven Heilsgeschichte Israels verbunden, die diesen Lobpreis (des Volkes!) bis in die Gegenwart rechtfertigt. Aufgrund unserer Überlegungen in Abschnitt II könnte man freilich folgende Vermittlung schlußfolgern: In der (erhörungs-gewissen) Bitte wird der Bruch zwischen Erinnerung und naher rettender Zukunft überbrückt. Dies überträgt auch den Lobpreis von Israel in den Mund des Beters. Doch um diese Vermittlung anzunehmen, bräuchte man schon einen weiteren semantischen Anhaltspunkt an dieser Nahtstelle (V. 4 ist zu weit entfernt von ihr). Dies wäre – wie wir es nach dem inne-ren Bedeutungzug des Psalmes sowie aufgrund fachexegetischer Gesichts-punkte (s. u. 4.1.2) empfehlen – der Fall, wenn die Übersetzungsvariante ‚du antwortest mir (mich rettend)' gewählt würde. Denn das im Gebet neu entfaltete Vertrauen auf die Gewißheit der Treue Gottes kann aus sich her-aus das Lob entlassen für dieses neue, im Glauben und damit in der Verbin-dung mit Gott entstandene Licht der Hoffnung.
Außerdem setzt V. 23 noch nicht mit dem Höhepunkt des Lobpreises an, vielmehr ist eine bedeutsame Klimax festzustellen, die schließlich im gro-ßen universalen Lobpreis der ganzen Erde mündet. Das zeigt sich bereits, wenn man V. 23 mit V. 26, dem nächsten Einsatz des Beters im Sprechakt des Lobpreises, vergleicht (V. 23: ‚Ich will . . . verkünden'; V. 26: ‚Deine Treue preise ich . . .'): Der anfängliche Voluntativ, der tatsächlich mehr für die akuelle Phase des Lob*gelübdes* spricht, gelangt später zum Indikativ, der das Gelübde einlöst. Diese Überlegung, trifft sie zu, würde für V. 22 vermuten lassen, daß kein Faktum, sondern höchstens ein Heilsorakel, je-denfalls das Moment der (von außen oder von innen her angestoßenen) Erhörungsgewißheit vorauszusetzen ist. (V. 25 spricht hier nicht dagegen, weil sich dieses Perfekt im Zug von V. 22 b auch auf die Tatsache der Er-hörungsgewißheit beziehen könnte.) Es ist demnach – was die Erhörungsge-wißheit ohne das Faktum anbelangt – relativ unerheblich, ob ein außer-textliches Heilsorakel (etwa durch den Priester im Tempel gegeben) mit dem Inhalt vorliegt, daß Gott den Beter erhört hat und ihm helfen wird, oder ob der Beter im Prozeß des Betens selbst sich in seinem Vertrauen gleichsam ein solches „Heilsorakel" ausstellt. In beiden Fällen fehlt das Faktum; in beiden Fällen bleibt es also eine Frage des Vertrauens, ob die Botschaft des Heils geglaubt wird. Die einsichtigste Überleitung wäre frei-

---

99 Wir können bei der strukturellen Behandlung, obwohl unser Vor-Urteil hier klar ist, „doppelt fahren" und es zunächst offen lassen, ob es sich in V. 22 b um Er-hörungsgewißheit oder ein Faktum handelt. Die Kommentare sind hier relativ vor-sichtig. Obgleich die Prävalenz der Analyse deutlich genug ist, kann das Problem der Diskussion in den Ausführungen über den sogenannten „Stimmungsumschwung" zugewiesen werden (s. u. 5.1-2).

lich das Faktum der Rettung. Es ist dies aber nach dem Stand der Forschung die relativ unwahrscheinlichere. Denn es bleibt die Frage, warum dann Abschnitt I derartig ausgeprägt ist: Wäre dann nicht eher die Textgattung der Danklieder fällig gewesen[100]?

Aber selbst wenn die Entstehungssituation (der erste „Sitz im Leben") des Psalmes diese Vermittlung nahelegt[101], gilt dies nicht für den anzunehmenden sogenannten „zweiten Sitz im Leben", den der Psalmtext in seiner Einheit im Gebetbuch Israels, in seinem Formularcharakter innehatte. Von der Eingangsphase her haben *die* Menschen wohl den Text zum Beten herangezogen, die augenblicklich in der Not waren (vgl. den Textanfang im Munde Jesu). Es ist nicht zu vermuten, daß durch das Beten sich sofort mirakelhaft die reale Not bei jedem verändert hat. Mindestens in diesem zweiten Sitz im Leben als Gebetsanleitung, mit Not durch Klage, Bitte und Lob fertig zu werden, provoziert der Psalm im Beter diesen Prozeß zu immer mehr Vertrauen, zur Erhörungsgewißheit bishin zum Lobgelübde und aktuellen Lob. Er liest das Perfekt der Errettung als *sein* Perfekt confidentiae, als seine große Hoffnung, daß es ihm genauso ergehe, wie der semantische Verlauf des Psalmes es verheißt, von dem ja vermutet wird, daß er sich schon einmal (im „ersten Sitz im Leben") bewahrheitet hat.

Diese rezeptionsästhetische Verwendungssituation ist für uns, auch im Blick auf die neutestamentliche Weiterführung, sowie für den normativen Vorlagecharakter des Psalms 22 für die Klage überhaupt entscheidend. Denn die potentielle Verwendungssituation des „sekundären Beters" reicht bis in unsere Gegenwart. Für jeden sekundären Beter, gleichgültig in welcher geschichtlichen Situation, bestehen zwei Möglichkeiten: Entweder er wirft den Text weg, kann ihn nicht nachverfolgen, begibt sich in seine Negation (vgl. die Minusmodelle), oder aber er geht ihn durch, läßt sich von ihm führen, integriert sich in die in ihm durchgespielte Kommunikationssituation und -entwicklung bis hin zum Ende des Textes, um so in der Not Gott nicht verlieren zu müssen. Was die heilsgeschichtliche Erinnerung für den primären Beter war, ist der Psalm jetzt zusätzlich für den sekundären Beter: Ein in der Textsorte des Gebetes (vor-)formuliertes Vergewisserungszeugnis für Gottes Treue.

2: So folgt auf die eingetretene bzw. erhörungsgewisse Rettung Gottes (vgl. die Pfeile vom Plusadressaten zum Plusadressanten) jetzt ein Wechsel in der Szenerie. Gott, der V. 20 als der erwünschte Plusadressant angesprochen wurde, wird jetzt wieder primärer Adressat dessen, was der Beter aktuell sagt. Die bisherigen (erwünschten) Aktionen Gottes werden nun abgewechselt durch die lobende Verkündigung des Beters selbst, noch in einer Art Selbstaufforderung und Willensbekundung, die aber bereits der Ansatz des realisierten Lobes ist. Gott wird als der, der erhört (hat), gepriesen. Gleichzeitig taucht ein neuer Adressat auf: „meinen Brüdern". Er ist

---

100 Auch die Doppelungen des Lobes im Schlußteil des Psalmes sind kein entscheidendes Argument, weil in diesem Psalm sehr vieles verdoppelt ist und womöglich V. 28 f. sekundärer Zusatz darstellt, vgl. Kilian Art. 1968, 184-185; ausführlicher dazu s. u. 4.2.3 (3) und 5.1.2; zum Heilsorakel 5.2.2.

101 Es ist allerdings unwahrscheinlich, daß gerade die Entstehungssituation die faktische Notveränderung vorausgesetzt haben sollte, weil in ihr wahrscheinlich der Lobteil bedeutend kürzer war, womöglich nur bis zum eigentlichen Lobgelübde reichte.

nicht direkter Adressat des Lobpreises (dieser gilt natürlich nicht ihm), sondern indirekt insofern, als er den Lobpreis des Beters hören, wahrnehmen und spontan daran teilnehmen soll (vgl. V. 24, wo der Adressat selbst zum Adressant des Lobes wird). Die hier anlaufende Klimax zieht sich also von der Gemeinde (alle die den Herrn fürchten; dieses partizipiale „fürchten" hat auch imperativische Dimension, die von der Aufforderung zum Lobpreis her auf das Partizip abfärbt) über alle Stämme Israels bis hin zu den Nachkommen Israels. Die Invariante des Lobpreises wird in Abschnitt III folgendermaßen in entsprechende Varianten entfächert (vgl. Plusadressant und Plusobjekt): *verkünden* (V. 23/32), *fürchten und erschauern* (V. 24), *Gelübde erfüllen* (V. 26), ihn *suchen, essen und sich sättigen* (V. 27), *umkehren, sich niederwerfen* (V. 28 f.), *leben* (für ihn) (V. 27/30), *dienen* (V. 31), *erzählen* (V. 31).

3: Eigenartig abwegig vom bisherigen dialogischen Stil ist diese dritte Person „er hat . . ." statt „du hast . . .". Die dritte Person gehört zur (in Richtung des Hymnischen gehenden) Sprach- und Stilform des Gotteslobs. Während die klagende Frage und klagende Bitte von Abschnitt I und II in dichter Weise dialogisch gestaltet ist, ist der Lobpreis eingebettet in den Lobpreis Israels, der freilich auch die Rettung (Erhörung (vgl. V. 25 b) des einzelnen zu seiner Basis hat und zum Anlaß nimmt. So geschieht hier durch die gemeinsame Aktion des Lobpreises eine Reintegration des Beters im Kreis seiner Volksgenossen. Von ganz Israel und jetzt vom Beter wird Gott als der gelobt, der die Armen nicht verachtet und dies im Moment an diesem konkreten einzelnen Beter wahrmacht: als Faktum oder als vertrauendes Bekenntnis, das seine Tradition in Israels Glaubensgeschichte hat und hier gegen die Verachtung der Leute ins Feld gebracht wird.
V. 25 hat deutliche Referenz zu V. 7-9 und stellt die entsprechende Gegenwelt auf: Von Gott wird der Elende nicht verachtet. Die Leute können nicht mehr spotten, denn der Beter vergewissert und verkündet, daß Gott ihn, den Armen, nicht verachtet und daß ein solches Handeln auch zum Glaubensgut Israels gehört. Gott hört die Schreie des Armen: Diese Gewißheit kann der Beter jetzt vor Israel ausdrücken.

4: Parallel zu V. 23 setzt das Ich des Beters wieder mit seinem Lobpreis ein, diesmal allerdings nicht mehr nur im Voluntativ, sondern im Indikativ (als nun nach vorne in den Textverlauf gehende Konsequenz des V. 25; vgl. Pfeile). Im Objektbereich kommt das Objekt des Lobpreises, die Treue, zu stehen, im Adressatenbereich der Adressant der Treue und der Adressat des Lobpreises: Gott.

5: Hier fällt das entscheidende Wort, das den Sprechakt des gesamten Abschnittes stark mitbestimmt: Das *Lobgelübde*, das Versprechen, Gott zu loben. V. 23 bis hierher kann überhaupt als ein breit geratenes Lobgelübde aufgefaßt werden. Dieses Versprechen ist ein Element der Klage und setzt keine Veränderung der Situation voraus. Das Gelübde selbst wird nicht konditional begründet (wenn du hilfst, dann werde ich loben), denn der Beter beginnt bereits jetzt, was er verspricht: Er preist Gott vor der Gemeinde bzw. im Tempel. Wie er die Verheißung der Hilfe Gottes in der vertrauenden und erhörungsgewissen Bitte gegenwärtig machte, so vergegenwärtigt er jetzt das Versprechen zu loben, indem er es einlöst im Prozeß seines Betens. Er gibt damit doppelt „Vorschuß": einmal Vorschuß an Vertrauen und dann den Vorschuß an Lob für die im Vertrauen sicher geglaubte Rettung. So ist das Lobversprechen tatsächlich das Gelenk zwischen Bitte und voll realisiertem Lob[102].

6: Wieder weitet sich das Lob auf weitere Akteure aus: Auch das Essen der Armen gehört als „eucharistisches Dankmahl", als nonverbale Handlung zum Lobpreis Gottes dazu.

7: Blieb bisher die Aufforderung des Lobes hinsichtlich der Adressaten bzw. Adressanten im sozialen Bereich des eigenen Volkes, so erstreckt sie sich jetzt auf das Universum: Alle Völker sollen niederfallen, V. 30 dann alle Mächtigen und Toten.

8: Begründet wird das universale Lob Gottes durch die universale Herrschaft des Herrn. V. 30 c wird dieses Loben wieder auf den Beter zugeführt[103], der auch der initiative Ausgangspunkt des Lobpreises war (vgl. V. 23, 26). Auf diesen individuellen Lobpreis durch das Leben des Beters folgt nun wieder die Replik auf den eigenen Stamm (parallel zu V. 24 und 27), der nun – abschließend – durch das Erzählen der Heilstat Gottes Lob auch auf das kommende Volk weiterbringt. Der Beter hat im Durchgang durch das Gebet sein Vertrauen zu einem Gott, der ihn rettet und achtet, wieder aufgefrischt: Diese Erfahrung soll nicht nur gegenwärtig an alle, sondern auch in die Zukunft hinein weitererzählt werden, damit sie (als Erlebnis eines Vertrauens, einer Erhörungsgewißheit zwischen Heil und Unheil, also nicht genau wie „früher" als Folge der faktischen Rettung (V. 5 und 6)) späteren Zeiten zur Erinnerung werden kann. So wird der Psalm für sich Prozeß, Initiative, Vehikel und Agentur dieser Erinnerung.

9: Noch einmal und endgültig abschließend folgt in aller Prägnanz die Begründung: Denn er hat das Werk getan! (Struktural-semantisch entfaltet dieser Satz das Substantiv der „Heilstat": vgl. Pfeil und Klammer). Um welches Werk es sich hier handelt, ist noch die Frage: Nach dem bisherigen Gedankengang muß es nicht unbedingt das Werk faktischer Rettung sein, sondern es kann auch das Werk des neu aufgekommenen Vertrauens in Gottes rettende Stärke sein, die für sich Gott zu verdanken ist. Am Ende des Gebetes steht der Beter – nachdem er sich vom Text hat leiten lassen und sich in dessen Sprechakt- und Kommunikationsstruktur hineinbegeben hat – vor dem neuen Werk, das der Text nun *mit ihm* „gemacht" hat: Er kann mit neuem Mut und Glauben weitergehen. Man kann das „Werk" also (wie etwa das Heilsorakel oder ein Faktum der Errettung) außertextlich auffassen, man kann es aber auch innertextlich sehen: Das Beten des Textes und die Erfahrung der entsprechenden Dialogbegegnung mit Gott ist das am und im Beter vollbrachte Werk. Die Selbstintegration in den Text hinein betreibt die heilschaffende schöpferische Kraft, die den Menschen mit all seiner Situation mit Gott in Beziehung bringt: und diese Nähe ist alles!

102 Zum „Lobversprechen" und seiner Bedeutung für die Gottesbeziehung vgl. Westermann 1977, 58-59; s. u. 4.2.3 (2).
103 Dazu genauer s. u. 4.2.3 (3).

(2) Die Invarianten der Tiefenmodelle

Adressantenbereich

Plusadressant:

1. *Lobpreisender Beter:* Die Invariante steht für alle preisenden Aktionen des Beter-Ichs (V. 23, 26, 30 c). Waren bisher die Eröffnung der Tiefenmodelle (zu Abschnitt I und II) direkte Anreden Gottes, einsetzend mit dem Du der Frage bzw. der Bitte, so setzt der Beter jetzt direkt mit seinem „Ich" ein: Er tut jetzt etwas, während bislang Gott um sein Handeln gebeten wurde!

2. *Lobpreisendes Israel* (realisiert in V. 24/27). Die Varianten des Lobpreises sind: fürchten, essen, sättigen, suchen, aufleben, dienen, erzählen (V. 31-32). Dieser indirekte Adressat des Lobpreises wird aufgrund der Aufforderung dessen Adressant.

3. *Umkehrende Völker und Tote:* Der universale Adressant des Lobes umfaßt nicht nur alle auf horizontaler Ebene, sondern umfaßt auch in vertikaler Weise alle Zeiten: die Vergangenheit (Tote), die Gegenwart und die Zukunft. Auch die Toten werden also „umkehren" ins Leben. Auffallend ist, daß die Varianten des Lobens bei diesem Aktanten das „niederwerfen", also die Anerkennung der Macht Jahwes und das Aufgeben der eigenen Macht ist (V. 29/30: umkehren, sich niederwerfen, niederfallen). Israel braucht offensichtlich nicht diese Varianten des Lobpreises mehr zu realisieren, weil es bereits Gott als seinen Herrn anerkennt.

A. *Erhörend achtender Herr* (V. 25/32 b): Die Erhörung bedeutet zugleich Anerkennung des Beters (vgl. „Gefallen Gottes" V. 7-9). Beides wird zusammen gesehen. Diese Adressantenfunktion Gottes ist die begründende Voraussetzung für den Lobpreis bzw. die aktuelle Gebetskommunikation des Beters, wobei offen bleiben darf, ob nun Erhörungsgewißheit oder Erhörungsfaktum vorliegt.

B. *Herrschender Herr* (V. 29): Dieser Aktant weist eine geringe Anzahl von Varianten auf, wir wollen ihn dennoch extra aufführen, da seine Funktion nicht im „erhörend" (Aktant A.) aufgelöst und eingebracht werden kann: nämlich die Dimension der universalen Macht. Freilich ist von daher auch wieder eine Verbindung zu Plusadressant A. möglich: Aufgrund dieser Macht hat Gott auch Macht über das Schicksal des einzelnen bzw. Israels; so zeigt sich im Erhören und Achten seines Volkes und seiner Mitglieder auch sein universales Königtum.

Minusadressant:

1. *Nicht lobpreisender Beter:* Der Aktant führt die Minusakteure der Modelle I und II weiter und vollzieht endgültig den Kommunikationsabbruch. Wer Gott nicht mehr lobt (und im Lob verdichtet sich die elementarste Beziehung des Menschen zu Gott), erkennt ihn nicht mehr an, negiert und nihiliert ihn.

2. *Nicht lobpreisendes Israel:* Das negative Modell weitet sich entsprechend aus: Auch Israel erkennt Gott nicht mehr an. Diese Beziehungslosigkeit zu Gott bedeutet das Todesurteil (vgl. Minusobjekt).

3. *Nicht umkehrende Völker und Tote:* Wenn[104] Beter und Israel nicht mehr Lobpreis Gottes sind, werden auch die Völker nie Gott als herrschenden König anerkennen. Ohne Israels Lobpreis Gottes ist Gott auch in seiner Beziehung zu den Völkern der Erde nicht existent.

A. *Nicht erhörender (verachtender) Herr:* Wenn der Herr nicht hört und erhört, haben die Spötter recht (V. 9): der Beter hat nicht das Gefallen Gottes, Gott verachtet ihn und sein Schicksal. Sämtliche Aktanten des Minusmodells setzen die vorgehende negative Kommunikation voraus, daß der Herr nicht erhört und damit die Armen verachtet. Dieses Nicht-Erhören Gottes gilt nämlich dann auch für die Gegenwart und für alle Zukunft.

B. *Nicht herrschender Herr:* Wenn Gott nicht den einzelnen Israels erhört oder gar nicht erhören kann, muß ihm auch die Herrschaft über die Völker abgesprochen werden. Der Ausweitung der Lobtitel im Plusmodell entspricht die auf die Nicht-Erhörung des Beter-Ichs folgende totale Entmächtigung Gottes hinsichtlich aller! In der Gegenwart wie auch für alle Zukunft wird es den Herrn nicht geben, der über den Völkern seinen Thron hat.

Objektbereich
Plusobjekt:
1. *Lobpreisgelübde/Lobpreis (des Beters/Volkes):* V. 23, 25-26 a, 30 c-32) (Gegenwart und Zukunft): Im Gegensatz zu den Ersteintragungen in den Tiefenmodellen von Abschnitt I und II wählen wir hier nicht die direkte zweite Person, sondern die Substantivierung: einmal ist der auf den Appell zum Lobpreis bezogene Adressat natürlich nicht der primäre Adressat des Gebetes (Gott), sondern der Beter selbst (sowie die Gemeinde und die Völker). Zum anderen bezieht der Beter in die Kommunikation des Lobpreises einen immer größeren Kreis mit ein, die ihm in Abschnitt III die Dimension des Generellen, der dritten Person gibt. Der Lobpreis kommt deswegen im Objektbereich zu stehen, weil er einmal im Sprechakt des *Versprechens* (Gelübde von seiten des Beters), zum anderen im Sprechakt der *Aufforderung* (hinsichtlich der Gemeinde und der Völker) weitergegeben wird.

2. *Treue Gottes (Heilstat/Leben)* (V. 25-26 a, 27, 30 c-32): Der Aktant gibt den Inhalt und den Anlaß des Lobpreises an: die (irgendwie!) neu erfahrene Treue Gottes (die sein „Name" für den Beter bedeutet: V. 23 a). Diese Treue hat sich in der Heilstat am Beter manifestiert. Der Begriff „Leben" im Aktanten läßt durchscheinen, daß in der Vertrauensfrage, also in der Beziehungsfrage des Menschen zu Gott, zugleich die Frage nach Leben und Tod gestellt ist. Die Tatsache, daß der Beter lebt und sich so in die Beziehung zu Gott hinein begeben kann, ist bereits ein Anzeichen der Rettung und der Nähe Gottes. Die beiden eben zitierten Aktanten (Lobgelübde/Treue Gottes) leben von der gleichen Struktur der eingelösten Verheißung bzw. des gehaltenen Versprechens: Der Beter zeigt seine Treue durch das gegenwärtige Aussprechen und die zukünftige Erfüllung des Gelübdes (V. 26 b), Gott zeigt seine Treue

---

104 Zur „Wenn-dann' Struktur des ausformulierten Kontrastmodells vgl. Fuchs 1978 a, 109-111, 209.

zur Verheißung durch die gegenwärtige Erhörung und zukünftige Rettung.

3. *Niederfall aller (Umkehr)* (V. 28-30): Zu diesem Verhalten werden alle Völker und Toten aufgefordert. Dies ist *ihre* Variante des Lobpreises. Die ganze Welt (Vergangenheit und Zukunft) wird so umkehren zu Gott, bzw. deren Umkehr ist die Voraussetzung für den Lobpreis (V. 28 f.). Die Aufforderung ist offen auf das Universale zu, auf einen Zuwachs in eine große Zukunft hinein.

4. *Achtung Gottes* (V. 25): Durch die erfahrene Heilstat Gottes erlebt der Arme (hier generell formuliert, wobei sich der konkrete Beter mit eingeschlossen weiß) die Achtung Gottes.

Minusobjekt:

1. *Kein Lobgelübde/Lobpreis (des Beters/Volkes):* Für jetzt und für alle Zeit erfolgt kein Lobpreis Gottes! Jede Beziehung ist tot.

2. *Keine Treue Gottes (Unheil/Tod):* Wo es keine Treue Gottes mehr gibt und auch kein lobendes Vertrauen auf diese Treue, gibt es nur noch Unheil und Tod.

3. *Kein Niederfallen aller (keine Umkehr):* Die Völker und Toten werden nie etwas von Gott als dem König der Erde hören: So können die Völker weder umkehren zum Lobpreis Gottes, noch können die Toten umkehren zum Leben.

4. *Keine Achtung Gottes:* Das Minusmodell mündet in der universalen Verachtung des Armen und findet dort ihr Ende, weil Gott nicht mehr der Anwalt „der kleinen Leute" ist.

Adressatenbereich

Plusadressat:

1. *Erhörender Herr* (V. 23-25, vgl. Strukturlisten Nr. 3, vgl. Adressant A): Der Herr, der in seiner Treue erhört (hat), begegnet als der direkte Adressat des Lobpreises.

2. *Gottesfürchtiges Israel* (V. 24, 26, 27): Die Invariante bezeichnet den Adressaten, dem die Aufforderung, Gott zu preisen, gilt (der Beter ist hier mit seinem Lobgelübde eingeschlossen). Die Invariante „gottesfürchtig" wurde gewählt, um die Bedingung des Lobpreises (bzw. was in ihm anwesend sein soll) einzufangen: Furcht, Erschauern und Suchen. Bei diesen Anteilen des Lobpreises werden die Momente der Ehrfurcht vor dem „Herrn" deutlich, die Israel aufbringt und die sich bei den Völkern im Niederfallen äußert. Diese Gottesfurcht als Qualitativ Israels gilt auch implizit (von V. 31/32 her) für die Zukunft.

3. *Herrschender König:* Ihm gilt der Lobpreis der Völker (V. 29).

A. *Geachtete Arme:* (V. 25/26): Die Notrealität als Verachtung durch das Volk (V. 7 f.) wird im Gebetsprozeß aufgehoben: über die Achtung Gottes, die dem Beter in seiner Beziehungsaufnahme mit Gott zuteil wird, die er weitersagt, und die ihn in den Lobpreis Israels einsozialisiert.

B. *Alle Völker* (V. 29, 30): Während Israel und Gemeinde oben direkt angeredet werden (V. 24), erscheint nun die dritte Person. Die Völker werden nicht direkt angesprochen (sie können es schon gar nicht von der Kommunikationssituation, aber auch nicht von ihrer aktuellen Einstellung her sein: denn sie sind weit weg davon, vor dem Gott Israel niederzufallen), sondern sie erscheinen wie in einer Vision als die, die niederfallen müssen und niederfallen werden. Bei Israel dagegen ist der Lobpreis Realität, sie haben bereits Gottesfurcht und sind deshalb direkter Adressat, was sie aber gleichzeitig zu Adressanten der Herrschaft Gottes (nämlich davon zu künden und davon zu erzählen) macht (vgl. Adressant 2).

Minusadressat:
1. *Nicht erhörender Herr:* Ein solcher Adressat hat nichts mehr gemeinsam mit dem Herrn der Erinnerung (V. 4-6) und kann nicht Adressat des Lobes sein.
2. *Nicht gottesfürchtiges Israel:* Ein Israel, das Gott nicht mehr fürchtet, ist auch unfähig, der Aufforderung zum Lobpreis Gottes Folge zu leisten.
3. *Nicht herrschender König:* Auch für die Völker ist es ohne den Lobpreis Israels hinsichtlich eines erhörenden und für das Leben relevanten Herrn nicht mehr möglich, Gott als herrschenden König anzuerkennen.
A. *Verachtete Arme:* Der Arme bleibt ohne die Achtung Gottes verachtet und Freiwild für Spötter und Feinde.
B. *Keine Völker:* Kein Volk kann dann mehr Adressat einer Botschaft werden, die von Gottes Herrschaft (als Treue Gottes und Achtung der Armen) erzählt.

Adjuvant und Opponent
Adjuvant:
Entsprechend den bisherigen Invarianten lassen sich die Adjuvanten bilden, die nun nicht sehr viel weiter erklärt zu werden brauchen, weil sie (als Gewünschtes) bereits im Objektbereich besprochen sind bzw. bei den entsprechenden Adressaten zu Wort kamen.
1. *Lobpreis des Beters und Israels* (Adressant 1 und 2): Daß der Beter zu loben beginnt, bildet die ideale Voraussetzung für sein Gelübde und ist bereits ein Stück Weg dazu.
2. *Gottesfurcht Israels* (Adressat 2): Sie ist Voraussetzung und Bestandteil des Lobes. Erst mit ihr wird der einzelne bzw. Israel überhaupt sensibel für die Wahrnehmung der Erhörung Gottes in Erfahrung und Erinnerung.
3. *Erhörung (Herrschen) des Herrn* (Adressant A/B, Adressat 3): Sie ist die „reale" Voraussetzung des Lobpreises. Zugleich ist dies die Form der Herrschaft Gottes, die für den Beter wie auch für Israel so entscheidend ist.
4. *Umkehren der Völker und Toten:* Die Umkehr der Völker in die Nähe Gottes (das bedeutet Leben) bzw. der Toten ins Leben ist die Voraussetzung für das Niederfallen. Gott selbst wird dabei die Hand im Spiel haben (vgl. Adressant 3/B und Adressat 3/B).
5. *Achtung Gottes für die Armen:* Die Achtung Gottes für die Armen formuliert sowohl die Voraussetzung als auch die Konsequenz der Heilstat. Der Elende ist von Gott geachtet (vgl. Adressant A/B, Adressat A).

Opponent:
Der Opponent wird durch die entsprechenden Negationen der Adjuvanten gebildet und ist wieder aus den Tiefenmodellen direkt ersichtlich.
Auffällig ist, daß keiner dieser Opponenten im Text realisiert ist. Das positive Tiefenmodell deckt sich völlig mit dem realisierten Text. Das Minusmodell scheint ganz überwunden zu sein.

(3)   Beschreibung der Tiefenmodelle und des Sprechaktes

Die Tiefenmodelle

Tiefenmodelle (zu Abschnitt III)

Das positive Tiefenmodell (Tp):

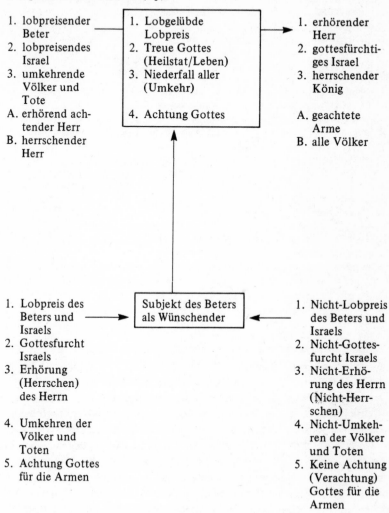

1. lobpreisender
   Beter
2. lobpreisendes
   Israel
3. umkehrende
   Völker und
   Tote
A. erhörend ach-
   tender Herr
B. herrschender
   Herr

1. Lobgelübde
   Lobpreis
2. Treue Gottes
   (Heilstat/Leben)
3. Niederfall aller
   (Umkehr)

4. Achtung Gottes

1. erhörender
   Herr
2. gottesfürchti-
   ges Israel
3. herrschender
   König

A. geachtete
   Arme
B. alle Völker

1. Lobpreis des
   Beters und
   Israels
2. Gottesfurcht
   Israels
3. Erhörung
   (Herrschen)
   des Herrn

4. Umkehren der
   Völker und
   Toten
5. Achtung Gottes
   für die Armen

Subjekt des Beters
als Wünschender

1. Nicht-Lobpreis
   des Beters und
   Israels
2. Nicht-Gottes-
   furcht Israels
3. Nicht-Erhö-
   rung des Herrn
   (Nicht-Herr-
   schen)
4. Nicht-Umkeh-
   ren der Völker
   und Toten
5. Keine Achtung
   (Verachtung)
   Gottes für die
   Armen

135

Das negative Tiefenmodell (Tn):

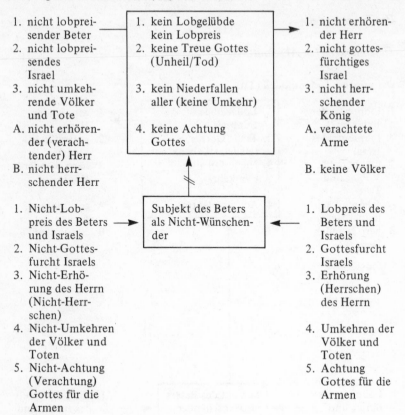

1. nicht lobprei- sender Beter	1. kein Lobgelübde kein Lobpreis	1. nicht erhören- der Herr
2. nicht lobprei- sendes Israel	2. keine Treue Gottes (Unheil/Tod)	2. nicht gottes- fürchtiges Israel
3. nicht umkeh- rende Völker und Tote	3. kein Niederfallen aller (keine Umkehr)	3. nicht herr- schender König
A. nicht erhören- der (verach- tender) Herr	4. keine Achtung Gottes	A. verachtete Arme
B. nicht herr- schender Herr		B. keine Völker
1. Nicht-Lob- preis des Beters und Israels	Subjekt des Beters als Nicht-Wünschen- der	1. Lobpreis des Beters und Israels
2. Nicht-Gottes- furcht Israels		2. Gottesfurcht Israels
3. Nicht-Erhö- rung des Herrn (Nicht-Herr- schen)		3. Erhörung (Herrschen) des Herrn
4. Nicht-Umkehren der Völker und Tote		4. Umkehren der Völker und Toten
5. Nicht-Achtung (Verachtung) Gottes für die Armen		5. Achtung Gottes für die Armen

Auffällig ist zunächst, daß kein einziger Aktantenwert des Minusmodells –
auch nicht im Ansatz – im Text realisiert ist. Letzterer findet völlig im
Plusmodell statt, das er sequentiell an die semantische Oberfläche bringt.
Der Strukturwandel der Kommunikation aus Modell I über II zu III hat
offensichtlich zum Ziel, am Schluß aus den Minuswelten gänzlich ausge-
wandert zu sein und die „Heimat" wiedergefunden zu haben[105]. Geklagte
Frage aus Abschnitt I erreicht hier den Lobpreis Gottes, der nur noch in
der positiven Wertwelt stattfindet. Die Diastase des Eingangs (charakterisiert durch die entscheidenden Elemente der gegenwärtigen Noterfahrung
und des bislang geglaubten Heilswillens Gottes, wobei erstere nur mit An-
leihen aus dem Minusmodell im Text realisiert werden konnte) bricht zu-

---

105 Zum Begriff der „Heimat" in diesem Zusammenhang vgl. Bloch 1959, 1628;
    Moltmann 7/1968, 321 ff.

sammen und macht einer Welt Platz, die keine negativen Momente mehr aufweist. Wie kommt das und was steckt dahinter?

Hier hilft zunächst weiter, daß das Minusmodell von Abschnitt III – ebenfalls in Steigerung der bisherigen negativen Tiefenmodelle – eine absolute Kommunikationsverneinung hinsichtlich Gott und Mensch ausspricht: universal und für alle Zeiten. „Loben" besitzt im Alten Testament (s. u. 4.2.3) nämlich eine entscheidende Bedeutungsdimension, die unser deutsches Wort „loben" nicht auf den ersten Blick durchscheinen läßt. Gott loben heißt: ihn anerkennen, ihm Treue und Ehrfurcht schenken, ihm guten Willen (Heilswillen) „unterstellen" und vorschießen: *Loben ist damit die intensivste Form eines Vertrauens*, das sich nicht nur *mit aller Kraft auf Gott bezieht*, sondern auch gerade von dieser Beziehung her neu *soziale Komponenten annimmt*. Die bislang durchgeführte direkte Zweierbeziehung zwischen Beter und Gott weitet sich aus und bringt die anderen Beter der Gemeinde in den Blickpunkt. Die Phase des Lobes betreibt also nicht nur die Begegnung mit Gott, sondern auch die Begegnung mit der Gemeinde, ja in der Vision bereits mit der ganzen Welt, mit den Toten und den Zukünftigen. Auch ihnen wünscht der Beter, daß sie Gottes Heilswillen loben und daß dieser Heilswille an ihnen wahr wird.

Damit geht die Beobachtung zusammen, daß die (Selbst-) *Aufforderung* (Voluntativ und Kohortativ) zum Lobpreis den Text als Modus der Aussage (über Gottes Erhörung) beherrscht. Sie bindet die „Vergangenheit" (der Erhörung) und die Zukunft (Gelübde und die futurische Valenz der Imperative) in der Gegenwart des gewünschten und vollzogenen Lobpreises zusammen. Beides wird Gott im Lobpreis übergeben: die Erinnerung an die Erhörung und die „Erinnerung" (bzw. Vorschau) des künftigen Lobpreises Gottes (des Beters, der Gemeinde und der Völker). Ob der Lobpreis bereits eingelöst oder „erst" ein Gelübde ist, beide Aktionen haben den gleichen Sprechaktkern, weil jedes gegenwärtige Lob Zukunft hat und weil jedes Gelübde bereits als solches aus einer lobenden Haltung erwächst und damit Gott in der Gegenwart lobpreist. Wer das Lobgelübde ablegt, der gibt kund, daß seine Geschichte mit Gott weitergeht und weitergehen soll: als Geschichte gegenseitiger Anerkennung und Treue. Das Lobgelübde des Israeliten ist nie im Kern ein Werkgelübde, sondern ein Versprechen der Beziehung. Damit hat es immer interpersonale Qualität und überhaupt die Interaktion des Menschen mit Gott zum Thema. Diese Dimension des Lobpreises wird schließlich so elementar gesehen, daß mit ihm der schärfste Kommunikationsabbruch, der Tod, überwunden wird (V. 30).

Darin liegt *der normative Anspruch der Begegnung zwischen Gott und Mensch:* Daß *Gott den Menschen achtet* (besonders den Armen) und daß *der Mensch Gott als den treuen Gott anerkennt und vermutet.* In der Interaktion zwischen Mensch und Gott geschieht eine gegenseitig vermutete und bevorschußte grenzenlose Solidarität. So lernt der Mensch in seiner

Beziehung zu Gott, auch im krisenhaften und konflikthaften Sich-Abarbeiten an ihm, wenn er fremd kommt, den elementaren Vollzug und die *Grundstruktur interpersonaler Begegnung*.

Beten wird zum Lernfeld des Vertrauens und der Solidarität:
Dies vollzieht sich ohne gegenseitige Leistungsforderung: umsonst. Soweit ist der Prozeß der Klage nun in dieser dritten Phase gelangt: Der Beter akzeptiert die im Gebet aufgefrischte Beziehung zu Gott als seine Nähe und damit als Erhörung, Gott seinerseits fordert keine Leistung, damit er hilft: etwa die Leistung der Buße im Schuld-Strafe-System. Eine Änderung der Situation bzw. des Partners muß jedenfalls weder vom Beter noch von Gott her notwendig gedacht werden. Selbst wenn das ausdrückliche Faktum der Rettung vorläge, bliebe die Eingangsfrage bis zum Schluß nicht beantwortet: Warum hast du mich verlassen?[106] Es bliebe immer noch die Frage, warum Gott denn so abgrundtief verlassen *hat*. Das *Rätsel der Not* bleibt. Der Beter *war* jedenfalls in der Not, fast bis zum Ende: Warum? Das Ende der Not ist eine relative Angelegenheit[107].

Gott bleibt weiterhin der Frag-Würdige, der Verborgene, der Geheimnisvolle „über dem Lobpreis Israels" (V. 4), und dies in und durch die Erfahrung der Not mehr als zuvor! Aber die Beziehung ist nun weit weniger als vielleicht zuvor abhängig von der Notfreiheit und heilvollen Durchschaubarkeit des göttlichen Handelns im eigenen Leben. Die von der Not als realer Basiserfahrung provozierte Vertrauenskrise (die eine Glaubenskrise ist, eine Krise im Gottesbild vgl. V. 9), setzt Energie frei für ein neues Vertrauensverhältnis auf höherer und intensiverer Ebene. Gott bleibt Partner, auch wenn er verborgen „erscheint", wenn er ferne ist und wenn seine Achtung für die Menschen nicht erfahren werden kann. Die Not jedenfalls kann nicht mehr als Argument für die Nicht-Achtung Gottes gelten. Im Tiefenmodell des Abschnittes III erscheint die Not zwar nicht gerade im Plusmodell, aber auch nicht mehr im Minusmodell: sie ist verschwunden, sie ist irrelevant geworden für die Beziehung zu Gott, sie wurde in dieser Begegnung „überwunden": Das ist die Erhörung! Es ist die Vergewisserung, daß Gott dem Beter gut bleibt, daß er ihm Partner ist, gerade ihm, dem Armen und Notleidenden (V. 25). Im Lobgelübde nimmt der Beter die in ihm aufgebrochene Unterstellung der Untreue Gottes zurück und preist

---

106 Die Frage bleibt also offen: Gott antwortet nicht, *warum* das und das geschieht. Er antwortet mit seinem Beziehungsangebot, mit seiner Solidarität. Die Sehnsucht des Menschen nach Wissen und Zugriff erst einmal überzuleiten in die Sehnsucht nach Begegnung und Loslassen charakterisiert den Gebetsprozeß des Ps 22.

107 Für Jesus beispielsweise war das Ende der Not nicht mehr im Leben angesiedelt, sondern im Tod (vgl. dazu Lehmann 1968, 262-290), während Gott nach alttestamentlicher Vorstellung den Gerechten nie länger als drei Tage in der Not läßt (a.a.O., 263).

(anerkennt) dessen heilende Treue. Auf Vorschuß schenkt er Gott seine Treue wieder und erlebt darin die Treue Gottes zu sich selbst.

Die „Ant-Wort", die der Psalm gibt, beantwortet nicht die Frage des Beters, aber sie gibt buchstäblich einen Antwort-Weg als angebotene Hinführung zur höchstmöglichen Begegnung mit Gott. In diesem Prozeß der Beziehungsaufnahme und Beziehungsverstärkung liegt die lebendige und existentielle Antwort, die nicht zuerst argumentativ, sondern auf der Beziehungsebene einzuholen ist[108]. Es ist eine „Antwort", die gerade auch aufrecht erhalten werden kann in der Fragwürdigkeit des eigenen Lebens und Gottes. Es ist eine Antwort, die lehrt, sich, Gott und die Welt auch als Frage stehen zu lassen und auszuhalten. Primär ist nicht die Erklärung, sondern die Begegnung. In ihr haben Fragen, Krisen und Konflikte Raum. Im Sprechakt der Klage und ihrem Verlaufsprozeß gelangt der Beter über die Frage und die Bitte hin zu dieser Beziehungsvertiefung: Gott bleibt Partner des Menschen, auch wenn (aber nicht: weil[109]) dieser sein Handeln nicht erklären kann. Die Unerklärbarkeit wird integriert in eine um so intensivere vertrauende Begegnung in gegenseitiger Achtung und Treue, die Gott die Unbegreiflichkeit und dem Menschen die Unzulänglichkeit zugesteht. Am Ende des Prozesses gilt, was anfangs das Problem war: In der

---

108 Hier werden lebendig und existentiell nicht als Alternative zu argumentativ verstanden. Argumentation ist ja eine Funktion menschlichen Denkens. Und menschliche Existenz ist wesentlich verbunden mit dem Denken und Nachdenken im Horizont seines Seins. Eine Begegnung, die nichts erklärt, ist ausgesprochen dürftig. Somit haben Fragen, Krisen und Konflikte natürlich auch Raum im Denken, sofern sich dieses Denken nicht vom Lebensraum abspaltet und in Richtung auf sekundäre Systeme, die mit dem eigentlichen Leben nichts mehr zu tun haben, verselbständigt. Gerade im Sprechakt der Klage, der eine lebendige Beziehung zu Gott aufmacht, wird die Gegenwart als solche begrifflich erfaßt, und nicht nur dumpf durchlitten. Ein solches, am *Dialog* orientiertes *Denken* läßt Raum für die *zeitliche* Entwicklung von Fragen und Antworten und muß nicht von vornherein alles auf eine synchron-syllogistische Gedankenstruktur mythischer Art bringen. Ein Denken, das nur am System orientiert ist und sich so aus dem Kampf von Geschichte und Begegnung heraushalten will, kann sich nicht mit dem zutiefst mit Geschichte und Begegnung verbundenen biblischen Denken vereinbaren lassen. Das Leiden an der Geschichtlichkeit und Zeitlichkeit und damit an der Flüchtigkeit von Begriffen und Argumentationen gehört zur biblisch-menschlichen Existenz. Dies macht freilich die menschliche Suche nach Begriffen und Begrifflichkeit im Horizont von Geschichte und Begegnung, auch im Horizont von Heilsgeschichte und Offenbarung, nicht unsinnig.

109 Denn dies meint nicht die Bestätigung des Satzes „Credo, quia absurdum", wonach die Unerklärbarkeit das Wahrheitskriterium für den rechten Glauben sein könnte. Wer Wahrheit sucht, bekommt von Gott nicht Rätsel aufgegeben. Vielmehr steht in der vertrauenden Begegnung die Sehnsucht und Tendenz, in Gott selbst die Erklärbarkeit und Erklärung menschlichen Lebens und Leidens zu vermuten, ohne sie im Moment zu besitzen: „Ich glaube also, weil das Absurde in Gott grundsätzlich geklärt ist". Nur hat die Erfahrung dieser Klärung geschichtlich-eschatologische Dimensionen.

Not ist Gott tatsächlich nahe. Diese Vertrauenserkenntnis ist die Heilstat, die der Beter erfährt.

Alles weist darauf hin, und auch die semantischen Werte (Lobpreis, Treue, Achtung, Umkehr) machen es deutlich: Im dritten Abschnitt des Psalms 22 herrscht souverän die *Kategorie der Begegnung.* Sie ist das Ziel dieses Abschnittes wie auch des gesamten Psalms: zuvorderst als Begegnung des Beters mit Gott (in der er erinnernd, aktualisierend und prospektiv die Begegnung Gottes mit sich einholt), dann aber auch in der Begegnung mit der Gemeinde, mit Israel, ja mit der ganzen Welt und ihren Zeiten. Mit der Endphase des Psalms führt der Text den Rezipienten nun endgültig aus der Verlassenheit und drohenden dunklen Vereinsamung in der Not heraus in die Helle spiritueller und sozialer Begegnung, wobei diese Beziehungen sukzessiv im Fortschreiten und Mitgehen mit dem Gebetsakt des Psalmes bereits entstehen. Wer sich in diesen Akt hineinbegibt, dem wird Beziehung geschenkt! Von Abschnitt I bis III (über Frage, Bitte und Lobpreis) weitet sich die Dichte der Beziehung und Offenheit, die der Psalm textintern durchspielt und wozu er den Beter mitzuspielen einlädt.

Die Situation der Not und Verachtung kann also nicht in der Kategorie erklärender, begründender, jedenfalls irgendwie objektsprachlicher Antwort[110] „gelöst" werden; sie wird nur durchgestanden und auf neue Hoffnung zu überwunden in der Kategorie lebendiger dialogischer Begegnung. Diese Begegnung darf zudem eine grenzenlos offene sein, bestimmt durch die Beziehungskategorie der Treue und des Vertrauens, nicht begrenzt durch Denkfiguren von Schuld und Strafe[111], mit denen der Mensch meint, sich

---

110 Zum Begriff der Objektsprachlichkeit vgl. Fuchs 1978 a, 136 f. In Anlehnung daran definieren wir hier: *Objektsprachliche* Formulierungen laufen in der Regel über die dritte Person und sprechen über Dinge, Sachverhalte und Menschen: sie sind Objekte (nicht Subjekte) der sprachlichen Handlungen. Bei der *dialogischen Rede* dagegen ist der andere als Subjekt in einen gemeinsamen Kommunikations- und Klärungsprozeß integriert.

111 Die Verweigerung eines Sünde-Strafe-Erklärungsschemas für Noterfahrung halten wir um der Ernsthaftigkeit menschlichen Leidens willen für berechtigt und notwendig, was freilich nicht grundsätzlich zu einer Tabuisierung des Themas des Bösen und des Leidens und zu einem Verzicht auf Erklärungsversuche führen darf. Dies wird Gläubigen und Theologen immer dann möglich und nötig sein, wenn sie (konkreten Notsituationen entwachsen, bzw. nicht in Not befindlich) aus gewissem Abstand heraus die generellen Strukturen von Elends- und Glaubenserfahrung nachdenkend klären wollen. Nur hat die unmittelbar konkrete Situation der Noterfahrung einen geschichtlichen und personalen Schwerpunkt, der für sich ein eigenes theologisches Datum provoziert: nämlich das der unmittelbaren Begegnung mit Gott. Dieser „direkte" Glaubensvollzug ist dabei nicht etwa theologisch unreflektiert (s. u. 5.3), nimmt aber in seiner Artikulationsform als proslogischer Sprechakt die Kommunikationssituation des Notleidenden ernst. Diese Ich-Du-Form theologisch-reflektierten Glaubensvollzugs darf in *dieser* Situation nicht leicht durch argumentative-systematische monologische Theologie ersetzt werden. Eine vorschnelle Theodizee-Erklärung nimmt

---

beschuldigen und Gott entschuldigen bzw. rechtfertigen zu müssen. Eine solche Entschuldigung macht ihn zum Objekt menschlichen Erklärungszugriffs, der einen Wahrheitskern enthalten mag, aber in jedem Fall zu kurz greift, wenn es um die freiheitsoffene und liebende Beziehung zwischen Gott und Mensch geht. Entscheidend wird im Gebetsverlauf für den Psalmisten die Vertrauenseinsicht, daß Jahwe auf der Seite Israels und des Israeliten bleibt, gleichgültig welche Situation gegenwärtig ist. Dies zu erfahren, war schon immer das Problem des einzelnen in seinen Unglückserfahrungen, wird freilich im Exil und in der nachexilischen Zeit zum Problem des ganzen Volkes: Gott bleibt der Gott Israels, gerade auch im Exil, in der Zerstreuung. Die in alte Zeit zurückreichende Motivwurzel, daß Jahwe auf der Seite der Armen, Witwen und Waisen steht, erfährt in der persönlichen Not wie auch in der Erfahrung des kollektiven Exils neue Bedeutung und Aussagekraft[112]. Auch der nun fremd kommende Gott ist „mein", „unser" Gott.

Der Sprechakt

Das Wichtigste wurde bereits angedeutet: Der Kern des Lobes ist überhaupt der normative Anspruch interpersonaler Begegnung, sofern diese ermöglicht wird durch gegenseitige Präsumption der Treue, des „Gefallens", des Gut-Seins, der Achtung, der Anerkennung. Ohne diese Voraussetzung ist weder Beziehung möglich noch die Aufrechterhaltung einer Begegnung im Konflikt und in der Krise. Der Beter traut Gott die Treue wieder zu: Gott begegnet im Gebetsprozeß wieder als einer, der „trotzdem" treu bleibt und seine Nähe nicht zurücknimmt. Diese neu erlebte Beziehung zu Gott öffnet ihrerseits wieder für die Begegnung mit der Gemeinde, dem Volk und der Erde. Die Begegnung mit Gott befördert also alle Beziehungsfelder in Richtung auf eine solidarische Begegnungskraft, die auch angesichts der Not und der Verachtung nicht zusammenbricht[113]. So entsteht von neuem eine Reintegration in die persönliche Heilsgeschichte mit Gott und zugleich in die Heilsgeschichte des Volkes und der Erde. Voraussetzung ist,

---

unmittelbares Leid nicht ernst! Dabei ist nicht geleugnet, daß die Frage als Problem der Erklärung des Glaubens innerhalb der Theologie zu stellen und versuchsweise zu beantworten ist (s. u. 6.2).

112 Vgl. Mosis Art. 1978, 59 f., 63 f., besonders 67 f.; s. u. 5.2.3.

113 Aus diesem Grund wohl wird Ps 22 auch für das jesuanische Schicksal zu einem wichtigen Deutemuster. Denn die Frage nach der Not bricht umso mehr auf, als die Not um der Botschaft vom Reiche Gottes willen erlitten wird. Hier wird die Gottesfinsternis am dunkelsten, wo Gott nicht mehr für den zu stehen scheint, der seinen Willen tut. (Ähnlich mußte es Israel, das sich als erwählt glaubte, in der Exilerfahrung gehen). Was später die Jünger mit der Auferweckung Jesu durch Gott verkünden, ist bereits im Ps 22 in dem Teil des Lobpreises angelegt: Scheitern ist kein Maßstab der Gottesnähe; Gott war und ist auf der Seite seines Erwählten; vgl. Teil II; s. u. 5.2.2/3.

daß dieses Heil weiterhin als Wille Gottes geglaubt wird, obwohl (noch) nicht eingesehen werden kann, wann und wie es geschieht[114].

Die einzelnen Varianten des Lobpreises entfächern sich dementsprechend:

1. *Verkündigen/erzählen:* Wer Gottes Treue verkündet, schafft die Voraussetzung für weitere Begegnung Gottes mit sich selbst, der Gemeinde und der Welt sowie aller untereinander. Im Erzählen wird die Vergangenheit in der Gegenwart mit einer Zukunft vermittelt, die offen ist für interpersonales Leben.

2a. *Gott fürchten/erschauern:* Das Geheimnis Gottes ist in der Krise aufgeleuchtet; er ist und bleibt unergründlich (wie jede Person), entzogen und geheimnisvoll. Gott das zuzugestehen, lernt der Beter in einem schmerzhaften Prozeß.

b. *Umkehren/niederfallen:* Dies ist die Variante, die der Gottesfurcht auf seiten derer entspricht, die entfernt sind von Gott, der Völker und der Toten. Wer umkehrt, kommt auf den Weg, wo er Gott begegnen kann, und damit in den Beziehungskontext mit Israel.

3. *Essen als Feiern und Danken:* Das Dankmahl, die „Eucharistie" der Armen, ist der Ort, wo die Gemeinde die Menschenfreundlichkeit Gottes zu den Armen feiert, erfahrbar macht, und wo zugleich die Beziehung der Armen zur Gemeinde geschaffen wird[115].

4. *(Auf-)Leben (für ihn):* Nur wer lebt, ist beziehungsfähig. Doch der umgekehrte Satz ist die Voraussetzung zu diesem: Nur wer Gott lobt, ist lebensfähig (s. u. 4.2.3). Beide Sätze ergeben die Wirklichkeit, die in dieser Variante des lobpreisenden Sprechaktes durchschimmert.

Fassen wir zusammen: Voraussetzung dafür, daß der Sprechakt des Lobpreises und damit die intensivste Begegnung des Beters mit Gott gelingt, sind gegenseitige Anerkennung und Treue. Darin lebt das Vertrauen, das auch vorschießen kann: einem Gott zu trauen, der sich anders zeigt als man erwartet hat, ja als ihn die „Alten" erklärt und erlebt haben: Jene haben Gott als erlösend erlebt, das bleibt auch für den Beter; aber das Wie ist nicht mehr so einschichtig wie V. 9 insinuiert. Wo die Gottesbeziehung in solche Bereiche stößt, daß Wohlergehen und Gottesglaube ihre mythische Verbindung verlieren, wird der Glaube frei von jedem magischen Zugriff und läßt Gott Gott sein.

Hier ist nochmals die Frage zu thematisieren, wie dieser Lobpreis im Kontext der klagenden Frage und fragenden Bitte, überhaupt im Kontext des Sprechaktes übergreifender Klage zu sehen ist. Steht der Lobpreis denn noch im Kontext der Klage? Dies muß bejaht werden, und zwar aus folgenden Gründen:

---

114 Dieses „auf Vorschuß vertrauen" wird natürlich – in Verbindung mit visionären Fähigkeiten – leicht zur Basis apokalyptischer Vorstellungen; vgl. Stolz Art. 1980 a, 143.

115 Vgl. dazu Gese, Art. 1968, 18 f.

Einmal ist die *Frage nicht beantwortet* worden; sie bleibt offen bis zum Schluß. Dann ist diese Teilphase ohne den Zusammenhang mit der Klage nicht zu denken, da die *Replik* auf die erfolgte Heilstat diese als Erhörung einer Bitte ausweist. Hier wird eine Notsituation vorausgesetzt, eine Situation der Klage und des Flehens. Auch die auf die *Gottesfurcht* bezogenen Elemente des Lobpreises lassen den Schock noch spüren, den die Not und die damit erlebte Ferne Gottes ausgelöst haben.

Zum anderen bildet der Schlußteil auch deswegen keinen Fremdkörper zur Klage, sondern ist in ihr bereits wesentlich angelegt, weil die volle Begegnung mit Gott in Abschnitt III überhaupt erst von der Klage als Frage und als Bitte initiiert worden ist. Ohne diese Ausgangssituation wäre das Gebet nicht entstanden bzw. kein entsprechendes Formular zum Beten des einzelnen geworden. Von der Frage zur Bitte war bereits eine *Klimax des Vertrauens und der Beziehungsoffenheit* festzustellen, die nun in Abschnitt III ihren Höhepunkt findet. Die Notsituation wird zum Sprungbrett in eine neuartig intensive Beziehung zu Gott hinein, die freier geworden ist von Kalkulation und Berechnung und zugewonnen hat an Offenheit und Begegnungsleben. Offen ist dieses Leben deswegen, weil der Beter in ihm Gott nicht mehr als Handlanger der eigenen Wünsche festhält, sondern den schmerzhaften Prozeß riskiert, ihn loszulassen. Die reale Notsituation und die Frage nach der Gottverlassenheit war die Initialzündung dieses Prozesses. Der Psalmist lernt so auf Gott zu vertrauen, daß — bei allen notwendigen Anthropomorphismen — in seinem Glauben Gott dennoch Gott bleiben darf: der Lebendige und Unaussprechliche. Der Gesamtsprechakt der Klage (s. u. 3.4) muß aus dieser Perspektive als Weg zu solcher Begegnung gesehen werden, die notwendig die Tendenz hat, intensiver zu werden und im Lobpreis zu landen[116]. Die Frage der Zeit ist dabei sekundär: Sicher zeichnet der Psalm — poetisch gerafft — einen Prozeß, der Tage und Nächte und Wochen dauern kann.

---

116 Natürlich ist auch das Danklied und die dahinterstehende reale Erfahrung der Errettung ein „Sprungbrett" in die Begegnung mit Gott. Doch steigt es bereits mit dem Lobpreis Gottes ein; die Not selber erscheint in der Form der Erinnerung, während der Klagepsalm aus der Not heraus mit der Klage beginnt und erst allmählich in das intensive Lob Gottes einmündet; vgl. Fuchs Art. 1979 b, 872-874.

3 Basisstruktur und Sprechaktprozeß des Gesamttextes

Wir gelangen nun zur abschließenden Zusammenstellung der Tiefenmodelle für den gesamten Psalm 22 (1), um im Abschluß daran eine zusammenfassende Beschreibung dieser Modelle zu versuchen (2). In Verbindung mit dieser Beschreibung sowie mit Rücksichtnahme auf die Analyse der Antithesen an der Textoberfläche (3) erstellen wir dann den zusammenfassenden Sprechakt der Klage sowie seinen Prozeßverlauf (4).

3.1 Die Invarianten der Basismodelle

Die Aktantenwerte der drei Tiefenmodelle werden für sich aufgelistet und schließlich auf ihre nicht mehr reduzierbaren Repräsentanzwörter gebracht. Diese werden dann in das dem ganzen Text zugrundeliegende Basismodell investiert[1].

Wir können uns damit begnügen, lediglich die Invarianten für die Plusmodelle aufzulisten und zu reduzieren. Die entsprechenden Repräsentanzwörter in den Minusmodellen entstehen durch die jeweiligen Negationen und können der Graphik des Minusmodells entnommen werden. Lediglich die Minuswerte für den Objektbereich werden eingebracht, weil sie nicht in jedem Fall nur durch formale Negation gekennzeichnet sind (z. B. „Verlassenheit").

Die Plusadressanten:

Abschnitt I:
1. (klagend) rufender Beter, 2. rufende Väter, 3. erhörte Väter, 4. sich bergender Beter, A. rettender (bergender) Gott, B. nicht verachtendes Volk.

---

1 In den Basismodellen des Gesamttextes (siehe folgende Graphiken) gilt ebenfalls und noch gesteigert, daß jeder Aktant sich auf alle möglichen anderen Aktanten dominant oder defizitär beziehen kann. So ist etwa Anlaß und Inhalt beim lobpreisenden Beter (Adressant 3) die Treue Gottes (Objekt 4), die in Richtung auf den erhörenden Herrn (Adressat 2) ausgesprochen wird. Die Aktantenfusion von Beter und Väter zeigt, daß nun im synchronen Basismodell des Textes die Zeitunterschiede nicht mehr wichtig sind. Väter und Beter gelangen so in eine Aktantenfusion (vgl. Adressant 1 und 2): Der Beter erlebt in der Gegenwart seines Gebets das gleiche, was die Väter erlebt haben. Damit wird sein Gebet zum weiteren Gebetsformular für andere und übernimmt die Funktion, die die Väter ihm gegenüber hatten: die Funktion eines erinnernden Textes. Zur Erstellung der Basismodelle eines Gesamttextes vgl. Fuchs 1978 a, 184, 278 ff.

144

Abschnitt II:
1. bittender Beter, 2. nicht vergehender Beter, A. helfender Gott, B. nicht feindliche Menschen und Tiere.
Abschnitt III:
1. lobpreisender Beter, 2. lobpreisendes Israel, 3. umkehrende Väter und Tote, A. erhörend achtender Herr, B. herrschender Herr.

Diese Werte lassen sich auf folgende fünf Basisaktanten konzentrieren:
1. *klagend rufende(r) und bittende(r) Beter und Väter,*
2. *erhörte(r) Beter und Väter,*
3. *lobpreisender Beter (Israel, Völker),*
A. *erhörender Herr,*
B. *nicht verachtendes Volk/nicht feindliche Mächte.*

Objektbereich:

Abschnitt I:
1. „Warum, mein Gott?", 2. Vertrauen, 3. Rettung/Geborgenheit, 4. Gefallen/Nicht-Spott.
Minusobjekte:
1. Nicht: Warum, mein Gott? 2. Nicht-Vertrauen, 3. Verlassenheit/Nicht-Geborgenheit, 4. Spott/Nicht-Gefallen.
Abschnitt II:
1. „Rette mein Leben!" (Nähe Gottes), 2. Keine Not, (keine) Todesnähe, 3. meine rettende Stärke Gottes, 4. keine feindliche Umlagerung.
Minusobjekte:
1. keine Rettung meines Lebens, 2. nahe Not/Todesnähe, 3. keine rettende Stärke Gottes, 4. feindliche Umlagerung (Stärke der Feinde).
Abschnitt III:
1. Lobgelübde/Lobpreis, 2. Reue Gottes (Heilstat, Leben), 3. Niederfallen aller (Umkehr), 4. Achtung Gottes.
(Die Minusobjekte sind formale Negationen dieser Werte).

Als Invarianten für das Basismodell wählen wir:
1. *Vertrauen (Frage, Bitte, Lobpreis)*[2]
2. *rettende und bergende Heilstat,*
3. *universaler (gottesfürchtiger) Lobpreis der Herrschaft Gottes,*
4. *Achtung (auch der Menschen) und Treue Gottes.*

---

2 Die an der Syntax orientierten Überschriften in den Tiefenmodellen zu Abschnitt I und II können hier nicht mehr übernommen werden. Es muß nun das, was hinter diesen Sprechakten der Frage und der Bitte steht (nämlich das Vertrauen) im synchronen Modell eingetragen werden. Auf der mittleren Ebene der Abschnittstiefenmodelle war der an der Syntax orientierte Eintrag möglich, weil die Frage bzw. die Bitte nicht nur ein Oberflächenphänomen war, sondern in relativ tiefgehender Weise die beiden Abschnitte in ihrem ganzen strukturellen Charakter bestimmt haben. Aber dies war eben nur auf die jeweiligen Abschnitte beschränkt. Auf der anderen Seite ist der Prozeß von der Frage über die Bitte zum Lobpreis

Als Aktanten im Minusobjekt werden definiert:

1. *kein Vertrauen (Mißtrauen) zu Gott (Nicht-Frage, Nicht-Bitte, Nicht-Lobpreis)*[3],
2. *Gottverlassenheit: keine rettende und bergende Heilstat Gottes (Tod)*[4],
3. *kein universaler (kein gottesfürchtiger) Lobpreis der Herrschaft Gottes (keine Herrschaft Gottes),*
4. *Spott und vernichtende Umgebung: keine Achtung (auch nicht bei den Menschen) und keine Treue Gottes.*

Die Plusadressaten:

Abschnitt I:
1. mein Gott, 2. antwortender naher Gott, 3. befreiender Gott, A. auf Gott geworfene Väter und Beter, B. nicht zuschanden werdende Väter und Beter.
Abschnitt II:
1. naher Gott, 2. nicht sterben lassender Gott, A. geretteter Beter, B. nicht verfolgter Beter.
Abschnitt III:
1. erhörender Herr, 2. gottesfürchtige Gemeinde, 2. herrschender König, A. geachtete Arme, B. alle Völker.

Wir wählen als Invarianten für den Plusadressaten[5]:

1. *naher Gott (Frage → Gewißheit),*
2. *erhörend antwortender Herr,*
3. *erlösend herrschender König,*
A. *gerettete(r) Beter/Väter,*
B. *geachtete Arme (Beter/Väter).*

---

tatsächlich ein Vorgang, der den gesamten Text (das Vertrauen immer wieder steigernd) bestimmt. Aus diesem Grund übernehmen wir ins Basismodell die drei Sprechakte, um gleichsam die Kanäle mit anzugeben, durch die hindurch das Vertrauen zum nahen Gott ankommt. – Zur Formulierung des Objektes 4 wäre zu sagen, daß das „auch der Menschen" sich nur auf die Achtung bezieht, während Achtung und Treue zusammengehörige Attribute „Gottes" sind.

3. Die dreifache Verneinung des sich steigernden Sprechaktes zeigt, wie in der Gegenklimax zum Eintrag im Plusmodell (Beziehungssteigerung) nun ein fortschreitender Beziehungsverlust und -abbruch sich vollzieht.

4 Hier und auch im Eintrag 4. erscheint anfangs nicht die Verneinung, sondern die Invariante, die der Text selber realisiert: Es sind also keine nur ergänzten, sondern durchaus im Gebet verwirklichten Größen.

5 Die Aktanten „gottesfürchtige Gemeinde" und „alle Völker" haben wir in den Objektbereich übertragen, nämlich in den beiden Adjektiven „universal" und „gottesfürchtig" in Nr. 3. Einmal können wir den indirekten Adressaten des Lobpreises im Gesamttiefenmodell vernachlässigen (vorherrschend ist ja die Beziehung des Beters zu Gott), zum anderen sind Universalität und Gottesfurcht Größen, die von den Völkern bzw. dem Volk Israel eingefordert und im Sinne des Lobpreises intensiv erwünscht sind. Außerdem scheint es wichtig, auch die soziale Komponente des Lobpreises im Objektbereich vorfindbar zu machen.

Die Adjuvanten:

Sie entstehen – mit einem Seitenblick auf die Gesamtliste aller Adjuvanten (die hier aber nicht aufgeführt zu werden brauchen) – durch konzentrierende Substantivierung der entsprechenden Adressanten- und Adressatenfunktionen. Folgende Invarianten legen sich nahe:

1. a. vertrauendes Rufen und Bitten des Beters/der Väter[6],
   b. Nähe Gottes;
2. a. Erhören des Beters/der Väter,
   b. erhörendes Antworten des Herrn;
3. a. Lobpreisen des Beters/der Gemeinde/des Volkes,
   b. befreiendes Herrschen des Königs;
4.   Achtung des Armen durch Gott und Mensch.

Die Opponenten ergeben sich als die entsprechenden Negationen der Adjuvanten.

3.2   Beschreibung der Tiefenmodelle

3.2.1 Positives und negatives Basistiefenmodell (siehe folgende Seiten)

Die Analysemethode macht die Wunsch- bzw. Angstbeziehung des Beters zum „Gegenstand" deutlich. Letzterer ist als Objekt seiner Sehnsucht eingebettet in die primäre Kommunikation zwischen Beter und Gott und in die sekundäre Kommunikation zwischen Gott bzw. Menschen und dem Beter[7]. Der Beter inszeniert diese Kommunikation um des Objektes willen:

---

6 Durch das Vertrauen werden Rufen und Bitten auf Gott zugebracht. Um die innere Qualität dieser Aktionen auszudrücken, wurde das erklärende „Vertrauen" aus dem Objektbereich entlehnt und in den adressantenbezogenen Adjuvanten hinein ergänzt. Zu Adjuvant 2a/b: Die jewiligen a- und b-Formulierungen korrespondieren miteinander. Hier beispielsweise wird die Erhörung einmal gesehen aus der Perspektive des Beters als des Empfangenden, zum anderen aus der Perspektive des Herrn, der die Erhörung gibt (vgl. Adressant A). Zu Adjuvant 3b: Aus Objekt 1 und 2 haben wir das Adjektiv „befreiendes" in den Adjuvantenbereich hinein abfärben lassen, damit das Herrschen nicht mißverstanden werden kann (vgl. auch Adressant A und Adressat 3). Gott ist der Herrscher „über dem Lobpreis Israels" und gerade als solcher derjenige, der sich in die Tiefen hineinbegibt und dem Menschen und dem Volk nahe ist. Zu Adjuvant 4: Die menschliche Komponente dieser Achtung für den Armen setzt sich zusammen aus der Gemeinde (dem eigenen Volk), aber auch aus den Feinden: Auch sie sollen – über den Lobpreis Gottes vermittelt – dessen Perspektive übernehmen und den Armen achten.

7 So hat Objekt 2 und 4 vor allem Gott als den gewünschten Adressanten (von der Vergangenheit bis hinein in die Zukunft), wobei der Beter freilich die Sehnsucht hat, sich dieser vorgängigen und zukünftigen sekundären Kommunikation zu vergewissern. Die Objekte 1 und 3 haben dominant den Beter selbst zum direkten Adressanten und thematisieren die Beziehungsaufnahme des Beters zu Gott.

Positives Basistiefenmodell des Gesamttextes (Bp):

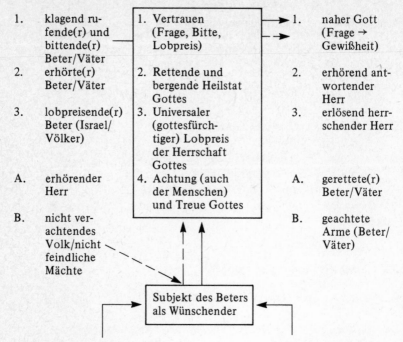

1. klagend rufende(r) und bittende(r) Beter/Väter

2. erhörte(r) Beter/Väter

3. lobpreisende(r) Beter (Israel/ Völker)

A. erhörender Herr

B. nicht verachtendes Volk/nicht feindliche Mächte

1. Vertrauen (Frage, Bitte, Lobpreis)

2. Rettende und bergende Heilstat Gottes

3. Universaler (gottesfürchtiger) Lobpreis der Herrschaft Gottes

4. Achtung (auch der Menschen) und Treue Gottes

1. naher Gott (Frage → Gewißheit)

2. erhörend antwortender Herr

3. erlösend herrschender Herr

A. gerettete(r) Beter/Väter

B. geachtete Arme (Beter/ Väter)

Subjekt des Beters als Wünschender

1. a. vertrauendes Rufen und Bitten des Beters/der Väter
   b. Nähe Gottes

2. a. Erhören des Beters/der Väter
   b. erhörendes Antworten des Herrn

3. a. Lobpreisen des Beters/der Gemeinde/des Volkes

   b. befreiendes Herrschen des Königs

4. Achtung des Armen durch Gott und Mensch

1. a. kein (mißtrauendes) Rufen und Bitten des Beters/der Väter
   b. Nicht-Nähe (Ferne) Gottes

2. a. Nicht-Erhören des Beters/der Väter
   b. nicht erhörendes Antworten (Schweigen) des Herrn

3. a. Nicht-Lobpreisen des Beters/der Gemeinde/ des Volkes

   b. kein befreiendes (unterdrückendes) Herrschen des Königs (Nicht-Herrschen)

4. Verachtung des Armen durch Gott und Mensch

Das negative Basistiefenmodell (Bn):

1. nicht klagend rufende(r) und nicht bittende(r) Beter/Väter	1. kein Vertrauen (Mißtrauen) zu Gott (Nicht-Frage, Nicht-Bitte, Nicht-Lobpreis)	1. nicht naher (ferner) Gott
2. nicht erhörte(r) Beter/Väter	2. Gottverlassenheit keine rettende und bergende Heilstat Gottes (Tod)	2. nicht erhörend antwortender (schweigender) Herr
3. nicht lobpreisende(r) Beter (Israel/ Völker)	3. kein universaler (kein gottesfürchtiger) Lobpreis der Herrschaft Gottes (keine Herrschaft Gottes)	3. nicht erlösend herrschender Herr (nicht herrschender Gott)
A. nicht erhörender Herr	4. Spott und vernichtende Umgebung keine Achtung (auch nicht bei den Menschen) und keine Treue Gottes	A. nicht gerettete(r) (sterbender) Beter/ Väter
B. verachtendes Volk feindliche Mächte		B. verachtete Arme (Beter/ Väter)

Subjekt des Beters als Nicht-Wünschender

1. a. kein (mißtrauendes) Rufen und Bitten des Beters/ der Väter
   b. Nicht-Nähe (Ferne) Gottes
2. a. Nicht-Erhören des Beters/ der Väter
   b. nicht erhörendes Antworten (Schweigen) des Herrn
3. a. Nicht-Lobpreisen des Beters/ der Gemeinde/des Volkes

   b. kein befreiendes (unterdrückendes) Herrschen des Herrn (Nicht-Herrschen)
4. Verachtung des Armen durch Gott und Mensch

1. a. vertrauendes Rufen und Bitten des Beters/der Väter
   b. Nähe Gottes
2. a. Erhören des Beters/der Väter
   b. erhörendes Antworten des Herrn
3. a. Lobpreisen des Beters/ der Gemeinde/des Volkes

   b. befreiendes Herrschen des Herrn
4. Achtung des Armen durch Gott und Mensch

Es ist das Herzstück des ganzen kommunikativen Handlungsspiels (vgl. die gestrichelten Pfeile) und zentriert dessen Faktoren auf sich zu. So ist nicht nur das Objekt für sich gewünscht, sondern mit ihm der gesamte kommunikative Kontext, in dem es steht. Der Psalmist beginnt diese Kommunikation mit seinem Text, indem er die gewünschte Beziehung zu Gott „durchspielt", in der Hoffnung, daß die realisierten semantischen Werte auch auf der pragmatischen Ebene real werden bzw. sich im Sprechen des Textes als solche einstellen.

Ein entscheidendes ersehntes Element der Kommunikation ist der Wunsch, wieder zu Gott *Vertrauen* haben zu können (vgl. Objekt 1). Im Textprozeß selber wird dieses Vertrauen vom Adressanten zunehmend eingebracht. Deshalb macht sich der Beter zum Rufer des als nahe ersehnten Gottes. Das Vertrauen verbindet von vornehrein beide Akteure, überbrückt immer mehr über Frage, Bitte und Lobpreis die Kluft und wird auch im Text selbst thematisch benannt (V. 5-6). Der *Ruf* ist ein *klagender* (vgl. Adressant 1) und bleibt dies auch über *Frage, Bitte* und *Lobpreis* (vgl. Objekt 1, Adressant 3). Der Sprechakt der Klage gehört also tiefenstrukturell zum Aktionskreis des Beters, weil die mit ihm eröffnete *gesamte* Kommunikation sich im Kielwasser der Klage bewegt[8]. Die Einzelsprechakte dieser Gesamtillokution begegnen nun nicht nur beim Adressanten (1 und 3), sondern werden von ihnen in den Objektbereich (1) übertragen. Der Beter ersehnt ja nicht nur irgendwelche Inhalte (z. B. die rettende Heilstat), sondern die Kommunikation des Vertrauens und ihre Sprechaktmöglichkeiten als solche.

In Aktionseinheit mit dem textinternen Beter befinden sich die *Väter* (Adressant 2). Der *nahe Gott* ist – je nach dem Realisationsort (durch entsprechende Varianten) dieses Aktanten (am Anfang des Psalms, in der erinnerten Vätergeschichte oder am Schluß des Textes) entweder noch Frage oder bereits Gewißheit. In Objekt 2 wünscht sich der Psalmist die *rettende und bergende Heilstat*, wie die Väter sie erfahren durften und deren Erinnerung er sich als positives Beispiel in die Gegenwart hinein wünscht. Der dazugehörige Adressat (2) ist der erhörende und antwortende Herr. Auch hier hängt es vom Ort der Varianten ab, ob sie die Erhörung noch als ausgesetzt oder bereits im Zug der Erhörungsgewißheit als bevorstehend oder gar als realisiert signalisieren[9]. Dieser Adressat 2 (erhörend antwortender

---

8 Auch der Adressant 3 (lobpreisende(r) Beter/Gemeinde/Völker) ist nicht nur bezogen auf Objekt 3, sondern auch auf die anderen Sprechakte: Denn auch in der konzentrierten Klage (Abschnitt I) und im Vertrauen zeigt sich indirekt bzw. in anderem „Aggregatzustand" (die Anerkennung) Gottes (vgl. Objekt 1).

9 Mit dieser Spannung zwischen Noch-Frage und Schon-Gewißheit reicht das Minusmodell teilweise in das Plusmodell des Textes hinein, wird aber zunehmend (textsequentiell) abgedrängt. *Dieser* Prozeß *im ganzen* wird als der positiv realisierte Klageakt gesehen (s. u. 6.1.1-1.2).

Herr) setzt nun die vergangene (mit den Vätern) und zukünftige (erhoffte Heilstat) bzw. gegenwärtige (Erhörungsgewißheit) Kommunikation Gottes als Adressanten (A) voraus, der als *erhörender Herr Achtung und Treue* (weiterhin) schenkt und somit den Beter (die Väter) errettet (hat). Als Folge dieser Achtung wünscht sich der Beter natürlich, daß auch das *Volk nicht mehr spottet* und die *Feinde nicht mehr bedrohen* (Adressant B), so daß er auch im sozialen Bereich geachtet ist, und zwar *als Armer* (nicht erst dann, wenn er wieder „reich" geworden ist)[10].

Schließlich sehnt sich der Beter (wieder) danach, in Aktionseinheit mit der Gemeinde und den Völkern, *Gott lobpeisen* zu können (Adressant 3, Objekt 3). Für die Gegenwart und für die Zukunft soll dann diese Beziehung bleiben und sich ausweiten. Alle lädt er dazu ein, sein eigenes Volk und die Völker, und bringt sich damit wieder in ein Beziehungsfeld mit Menschen, vor allem in das soziale Umfeld der Gemeinde, wobei die verbindende Größe der Lobpreis des gleichen Herrn ist, der sich (wieder einmal, wie früher) in seiner erlösenden Herrschaft als Befreier erwiesen hat.

Die Adjuvantenwerte leuchten als Bedingungen der Möglichkeit für diese eben beschriebene Wunschbeziehung und ihre Erfüllung ein. Als erste Voraussetzung gilt, daß der Beter überhaupt *(vertrauend) ruft und klagt,* also Beziehung aufnimmt, und daß Gott tatsächlich *nahe* ist und auch als solcher geglaubt wird (1). Bedingung dafür, an die Möglichkeit der Rettung zu glauben, ist die Erinnerung daran, daß Gott schon einmal durch seine *erhörende Antwort die Väter errettet* hat und daß diese Erinnerung auch in die Situation des Beters hinein real als Erfahrung der Erhörungsgewißheit vergegenwärtigt werden kann (2). Voraussetzungen für den universellen Lobpreis sind der *aktuelle Lobpreis als Gelübde des Beters* und der damit verbundene Appell an Gemeinde und Volk sowie die Erfahrung, daß *Gott als befreiender Herr* gepriesen werden kann (3). Ohne daß schließlich die *Armen geachtet* werden (von Gott und den Menschen), gibt es keine Erfahrung der Treue und *Achtung Gottes* (4).

Die letztere Beobachtung (die Verquickung des Wunsches nach der Achtung vor Gott *und* Mensch) bringt unsere Aufmerksamkeit nochmal auf die Tatsache, daß in diesem Plusmodell der Beter *alles* wünscht: Vertrauen, den erfolgreichen Sprechakt von der Frage zum Lobpreis, die erfolgte rettende Heilstat (als Realität), den universellen Lobpreis, die Achtung und Treue Gottes wie auch der Menschen. Als Adressaten ersehnt er sich einen nahen, erhörenden, bergenden und erlösend herrschenden Gott. Er möchte Nähe Gottes *und* Wohlergehen; die Achtung Gottes und die Achtung der Menschen sind in dieser Idealvorstellung des Plusmodells noch

---

10 Die Armen erscheinen hier sogar im Plusmodell und können deswegen nicht Negativwerte sein. Sie stehen typologisch für alle, die Gott achtet. Diese Achtung ist zutiefst erwünscht.

verbunden. Er will, das ist nur zu natürlich, „alles Gute". Gleichzeitig freilich begegnen im Plusmodell Größen, die in sich die Kraft haben werden,
nicht zu verzweifeln und neue Kommunikation mit Gott aufzunehmen
und zu leben, obwohl das Ideal nicht Realität ist: Es sind dies die Elemente
des Vertrauens, der Erinnerung (an die Väter) und der ungebrochenen
Sehnsucht, Gott begegnen zu wollen (Lobpreis!) und auf seine Treue und
Achtung zu bauen (vgl. Adressant A – Objekt 4 – Adressat A).
Was der Psalmist nicht will, wovor er Angst hat, das alles begegnet im *Minusmodell.*

Darin erfolgt eine totale Negation von aller Beziehung und Hoffnung: kein
Vertrauen, Gottverlassenheit, keine Rettung, kein gegenwärtiges und zukünftiges Lob Gottes, das Gott als Herrn anerkennt, auch keine Begegnung
mehr mit der Gemeinde, keine Vision des „großen Lobpreises" aller und
aller Zeiten mehr. Gott verachtet – genauso wie die Menschen – den Armen, er läßt ihn völlig im Stich, er läßt ihn sterben. Da dieses Modell derartig vom Tod beherrscht ist, haben wir als konträre Ergänzung zur „rettenden Heilstat" (vgl. Plusobjekt 2) unter anderem den Tod dazugeschrieben,
der auch im Text vielfältig direkt oder indirekt apostrophiert wird (vgl.
V. 21). Die Aktanten dieses Modells sind tot bzw. tötend, und ihre Beziehung zueinander ist immer nur die der Negation. In krassem Gegensatz
zum großen Ideal des Plusmodells ist dies der äußerste gegenüberliegende
Pol: der Tod aller Beziehungen mit Gott und mit den Menschen. Dies ist
schließlich der Tod des Beters.
Die Adjuvanten als Voraussetzung dafür, daß diese Negativität eintritt, sind
in ihrer vernichtenden Kraft einleuchtend: das Nicht-Klagen und Schweigen
oder Mißtrauen des Beters sowie die objektive und subjektiv erfahrene
Ferne Gottes, der Ausfall der Erinnerung an einen Gott, der sich schon
einmal als der erhörende gezeigt hat: Er ist also der Schweigende; die Verweigerung des Beters, den Lobpreis Gottes anzustimmen und dazu einzuladen, eben weil der Herr nicht erlösend herrscht, schließlich die Erfahrung, von Gott und der Welt verachtet zu sein. Kein Ausweg bleibt mehr
aus dem Spott, der Verfolgung und der Gottverlassenheit, denn die Wege
sind dazu verbaut: das Vertrauen, die Erinnerung und die Hoffnung.

Das negative Tiefenmodell malt also den extremst möglichen Endpunkt
menschlicher Not und Verzweiflung „an die Wand". Der „Beter" steht in
völliger Isolation und Verlorenheit. Damit zeichnet das Minusmodell die
extreme Gefahr aus, die in jeder Notsituation des Menschen liegt: nämlich
daß sie zum verlängerten Arm des Todes wird und Lebenskraft abzieht bis
hin zum Ende. Diese Gefahr wittert der Beter. Um ihr zu entgehen, stemmt
er sich gegen dieses Chaos im Sprechakt der Klage, der versucht, zwischen
diesen beiden Welten von idealem Plusmodell und absolut negativem Minusmodell durchzuhalten und das Leben zu erhalten. So stößt er sich im
Sprechakt der Klage ab von dieser Minuswelt und damit in Richtung auf
die ersehnte Welt zu: eine Welt des Vertrauens, der Gottes- und Menschen-

beziehung. Diese Begegnung zwischen den zwei Welten läßt die energische Anstrengung ahnen, die hinter diesem Text, seinen Inhalten und seinem Sprechakt steht.

3.2.2 Das Tiefenmodell des realisierten Textes

Nun darf freilich die auf mittlerer tiefenstruktureller Ebene gemachte sukzessive Beobachtung, daß das Plusmodell des Abschnittes III mit dem verbalisierten (also semantisch realisierten) Text identisch ist, nicht darüber hinwegtäuschen, daß dies in den Abschnitten I und II nicht der Fall war. Dort war, wenn auch abnehmend, die Diastase zwischen aufgedrängter Noterfahrung und erwarteter Heilserfahrung, zwischen Gottes Ferne und Gottes Nähe beherrschend. Als Prozeß könnte man dies in folgender Graphik veranschaulichen:

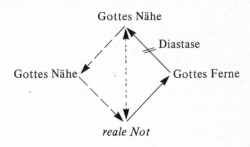

Realer Ausgangspunkt des Klagegebets ist die *tatsächliche Noterfahrung*. Sie wird nun in der Spiritualität des Beters als Diastase zwischen der geglaubten Nähe und der erlebten Ferne Gottes erfahren (vgl. durchgezogene Linien). Im Verlauf des Betens nun wird diese Unvereinbarkeit von Gottes Nähe *und* Noterfahrung immer geringer, bis der Prozeß schließlich in der Vergewisserung der Nähe Gottes landet (Abschnitt III, im Lobpreis). Dabei kann die reale Not weiterbestehen (vgl. gestrichelte Linien). Entscheidend ist das neugewonnene Verhältnis zu dem in der Not nahe geglaubten Gott. Die *reale* Diastase zwischen Not bei den Menschen auf der einen und dem geglaubten Heil bei Gott auf der anderen Seite bleibt bestehen. Im Gebetsbewußtsein des Beters jedoch hat eine „Versöhnung" beider Größen stattgefunden, dergestalt daß Gottes Nähe nun auch in der Not vergewissert ist (vgl. gepunktete Linie). Überspitzt formuliert: Die „objektive" Realität ist die gleiche geblieben, die „subjektive" (nicht weniger wirkliche, weil auf die Wirklichkeit Gottes bauende) Perspektive hat sich dahingehend verändert, daß sie an den Realitäten nicht zerbricht, sondern sie mit den realen Beziehungselementen des Vertrauens und der Hoffnung durchsteht. Mit einem Wort von J. Moltmann formuliert: „Wer Hoffnung hat, wird fähig, die Welt auszuhalten"[11].

Diese Spannung sowohl zwischen weitergehender Realität (gleichgültig, ob nun sich die Notsituation augenblicklich geändert hat: Sie *war* und droht im menschlichen Leben immer wieder zu kommen[12]) und der Heilsverheißung Gottes auf der einen Seite wie auch zwischen dem Textanfang der Diastaseerfahrung und dem Textschluß der Begegnungserfahrung auf der anderen Seite führt freilich dazu, daß das ideale Plusmodell nicht in seiner vollen Form im Text als Wirklichkeit verbalisiert werden kann.

Der realisierte Text Ps 22 bewegt sich vielmehr zwischen den Modellen und beinhaltet auch Elemente aus der Minuswelt, die der Text auch nicht in Abschnitt III zurücknimmt. Die Erfahrung der Not wie auch der Gottverlassenheit wird nirgends verschwiegen: weder die (zeitweise) erlebte Nicht-Erhörung, noch der als fern erlebte Adressat des Gebets, noch sein Schweigen, noch die Verachtung und Bedrohung der Spötter bzw. Feinde (die als Verachtung Gottes befürchtet werden), noch die lange ausstehende Rettung. Solche Erfahrungen werden nicht negiert, sondern vielmehr in eine neue Gottesbeziehung integriert.

All diese Aktanten bleiben als Strukturelemente des Minusmodells im Tiefenmodell des realisierten Textes stehen und kommen *dort in Spannung* zu einer Reihe von Plusaktanten. Wie es sich der Beter wünscht, geht es nicht, jedenfalls nicht ganz. So gelangt er im Gebet nicht einfach nach dem bisherigen Unangefochtensein wieder zurück — als wäre nichts geschehen — in die gleiche Unangefochtenheit. Diese Regression bzw. Verdrängung bleibt ihm verwehrt. Nach den Erfahrungen der Negation ist eine solche Harmonie nicht mehr möglich, gleichgültig, wie die Erhörung bzw. ihre Gewißheit ausschaut. Bei aller Erinnerung an das Heil der Väter und die gegenwärtige Erhörung bleibt auch die Erinnerung an die Erfahrung der Not und der Schwierigkeiten, diese mit Gott in Verbindung zu bringen. Was die Väter erlebt hatten, hat er jetzt auch erleben müssen. Und alle Nachbeter des Psalmes werden das gleiche erleben: Der Glaube an Gott hält die Not nicht ferne! Der Text ist ein verbalisierter Anlauf im Bereich der Spiritualität zu diesem Lernprozeß.

Auf der anderen Seite wird Entscheidendes, was der Beter im Minusmodell nicht will, auch tatsächlich im realisierten Text (entsprechend dem Plusmodell) wunschgemäß erreicht: So bringt der Text das Vertrauen zu Gott, obwohl er ferne scheint, und vertieft diese Beziehung bis hin zum Lobpreis.

---

11 Vgl. Moltmann 7/1968, 204.
12 Daß die Not da war, ist jedenfalls genug Grund zur Anfrage an den Gott, der das Heil will. Grundsätzlich sind nämlich Erfahrungen (ob positiver oder negativer Art) nicht negierbar (und damit nicht diskutierbar), höchstens verdrängbar; vgl. Laing 1969, 11 ff., 19 f., 86, 130.

Er erfährt in „irgendeiner Weise" die rettende Heilstat und findet neue Geborgenheit in Gott. Er kommt dazu, Gott zu achten und daran zu glauben, daß Gott ihn, gerade in dieser Situation, achtet. Bei alledem bleibt das Faktum (der temporären bzw. durativen) Noterfahrung.

Betrachten wir nun das Tiefenmodell des realisierten Textes[13], das sich zwischen dem Ideal-Ersehnten und dem Total-Abgewehrten bewegt (siehe folgende Seite)!

In ihm tritt eine eigenartige Spannung hervor: Negative Erfahrungen stehen gegen positive, Erwünschtes begegnet neben Unerwünschtem. Dies schlägt sich auch darin nieder, daß Opponenten gegen entsprechende Adjuvanten auftreten. Der Text ist widersprüchlich, wenn man ihn nicht als eine Sequenz betrachtet, dessen Endphase die Anfangsphasen annulliert, sondern wenn man alle seine realisierten Werte ernst nimmt und in ihren Repräsentanzen in die Gleichzeitigkeit des Tiefenmodells bringt. Es fehlt auf eigenartige Weise in diesem Basismodell des Textes ein Stück „logiko-semantische" Kohärenz, wie man sie von allen argumentativ durchdachten Texten einfordern müßte, nach dem Motto: Das Gegenteil von der Wahrheit kann nicht ebenfalls wahr sein[14].

Hier scheinen vielmehr Texte infrage zu kommen, die eine ausgeprägte und *direkte Dialogstruktur in einer offenen interpersonalen Beziehung haben.* Zwischenmenschliche Begegnung ist immer geprägt (und lebt auch davon) von der *Spannung zwischen Distanz und Nähe, zwischen Geheimnis und Kenntnis, zwischen Angst und Vertrauen.* Dies ist natürlich besonders dann der Fall, wenn es sich *um Krisen- und Konfliktgespräche* handelt. In dieser

---

13 In Modifikation zu den bisher exerzierten Anwendungsmöglichkeiten der durchgeführten strukturanalytischen Methode (vgl. Fuchs 1978 a und b) erscheint hier eine neue Funktion: Die Arbeit mit ihr schafft eine hermeneutische Kraft, die in bestimmten Texten die extreme Wunsch- und Idealwelt, aber auch die extreme abgewehrte und gefürchtete Welt entdeckt und darüber hinaus aufzeigt, wie ein Text *zwischen* diesen beiden versucht, die *Realität zu bewältigen, ohne die Idee aufzugeben.* In der textintern durchgespielten Wirksamkeit des Ideals *in* der Realität zeigt sich die sich abarbeitende Energie, die weder die Realität noch die möglichen Innovationen verdrängt. Methodisch gibt es dabei keinen anderen Weg, die Wertwelt des realisierten Textes in ihrem Kontrast sowohl zur idealbesten wie auch zur realschlechtesten Welt herauszufiltern und im entsprechenden Profil nachprüfbar darzustellen, als eben diese beiden extremen Basismodelle zu erstellen und von ihnen her die im Text realisierten Werte in das realisierte Gesamtbasismodell des Textes einzubringen. Wenn eben von „bestimmten Texten" die Rede war, so vermuten wir, daß beispielsweise argumentative (also in sich logisch kohärente) Texte einer solchen Untersuchung nicht unterzogen werden können, weil bei ihnen das Ziel der Argumentation bzw. der Persuasion identisch ist mit dem favorisierten Wert-Plusmodell. Außerdem sind sie gerade auf Vermeidung von Widersprüchlichkeit aus- und angewiesen. Nur selten werden die Gegensätze in solcher Bipolarität ausgehalten; vgl. Fuchs 1978 a, 96 ff.; vgl. die Antithesenanalyse 289 f. mit der unseres Psalmes s. u. 3.3; vgl. a.a.O., 156 f.

14 Vgl. zum Begriff der „Logiko-Semantik" und zur Widerspruchslosigkeit persuasiver Texte Fuchs 1978 a, 70-75/104-111.

Das Basismodell des realisierten Textes (Br):

1. *klagend* rufende(r) und bittende(r) Beter und Väter ————

2. erhörte(r) Väter und Beter *unerhörter Beter*

3. Lobpreisende(r) Beter/ Völker

A. erhörender Herr *nicht erhörender Herr*

B. *verachtendes Volk feindliche Mächte* (nicht verachtendes weil mit dem Beter lobpreisendes Volk)

---

1. Vertrauen auf Gott (Frage, Bitte, Lobpreis) ——► 1. naher Gott *ferner Gott*

2. *Gottverlassenheit keine rettende Heilstat* rettende und bergende Heilstat Gottes ——► 2. erhörend antwortender Herr *schweigender Herr*

3. universaler (gottesfürchtiger) Lobpreis Gottes — 3. erlösend herrschender Herr

4. *Spott und vernichtende Umgebung (der Menschen) (Todesnähe)* Achtung (auch der Menschen) und Treue Gottes — A. gerettete(r) Beter/Väter *(noch) nicht geretteter Beter*

B. verachtete *Arme* geachtete Arme

Subjekt des Beters als Sprechender

---

1. a. *klagendes* (vertrauendes) Rufen und Bitten der Väter und des Beters
   b. Nähe Gottes
2. a. Erhören der Väter und des Beters
   b. erhörendes Antworten Gottes
3. a. Lobpreisen des Beters/ der Gemeinde/der Völker
   b. befreiendes Herrschen des Herrn
4. Achtung des Armen

1. a. —

   b. *Ferne Gottes*
2. a. *Nicht-Erhören des Beters*
   b. *Schweigen Gottes*
3. a. —

   b. *(nicht befreiendes Herrschen des Herrn)*
4. *Verachtung des Armen*

Textsorte ist auch das Gespräch der Klage einzuordnen. Hier geht es kaum darum, menschliche Wirklichkeit zu systematisieren, sondern darum, im Spannungsfeld von Gegensätzen das Leben zu bewältigen. Widersprüche also sind eine Kategorie der Begegnung. Unter der Perspektive unserer Antitheseneinteilung[15] kann man insgesamt von einem konzentrisch einschließenden Gegensatz sprechen, die gleichzeitig Gegensätzliches hinsichtlich der gleichen Referenzen behauptet (Gott erhört und erhört nicht, er ist fern und nahe usw.).

Dieses Analyseergebnis ist höchst beachtlich und verlangt eine Erklärung, will der Text nicht unsinnig erscheinen. Zunächst liegt die Erklärung nicht darin, die eben erwähnte Gleichzeitigkeit nicht gelten zu lassen, denn letztere legt nur nahe, was die Textpragmatik des Oberflächentextes ohnehin einfordert: Auch der realisierte Text hat eine relative Gleichzeitigkeit, die darin zu suchen ist, daß er in einer bestimmten zur Textproduktion (realen bzw. von einem Dichter empatisch gedachten) synchronen Notsituation angesiedelt ist[16]. Dieser situative Kontext bestimmt auch seine Gattung[17]. Als Klagepsalm ist er gattungskritisch zu orten und in der Voraussetzungssituation der Not, die während des Gebetsverlaufs kaum radikal geändert wird, jedenfalls in der Regel nicht, sofern kein Wunder passiert. Abschnitt III kann Abschnitt I gar nicht aufheben, weil es ersteren ohne den letzteren gar nicht gäbe. Nur der in Not befindliche Gläubige wird den Psalm beginnen und sich in seiner Eingangsphase wiederfinden[18]. Er läßt sich dann vom Folgetext leiten und kommt so – im *Widerspruch* zur bisherigen Perspektive bzw. drohenden Sicht der Dinge – zu einer *innovativen* Sicht seiner Situation. Die Innovation ereignet sich aus dem lebendigen Gebetsprozeß, dem Dialog zwischen Mensch und Gott.

---

15 Zu den Antithesenkategorien vgl. ders. 29-40, s. u. 3.3; Zur Korrespondenz von Klage und Konflikt – bzw. Krisenbegegnung vgl. Teil III der Untersuchung in einer künftigen zweiten Publikation zum Thema.
16 Sicher kann man für die Phasen des Klagens, wie sie in Ps 22 gerafft sind, einen längeren psychologischen Prozeß annehmen, so daß der dritte Teil erst fällig wäre, wenn die Rettung erlebt sei. Aber dies ist hier nicht die Lösung, weil es sich um einen theologisch-reflektierten Text handelt (der freilich psychologisch in unterschiedlicher Zeit nachvollzogen werden kann und muß). Außerdem bleibt dann immer noch die gattungskritische Aporie, daß der Text eine Einheit bildet, die mit der klagenden Frage startet und somit auch die entsprechende Situation voraussetzt (s. u. 5.1.2).
17 Zum Gattungsbegriff vgl. Egger 1979, 195 f.; Fuchs 1978 a, 130 f.: Die Intention innerhalb der Illokution eines Sprechaktes entspricht der Absicht des Sprechers, die Konvention in der Illokution entspricht dabei der kontextspezifischen Situation, in der die Intention zum Tragen kommt und verstanden wird. Die Konventionalisierung der Sprechakte korrespondiert also mit dem Gattungsbegriff in der historisch-kritischen Exegese (s. u. 5.1.1-1.2).
18 Zu leugnen, daß die Not der gattungsgemäße Ausgangspunkt der Klage sei, hieße die entsscheidende pragmatisch-semantische Funktion der Eingangsphase nicht gebührend beachten. Allein von ihr her ist dieser Text auf keinen Fall der Gattung des Dank- bzw. Lobliedes zuzuordnen. Diese letztere Gattung freilich setzt die erfolgte Rettung voraus (s. u. 5.1.2). Ein markanter Beleg für dieses rezeptionsästhetische Argument ist die Eingangsphase des Psalms im Munde Jesu.

In diesem rezeptionsästhetisch-pragmatischen Rahmen hat der potentielle Beter zwei Möglichkeiten: Er kann entweder aussteigen aus dem Text, ihn gleichsam wegwerfen, oder er kann ihn weitergehen. Dies gilt aber auch im Grunde für die Entstehungssituation des Textes für den „ersten Beter": ob er nun überhaupt aufhört zu sprechen und somit den Text nicht zustandekommen läßt oder aber weiterspricht in Richtung auf Gott zu und so der drohenden Gefahr entkommt, im Minusmodell zu versinken und der Sogkraft der Realität (hier die Not) psychisch und spirituell zu verfallen. Ps 22 rettet nicht die reale Situation (so erwünscht dies sein mag), will man nicht auf (zwar mögliche, aber nicht kalkulierbare) Mirakel replizieren. Dies ist ja das Elend der Klage: Gott greift nicht wie erwünscht ein. Gottes Verheißungen erfüllen sich offensichtlich anders, als die Menschen sich dies ausmalen möchten.

Die Erklärung, die hier zutrifft, erscheint auf den ersten Blick verblüffend einfach, doch bringt sie Zentrales und Entscheidendes ins Bewußtsein: Der Beter lernt, *gleichzeitig mit der Not* und durch sie bewegt auf *Gott zuzugehen und ihn „zu loben"*, ihn also weiterhin als *für den Menschen heilvollen Gott anzuerkennen*. Dies ist zugegebenermaßen ein *Paradox*, doch bündelt sich in ihm das Paradox des jüdisch-christlichen Glaubens überhaupt. Das Tiefenmodell des realisierten Textes führt zum Kern der biblischen Gottesbegegnung in ihrem Höhepunkt, der erst im Laufe der „Heilsgeschichte" mühevoll erlebt und erkannt wurde. Daß es die Klage ist, die dieses Paradoxon im Gebet zum Ausdruck bringt, macht diesen Sprechakt nicht nur wichtig, sondern wesentlich für jüdisch-christlichen Glauben. Was in dem Psalm an menschlich-spiritueller Erfahrung und Geschichte vorliegt, redupliziert sich in jeder Biographie (von einzelnen, Gruppen, Gemeinschaften usw.): Wer an den guten Gott glaubt, hat es nicht notwendigerweise (deswegen) gut! Wer das Gefallen Gottes hat, muß nicht Menschen gefallen! Wer nicht von Menschen geachtet wird, muß nicht auch von Gott verachtet sein usw. Zum Glauben an Jahwe gehört (auch auf kollektiver Ebene in Israel spätestens seit der Exilerfahrung) beides: Vertrauen auf Gott *und* die Möglichkeit der Not, ja des Todes[19].

Was der (erste und jeder weitere) Beter des Psalms 22 lernt, ist: beten zu einem Gott, der nahe *und* fern ist, offenbar *und* verborgen, rettend *und* sterben lassend, antwortend *und* schweigend, achtend *und* verlassend. Der naive Gottes-(Aber)glaube, der Gott als Hampelmann und Demiurgen der eigenen Wünsche ansieht und verwendet, zeigt nicht den biblischen Gott. Dieser ist der freie Partner zum Menschen, nicht berechen- und kalkulierbar. Die mythologische Fixierung von Gottesgefallen und Wohlergehen, von Gottmißfallen und Not, von Gottesferne und Unheilerfahrung bricht der Psalm durch die *Verbindung zunächst als unverbindbar erscheinender*

---

19 Vgl. Mosis Art. 1979; Kellermann Art. 1980; s. u. 5.2.-3.

Größen auf. Er schafft dies mit der *Gleichzeitigkeit* gegensätzlicher Akteure (am Oberflächentext s. u. 3.3) sowie gegensätzlicher Aktanten (im realisierten Basismodell) in *einem* Gebetstext. Dadurch wird der Raum geöffnet für eine neue, durch die *Krise* hindurchgegangene Gottesbeziehung, der auch ein neues Gottesbild entspricht. In der durchgemachten Krisis — wie sie der Ps 22 vorzeigt — liegen Keim und Chance der *Innovation bisheriger Gottesbeziehung* durch ein neues Vertrauen, das nicht mehr von den Verhältnissen abhängig ist, aber sehr wohl in Auseinandersetzung mit ihnen mit der Klage in die Krise mit Gott hinein- und durch sie „erfolgreich" hindurchführt. Dies scheint die entscheidende Struktur jüdischer Klage auf ihrem höchsten Niveau zu sein, wo sie in einem überraschenden Maß theologisch reflektiert sich ehrlich mit der Realität der Not und zugleich mit dem Glauben an Gott auseinandersetzt (s. u. 5.2-3).

Ps 22 kann so als *Konfliktgespräch* mit Gott verstanden werden, initiiert durch eine reale Notsituation, die eine Krise des Glaubens und Vertrauens „spontan" heraufbeschwört[20]. Damit sind wir beim kommunikativen Strukturkern der Klage angelangt: Überwunden wird nicht notwendigerweise die reale Not (das kann sein), überwunden wird primär die drohende Trennung von Gott, seine Ferne, sein drohendes „Nicht-mehr-hörender-Partner-Sein". Der Grund des Verlassenheitsgefühls bleibt womöglich bestehen, die Verbindung aber von Verlassenheit und Not wird aufgelöst. So steht jetzt die Nähe Gottes nahe der Not, und das durch die Not provozierte Gefühl der Gottverlassenheit ist einer intensiven Gottbegegnung gewichen. In einer „unmöglichen" Realität ist Gott wieder „möglich" geworden. Beide werden zutiefst ernst genommen und dennoch miteinander vermittelt: Not und Gott, Wirklichkeitserfahrung und Glaubensphantasie, Realität und Traum. Im „Zwischen" dieser „Eckwerte" bewegt sich ehrliches menschliches Leben, das weder menschliche Not (in jeder Hinsicht) noch (neutestamentlich formuliert) den Traum vom Reich Gottes aus dem Blick

---

20 Der unmittelbaren Reaktion eines Menschen aus der Not heraus wird der poetisch und theologisch durchgeformte Text gleichwohl durch seine ebenso einfachen wie prägnanten und starken Wörter gerecht, die konnotativ kräftig aufgeladen sind. Der individuelle Beter ist dazu eingeladen, diese Wörter mit seinen eigenen Assoziationen zu füllen und sich so im Nachbeten des Textes darin wiederzufinden. So spricht der Text den Beter vor allem in der Anfangsphase an, um ihn in der Form der Frage wie auch in der Form der Schlüsselwörter ein tiefgehendes Identifikationsangebot zu machen, dergestalt daß kaum irgendeine Not sich hier nicht auf Gott ausgesprochen fühlen könnte. Die Schlüsselwörter haben demnach in Kombination mit ihrem rhetorisch-poetischen Kontext eine beträchtliche Sogkraft, den konkreten Beter mit seiner Situation aufzufangen, in den Textprozeß hineinzubündeln und weiterzuführen, so daß er nicht nur durch einen Überschwall von Notschilderung seine Situation widergespiegelt bekommt, sondern daß er im Textverlauf dem Chaos entrissen wird. Zum Begriff der Konnotation im Zusammenhang mit der emotionalen Aufladung von Wörtern vgl. Fuchs 1978 a, 48 ff., 51, 61, 65/6, 116; 1978 b, 28 ff.

verliert, sondern beides aufeinander zubringt und sich in diesem Zwischenfeld abarbeitet. Wer auf dieser Ebene sein Leben ansiedelt, für den wird der Sprechakt der Klage immer wieder akut und not-wendig.

Das Erlebnis der Not *als* Gottverlassenheit war offensichtlich zu eingang des Gebetes ein emotionaler „Interpretationsfehler" des Psalmisten, ein Mißverständnis, dessen Grundargumentation V. 9 repräsentiert. Dieses Mißverständnis wird im Prozeß des Betens durch die Erfahrung des horchenden Gottes revidiert. Schmerzhaft wird dem Beter klar, daß das, was er alles wünscht (Wohlfahrt und Nähe Gottes), das Ideal und die Vollform des Heiles ist, die erst die Zukunft einlösen wird[21]. Dabei muß gar nicht geklärt sein, woher Not, Spott und Verfolgung kommen: ob dies zufällig einbrechendes Unheil (z. B. Krankheit), verschuldetes Leid (durch eigene oder Fremder Bosheit und Machtsucht) oder ob es im Sinn des prophetischen Leidens durch den Gehorsam für den göttlichen Willen provoziert ist. Die Frage nach dem Woher scheint zunächst zweitrangig und wird nicht thematisiert. Jedenfalls ist es eine Not, die vom Beter nicht mehr in seinem bisherigen Gottesglauben eingeordnet werden kann, die demnach alle Erklärungsmöglichkeiten übersteigt (auch die Erklärung von Schuld und Strafe).
Die bisherige gehegte Vertrauensvermutung Gott gegenüber ist durch eine enttäuschte Erwartung erschüttert. Um dieses Vertrauen als Ermöglichung weiterer Beziehung zu Gott geht es in der Klage zu ihm, indem sich der Psalmist weiterführen läßt von der Frage über die Bitte zum Lob, also zur Anerkennung und Achtung seiner Nähe *und* Unerklärbarkeit und Verborgenheit. Dafür spricht auch die Beobachtung, daß die in Br entscheidenden Aktanten, die Vertrauen und Beziehung zum Inhalt haben, voll und ohne gegnerische Negation realisiert werden: Vertrauen (Frage, Bitte), Lobpreis, Achtung und Treue Gottes, der erlösend herrschende Herr (soweit auf den Lobpreis bezogen). Diese Werte sind es denn auch, die die anderen Gegensätze tatsächlich aufrecht erhalten (Ferne und Nähe Gottes) und nicht abgleiten lassen in die Eindimensionalität der drohenden Minuswelt (Bn), in das Chaos oder in die Verdrängung der Realität, die die Ferne Gottes wirklich spüren läßt.

Das ist also, was „unter dem Strich" unwidersprochen aus dem Plusmodell im Realmodell „überlebt": die Dimension der Beziehung zu Gott, mitten aus der Not heraus (auch aus der Negation und im Widerspruch zur bisherigen Real- und Glaubenserfahrung heraus) den Dialog aufzunehmen in Frage, Bitte und Anerkennung. Das ist die Klage, die aus dem Leid heraus auf Gott zugeht und ihn als Hörenden sucht und glaubt. Sie hat ihren Ort in der Schmerzanfälligkeit und Zärtlichkeit des Menschen, dessen Augen weder blind sind für die reale menschliche Not noch für die idealen Verhei-

---

21 Zum Mißverständnismotiv vgl. interessanterweise das ähnliche Motiv im „Messiasgeheimnis" bei Markus (vgl. Teil II der Untersuchung). Zur Nähe des Psalms zur Apokalyptik vgl. Stolz Art. 1980 a; Gese Art. 1968; zur Realität des hiesigen Äons vgl. Röm 8.

ßungen aus dem Munde Gottes. Denn wer einmal sich in die Phantasie hineinbegeben hat, die Gott vom Menschen hat, der wird unendlich verwundbar an der unvollkommenen not- und schuldvollen Realität des Menschen. Kerngeschehen ist das Vertrauen, das Gott (wieder) heilende Nähe zutraut, obwohl sie nicht als solche in der Situation als Heil erfahrbar ist, und ihn ansonsten das Geheimnis läßt, warum dies so ist! Die Antwort wird nicht gegeben[22].

Im gleichen Zug verzichtet der Psalm auf jeden Versuch systematischer Einordnung des Leidens in irgendwelche parat liegende Theologumena (z. B. Strafe, Züchtigung, Läuterung, Prüfung, irgendwelche pädagogische Ziele Gottes usw.). Die einzige Lösung und Erlösung des Problems ist die Beziehungsaufnahme des Klagenden mit Gott. Diese ändert (zunächst) nichts, verdrängt nichts, läßt aber das Wichtigste entstehen: neues Vertrauen für die Anerkennung Gottes und neue Offenheit für die Gemeinde im gemeinsamen Lobpreis. Die Isolation wird auf Gott und die Menschen zu gesprengt und zugleich geöffnet für eine neue Zukunft der Beziehung zu Gott und Mensch (vgl. Lobgelübde, s. u. 4.2.3 (2)).

Das ist die rettende Heilstat, die im Nachbeten des Psalmes mit dem Beter geschieht: Der angesprochene Partner des Gebetes hat das heilende Werk wirklich getan. Dies geschieht zuerst im Glaubensimpetus des Beters, nicht zuerst als beglaubigendes Faktum für seinen „Glauben". Selbst letzteres nutzt nichts, wenn ersterer nicht vorhanden ist. Die einmal erfahrene Not hätte dann das Vertrauen nicht auf eine neue Qualitätsebene gehoben. Es bliebe die Gefahr, daß die erfahrene Not (auch wenn sie jetzt vorbei ist) das bisherige Vertrauen in der Folgezeit anknackst, denn immer noch bleibt die Frage: Warum hat er mich eigentlich in Not geraten lassen? Die Chance der Leidenserinnerung, mit Gott eine neue Beziehung aufzutun, wäre vertan[23].

---

22 Die Frage, die der Psalm offen läßt, wird auch bei Markus nicht beantwortet. Er bzw. seine Tradition nimmt vielmehr den Psalm als Interpretationsmodell für das Schicksal Jesu: Damit liegt der Sinn des Erlösungswerkes Jesu nicht in der Beantwortung der Frage nach dem Leid, sondern in der Bewältigung des (gerade um des Guten willen riskierten) Leides aus der Beziehung zu Gott heraus, der sich mit den Leidenden und Klagenden solidarisch erklärt (vgl. Röm 8, 20 f.). Auch in Jesus also verweigert Gott die Antwort auf diese Frage, schenkt allerdings das Entscheidende: sein Angebot, ihm als den Anwalt des Armen zu begegnen (vgl. Teil II).

23 Natürlich hat auch jede Situation des Dankes und jedes aus solcher Situation herauskommende Dankgebet die große Chance, mit Gott in Beziehung zu kommen. Wir wollen uns hier schon hüten, eine Leidensmystik aufzubauen, die nur aus der Noterfahrung heraus intensivere Gottesbegegnung für möglich hielte. – Zu den Ergebnissen unserer Analyse und deren Interpretation findet sich neuerdings eine überraschend klare Bestätigung in dem Art. von Stolz über den Ps 22: vgl. Art. 1980,

3.3 Beschreibung der Antithesen

Ausschlaggebend für unsere Analyse sind zunächst die tiefenstrukturellen Basismodelle des Psalmtextes sowie die darin aufgehobenen Gegensätze und Sprechakte. Interessant ist nun aber auch die Betrachtung der Antithesen an der Textoberfläche[24], in denen die dem ganzen Text zugrundeliegende gegensätzliche Wertstruktur zum poetisch-rhetorischen Vorschein kommt. Sie bestätigen — sind sie substantiell, also relativ deckungsgleich mit den Gegensätzen in den Strukturlisten und den Tiefenmodellen, und dies ist bei einem so poetisch geformten und gebündelten Text auf einem derart hohen Reflexionsniveau nicht anders zu erwarten — diese Polaritäten auf der Tiefenebene und verdichten sie an der Textoberfläche[25]. Wir vermuten also, daß sich in ihnen die wesentliche Kommunikationsstruktur, wie sie in den Tiefenmodellen zum Ausdruck kommt, in das rhetorisch-poetische Profil des Textes durchdrückt und somit an Plastizität gewinnt. Außerdem wird uns die Beschreibung der Antithesen auch dabei behilflich sein, am Schluß den Gesamtsprechakt zu bestimmen. Die Form der Antithesen wird uns darüberhinaus einigen Aufschluß geben über die Offenheit und die Grenzziehungen, die der Text mit den wichtigsten Wortwerten (denn diese sind es, die in der Regel abzugrenzen sind) anstellt. Antithesen basieren auf konträren und kontradiktorischen verbalen Gegensätzen, die sich auch (die Satzebene übersteigend) über ganze Textpassagen verteilen können[26].

1) Der Gegensatz *fern vs. nah* (= nicht fern): *Mein Gott . . . warum . . . bist (du) fern meinem Schreien . . .* (V. 2), vs. *sei mir nicht fern, denn die Not ist nahe/du aber, Herr, halte dich nicht fern . . . eil mir zu Hilfe* (V. 2 vs. V. 12 und 20)[27].
Dieser Gegensatz zieht sich durch den ganzen Text. In V. 2 ist er die Beschreibung der Realität, die der Beter Gott in seiner Notsituation erfährt.

---

24 Wir haben die Antithesen nicht bereits bei der Abschnittbehandlung betrachtet, weil sie sich über den gesamten Psalmtext erstrecken. Zur Klassifizierung der Antithesen vgl. Fuchs 1978 a, 36 ff.
25 Zum Verhältnis von substantieller und akzidenteller Antithese vgl. a.a.O., 41 f., 153 f. Zur Bedeutung des Gegensatzes bei den Psalmen, besonders in Ps 22 vgl. Ridderbos 1972, 187, 52 ff. Zur poetischen Formung vgl. Schmidt 1979, 298 f. Zur Bedeutung der Antithese und dialektischen Negation im biblisch-hebräischen Sprachdenken vgl. Alonso-Schökel 1971, 282-306.
26 Zum Verständnis konträrer und kontradiktorischer Gegensätze vgl. Fuchs 1978 a, 34 f. Wir können hier natürlich die Oberflächenstruktur und die entsprechenden Antithesen nicht erschöpfend behandeln, sondern wollen nur ins Auge fassen, was für unsere bisherigen Beobachtungen wichtig ist. Im übrigen hat dieses Kapitel hier nur einen zu den anderen Kapiteln ergänzenden Charakter.
27 Daß dieser Gegensatz substantiell ist, zeigt auch die Tatsache, daß seine Werte in den Beziehungsfiguren der Tiefenmodelle vorkommen. Auch nach Ridderbos ist das Wort „fern" das Schlüsselwort des Textes, vgl. 1972, 188 f., s. u. 4.2.1.

Freilich ist dieses „Fernsein" die Initiative zur Frage: „Warum"? Hier ist bereits als *verdeckte Antithese* enthalten, was später im Text begegnet: Auf „ferne" ist „nahe" zu assoziieren. Paraphrasiert lautet dies: „Warum bist zu ferne und nicht nahe?" Damit haben wir eine *ausschließende, konzentrische* Antithese. Beide Qualifikationen beziehen sich auf Gott, die eine wird ihm zu-, die gegensätzliche abgesprochen. In V. 12 taucht das Wort „ferne" wieder auf, im Vergleich mit V. 2 aber nicht in einem Indikativ, sondern in einer Bitte: ‚Sei nicht fern (sondern nahe', so könnte man die verdeckte Antithese zu einer offenen paraphrasieren). Damit haben wir es ebenfalls mit einer *ausschließenden, konzentrischen* Antithese zu tun, aber diesmal mit umgekehrten Werten. Im Imperativ wird Gott als der angesprochen, der nahe werden soll und kann, dem dies der Beter trotz der Situation der nahen Not zutraut.

Es ist ein poetisches Meisterstück, die beklagte Ferne und erwünschte Nähe Gottes mit der Nähe der Not korrespondieren zu lassen. Wir haben hier eine *offene ausschließende, bizentrische* Antithese: Gott soll nicht fern sein, wo die Not nahe ist. Die modal-syntaktische Tendenz (Imperativ) geht freilich in Richtung auf eine beide aufeinanderzubewegende bizentrische Nicht-Antithese (= Similarität): Sei nahe, weil die Not nahe ist. Oder – aus der Perspektive der Nähe – eine *einschließende, bizentrische* Antithese: Nähe Gottes *und* der Not. Die Bittform ist dafür offen, im Wertbereich der Nähe Gott und Not miteinander zu vermitteln und zu überbrücken (gegen V. 9). Sicher besteht die Erwartung, daß die Nähe Gottes dann auch die Not ferne macht; dies ergäbe eine *ausschließende, bizentrische* Antithese (Gott ist nahe, die Not ist ferne). Die primäre Zielrichtung der Bitte freilich geht auf die Gottesnähe zu; die Ferne oder Nähe der Notsituation ist dann (wenn Gott nahe ist) sekundär. In V. 20 wird die Bitte wiederholt und mit den Parallelen ‚eil mir zu Hilfe' variiert. Letzteres korrespondiert mit der Negation in V. 12 ‚Niemand ist da, der hilft!' und stellt den Gegensatz dazu: Jetzt – in V. 20 – ist ein Adressat da, dem (starke) Hilfe zugetraut wird (die oben in V. 2 im Gegensatz dazu ja noch als fern erachtet wurde).

So zieht sich der Gegensatz zwischen „nah" und „fern" über den ganzen Text hinweg, wobei die sukzessivenAntithesen zeigen, daß die Ferne Gottes zugunsten seiner erwünschten und schließlich auch erlebten Hilfe aufgehoben wird, während aus dem Befund der Antithesen nicht auszumachen ist, ob sich auch die Not damit entfernt und wie die Hilfe nun wirklich aussieht. Im Abschnitt III verschwindet der Gegensatz völlig. Dominant bleibt bei allem das Problem, ob Gott nun aufgrund der erfahrenen Not tatsächlich ferne ist. Zugleich wird ihm (besonders in der Bitte) massiv zugetraut, daß er sich sehr nahe befindet bzw. nahe kommen will.

2) *Aber du bist heilig, du thronst über dem Lobpreis Israels/Ich aber bin ein Wurm und kein Mensch . . .* (V. 4 vs. V. 7). Zwischen zwei Sequenzen wird hier ein scharfer „atemberaubender"[28] Gegensatz aufgemacht zwischen ‚heilig/thronen' und ‚Wurm/Nicht-Mensch'. Es besteht zwischen beiden Sequenzen also nicht nur ein Gegensatz in der Wirksamkeit des Rufens zwischen dem Beter (Gegenwart) und den Vätern (Vergangenheit): Ersterer wird (noch) nicht erhört, die Väter wurden erhört. Zusätzlich

---

28 Vgl. Ridderbos 1972, 187.

dazu wird ein überdimensionaler Abstand von der höchsten Höhe Gottes zur tiefsten Tiefe des im Elend steckenden Beters aufgerissen. Es ist dies ein *ausschließender, bizentrischer* Gegensatz (Gott ist heilig, der Beter ist ein Wurm). Dem entspricht auch der Gegensatz von Lobpreis (V. 4 b) auf der einen und Spott (Verachtung) auf der anderen Seite (V. 7 f.): Gott erfährt Lob, der Beter Verachtung. Wiederholt wird der tiefste Pol dieser Antithese in V. 15 (dort begegnet der gleiche Verseinsatz ‚Ich bin . . .‘).

V. 20 schließlich, der parallel zu V. 2 gestaltet ist, zeigt schon die Entwicklung an, die auch der Vergleich der Modelle gezeigt hat, nunmehr durchgestaltet an rhetorisch-poetischer Oberfläche, was deutlich darauf hinweist, wie wesenhaft und reflektiert die Textgestaltung den Inhalt zutage bringt: Der Heilige ist jetzt der, dem − über die Bitte, nicht ferne zu sein − zugetraut wird, daß er „meine Stärke“ bedeutet. Gottes Heiligkeit und Stärke stehen also nicht gegen den Beter, sondern auf seiner Seite. Das „mein Gott“ aus V. 2 ist ratifiziert, die Verlassenheit ist eingedämmt. Dies zeigte sich schon in der Parallelgestaltung des V. 10 zu V. 4 (‚du bist . . .‘), wobei in V. 10 Gott bereits in die Nähe des Beters gerückt wird (bis in die Gegenwartsformulierung des V. 11: ‚Du bist mein Gott!‘). Beim darauffolgenden Ich-Einsatz (V. 23) schließlich ist schon die Anerkennung Gottes als eines erlösenden Herrschers im Lob eingeleitet. Herr-Sein und Hilfe-Sein, Ferne und Nähe Gottes sind einander nahe gebracht. Die Diastase ist aufgehoben. Der sich im Vortext anbahnende Trend zu einer *einschließenden, konzentrischen* Antithese (Gott ist heilig *und* helfende Stärke) hat sich durchgesetzt.

3) *. . . ich rufe bei Tag, doch du gibst keine Antwort; ich rufe bei Nacht und finde doch keine Ruhe./Zu dir riefen sie und wurden befreit* (V. 3 vs. V. 6):

V. 3 bringt das Rufen des Beters bei Tag und Nacht (letzterer Gegensatz ist im Text eine akzidentelle Antithese, die die Dauer und Kontinuität des Rufens anzeigen soll, also direkt im Dienst des Rufens steht und dieses verstärkt). Dem Rufen des Beters kommt keine Antwort zu. In Antithese dazu erfährt das Rufen der Väter in V. 6 die Antwort der Befreiung; hier liegt eine *variante* Antithese[29] vor: ‚Antwort geben‘ wäre der kontradiktorische Gegensatz zu V. 3 (keine Antwort geben). Dieser wird allerdings durch die *Folge* der Antwort (‚wurden befreit‘) substituiert und variiert. Auch hier ist zunächst eine *ausschließende, bizentrische* Antithese feststellbar, die aber ebenfalls auf die *einschließende, bizentrische* zugeht: Beter *und* Väter (in ihnen steckt auch der Gegensatz Gegenwart vs. Vergangenheit) werden erhört (vgl. V. 22 b, 25, 32 c). Entsprechend dazu taucht bei beiden der Lobpreis auf (V. 4 und V. 23 f.). Beter und Väter bilden jetzt eine Erinnerungsgemeinschaft für künftige Geschlechter (V. 31): Ihnen ist Gleiches geschehen (die Erhörung); sie tun auch Gleiches (den Lobpreis).

4) *. . . vom Volk verachtet/er hat nicht verachtet . . .* (V. 7 vs. V. 25):

Dieser Gegensatz − ein *ausschließender, bizentrischer* − bleibt vermutlich zunächst real bestehen, wenn die Lobpreisaufforderung an die Gemeinde nicht bereits als „Versöhnungsfeier“ betrachtet wird, wofür aber kein direk-

---

29 Zum Begriff der varianten Antithese, auch der offenen bzw. verdeckten vgl. Fuchs 1978 a, 37-38.

ter Anhaltspunkt zu finden ist. Freilich wäre dies möglich und zeugte dann dafür, daß das Volk seine Ideologie (Wohlergehen = Nähe Gottes) aufgegeben hätte und am Beter bzw. seinem Text gelernt hat, daß Gott ein Gott der Armen und Kranken, nicht nur und zuerst der Gesunden und Erfolgreichen ist (vgl. V. 25 b, 27). Auf dieses Wunschziel steuert der Psalm zu (vgl. Abschnitt III). Eine Aufgabe der Verachtung von seiten des Volkes aufgrund des Wunders real veränderter Not ist relativ unwahrscheinlich und würde auch den Psalm affirmativ (in Richtung auf V. 9) machen und somit seiner innovatorischen Kraft berauben. Würde jedenfalls das Volk aus dem einen oder anderen Grund hinsichtlich der Achtung Gottes für den Beter diesen nicht mehr verachten, dann läge eine *einschließende, bizentrische* Antithese vor: Volk und Gott verachten nicht. Gott freilich steht auf keinen Fall in Aktionsgemeinschaft mit der Verachtung (im gesamten Psalm wird, wie die Tiefenmodelle zeigen, die Achtung Gottes gegenüber den Armen nie infrage gestellt). Das „in den Todesstaub gelegt werden" in V. 16 ist also nicht ein Signal der Verachtung Gottes: Dies wäre ja das gefährliche Mißverständnis.

5) In eigenartiger Weise durchzieht die Antithese *Tod vs. Leben* den Text: V. 16 c *Todesstaub* vs. V. 21 *entreiß mein Leben (mein einziges Gut) — aufleben soll euer Herz für immer — niederwerfen sollen sich die Toten* (= die in der Erde ruhen) — *meine Seele lebt für ihn*, V. 27 c/30 b/c (Varianten für die Todesgefahr vgl. V. 15-19).

Gott erscheint hier als der Adressant von beiden Größen: von Tod und Leben. Die Form ist deshalb eine *einschließende, konzentrische* Antithese, in der der gleichen Figur Gegensätzliches zugeschrieben wird: Gott gibt Rettung und Nicht-Rettung. Beides wird ihm auch zugestanden, doch will der Beter natürlich das Leben, sein „einziges Gut". Dies läßt an die häufiger in den Psalmen erwähnte Denkfigur denken: Allein wer lebt, kann Gott loben (s. u. 4.2.3 (1)-(3)).

In interessanter Spannung dazu steht im Text der Lobpreis der Toten, also in Umkehr zu den eben erwähnten Psalmanklängen erfolgt die Innovation: Wer lobt, der lebt! Die Beziehung zu Gott ist alles, sie durchbricht schließlich auch den Tod. Primär geht es also um die Beziehung zu Gott, sie hält Lebende und Tote zusammen in einer lebendigen Aktion, nämlich in dem Leben für ihn, in der Begegnung mit ihm, in der Anerkennung seiner Herrschaft. Deshalb lebt das Herz, sofern es lobt, auf für immer.

Wir haben demnach zwei Arten *einschließender* Antithesen vor uns: einmal die *konzentrische*: Gott schenkt Leben und Tod; zum anderen die damit korrespondierende *bizentrische* Antithese: Die Lebenden und Toten loben Gott. Deshalb ist auch nicht das Leben für sich entscheidend, sondern das Leben für ihn (V. 30 c). In äußerster Zuspitzung bestätigt diese Umgestaltung und Versöhnung des Gegensatzes der Diastase zwischen Tod und Leben in der lobenden Begegnung mit Gott, was das Modell gezeigt hat (s. u. 4.2.3 (3)): Ob Tod oder Leben, ob Not oder Wohlfahrt: Gottes Nähe geht dadurch nicht verloren, sofern die vertrauende Beziehung zu ihm aufrecht erhalten wird[30].

---

30 Verborgenheits*erfahrung* und Verborgen*sein* Gottes sind dabei zwei verschiedene Dinge, letzteres existiert nach Ps 22 nicht: ob nun Verborgenheitserfahrung (V. 2-3) oder Erfahrung der Entborgenheit Gottes (V. 25 c), die „reale" Geborgenheit

Zusammenfassend läßt sich feststellen: Die Analyse der Antithesen an der Oberflächenstruktur zeigt die gleiche sequentielle Dynamik wie der Vergleich der (mittleren) Tiefenmodelle der Abschnitte I und II, nämlich eine innovatorische Veränderung in der Sicht der Situation und Gottes sowie in ihrem Verhältnis zueinander. Rhetorisch-poetisch schlägt sie sich nieder in der *Entwicklung von von ausschließenden zu einschließenden Antithesen*[31]. Eben so bestätigen die Antithesen – substantiell wie sie sind – das Tiefenmodell, in dem beides nebeneinander steht: Not und Nähe Gottes, Elend und Vertrauen, kurz: Klage als Begegnung.

3.4 Der Sprechakt der Klage

Wichtiges wurde bereits bei der Besprechung der partiellen Tiefenmodelle wie auch der Basismodelle und ihrem Verhältnis zueinander über die Sprechakte des Textes gesagt. Versuchen wir nun eine zusammenfassende Betrachtung des Gesamtsprechaktes der Klage in seinen wichtigsten Teilillokutionen[32]. Dabei ist im Auge zu behalten, daß es sich hier um eine deskriptive Sprechaktbeschreibung handelt, die textanalytisch erfolgt. Ihr Ergebnis allerdings betrachten wir für den Fortgang unserer Arbeit als idealtypisch und postulieren mit ihm den normativen Anspruch jüdischchristlicher Klage. In diesem Sinn weisen die aufgefundenen Sprechaktstrukturen und Prozesse zusammen mit den jeweiligen Aktantenwerten das „regelgeleitete Verhalten" auf, das biblisches Klagen bestimmt. Die konventionellen kommunikativen Voraussetzungen und Realisierungen der Klage entnehmen wir also dem Text, der in sich den gelungenen Sprechakt der Klage verbalisiert[33]. Im Begegnungsverlauf des Ps 22 erkennen wir die Voraussetzungen und Handlungen, die von den Kommunikationspartnern erfüllt und durchgeführt werden müssen, damit die Kommunikation der Klage gelingt.

---

des Menschen in Gott wird nicht angetastet (vgl. V. 11). Sie reicht bis in die Gegenwart und in die Zukunft (V. 30 ff.).

31 Diese Tendenz entspricht interessanterweise auch dem für das hebräische Sprachdenken charakteristischen Zug zu „Totalität" und „Integrität" in der sprachlichen Wahrnehmung der Wirklichkeit: vgl. Alonso-Schökel 1971, 282-306, besonders 303 ff.

32 Zuvor eine methodische Anmerkung: Eine ausgeführte Sprechaktbestimmung ist ausgesprochen kompliziert (vgl. Searle 1971, Kopperschmidt 1973, 70 f.). Wir dispensieren uns hier von der entsprechenden Formelsprache und der Etikettierung der unterschiedlichen Regeln für das Gelingen des Sprechaktes, weil dies keine zusätzlichen Einsichten zu unseren Ergebnissen bringt und zudem die Leseschwierigkeit steigert. Es wird ohnehin aus den exegetischen Referaten deutlich werden, was mit den jeweiligen Sprechakten gemeint ist. Vgl. Fuchs 1978 b, 21 f., 157 Anm. 38.

33 Vgl. ders. Art. 1979 a, 858 f. (zum Beziehungsgefüge zwischen Gott und Mensch), zum gelungenen Gebetssprechakt a.a.O., 858; Zeller Art. 1981, 13 ff., 31 f.

Übertragen wir zu Beginn der besseren Übersicht wegen die bisher aufgefundenen Teilsprechakte der Klage in folgende Graphik (siehe folgende Seite).
Zuerst ist festzuhalten (vgl. Rahmen), daß *sämtliche Sprechakte im Sprechakt der Klage* plaziert sind. Nicht ausschließlich ist dies gemeint, als begegneten sie nur in der Klage und als seien sie (die Bitte und das Lob) für sich einzeln genommen charakteristisch für die Klage. Diese Qualität ausschließlicher Charakteristik (was also außerhalb der Klage nicht begegnet) gilt nur für den Teilsprechakt der klagenden Frage, schon nicht mehr für die Elemente der Notschilderung und der Heilserinnerung, die auch in den Dankpsalmen vorkommen. *Einzigartig freilich ist der Gesamtprozeß*, in den hinein die Einzelsprechakte und ihre Elemente integriert sind. *Er gilt als Sprechakt der Klage*[34].

Alle im Sprechakt erscheinenden Teilillokutionen schwimmen im Kielwasser der Klage mit: Ohne den *Klagebeginn* gäbe es diese Teilsprechakte sowie ihren Prozeß überhaupt nicht[35]. Die Texteröffnung enthält bereits (zusammen mit den gegensätzlichen Ergänzungen) den gesamten Text „in nuce". In ihr wird dem Klagenden ein Tor zu neuanwachsender Begegnungsfähigkeit aufgeschlossen. So lebt die Bitte weiterhin von der Klage, ja sie provoziert eine um so intensivere Schilderung der Not (Abschnitt II). Zugleich freilich treibt sie die Klage weiter, indem sie das in ihr bereits angelegte Vertrauen in die Beziehungsebene zu Gott hinein verstärkt[36]. Im Lobpreis schließlich gewinnt dieses Vertrauen seinen intensivsten Ausdruck.

---

34 Es ist also zu beachten, daß der Sprechakt der Klage für sich (als Klage im engeren umgangssprachlichen Sinn) nicht mit dem Sprechakt der biblischen Klage als Gebet identisch ist. Hier gilt es, sich hinsichtlich der Definition von Sprechaktprozessen umzustellen. Ein dominanter Sprechakt (hier die Klage) kann sich durchaus aus einer Reihe von Illokutionen zusammensetzen, die genau in dieser Zusammensetzung und Prozedur den Sprechakt charakterisieren. Solche Zusammensetzung, wie wir sie dem Ps 22 entnehmen, ist nicht zufällig, sondern notwendig. Dies spricht übrigens auch dafür, daß es im Grund gleichgültig ist, wodurch dieser Sprechakt ermöglicht wurde, ob durch ein Faktum der Errettung oder die „bloße" Vertrauensverstärkung. Die Erhörungsgewißheit gehört (im Sprechakt der Bitte) zum Gesamtsprechakt der Klage, nicht aber, woher diese Erhörungsgewißheit kommt. Weder das Faktum, noch das Heilsorakel, noch ein emotionaler Stimmungsumschwung gehört für sich konstitutiv zum Sprechakt der Klage.
35 Freilich wird der Text den Betern im Lauf der Sequenz zu einer alternativen Sicht der Dinge führen, alternativ auch bezüglich des Textanfangs, der zunächst andere Konsequenzen erwarten lassen könnte (Versinken in der Notschilderung, mehr Anklage, ja Fluch Gottes, stumme Verzweiflung usw.).
36 Durch die Sprechakte hindurch scheint das Vertrauen überhaupt eine Eigendynamik zu entwickeln, in der es sich über die Frage zur Bitte bis zum Lobpreis immer mehr Raum schafft, auch bei bleibender Not, vgl. dazu das literarische Beispiel in Aichinger: „Die größere Hoffnung" (1978, 20 ff.).

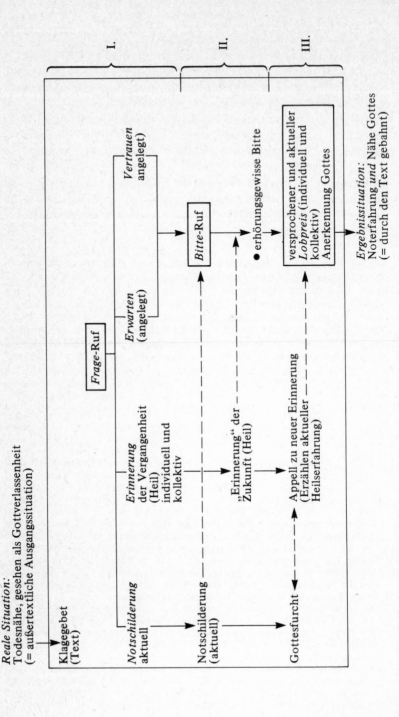

Verfolgen wir nun die Graphik im einzelnen[37]:
Außertextlich besteht die *reale Situation der Not*, die im Text (Notschilderung) auch semantisch realisiert wird. Sie wird als Todesnähe und zugleich als Gottesferne erlebt. Diese Ausgangssituation nimmt die Eingangsphase des Textes voll auf, doch holt der Text den Beter nicht nur ab, sondern er führt ihn auch in der weiteren Sequenz der Sprechakte durch konzise Wortfiguren (die zwar Realität und Wünsche aufnehmen, aber den Beter nicht in überbordender Leidensbeschreibung versinken lassen) in neue emotional erlebbare Regionen weiter.

Die *Frage* an Gott ist die Eröffnung einer neuen, anderen, im Text anwesenden Vertrauensbeziehung. Im ersten Beginn ist letztere noch rezessiv und nur angelegt, aber bereits offen für eine Ausweitung. Die Wachsamkeit (in *Vertrauen* und *Erwartung*) für eine mögliche Wende irgendwelcher Art wird wieder zugelassen. Die „gewendete Klage"[38] wird eingeleitet. Der Text erreicht diesen anfanghaften Durchbruch, indem er die *vergangene Heilssituation im Sprechakt der Erinnerung* hereinholt, wodurch der Sprechakt der *Notschilderung* zweimal unterbrochen wird. So wird aus der Vergangenheit bis in die Gegenwart reichend eine zur Situation des Beters alternative Dimension besprochen. Die *biographische und kollektive* Erinnerung wehrt die drohende Verzweiflungskonsequenz der Noterfahrung (es ist alles aus!) ab.

Der Zug der Klage zu anwachsender Begegnung mit Gott gelangt über die Teilillokution des *Vertrauens und des Erwartens in der Bitte zur Konzentration.* Vertrauen und Erwarten sind als nach vorne offene Stellen der Klage die Voraussetzung der Bitte, denn wem gegenüber kein Vertrauen und keine Erwartung mehr gehegt wird, der wird auch um nichts mehr gebeten[39]. Natürlich läuft das Vertrauen auch in der *Schilderung der aktuellen Not* mit, denn zu wem einer Vertrauen hat, dem kann er seine Not erzählen. So steigert sich die Notschilderung in Abschnitt II. Auch das in der heilvollen Erinnerung aufgebrachte Vertrauen läuft weiter in der „*Erinnerung" der guten Zukunft*, die durch die Bitte ins Visier kommt. Dieses Hereinholen des Heiles in die Gegenwart durch den Sprechakt der Bitte

---

37 Die Momente der einzelnen Sprechakte sind bereits in den jeweiligen Sprechaktbeschreibungen der drei Abschnitte genauer definiert worden. Hier genügt der zusammenfassende Überblick. Wir ersparen uns dabei auch eine nähere Beschreibung des dazu gegensätzlichen „negativen" Sprechaktes und begnügen uns mit der Feststellung, daß dieser im zunehmenden Maße (entsprechend der zunehmenden Beziehungsverbesserung im positiven Sprechakt) die Beziehung zu Gott und den Menschen negiert bis zur totalen Isolation, zum Tod.

38 „Gewendete Klage" heißt ein Werk von Westermann über den Ps 22, 1957. Westermann tituliert nicht: eine in Lob gewandelte Klage, sondern er bleibt bei der Klage, die sich aber gleichsam um die eigene Achse dreht.

39 Es ist schon der schärfste Kommunikationsabbruch, wenn jemand sagen muß: „Den bitte ich um nichts mehr!"

war auch angelegt in der Teilillokution des Erwartens: Wer etwas erwartet, kann sich auch ausmalen, was er erwartet, und er kann dies dem sagen, von dem er es erhofft. Die Bitte ist der existentielle Prozeß, der gegenwärtig zwischen der extremen Not und der (durch die heilvolle Erinnerung angeregten) erwünschten Rettung vermittelt (vgl. gestrichelte Querlinien). Am Ende von Abschnitt II gelangt die *Bitte zur Gewißheit, daß Gottes Erhörung* geschieht[40]. Wir halten diesen wichtigen Punkt als gesteigerte Bitte, als erhörungsgewisses Bitten in der Graphik fest. Die Bitte hat ihr äußerstes Ziel erreicht, indem es sich mit dem Maximum an drängendem Vertrauen angereichert hat. Jetzt bereits schafft sich in der erhörungsgewissen Bitte die Erinnerung der guten Zukunft einen Realitätswert in der Gegenwart. (Dies erinnert an V. 10-11, wo schließlich die gute biographische Vergangenheit bis in die Gegenwart des Beters reicht.)

Dies ist der neuralgische „Punkt", wo ein „qualitativer Übersprung" provoziert wird und passieren kann: nämlich der Vorgriff auf die Erlösung als Erinnerung (aus Vergangenheit und Zukunft) und Ahnung; wo ein Überstieg, eine „Transzendenz" sich einstellt: die Phantasie des „Trotzdem", eines neuen Lebensmutes, der dem anwachsenden Vertrauen auf Gott entspringt[41]. Solche „Phantasie" *ist bereits* die Erhörung, weil sie die Vision von einem Gott ist, der nahe bleibt. Aus der Begegnung mit dem neu nahe geglaubten Gott entsteht die Kraft zur Negation der Negation, die im menschlichen Leben immer wieder die mögliche Erfahrung eines erlösenden Gottes aussetzt und gefährdet. Im Dunkel der Situation scheint auf dem Weg der Interaktion des Beters mit Gott ein Lichtstrahl auf, der zu-

---

40 Ob nun am Ende von Abschnitt II oder am Anfang von Abschnitt III die Erhörungsgewißheit anzusiedeln ist, hängt von der Entscheidung ab, wie man V. 22 b und die Perfektformulierungen des Psalmes übersetzen will. Zur Erinnerung guter Geschichten in die Gegenwart vgl. Fuchs Art. 1980. Sieht man übrigens V. 11 als Abschluß des Abschnittes I, gleichsam als die Höchstleistung, die die Heilserinnerung in der Phase der Klage erreichen kann, so kann man V. 22 ähnlich als Höhepunkt des Abschnittes II sehen, in dem die Bitte zu ihrer Höchstform (an Vertrauen) gelangt. Auch dies spricht übrigens für unsere Limitierung von Abschnitt I und II (s. o. 2.1.2; s. u. 4.1.3).

41 Dies ist der Ort, wo vermutlich – von der Geschichte Israels her gesehen – in der Erfahrung des Exils und der Diaspora die Apokalyptik ihre Entstehungswurzel hat, vgl. Teil II der Untersuchung. Auch liegt hier die Erfahrung, in der die eschatologische Botschaft des Jesus von Nazaret ihren genuinen Aufnahmeboden findet: im „noch-nicht" ereignet sich das „doch-schon". Die *Spannung* in diesem „Zwischenbereich" ist es auch, die dem Drängenden, dem Unzufriedenen, Bestürmenden und Aggressiven, dem „wie lange" und „warum" der Klage die Schubkraft gibt. Der Gläubige ersehnt die Wirklichkeit des verheißenen Reiches Gottes in die Gegenwart hinein: für sich und für die anderen. Im Prozeß solcher Klage landet er in der Begegnung und in der Ruhe bei Gott, im Glaubensbewußtsein, daß, so weit der Weg sein mag, Gott sagt: Ich bin und bleibe bei dir! Der Beter kann nun mit neuem Mut und vor allem neuer Geduld darin weitergehen, durch sein eigenes Leben Welt und Gott stückweise zu vermitteln.

nehmend Leuchtkraft gewinnt bis in eine veränderte Wirklichkeitsperspektive hinein, die auch in der Gegenwart wieder Lichtvolles sehen läßt. Der kleinste reale Anlaß einer Notmilderung kann dann als Signal der Rettung gesehen werden[42]. Die drohende totale „Gottesfinsternis" ist aufgelichtet. Der Weg dazu führt über das Gebet der Klage als sprachliche Beziehungsaufnahme mit Gott im Sprechakt der Frage und der Bitte. Doch bleibt hier der Gesamtsprechakt der Klage nicht stehen!

Im Zug der Erhörungsgewißheit (und womöglich eines entsprechend gearteten qualitativen Sprungs des Vertrauens auf das Prophetisch-Visionäre zu) kommt nun folgerichtig und gar nicht mehr so überraschend der versprochene und aktuelle *Lobpreis als Anerkennung Gottes* ins Spiel, als individuelles und kollektives *Lob* seiner Treue und Achtung, die er den Menschen, besonders den Armen, schenkt. Es ist dies der Gipfel der möglichen Beziehung des Geschöpfs (vgl. V. 10) und des geschichtlichen Partners (V. 5 f.) zu Gott. Der Lobpreis besitzt also keinen punktuellen werkorientierten Charakter (für etwas Bestimmtes, ohne das nicht gelobt wird), sondern drückt eine Haltung und Intention Gott gegenüber aus. Der Sprechakt ist nicht primär auf ein Faktum, sondern auf das personale Gegenüber bezogen. Man könnte in etwa folgendermaßen paraphrasieren: ‚Ich erkenne dich als Gott an, sehe mein Verhältnis zu dir als das, was es real ist: Ich habe Achtung, *Gottesfurcht* vor dir als dem Herrn der Geschichte, der immer wieder unkalkulierbar fremd und verborgen erscheint, und traue dir trotzdem zu, daß du ein letztlich erlösender Herr der Geschichte bist und dies auch für mich sein wirst.'

Der Lobpreis in der Klage realisiert als konkrete Beziehung die *generelle Wirklichkeit*, also die Voraussetzungssituation mit ihren Bedingungen und Möglichkeiten, die überhaupt in der biblischen Heilsgeschichte zwischen Mensch und Gott besteht. Sie kommt auch im Text als die Kommunikation (mit den entsprechenden Sprechakten) zutage, die der unmittelbaren betenden Beziehungsaufnahme vorausgeht, sie begleitet und ihr nachfolgt: Gott verläßt und schweigt scheinbar, aber er antwortet auch (helfend und bergend), er hat Gefallen, er achtet, er will nahe sein, er ist treu und hält, was er verspricht; er erfüllt die Verheißung des Heiles[43]. Bei all diesen beziehungsorientierten Akten ist die schillernde „Zeitlichkeit" mitzudenken (Vergangenheit, Gegenwart und Zukunft). So gilt: Diese Akte setzen eine geschichtliche Kommunikation Gottes mit den Menschen voraus, ein Beziehungsgefüge, das offen ist für das Heil, weil es eine heilvolle Vergangenheit und Zukunft hat. Auf einen Gott zu, der so handelt, der schweigt *und*

---

42 Vgl. Kilian Art. 1968, 183, besonders Anm. 37.
43 Vgl. dazu ausführlicher Fuchs Art. 1979 a, 855 ff. Diese „Sprechakte" Gottes gegenüber dem Beter gehören der sekundären (vor- oder nachzeitigen) Kommunikation des Textes an und sind deshalb nicht Bestandteil des direkten Sprechaktes des Lobes in der Klage, sondern dessen Voraussetzung.

antwortet, der nahe ist *und* fern, der im ganzen den Menschen ernst nimmt, achtet und ihm treu ist, bringt sich der Beter in Beziehung. Erst innerhalb solcher Beziehungsgeschichte kann der Sprechakt der Klage geschehen. Sie wird als Voraussetzungswirklichkeit der Kommunikation zwischen Gott und Mensch auch im Psalm selber (indirekt) benannt. Erst in *diesem* Kontext ist das „regelgeleitete Handeln" der Klage sinnvoll[44]. In ihm kommt zum Ausdruck, was die Verheißungsstruktur der Kommunikation zwischen Gott und Mensch ausmacht:

Der Gesamtsprechakt nämlich, der alle Aktionen Gottes zum Menschen umfaßt und auch die jeweilige schillernde Zeitlichkeit in ihrer Erfahrbarkeit ernst nimmt, ist das *Versprechen, die Verheißung.* Dieser Sprechakt eröffnet die Spannung zwischen Ausstehen des Heils und dessen Erfüllung, sie eröffnet damit zugleich die Möglichkeit, den geschichtlichen Weg zwischen Noch-nicht und Doch-schon in der Wegbegleitung des treuen Gottes zu gehen. Der Dimension der göttlichen Verheißung, ihrer Zukunfts- und Heilsoffenheit, korrespondiert auf seiten des Beters das Gelübde, das ebenfalls ein Versprechen beinhaltet: Im Fahrwasser der von Gott geschenkten Verheißung will sich der Beter mit dem Gelübde hineinbegeben in das Versprechen, daß er für diesen Gott leben wird und die Beziehung zu ihm immer dichter und universaler (zusammen mit möglichst vielen anderen) wünscht. In Entsprechung zu dem Gott, der selbst in der Verheißung immer wieder fremd erscheint, hat der Lobpreis das Element der *Gottesfurcht*, die aus der *Erfahrung der Not* und der *Erhörung des Armen* durch Gott erwächst: Beides muß im Gebet in eine (nicht argumentative, sondern) an der Beziehung zu einem „neuen" Gott gewonnene Verbindung gebracht werden: Er ist der Verborgene in seinem Handeln, aber er ist damit nicht der Ferne.

Ein weiteres Element ist in den Lobpreis aufgenommen, nämlich das der *neuen Erinnerung*: Die zutiefst als Heil (V. 23) erfahrene und vergegenwärtigte Erhörung Gottes wird Botschaft und Gegenstand neuer Erinnerung (durch Verkünden und Erzählen). Dazu fordert sich im Gelübde der Psalmist selbst auf. Die Erhörungserfahrung des Beters produziert eine neue Erinnerung, sie reichert die alte Erinnerung der Väter mit der neuen Variante der eigenen Erfahrung an und gibt sie weiter. Die neue Erfahrung freilich läßt die alte Erinnerung nicht unmodifiziert, sondern versetzt sie mit den oben angedeuteten Innovationen (Gott ist nicht nur im Eingriff der Rettung, sondern auch in der Not selbst nahe). Mit dieser neuen Erinnerung, ausgesprochen im Lobpreis, konfrontiert sich der Beter nun im Sprechakt des *Appells* zum verkündenden Lobpreis wieder mit der realen

---

44 So wäre der Sprechakt der Klage in einer Kommunikationssituation, wie sie die Minusmodelle darstellen, völlig unsinnig: Denn wo Gott den Menschen nicht hört und verachtet, ist jede auf Vertrauen zusteuernde Klage unsinnig.

Situation der Gemeinde und der Welt; er leistet sich also weder eine Flucht aus der Realität heraus, noch verfällt er einer überzogenen Leidensmystik. In beiden Fällen würde ein Gottesbeziehung ohne Realitäts- und Menschenbeziehung kultiviert. Der Beter unternimmt dagegen den Versuch, sich wieder in die soziale Umgebung zu reintegrieren. Dies ist die Chance, daß beide (Beter und Gemeinde) Gott und die Welt mit „neuen Augen" sehen. So lädt er in einem sozialen Akt der Aufforderung dazu ein, mit ihm Gott die Ehre zu geben. Dieses gemeinsame Handeln wäre dann auch das gemeinsame Band der Gemeinde. Dabei riskiert der Beter vermutlich, weiterhin − besonders wenn er kein Faktum der Rettung vorweisen kann − verspottet und als ein Gott-nicht-Wohlgefälliger von denen verachtet zu werden, die in ihrem Vertrauen, ihrer Menschen- und Gotteserfahrung noch nicht soweit gekommen sind und erst einmal selbst den Psalm beten und damit die entsprechenden Erfahrungen machen müßten. Schließlich kommt der Lobpreis auch den Menschen real zugute, nämlich in der Dankfeier der Armen. Hier wird − in der Gemeinde bzw. im Kult − tatsächlich erfahrbar gemacht, welcher Gott gepriesen wird: Er ist der höchste Herrscher, der auf der Seite der Armen steht und diese nicht verachtet. Der Lobpreis mündet auf diese Weise ein in das Leben für Gott, der wieder als nah und gemeinschaftstreu erfahren wurde[45]. Alle sollen sich in dieses Leben hineinbegeben!

Dieser *Textausgang* ist zugleich der *Eingang in eine erneuerte Ergebnissituation auf der pragmatischen (textexternen) Ebene:* Der Text entläßt den Beter hinein in die Aktivität des Lobens, er entläßt ihn demnach als einen, der zu Gott wieder eine dichte Beziehung hat. Dies ist die Lebenskraft, die im Prozeß des Klagegebetes für den Beter entsteht. Das Ergebnis korrespondiert mit der Ausgangssituation und steht zu ihr im Gegensatz.

Die veränderte Perspektive für die Gegenwart schlägt sich auch auf semantischer Ebene textintern nieder: V. 2 steht konträr zu V. 32 b: „Mein Gott, mein Gott, warum hast du mich verlassen . . ."/„. . . denn er hat das Werk getan". Es ist dies eine einschließende, konzentrische Antithese: Gott verläßt *und* tut das Heilswerk. Was eigentlich als ausschließende, konzentrische Antithese zu erwarten ist (Gott verläßt vs. Gott heilt), wird in dem Textverlauf, der zwischen den beiden Versen steht, zu sich einschließenden Größen überbrückt. Dabei ist es für die Einheit des Textes nicht entscheidend, welche außertextlichen Ereignisse (Wende oder Nichtwende der Not) den Text begleiten. Entscheidend ist, daß der Beter diesem Textprozeß

---

45 Die voluntative Dimension an dem ‚ich will leben *für*' gibt diesem Ausdruck viel Beziehungsorientierung und damit den Charakter des Sprechaktes. Er ist etwa vergleichbar mit dem des Versprechens, ein Leben lang Gott zu *loben*. Ein Sprechakt muß ja nicht immer eine direkt verbale Dimension haben, er kann auch in einer Handlung bzw. Haltung (hier in dem „Leben für . . .") geäußert werden.

folgt, gleichgültig welche pragmatischen Gegebenheiten vorhanden sind bzw. sich im Verlauf der Textproduktion oder -rezeption einstellen. Wichtig ist allein das Durchgehen durch den Text von der Anfangsphase bis hin zum Schlußakkord. Wo der Text am Schluß einen Beter „geschaffen" hat, der mit neuem Vertrauen Gott anerkennen kann, ist der Sprechakt biblischer Klage gelungen. Das Gebet — ist es in diesem Maß gelungen — hat dann den Beter mit sich in die gewendete textinterne Kommunikation hineingenommen und an einer anderen Station als vorher wieder aussteigen lassen. Mag diese Situation auch noch am gleichen Ort der Not liegen: Der Beter kommt mit neuer Erinnerung und Vergegenwärtigung der Treue Gottes auf sie zu.

Versuchen wir schließlich eine Definition des Sprechaktes biblischer Klage, die freilich alles mitdenken lassen muß, was bisher gesagt wurde: Ein Sprechakt gilt als Sprechakt der Klage:

1. wenn ein Beter in einem an seiner Notsituation orientierten Rufen Gott die Frage vorwerfen kann nach der Diastase zwischen geschilderter Notsituation und dem in der kollektiven und biographischen Erinnerung versprochenen Heil, dergestalt daß die Frage Not und Gottesbeziehung (als Verborgenheit seines Heils) zusammenbringt und nach der gegenwärtigen wechselseitigen Beziehung mit Gott forscht (Offenheit für Vertrauen und Erwartung);

2. wenn dieser Frageruf offen ist für anwachsendes Vertrauen, das Gott zutraut, die — die Notsituation scharf nachzeichnende — Bitte zu erhören, bis hin zum festen Glauben an seine Treue, die wieder eine gute Erinnerung (Erwartung) der Zukunft als reale Möglichkeit zuläßt;

3. wenn dieser Bittruf weiterwächst zum Höhepunkt des Vertrauens, zum Lobpreis Gottes als aktuelle sprachliche Tat und zukunftsoffenes Versprechen, als appellative Eröffnung einer intensiven neuen Gottesbeziehung (Gottesfurcht, Anerkennung Gottes) für den Beter wie auch für andere, so daß schließlich im gemeinsamen Lobpreis des Herrn die soziale Erfahrung seines Heils beginnt: in der weitererzählenden Erinnerung des Heils.

Dies sind die Grundsprechakte des Klagegebetes. Sie geben den Strukturelementen aus den Tiefenmodellen ihre prozessuale und integrale textinterne kommunikative Vernetzung und bilden zusammen mit diesen die Grundbausteine des Gebetes der Klage. Wir haben damit am Ende dieses Kapitels in relativ überschaubarer Weise die kommunikative Struktur und die entsprechenden Elemente der Klage eruiert, so daß wir diese Ergebnisse als qualifizierendes Raster (das in den Tiefenmodellen wie auch in der Graphik der Sprechakte visualisiert wurde) für Vergleiche mit zeitgenössischen Gebeten, spirituellen Texten, aber auch mit narrativen Vorlagen (z. B. Heiligengeschichten) heranziehen können. Durch den Versuch, entsprechende Strukturen zu identifizieren, können Übereinstimmungen, Ausfälle oder auch Über- bzw. Untertreibungen der Strukturelemente und Sprechakte festgestellt werden.

Neben dieser analytischen Möglichkeit steht nun aber auch die generative offen: Die Tiefenstrukturen können zusammen mit dem Sprechaktprozeß als Keimzellen und Basis für die Produktion von Klagetexten und Klagegeschichten herangezogen werden. Dies geschieht durch Auffinden aktueller Varianten und Transformationsmöglichkeiten der entsprechenden Strukturelemente. So kann das Feld für eine pastorale und religions-pädagogische Vermittlung des Klagegebetes beackert werden, wenn wir davon ausgehen, daß Beten „gelernt" werden kann.

Doch sind wir noch nicht so weit, daß wir in diese pastoral-praktische Region vordringen könnten: zuvorderst müssen die exegetischen Auskünfte eingeholt werden, hier die einschlägigen Ergebnisse der alttestamentlichen Fachwissenschaft.

4 Psalm 22 im Verstehenshorizont des Alten Testamentes

4.1 Einführung

4.1.1 Art der Darstellung

Drei Gliederungsmöglichkeiten bieten sich an, die exegetischen Forschungsergebnisse zu referieren, zu diskutieren und in Richtung auf eine möglichst begründete Verstehensperspektive des Ps 22 zu konzentrieren.

1. Der Gliederungsweg der Textexegese: Vom Einzeltext ausgehend wird mit Hilfe des durch die historisch-kritische Methode entwickelten Verfahrens zur Exegese von Einzeltexten im Sinne einer konsequenten Verlaufsmethodik (von der Text- bis zur Redaktionskritik)[1] eine Texteinheit in ihrer Entstehungs- und Bedeutungsgeschichte, in ihrer Beziehung zu ähnlichen bzw. abweichenden Motiven und Gattungen sowie in ihrem unmittelbaren und umfassenden Kontext (z. B. Ps 22 im Psalter) bestimmt.

2. Der Gliederungsweg, den die Psalmenkommentare einschlagen: Sie gelangen in der Regel vom Umfassenderen zum Einzelnen und setzen monographische Ergebnisse zu bestimmten Texteinheiten bereits voraus. So kommt Kraus in seinem Psalmenkommentar von der Sammlung der Psalmen über die poetische Form auf ihre Gattungen, ihren Sitz im Leben, ihre Entstehungs- und Traditionsgeschichte und schließlich auf die Beziehung der Psalmen zur Geschichte und Theologie Israels zu sprechen[2]. Erst nach diesen Einleitungskapiteln gelangen die Kommentare zur Einzelerklärung der entsprechenden Psalmen.

3. Der Gliederungsweg der Problemorientierung: Dieser Weg geht von bestimmten hervorragenden (für den Erkenntnisgegenstand besonders wichtigen) strittigen Forschungsergebnissen aus (z. B. vom Problem des Stimmungsumschwungs in Ps 22) und gelangt so zur Bestimmung der

---

1 Zur exegetischen Verlaufsmethodik vgl. Richter 1971, 30 f., 44, 49-190; Fohrer u. a. 1973, 7, 23 f., 31 ff.: Die exegetischen Schritte sind im einzelnen: Textkritik, Literarkritik, sprachliche Analyse, Formen- und Gattungskritik, Motiv- und Traditionskritik sowie die Überlieferungskritik mit Kompositions- und Redaktionskritik mit der Zeit- und Verfasserfrage; vgl. auch Braulik 1975 XIII ff. Die in Richter 1971, 41-47, 74-79; 1978, 13-25 und Fohrer u. a. 1973, 26 gemachte Unterscheidung zwischen Ausdrucks- und Inhaltsseite bzw. zwischen Formen- und Gattungskritik auf der Ausdrucksseite und der Motiv- und Traditionskritik auf der Bedeutungsseite ist für unsere methodische Reflexion wichtig; s. o. 1.3, s. u. 5.1.1. In den folgenden Ausführungen geht es uns darum, durch genaue Diskussion der Ausdrucksformen und der Gattung zur Bedeutungsseite der entsprechenden Motive und Traditionen als den geschichtlich entstandenen und geprägten Bedeutungssyndromen vorzustoßen (vgl. a.a.O., 99 f.); vgl. dazu auch Fuchs 1978 a, 297-300, auch Anm. 4-8, 342-344.
2 Vgl. entsprechend Kraus 5/1978, VIII f./XXX f./XXXVII f./LXI f./LXIV f.

Gattung, des theologischen und geschichtlichen Ortes und schließlich zur Gesamtbedeutung einer Texteinheit[3].

Der von uns gewählte Weg muß vom Erkenntnisinteresse her ausgewählt und qualifiziert sein: Uns geht es um den Einzeltext Psalm 22. Er ist Ausgangspunkt der Überlegungen über die Klage. Von daher erübrigt sich ein allzu deduktives Vorgehen nach Vorschlag 2, denn nicht alles, was an Forschungsergebnissen zum gesamten Psalter auffindbar ist, kann und muß für uns wichtig und an unserem Einzeltext verifizierbar sein. Andererseits beanspruchen wir nicht, eine in jeder Hinsicht fachwissenschaftlich qualifizierte neue Exegese des Ps 22 liefern zu können. Wir verlassen uns vielmehr auf die Arbeiten der alttestamentlichen Wissenschaft, die wir freilich zueinander in Bezug setzen und diskutieren wollen. Von daher kann auch der exegetische Methodenverlauf nicht ganz übernommen werden (Weg 1), weil sonst die Darstellungsschritte zu sehr eine eigenständige Exegese vortäuschen, die gar nicht zu leisten beansprucht wird. Auch ein ausschließlich problemorientiertes Vorgehen empfiehlt sich nicht, weil zu leicht allzu begrenzte Perspektiven den Verstehenshorizont bahnen und somit den Gesamttext in seiner bedeutungsschaffenden Prozedur, an der uns vom Erkenntnisinteresse des Klageprozesses ja viel liegt, vernachlässigen könnten. Deshalb entscheiden wir uns für eine integrierte Kombination der drei Vorschläge, indem alle drei Schritte als Teilschritte zu verstehen sind, die sich nach- oder auch zueinander gegenseitig ergänzen sollen. Im Sinne des exegetischen Verlaufsweges (1) gehen wir vom Einzeltext aus und bringen von ihm her das Referat und die Diskussion der exegetischen Forschungsergebnisse, wobei zur Text- und Literarkritik nur die wichtigsten Anmerkungen gemacht werden (s. u. 4.1). Im Sinne des weiteren exegetischen Verlaufsweges werden die Motive und Traditionen, wie sie im Ps 22 begegnen, besprochen (s. u. 4.2), wobei freilich die entscheidenden Anfragen aus der struktural-semantischen Analyse an die historisch-kritische Exegese die Auswahl und Gewichtung der jeweiligen „Probleme" hintergründig (Weg 3) mitbestimmen[4]. Im Zusammenhang damit kommen auch die lite-

---

3 Vgl. dazu die entsprechenden Ansätze bei Beyerlin 1977, 11 ff.
4 Zur Literar- und Textkritik vgl. 4.1.2 bzw. 4.1.3, wo nur einige für uns entscheidende Probleme, allerdings immer auch im Zusammenhang mit über die Textbzw. Literarkritik hinausgehenden Argumentationen der Formkritik bzw. semantischen Analyse sowie vom Kontext des Psalms und den zu erwartenden theologischen Konsequenzen her besprochen werden. Freilich sind dabei die textkritischen bzw. literarkritischen *Ziele* (weniger die entsprechenden Methoden im strengeren Sinn) für unser Erkenntnisinteresse dominant: zum einen geht es uns um die Diskussion darüber, welche Textvariante hinsichtlich V. 22 b unseren weiteren Überlegungen zugrundezuliegen hat, zum anderen darum, ob und inwiefern Ps 22 einheitlich und als Einheit gegliedert genannt werden kann.
Die auf die Literarkritik normalerweise folgende sprachliche Analyse ist durch unsere struktural-semantische Analyse hinreichend durchgeführt (vgl. Fuchs 1978 a, 299-300 mit Anmerkungen). Diese gründliche synchrone Analysemethode hält den Text, sowie er verfügbar ist, lange genug aus und versucht nicht vorschnell, entdeckte Unebenheiten literarkritisch zu bearbeiten bzw. motiv- und traditionsgeschichtlich oder auch gattungskritisch zu erklären; vgl. dazu ders. Art. 1979 c, 59 f., Egger 1979, 57 ff., 178 ff. (Das heißt natürlich nicht, daß überhaupt literarkritisch relevante Spannungen, Doppelungen und Brücken unbefragt „auszuhalten" sind. Oft liegen darin tatsächlich nachträgliche Beeinträchtigungn des Hör-/

rarischen sowie historischen Vernetzungen und die inhaltlichen Korrespondenzen des Ps 22 mit weiteren alttestamentlichen Literaturen zur Sprache
(Weg 2). In einem größeren Schritt soll dann auf den „Sitz im Leben" der
Klage sowie auf die Gattungsgeschichte des Ps 22 bis hin zur Psalterredaktion eingegangen werden (s. u. 5). Mit dieser Abfolge erreicht die Darstellung der exegetischen Ergebnisse und Diskussion zum einen eine möglichst
umfassende Besprechung des Psalms in seiner Ganzheit und seinem generellen Kontext (als Gebet, als Psalmtext, als Zeugnis für entscheidende alttestamentliche Theologumena), zum anderen gewinnt unsere Besprechung
dadurch die entsprechende Zuspitzung in Richtung auf unser Erkenntnisinteresse (Ps 22 als Sprechakt der Klage).
In Richtung auf Text und Einheit des Ps 22 wollen wir nur auf zwei für
das Verständnis des Ps 22 entscheidende Probleme eingehen: zunächst auf
die wohl wahrscheinlichste Klärung des V. 22 b, dann auf das Verhältnis
der in Kap. 1 gebrachten einheitsstiftenden sprechaktorientierten Dreitei-
lung des Psalms zu den bisherigen fachexegetischen Abschnittlimitierungen.

4.1.2 Textverständnis des Verses 22

Textkritisch bringt der Ps 22 im ganzen keine schwierigen Probleme. Die
inhaltlich neuralgische Stelle freilich, nämlich der Übergang von V. 22 zu
23 in V. 22 b weist bezeichnenderweise auch eine textliche Unsicherheit
auf[5]. Die Diskrepanz spitzt sich auf zwei Textvarianten zu: „Rette mich
vor dem Rachen des Löwen, vor den Hörnern der Büffel (rette) mich Armen!"[6], oder „entreiß mich dem Rachen des Löwen und den Hörnern des

---

Lesevorgangs (wegen irgendwelcher Tendenzen, die noch untergebracht werden
sollten), die so vom Schreiber des ursprünglichen Textes nicht gewollt waren;
s. u. 4.2.3 (3)).
Sicher erfolgt im normalen exegetisch-methodischen Verlauf die struktural-semantische Analyse erst nach der Textsicherung und Textklärung, weil sonst leicht die
Gefahr einer nachträglichen Rechtfertigung des vorher unreflektiert zugrundege-
legten Textes besteht. Diese Gefahr ist hier nicht gegeben, weil sich der struktu-
ralsemantisch analysierte *deutsche Text* jetzt durchaus von den Beobachtungen
am hebräischen Text korrigieren lassen muß, selbst wenn es sich dabei um eine so
autorisierte Übersetzung wie die „Einheitsübersetzung" handelt. Zugleich wird
durch dieses Vorgehen klar, wie sehr das Basismodell des Gesamttextes sowie der
Basissprechaktprozeß gerade *die* Übersetzungsvarianten als fehlerhaft verdächtigt,
die dann tatsächlich im Zug der fachexegetischen Arbeit am hebräischen Text als
solche aufgedeckt werden (s. u. 4.1.2).

5 Zu anderen unsicheren Stellen vgl. die jeweilige Diskussion an Ort und Stelle in
   diesem Kapitel; vgl. Gese Art. 1968, 5, wo die relativ einfache textkritische Arbeit hinsichtlich des Ps 22 erwähnt ist; vgl. dagegen Wambacq Art. 1981, s. u.
   4.2.1 (1).

6 So die Einheitsübersetzung. Ähnlich in Richtung auf die nominale Auffassung
   übersetzen Gunkel 6/1968, 89, er präzisiert „mein Armes" a.a.O., 96 (über Well-
   hausen: dieser übersetzt „meine Arme") mit „d. h. Seele"; Westermann 1957, 11;
   Deissler 3/1966, 87 (dagegen s. u. Anm. 8); Botterweck Art. 1965, 68; Gese Art.
   1968, 3. Gese beruft sich (wie die anderen Autoren ebenfalls mehr oder weniger)
   auf die Septuaginta-Übersetzung dieser Stelle; vgl. auch Groß/Reinelt 1978, 131.
   Ein Gutteil dieser Autoren wiederholt dabei die Imperativform „rette mich . . ."

Büffels. — Du hast mich erhört! —"[7], bzw. „. . . du wirst mir Antwort geben!"[8] Zunächst muß also die Entscheidung fallen, ob im ʿănîtānî des V. 22 b ein Nomen oder ein Verb vorliegt. Aber auch nach einer Entscheidung für die Verbform spalten sich die Übersetzungsvarianten in die beiden Zeiten der Vergangenheit und der Gegenwart bzw. Zukunft. Diese Alternative haben wir im Zusammenhang mit dem Problem des „Stimmungsumschwungs" im besonderen Maße zu diskutieren.

Zunächst ist die Frage anzugehen, ob im letzten Wort des hebräischen V. 22 b eine Verbalform (du antwortest, rettest, du erhörst, du hast erhört u. ä.) oder ein Nomen (. . . meine Armut, Seele, Niedrigkeit u. ä.) vorliegt. Wir entscheiden uns für die Verbform, und zwar aus folgenden Gründen:

1. ist sie die entsprechende Übersetzung des masoretischen Textes. Es ist problematisch, den hebräischen Text durch den (griechischen) Septuaginta-Text korrigieren zu wollen[9]. Wenn die Nominalvariante nur durch den griechischen Überlieferungsstrang gestützt wird, ist von vorneherein Zurückhaltung geboten. Stolz beispielsweise hat dieses „Problem" in seiner Übersetzung nicht einmal als solches markiert[10].

---

von 22 a in 22 b (vgl. das zuletzt erwähnte Werk). Vgl. auch Luther 2/1977, 214; Herkenne 1936, 108.

7 So Kraus 5/1978, 175. Vgl. auch Ridderbos 1972, 191; beide bleiben freilich undeutlich, ob mit dieser Erhörung auch bereits die Errettung verbunden ist oder ob sie — was bei beiden etwas mehr herauszuhören ist — lediglich die Erhörungsgewißheit hinsichtlich der kommenden Errettung (etwa durch ein Heilsorakel provoziert) meinen. Einfachhin als weitergeführte Bitte übersetzen die Verbalform von 22 b: Kalt 1935, 71; Weiser 7/1966, 147: „Hilf mir aus dem Rachen des Löwen, rett' mich vor der wilden Stiere Hörner!", wobei Weiser den Hinweis „wörtlich: Erhöre" hinzufügt (vgl. strikt dagegen Edel 3/1966, 35 Anm. 2).

8 So Kilian Art. 1968, 183. Als Gegenwartsindikativ übersetzen Buber 1958, 37 und Stolz 1980, 130; neuerdings auch Deissler Art. 1981, 103/4: „. . . eine präsentische Wiedergabe (ist) eher plausibel . . ." (104). Vgl. Edel 3/1966, 35; letzterer verbindet die beiden wohl möglichen Varianten „erhören" und „retten" zu „(rettend) erhören" (Anm. 2). Buber übersetzt das hebräische 'nh mit seiner Grundbedeutung „antworten": „. . . wider Wissenthörner gibst du mir Antwort" (36); zur Bedeutung der Buberübersetzung vgl. Lohfink 1965, 244 ff.

9 Dies räumt auch Botterweck Art. 1965, 68 Anm. 15 ein. Vgl. auch Kraus 5/1978, 176. Es kann freilich der masoretische Text (der aus dem 10. Jh. n. Chr. stammt), nicht einfachhin als der Text angesehen werden, der uns den Urtext am besten liefert. Die Septuaginta-Bezeugung kann oft älter sein als die des masoretischen Textes. Dennoch dürfte der hebräische Text als solcher wie auch seine Traditionsweise und -geschichte mehr Wahrscheinlichkeit für die Authentizität beanspruchen als eine Übersetzung, mag letztere auch früher entstanden sein. Dies gilt vor allem dann, wenn, wie in unserem Fall, Überlegungen anzustellen sind, warum die Septuaginta-Übersetzung sich veranlaßt sah, den Text zu ändern und worin ihre Akzente liegen: Hier wird man an die für die weisheitlichen Interpretation der Psalmen sowie für den Septuaginta-Text wichtige „Armentheologie" denken müssen; vgl. Becker 1975, 83 f.; s. u. 4.2.3 (1).

10 Vgl. Stolz Art. 1980 b, 130. Überhaupt scheinen sich die neueren Veröffentlichungen hinsichtlich dieser Stelle mehr auf die verbale Übersetzungsvariante zu einigen; vgl. Deissler Art. 1981, 103/4.

2. ist zu bemerken, daß die poetische Struktur eines Psalms ihre eigene semantische Qualität und Konsequenz hat: In der Analyse des Inhalts muß auch die Formdimension beachtet werden. Zu dieser Struktur gehört wesentlich der Parellelismus membrorum[11]. Höchstwahrscheinlich ist hier ein chiastischer Parallelismus anzunehmen, in dem der Verbform (V. 22 a) *hôšîʿēnî* die bedeutungsähnliche Verbform *ʿănîṯānî* (V. 22 b) entspricht. Letztere ist das chiastisch gesetzte Gegenstück zur ersteren.

3. spricht für die Verbform auch, daß von den 62 Stellen, wo Jahwe als Subjekt von *ʿnh* im Alten Testament begegnet, fast die Hälfte (nämlich 30) in den Psalmen vorkommt. Gott reagiert mit erhörender und helfender Antwort aufgrund menschlicher Bitt- und Klageinitiativen[12]. Hier die Verbform anzunehmen, ist also vom entsprechenden Verbalkontext der Psalmen her durchaus gerechtfertigt und nicht singulär.

4. (und dies ist schon kein eigentlich textkritisches Argument mehr) korrespondiert die Verbform mit Ps 22, 3, wo (noch) als Faktum beklagt wird; daß Gott nicht (rettend) antwortet: Jetzt ist im Duktus des

---

11 Zum Parallelismus membrorum vgl. Ridderbos 1972, 11 ff.; Kraus 5/1978, XXX ff. Zum Parallelismus im größeren Zusammenhang mit der hebräischen Sprachstruktur vgl. Alonso-Schökel 1971, 206-224. In unserem Fall liegt einmal ein dem hebräischen Denken zutiefst genuiner synonymer Parallelismus vor, der durch Wiederholung eine ganze Wirklichkeit benennen will (vgl. a.a.O., 214 und 242-245, vgl. bes. 303-306). Zum anderen kommt aber in der Differenz zwischen Bitte und perfektischem Sachverhalt (zwischen V. 22 a und b) eine Antithese durch die Synonymie hindurch zum Vorschein: Was vorher erbeten war, ist jetzt als Erhörungsgewißheit eingetreten. Dies entspricht der im Hebräischen am häufigsten vorkommenden Antithese vom Typ des „Situationswandels". „Die Situationsänderung ist für gewöhnlich ein Schritt von einem Extrem zum anderen; sie ist daher eine zum Extrem gesteigerte Antithese, und insofern sie einen Wandel, eine Änderung besagt, ist sie dynamisch." (a.a.O., 304). Dementsprechend kann unter Situationswandel auch die Wiederherstellung bzw. Steigerung der Vertrauensbeziehung zu Gott verstanden werden. Diese schillernde Ausdrucksform von synonymem und antithetischem Parallelismus entspricht der Tendenz des Hebräers, disparate und gegensätzliche Wirklichkeiten zu der ihr eigenen Totalität und Integrität zurückzuführen (vgl. a.a.O., 303). Eben diese Tendenz der hebräischen Sprache entspricht auch dem theologischen Datum israelitischen Glaubens, Ferne und Nähe Gottes zusammenzudenken, was ja im Ps 22 bis zum Extrem hin verschärft ist. Alonso-Schökel spricht deswegen wahrscheinlich zurecht von der „theologischen Wurzel und Bedeutung" hebräischen Sprachdenkens (a.a.O., 304/5). (Zum genaueren Verhältnis von Synonymie und Antonymie vgl. Fuchs 1978 a, 29-36, 53 f.) Entsprechend entscheidet sich aus stilpoetischen Gründen bereits Schmidt 1934, 36. In diesem Argumentationspunkt gilt freilich die Einschränkung, daß die poetischen Strukturen (syntaktischer sowie stilistischer Art) noch recht wenig untersucht sind. Untersuchungen liegen bislang nur zu narrativen Texten vor. In narrativen Texten hätte die vorliegende Form *ʿănîṯāni* wahrscheinlich zeitlich-perfektiven und weniger perfektischen Charakter (der Terminus perfektisch ist exegetisch eingeengt auf Fälle, wo in der Vergangenheit — perfektiv — eine Handlung geschah, die aber in die Gegenwart fortwirkt: z. B. „Ich habe mich gesetzt (und sitze noch immer!)", vgl. Groß Art. 1977, 29.

12 Vgl. Labuschagne Art. 1976 a, 339 ff.

Psalms die Vertrauensarbeit soweit geleistet, daß der Psalmist zumindest wieder *bittet*, wahrscheinlich aber bereits sich der Erhörung *gewiß* ist! Soweit gekommen, so wahrscheinlich wird auch die Verbform!

Doch schreiten wir nun weiter von der Textkritik zu den Erwägungen der Verbform und -bedeutung, also in den Bereich der Formkritik bzw. der semantischen Analyse. Der im Bezug auf seine Überlieferung relativ gesicherte Text soll nun positiv verstanden und interpretiert werden. Denn die „Perfekt-Form" (Suffixkonjugation) des ʿanîtānî gibt nun doch eine Schwierigkeit auf. Gunkel hat hier die Suffixkonjugation, die er ganz richtig als „Perfekt der Gewißheit" bereits vermutet, dazu verleitet – sofern überhaupt eine Verbform anzunehmen ist, – sie parallel zum imperativischen hôšîēnî sehen zu müssen[13]. Diese Überlegung geht von der Prämisse aus, daß das Perfekt der Gewißheit der Modalform der Bitte widerspricht, weil letztere ja noch bittet, ohne bereits die Erhörung sicher zu besitzen. Da die Bitte als Sprechakt der Feststellung widerspricht, können beide nicht in der poetischen Form des Parallelismus aufeinander zugeordnet sein. Weil hier somit ein Perfekt nicht stehen kann, die fragliche Textvariante aber als Perfektform aufzufassen ist, muß nach Gunkels Argumentation die Nominalvariante gewählt werden. Weiser löscht später dieses Perfekt auch einfach weg und übersetzt es prompt mit einem Imperativ[14]. Es bleibt zu prüfen, ob Gunkels Prämisse von der Unverträglichkeit von Bitte und Gewißheit stimmt. Trifft sie nicht notwendigermaßen zu, ist der Weg frei für die größere Wahrscheinlichkeit der Verbalform. Doch um welche Gewißheit müßte es sich dann handeln und welche Verbindung hätte sie mit dem Gesamtduktus des Psalms?
Gunkel hätte mit seiner Unverträglichkeitsthese sicher recht, wenn man die Suffixkonjugation tatsächlich als deutsches Perfekt übersetzen würde. Bleibt man zunächst im Textverlauf und nimmt nicht voreilig außertextuelle Institutionen im Bereich der Pragmatik (z. B. Heilsorakel) an, so springt ein solches Perfekt tatsächlich aus dem Gesamtduktus des Psalms heraus. Auch ein visuelles Absetzen des „du hast mich erhört" von V. 22 a und b in eine dritte Verszeile c hilft hier nicht weiter und hat keinen Anhaltspunkt im Text[15].

---

13 Vgl. Gunkel 5/1968, 86/89.
14 Weiser gleicht 22 b völlig 22 a an: Er tilgt den chiastischen Parallelismus, indem er „rette mich . . ." in 22 b an den Anfang setzt (imperativisch) und zugleich (statt erhöre) das dem „helfen" in 22 a mehr entsprechende „retten" wählt. Die ganze Operation scheint mir unbegründet (vgl. Weiser 7/1966, 147). Groß/Reinelt wollen dem Dilemma dadurch entgehen, daß sie das „rette mich" aus 22 a in 22 b wiederholen und ʿanitānî mit „mich Armen" übersetzen (1978, 131). Dies ist eine pfiffige Lösung, doch hat der so ergänzte Parallelismus keinen Anhalt im Text, wenn die Verbform als Nomen übersetzt wird. Man kann sich diese Wiederholung sparen, denn das „rette mich" reicht ohnehin von 22 a in 22 b hinein; vgl. Westermann 1957, 11.
15 Vgl. Kraus 5/1978, 175; ähnliches gilt freilich auch für Stolz Art. 1980 a, 130, auch wenn er präsentisch übersetzt.

Damit entsteht die Frage, ob denn die hebräische Suffixkonjugation als deutsches Präteritum übersetzt werden muß. Nun gibt es tatsächlich andere Möglichkeiten, und das besonders in poetischen Texten, wie die Psalmen es sind. Michel hat in seiner Untersuchung „Tempus und Satzstellung in den Psalmen" (1960) durch induktive Textstellenuntersuchungen deutlich gemacht, daß das hebräische „Perfekt" in poetischen Texten sehr schillernde Bedeutung haben kann, die zum geringsten zeitlich zu dimensionieren ist[16]. Nicht die Zeitstufe ist für die Wahl der Suffixkonjugation entscheidend, sondern der Umstand, „daß jedes Mal eine Handlung berichtet wird, die von ihrer Umgebung unabhängig, also selbstgewichtig ist."[17] Die Handlung kann dabei auch zeitlich im Futur liegen; wichtig ist jedenfalls, daß sie als ein mit Gewißheit eintretendes Faktum angenommen wird. Wenn also die Suffixkonjugation (besonders in den Psalmen) insofern „Perfekt" ist, als es den „Klang der Endgültigkeit hat" und sich diese Endgültigkeit nicht zeitlich (als bereits geschehen) fixieren läßt, dann bezeichnet es endgültige, abgeschlossene und selbstgewichtige (also nicht abhängige) Handlungen, die faktisch geschehen sind, geschehen oder geschehen werden[18]. Ihre Faktizität und Absolutheit kommen im „Perfekt" zur Sprache. Die Zeitstufe ist sekundär. Versteht man also unter „perfektische Sachverhalte" eine Faktizität, von der her in einer irgendwie gearteten kausalen Bedingtheit ein gewisser gegenwärtiger Zustand zu folgern ist, dann können perfektische Sachverhalte vergangen, gegenwärtig oder zukünftig sein, sofern unerheblich bleibt, ob die Dimension des Faktums unmittelbar im Zustand der Gegenwart erfahren oder in diesem „nur" geglaubt wird. In jedem Fall hat die Gegebenheit des Faktums einen aktuellen Bezug zur Gegenwart[19].

---

16 Vgl. Michel 1960, 81, 82, 89. Zur Funktion der Suffixkonjugation als Präsens in der Notschilderung von Klage- und Danklied vgl. a.a.O., 53. Zur Würdigung, aber auch zur Kritik von Michels Arbeit und Methode vgl. Groß 1976, 44 f. bzw. 46-54. Insgesamt geht nach Groß Michel zu sehr von den inhaltlichen Strukturen und damit auch Vorvermutungen aus als von einer genauen Analyse der Ausdrucksformen. Dennoch sind seine Ergebnisse nicht falsch, sondern unvollständig und noch zu wenig präzis (vgl. Groß a.a.O., 49).

17 Michel 1960, 255. Es gibt übrigens nicht nur in Psalmen den präsentischen Gebrauch des Perfekts, sondern auch im Erzählgut des Alten Testaments. Sogar die zukünftige Bedeutung der Suffixkonjugation ist belegbar, beispielsweise in Ri 15, 3: „Niemals werde ich schuldig gewesen sein!"

18 Vgl. die Zusammenfassung bei Michel 1960, 254-256, Zitat-Teil 255. Vgl. auch Ridderbos 1972, 197 ff. Vgl. weiterhin Michel 1960, 63, 81-90, 141 f. Merkwürdigerweise bringt Michel allerdings nirgendwo Ps 22, 22 b als Beispiel für die präsentische Bedeutung der Suffixkonjugation. Offensichtlich setzt er hier ohne weiteres die Nominalübersetzung voraus; zu den entsprechenden Mängeln bei Michel vgl. Groß 1976, 49. Vgl. Zeller Art. 1981, 26 f., 31.

19 Vgl. Groß 1976, 115/6; Richter 1980, 217 ff.; Görg Art. 1970, 422-424; zu den grundsätzlichen Schwierigkeiten in der Bestimmung der Verbfunktionen bei toten Sprachen und somit auch im Bibelhebräisch vgl. Groß 1974, 181 ff.

Daß nach Groß die Suffixkonjugation in der Regel keine individuelle Gegenwart bezeichnen kann, sondern hauptsächlich einen generellen, als Erfahrungssatz ausgeprägten Sachverhalt, entspricht durchaus der Textsorte des Ps 22 als Gebetsformular mit generellem Charakter (s. u. 5.1). Die individuellen Ausdrucksformen in den Ich- und Du-Reden des Gebets dürfen darüber nicht hinwegtäuschen. Dabei liegt dem Dichter mehr daran, das Perfektische zu betonen, denn das Generelle. In letzterem Fall hätte er die Präfixkonjugation vorziehen müssen[20].

Zu diskutieren bleibt freilich noch die Frage, ob ˁnh mit der Grundbedeutung „antworten" überhaupt die semantische Breite auch für die Bedeutungen „erhören" und gar „befreien" bzw. „erretten" aufmachen kann. Stolz markiert in seiner Übersetzung diese Schwierigkeit, indem er „du erhörst mich" in der dritten Zeile nachsetzt[21]. Doch widerspricht gerade diese Übersetzung und Zeilenführung dem zu vermutenden Parallelismus membrorum. Die Schwierigkeit ergibt sich auch nicht unbedingt, weil ˁnh tatsächlich offen ist für die eben genannten Bedeutungsnuancen, was nicht (besonders nicht bei Jahwe) in Worten geschehen muß, sondern sich auch in der günstigen Tat zeigen kann[22]. Eine derartige willige Reaktion kann in unserem Fall nur die Erhörung bzw. Befreiung sein, wie sie auch im Kontext als solche errufen wird (vgl. V. 3).

Nun zum Problem des Verhältnisses von Imperativ und Perfekt in V. 22 b: Zunächst läßt ja die Stilfigur des Parallelismus einen der Verbform in V. 22 a entsprechenden Imperativ (erhöre mich!) auch in V. 22 b vermuten. Dies wäre dann ein synonymer Parallelismus, in dem die Aussage des ersten Stichos in einer semantischen Variante im zweiten Stichos auftritt[23]. Dem

---

20 Vgl. dazu Groß 1976, 114-177, bes. 116: „Wenn ein genereller perfektischer Sachverhalt gemeint ist, muß der Sprecher sich entscheiden. Will er das Perfektische betonen, wählt er die Suffixkonjugation, kann aber dann die Generalität nicht ausdrücken. Will er diese ausdrücken, wählt er die Präfixkonjugation, kann aber dann das Perfektische nicht bezeichnen. Innerhalb des perfektischen Sachverhalts, für den Suffixkonjugation ... steht, kann das Hebräische also syntaktisch und morphologisch weder Gegenwart-Vergangenheit noch generell-individuell differenzieren." A.a.O., 117 bringt Groß ein interessantes Beispiel aus Ps 34,8: „Der Engel des Herrn hält sein Lager aufgeschlagen bzw. hat sein Lager noch immer aufgeschlagen gehalten um die, die ihn fürchten, und er hat sie auch noch immer errettet." In unserem Ps 22, 22 b kommt der generelle Aspekt nicht in der Ausdrucksform selber, sondern in der Gattung zum Vorschein. Wer immer sich in den Klageprozeß des Psalms hineinbegibt, „hat schon immer Rettung erfahren". Zum Generellen in der dichterischen Sprache vgl. Alonso-Schökel 1971, 319 f. In der Dichtung wird generalisiert, damit individuelle Identifikationen auf breiterer Basis möglich werden. Die Verbalisierung wird zum Zufluchtsort des Beters (vgl. Görg Art. 1980, Tsevat 1955, 37).
21 Vgl. Stolz Art. 1980 a, 130; denn erst „errettest du mich" wäre mit „vor den Wildhörnern" verbindbar (parallel zu V. 22 a als „Herausgeholtwerden" aus der Gefahr verstanden).
22 Vgl. dazu Labuschagne Art. 1976 a, 336-340; Edel 1966, 35, wo es durchaus für möglich dargestellt wird, ˀnh in der Bedeutung von „rettend erhören" mit dem Akkusativ zu konstruieren; zu „antworten" als Synonym zu „retten" vgl. Stolz Art. 1971 b, 787.
23 Vgl. Kraus 5/1978, XXXI; Alonso-Schökel 1971, 214.

kann freilich entgegengehalten werden, daß hier – sofern es der Gesamtduktus des Psalms zuläßt – auch die Stilfigur des klimaktischen Parallelismus vorliegen kann, indem der zweite Stichos zum ersten bei gleichbleiben-
dem Bedeutungskern und möglicherwiese lexikalischer (durch ein neues,
aber ähnlich bedeutendes Wort), grammatischer (andere Verbform) und
syntaktischer (z. B. Chiasmus) Variation eine Klimax, eine Steigerung
bildet[24]. Die Klimax besteht in unserem Vers darin, daß das, was in 22 a
als Bitte formuliert wurde, in 22 b als derart mit Vertrauen aufgefüllte und
intensivierte Bitte gesteigert wird, daß es *die Qualität eines antizipierten
Faktums annimmt:* Die Rettung wird zu einer aus der Zukunft in die Gegenwart hereingeholten, bereits be- und abgeschlossenen unabhängigen
Handlung Gottes. „Das Wort Jahwes ist bereits ergangen, nun müssen als
Folge davon die Feinde vergehen."[25] Die Antwort Jahwes ist also schon
ausgesprochen, alles andere ist eine nur noch zu erlebende Folge dieses
Beschlusses. Aus der Perspektive des Beters liegt damit ein Perfekt confidentiae oder propheticum vor, aus der Perspektive des handelnden Gottes
ein Perfekt des sicheren Futurs. Der beschlossenen Sicherheit der zukünftigen Rettung entspricht die vertrauende Gewißheit der erhofften Erhörung.
Im Deutschen gibt es eine entsprechende Formulierungsmöglichkeit, in der
auch (allerdings meist mehr petitiv) apodiktisch die Sicherheit der Zukunft
in die Gegenwart hineinformuliert wird: „Du tust das nicht!" (Im Sinne:
Ganz gewiß wirst du das nicht tun!). Wie groß im ʿ*ănîṯānî* die Dimension
des Petitiven (erhöre mich dringend!) auf der einen und die der Erhörungsgewißheit (du erhörst mich sicher!) auf der anderen Seite sich ihre entsprechenden Anteile zugestehen, ist nicht genau auszumachen und relativ offen. Die Perfektform jedenfalls spricht für den größeren Anteil der Erhörungsgewißheit, wenngleich das Bittelement noch nicht erloschen ist, son-

---

24 Im Sinn von Ridderbos 1972, 11, gegen Kraus 5/1978, XXXI.
25 Bezüglich Ps 6, 9-11: Michel 1960, 63; die Perfekta berichten hier keine gescheh-
nen Fakten, sondern bezeichnen ein Eintreten; vgl. auch 52-63, 90 ff., 141 f.;
Kilian Art. 1968, 176; Stolz übersetzt ʿ*anîṯāni* Art 1980 a, 140/1 zwar präsentisch,
weniger freilich hinsichtlich einer individuellen Heilsgewißheit, denn in Richtung
auf eine generelle „allgemein-konstatierende Funktion". Dies ist kein Widerspruch
zu unserer Annahme: denn einmal ist für den Beter bzw. die Gemeinde die Vor-
lage einer allgemeinen Gebetsaussage, daß Gott grundsätzlich erhört, auch in der
konkreten Situation die Quelle subjektiver Erhörungsgewißheit; zum anderen ist
es eine Frage, an welchem Ort der Entstehungs- und Gattungsgeschichte der Psalm
gesehen wird: Im Zug der Rezeption des Ps 22 in der exilischen und nachexilischen Zeit gewinnt das ursprüngliche individuelle Klagelied generelle Dimensionen (hinsichtlich einer dauernden Situation des ganzen Volkes, vgl. a.a.O., 144. Stolz
argumentiert dabei mit einer vergleichenden Analyse der Tempora und Satzstel-
lungen in Ps 119, 25 ff.; a.a.O., 141 Anm. 45). Vgl. zum ganzen auch Ridderbos
1972, 99/101: Seiner Meinung nach ist der Unterschied zwischen offenen und
erhörten Bitten nicht leicht auszumachen. Die Wahrscheinlichkeit spricht hier für
die Not als Sprechsituation des Psalms, also für eine zwar erhörungsgewisse, aber
hinsichtlich der Rettung noch offene Bitte.

dern mitwandert, sich darin zu dem in Realität steigert, was ihr Motiv ist: zum festen Vertrauen auf Gottes Hilfe[26].

Mit der Klimax in V. 22 konkomitiert hintergründig die Gesamtklimax V. 1-22, die von der klagenden Frage über die Bitte zum sich steigernden Vertrauen fortschreitet[27] und zum qualitativen Sprung (Lobpreis!) in V. 23 drängt. Leicht ist dieser Spannungsbogen aus dem Kontext zwischen V. 3 b und V. 22 b abzulesen. Der Behauptung „du gibst keine Antwort" (V. 3 a) entspricht nun in V. 22 b die positive und erhörungsgewisse Aussage: „du antwortest mir, bzw. errettest mich"[28]. Dazu entspricht dem ersten Perfekt in V. 2 (Warum hast du mich verlassen?[29]) nun — im Gegensatz dazu — das neue „Perfekt" in V. 22 b als vormals verborgene, jetzt offengelegte, weil erhörte Nähe Gottes, als zwar nicht ganz erfahrbare, sich nicht aufdrängende, aber doch entscheidende, weil in Gott beschlossene Wirklichkeit.

Es geht hier also nicht vorwiegend um die Frage, was psychologisch möglich ist (wie nämlich etwa eine Bitte zur Gewißheit gelangen kann), sondern was theologisch nicht nur möglich, sondern not-wendig ist, denn allein von Gott her ist solche Erhörungsgewißheit begründet. Der Weg zu dieser theologisch qualifizierten Innovation geht über die Vertrauensinvestition bzw. über den Glauben des Beters. Die theologische Durchdachtheit und poetische Qualität des Psalms deuten stark darauf hin, daß hier nicht psychologische, sondern theologische Momente im Vordergrund stehen. Gott und sein Heil bleiben nahe, auch wenn gegenwärtig Not erfahrbar ist. Dieser Prozeß zu vertieftem Glauben hin hat natürlich seine psychologischen Korrespondenzen (z. B. die Hoffnungs- und Sehnsuchtsfähigkeit des Menschen), so daß der Mensch die natürliche Fähigkeit hat „mitzugehen". Aber psychologisch verständlich wäre ja auch die Verzweiflung: Diese freilich wird in der Klagetheologie der Psalmen nicht stehen gelassen und nicht bestätigt. Die textinterne Sprechaktführung des Psalms ist also nicht psychologisch, sondern theologisch im wahrsten Sinne des Wortes, von ihrer Gottbezogenheit her nämlich, bestimmt[30]. Der Psalm ist demnach nicht nur ein sprachliches Medium zum Audruck der Gefühle und der entsprechenden Gedanken, sondern er nimmt beide in eine sprachlich-semantische

---

26 Zum Verhältnis von Vertrauen und Erhörungsgewißheit vgl. Ridderbos 1972, 99-102.

27 So Kilian Art. 1968, 183: S. o. Kap. 5, Anm. 93.

28 In V. 3 b steht ʿnh zwar in der Imperfektform, doch bezeichnet das Imperfekt hier in Beziehung zu 3 a ein „korrespondierendes Eintreten": „Das Eintreten der ersten Handlung bedeutet das Eintreten der zweiten", vgl. Michel 1960, 139 (Zitat), 140 f. Die Entsprechung von V. 3 b zu 22 b spricht übrigens auch für die Auffassung von ʿănîtānî als Verbform überhaupt.

29 Die Verlassenheit wird zunächst schon richtig als „Faktum" gesehen, als sie sich als auf Gott bezogene Interpretationskonsequenz der Not und damit als Realität unmittelbar aufdrängt.

30 Vgl. Stolz Art. 1980 a, 134; Ridderbos 1972, 97; besonders Görg Art 1980, 215 ff.; 217.

Fassung hinein, die dann auch den Beter selbst wieder „Fassung gewinnen" läßt: Die Fassung eines Gliedes des Volkes Israel, das an Jahwe als den „Mitgeher" mit den Menschen glaubt.

Betrachten wir endlich V. 22 b vom folgenden Kontext her: V. 23 ff. folgt das *Gattungselement eines Lobgelübdes* (s. u. 4.2.3 (2)). Unmittelbar vor solchem Kontext kann kaum von der Errettung als in der Vergangenheit erfolgtem Ereignis die Rede sein, weil das Lobgelübde dieses Ereignis ja erst für die Zukunft voraussetzt. Andernfalls wäre es gegenstandslos. Gerade bei den Psalmen und ihren Gattungselementen ist immer der jeweilige Kontext für das Verständnis eines Wortes bzw. seiner dramatischen Form entscheidend. Dies ist zwar nur ein relatives Argument, hat aber im Gesamt der hier gebotenen Diskussion eine hohe Wahrscheinlichkeit. Es ist also nicht nur möglich, sondern durchaus nötig, mit V. 22 b ein zukünftiges „Perfekt" zu vermuten, in dem die Charakteristika der Suffixkonjugation, nämlich Faktizität, Abgeschlossenheit und Gegenwartsbezug, gewahrt sind. Insgesamt entscheiden wir uns mit guten Gründen für die folgende Übersetzungsvariante:

Entreiß mich dem Rachen des Löwen!
Vor den Hörnern des Stieres: Du antwortest mir!

Das „Du antwortest mir" hat dabei den konnotativen Bedeutungsvektor, der darin assoziativ enthalten, mitgedacht und mitgefühlt wird: ,Vor den Wildhörnern: *Du* antwortest mir, du hörst und erhörst mich, du befreist und rettest mich!' Mitten im Vers geschieht ein massiver Umbruch: Die bisherige Bildsparche macht unmittelbare Erlebnisrealität Platz. Trotzdem werden beide Zeilenteile durch den Parallelismus membrorum zusammengehalten[31]: Sie gehören auch zusammen, und zwar in der inhaltlichen Verbindung des „Trotzdem" und des „Obwohl": „Obwohl ich unmittelbar vor den Wildhörnern stehe, wird mir augenblicklich klar. daß du mich befreist!" An der äußersten Zuspitzung der Klage arbeitet der poetisch durchformte Text mit dem formal-semantischen Bruch von der Metapher zur Objektsprache (hinsichtlich der unmittelbaren Gegenwart des Beters). Im ͑ănîtānî liegt damit eine *Koinzidenz* von Erhörung und Aussprechen vor, sofern man unter Koinzidenz „die Identität des geäußerten Satzes mit der

---

31 Vgl. dazu die Ausführungen in Anm. 11. Zur Bedeutung der Bilder im alttestamentlichen Denken vgl. Alonso-Schökel 1971, 307 ff., zu Bildern in dichterischer Sprache vgl. 319 ff. Dabei ist wichtig, daß die hebräische Bildsprache nicht etwa eine Wegführung von der Realität oder eine Veredelung der Situation darstellt, sondern daß sie in sich eine eigene „Verwirklichung" von Erfahrungen aufnimmt. Dabei geschieht immer zugleich auch innerhalb der Poesie eine relativ verallgemeinernde und kollektivierende Deutung ursprünglich wohl individueller Totalerfahrungen (vgl. a.a.O., 318-324). In Ps 23, 4 begegnet eine ähnliche Operation: „Muß ich auch wandern in finsterer Schlucht: Ich fürchte kein Unheil; denn du bist bei mir!" Auch hier springt eine unmittelbare Erlebnisrealität aus den narrativ-metaphorischen Elementen heraus und unterbricht den Textfluß.

Realisierung des durch ihn bezeichneten Sachverhalts" versteht[32]. Beides, die Erfahrung der Erhörungsgewißheit wie auch der Augenblick der Formulierung dieser Gewißheit, ist zeitlich identisch und setzt sich im Scheitelpunkt der Klage auch im semantischen Bruch zum Vortext massiv durch. Im Sinne eines neu einbrechenden „Erlebnisses"[33] liegt hier eine „Unter-

32 Groß Art. 1977, 32, dort finden sich auch weitere Erklärungen und Literaturhinweise zum Begriff; zur Suffixkonjugation als Ausdrucksform für Koinzidenz vgl. Groß 1976, 49 f., 164, 183. Insgesamt ist der Begriff der Koinzidenz noch nicht hinreichend geklärt (vgl. Groß Art. 1977, 32), doch können zwei Definitionsansätze unterschieden werden: einmal wird Koinzidenz *konzentriert und enger* verstanden als die unmittelbar generative Funktion des Sprechens im Bezug auf die Wirklichkeit: Ein gesprochenes Wort schafft aus sich heraus die darin angedeutete Realität. Das Aussprechen generiert die genannte Wirklichkeit. Hier wäre beispielsweise Görgs Interpretation zu Ps 7, 7 b zu erwähnen, die die Übersetzung nahelegt: Heute gebäre ich dich! In diesem Ausspruch Gottes liegt ebenfalls ein präsentisches Perfekt vor: Die Verbform drückt nicht ein Faktum oder Ereignis der Vergangenheit aus, sondern eine aktualisierte und artikulierte Wirklichkeit (Görg Art. 1970, 241). Der Quasi-Schöpfungsakt der Wiedergeburt des Königs vollzieht sich „heute", im und durch das Jetzt des Ausspruchs. Im *weiteren Begriff* ist unter Koinzidenz die Parallelität zwischen Sprache und Realität zu verstehen, wobei zwischen beiden kein generativ-kausatives Verhältnis besteht. Ihr gegenseitiges Verhältnis ist das der performativen Gleichzeitigkeit: so erfolgt der Opferspruch zugleich mit der Gebärde bzw. der Durchführung des Opfers. Was beide Akte generiert, hat die gleiche, für beide Aktionen gleichbedeutsame Ursache, nämlich den Willen des Opfernden (zur Koinzidenz von Gesang und Opferkult vgl. Arens 1961, 49. Überhaupt ist hier auf die Struktur von Ritualanfängen hinzuweisen: Die Aufforderung „Du holst das Opfertier!" ist sowohl imperativ wie auch in eigenartiger Gleichzeitigkeit die Formulierung für die Aktionsdurchführung; vgl. dazu Koch 1959, 96-104; Rendtorff 1967, passim, für unseren Zusammenhang besonders 89-114 und 144-149.) Aufgrund des Anredecharakters (vom Beter auf Gott zu) in Ps 22, 22 b kann hier nicht die Koinzidenz im engeren Sinn des Wortes angenommen werden. Dies gälte allenfalls für die dieser Anrede implizite Zusage Gottes: Ich antworte dir! Man muß hier eher die zweite und weitere Begriffsbestimmung von Koinzidenz ansetzen, wonach die Anrede des Beters mit dem Zuspruch Gottes performativ-parallel verläuft. Freilich setzt die letztere weiterverstandene Koinzidenz in unserem Fall die erstere generative als ihre Ermöglichung und Begründung im geglaubten Zuspruch Gottes (ich antworte dir) voraus. Nach jüdischer Jahwe-Wort-Theologie darf man, ja muß man diese Voraussetzung auch annehmen. Kommt hier in V. 22 b tatsächlich die Erhörungsgewißheit des Beters zum Ausdruck, dann kann dies im Kontext biblischen Glaubens nur aufgrund des Vertrauens darauf geschehen, daß Gott seine Antwort gesprochen hat bzw. spricht. Denn eine solche Antwort ist theologisch-strukturell ähnlich anzusetzen wie die „Fürchte dich nicht . . ." und „Ich bin bei dir"-Sprüche Jahwes, in denen ähnlich wie im Ps 2, 7 b die Macht des rettenden Gottes zur wirklichkeitsverändernden Geltung kommt. Diese Veränderung muß sich nicht auf eine Veränderung der Situation kaprizieren, sondern hat zu ihrem zentralen Gegenstand das Beziehungsverhältnis des Menschen zu Gott; vgl. Görg Art. 1970, 422 f. Strukturell gilt hier das gleiche, was Görg a.a.O., 424, hinsichtlich Ps 2, 7 b schreibt: „Der Entwurf eines neugeschaffenen, königlichen Archetyps bleibt Wirklichkeit, auch wenn die erfahrbare, unmittelbare Realisation ausbleiben sollte."
33 Die Koinzidenz in V. 22 b ist keine unmittelbar erlebnishaft-psychologische, sondern insofern eine sekundäre, als sie nicht direkter und unmittelbarer Ausdruck eines solchen Erlebnisses ist, sondern die poetisch-semantische Realisation einer

brechung" besonderer Art vor, die poetisch durch den Abbruch der metaphorischen und den Einbruch der unmittelbar realitätsbezogenen und dialogischen Sprechform realisiert wird.

Freilich ist „Du antwortest mir!" eine performative Rede von eigenartiger Qualität: Sie erfolgt in der zweiten Person (du) und zugleich reflexiv (mir). Hier konzentriert sich in äußerster Verdichtung die verschränkte Kommunikationsstruktur des Psalmengebetes zwischen Mensch und Gott als Anrede des Menschen und als Antwort Gottes, wobei beide Sprechakte in der Textsorte des Gebetes zu einem ganzheitlich-„gleichzeitigen" Akt zusammenwachsen. Die errettende Antwort gelangt in V. 22 b in das anredende Gebetsbewußtsein des Psalmisten zur Erhörungsgewißheit. Der Psalmist spricht performativ aus, was eigentlich Gott performativ sagt: ‚Ja, ich antworte dir (hiermit, nämlich durch die geschenkte Erfahrung der Erhörungsgewißheit im Prozeß des Betens)'. Der Gotteszuspruch ist in der Gottesanrede enthalten und verleiht ihr so die Qualität des Performativen: in der unmittelbaren Aussprache des Gottesspruches als Anrede Gottes: Ja, *du* antwortest *mir*! Daß Gott Subjekt der Antwort ist, spricht also nicht dagegen, daß der Beter hier performative Rede leistet. In seiner Rede spricht er Gottes Antwort für sich (mir!) als seine gerade jetzt einbrechende Glaubensrealität aus: Angesichts und *in* der höchsten Not bricht gegen die bisherige Denkfigur von Nähe Gottes und Wohlergehen des Menschen die Glaubenswirklichkeit durch: Gott ist trotzdem, er ist *in der Not als Antwortender, Hörender und Befreiender nahe.* Dieses in der Jahwetheologie fundierte Glaubensbewußtsein wird in unserem Text in Form eines Gebetssprechaktes ermöglicht, provoziert und realisiert. Die Notsituation ist nicht beseitigt. Was sich verändert, ist die theologische (und damit natürlich auch verbundene psychologische) Einstellung des Beters. Sie zeigt sich auf der Ausdrucksebene in dem semantischen Bruch in der Mitte des V. 22 b.

Die Konsequenzen unserer Option hinsichtlich V. 22 b sind beträchtlich: Es müssen nunmehr keine textexternen Faktoren mehr angenommen werden, damit die „Spannung" zwischen V. 22 und 23 erklärt werden kann. Der Psalm besitzt in sich selbst eine theologische Konsistenz auf der einen und einen psychologisch nachvollziehbaren Erfahrungszusammenhang auf der anderen Seite: Am Gipfel der Klage wendet sie sich in der Erhörungsgewißheit zum Lobpreis Gottes hin (s. u. 4.2.3 (2) und 5.1.2). Dieses Ergebnis entspricht auch dem, was die strukturalsemantische Analyse zutage gefördert hat (s. o. 3, bes. 3.4).

Erfahrung formuliert, die einmal oder auch mehrere Male spirituell erlebt wurde, theologisch reflektierend überformt ist und so ähnliche spirituelle Erfahrung provozieren und einüben will (s. u. 5.1.1). (Diese in den Psalmen zutage kommende Erlebnispoesie kann in ihrer Produktionsart verglichen werden mit den Erlebnisgedichten etwa bei Theodor Storm: Auch letztere sind nicht unmittelbarer Ausdruck von Erlebnis, sondern poetisch in großer Mühe stilisierte und versprachlichte konnotativ-semantische Realisationen, die dann freilich unmittelbare entsprechende Erfahrungen und Erlebnisse durch das Wort hindurch evozieren können und sollen).

Dem von uns favorisierten Verständnis von V. 22 b sind auch die folgenden Perfektformen in V. 25 und 32 b sinngemäß leicht anzuschließen: Sie referieren auf genau dieses Perfekt in V. 22 b und können dann als „echte" Perfektformen verstanden werden, weil sie die (im Psalm selbst) geschehene Erhörungsgewißheit als bereits erlebtes Angelt auf die Heilstat Gottes im Hintergrund als Begründung haben[34]. Man muß also gar nicht die sicher ebenfalls plausible Erklärung Kilians bemühen, nach der V. 25 eine lehrhafte Verallgemeinerung des V. 22 b darstellt, also ebenfalls keine Vergangenheitsaussage sein kann oder muß[35].

4.1.3 Anmerkungen zur „Einheitlichkeit" des Ps 22

Die Einheit des Psalms als eines semantisch-kohärenten Textes[36] ist als erwiesen anzusehen (s. o. 2.1.1). Auch die Einteilung der Abschnitte und Aufbauphasen ist relativ evident und im wesentlichen unbestritten (s. o. 2.1.2) und orientiert sich weitgehend an den vorherrschenden Sprechakten der Sequenzteile: an der Klage, der Bitte und dem Lob[37]. Klar ist auch der Einschnitt nach V. 22, der Übergang von der Bitte zum Lobpreis (-Gelübde). Nicht unbestritten ist der in der semantischen Analyse gebrachte Einschnitt zwischen V. 11 und 12.

Nicht wenige Autoren rechnen V. 12 zum ersten Abschnitt und sehen in ihm einen Zielpunkt, zu dem die Klage schließlich gekommen ist. Diese Einschätzung klingt plausibel, es fragt sich nur, ob nicht der gesamte Ab-

---

34 Vgl. Michel 1960, 64/5: Wenn man also diese Perfektformen in V. 25 und 32 als Präterita übersetzen will, könnten sie sich durchaus innertextlich auf die Erhörungsgewißheit von V. 22 b beziehen.

35 Sofern man Kilians (Art. 1968, 184) Vorschlag akzeptiert, V. 25 generalisierend zu übersetzen: „Fürwahr, er wird nicht verschmähen noch verachten die Not der Armen." Gott wird darin die Allgemeingültigkeit seiner Hilfe für die Armen zugesprochen, die deswegen auch ganz konkret für den Beter gilt und gelten wird.

36 Zum Begriff der semantischen Kohärenz eines Textes vgl. Fuchs 1978 a, 45. Im folgenden Kapitel wollen wir zeigen, daß für Gliederung wie Einheit des Ps 22 vor allem die sprechaktsemantische Kohärenz entscheidend ist. Die Frage nach der Einheitlichkeit eines Textes ist zwar genuin literarkritisch zu lösen; es werden in diesem Kapitel aber nicht nur literarkritische Kriterien für die Begründung der Einheitlichkeit herangeführt. Im Zug einer dezidiert durchgeführten Literarkritik, die wir hier nicht leisten können, müßte auch noch mehr der grammatischen Form Aufmerksamkeit geschenkt werden. Außerdem müßten genauer die Widersprüche und Doppelungen untersucht werden. Die dabei aufgebrachten Ergebnisse bräuchten dann eine Bestätigung durch entsprechende Formuntersuchungen. Dabei wäre zu beachten, daß grundsätzlich in poetischer Literatur Doppelungen und Wiederholungen sowie Abschnitt-„Brüche" nicht die Einheitlichkeit des Textes antasten müssen (vgl. zur grundsätzlichen antithetisch wie auch synonym orientierten Wiederholungsstruktur hebräischer Poesie Alonso-Schökel 1971, 242 ff., 303 f.).

37 Vgl. Westermann 1957, 9: Bei aller Verschränkung der Klage und der Bitte zueinander markiert Westermann deutlich die Dominanz der Klage in V. 2-11 und die der Bitte in V. 12-22. Vgl. ähnlich Kraus 5/1978, 176 f., Gunkel 5/1968, 88 ff.; Groß/Reinelt 1978, 123 ff. u. v. a.

schnitt mit der vorherrschenden Bitte (also V. 12-22) dieses Ziel der Klage ist, nicht nur der einzelne V. 12. Die klagende Notschilderung V. 13-19 wird dann von den Sprechakten der Bitte eingerahmt, wobei die Bitte V. 20-22 sowohl im Umfang wie in der Intensität eine Klimax zu der in V. 12 bringt und so ebenfalls nicht nur auf den folgenden V. 23 als Höhepunkt zustrebt, sondern auf den ganzen folgenden Abschnitt des Lobpreises V. 23-27 bzw. bis 32, der ja ebenfalls durch die das Lob begründende, erinnernde Schilderung der Not sowie des Eingreifens Gottes unterbrochen wird (V. 25), so daß in Abschnitt III das Lob einen nun allerdings überdimensional breiten Rahmen für die Noterinnerung gestaltet. In ähnliche Richtung zielt Westermann, der zwar keine großabschnittige Einteilung bringt, aber hier in jedem Fall einen Einschnitt zwischen V. 10/11 und 12 markiert, der die Bitte klar von der Klage absetzt. Ergänzend möchten wir allerdings daran festhalten: Nicht nur V. 12, sondern überhaupt V. 12-22 bekommt seinen Sinn als „Zielpunkt" des Klageweges V. 2-11[38]. Dafür spricht schließlich, daß V. 11 b („mein Gott") mit dem Texteingang V. 2 („mein Gott, . . . warum hast du . . .") korrespondiert (s. u. 4.2.1 (1)). Auch stilistisch-metrische Gründe sind anzuführen[39].

Hinter der häufig anzutreffenden Einteilung zwischen V. 12 und 13 ist ein Vorverständnis zu vermuten, das die Bitte grundsätzlich als Höhepunkt der Klage ansieht, ja sogar, daß sie bereits den Kern der Klage selbst ausmachte. Das Klageelement verliert dabei an Eigenständigkeit und kann für sich selbst kaum stehen. Damit hängt wohl auch die Tatsache zusammen, daß eine Reihe von Autoren überhaupt weniger von Klage denn von Bittpsalmen sprechen und in diesem Sprachgebrauch durchblicken lassen, daß sie die Klage den Bittpsalmen subsumieren wollen.

So sieht Gerstenberger in der Bitte den „logischen Höhepunkt" der Klage. Westermanns Einwand, der gerade von den Extremformen der Psalmen in ihren Hauptsprechakten ausgeht (nämlich von der Klage und dem Lob)[40], daß Klage und Bitte „gleichgewichtige Bestandteile" der Klagepsalmen des Einzelnen sind, begegnet er mit dem Hinweis, daß die Klage „nie Selbstzweck, sondern auf Veränderung der Zustände" angelegt sei[41]. Dagegen ist freilich Protest zu erheben: Die Zielrichtung gerade des Vorwurfs und

---

38 Vgl. Westermann 1957, 9/28; Ridderbos 1972, 185 ff.; Stolz Art 1980 a, 140.
39 Vgl. Ridderbos 1972, 191, 185 f., Anm. 3.
40 Vgl. Westermann Art. 1973, bes. 85 ff. Daß die Klage im engeren Sinn auch ihre Eigengewichtigkeit besitzt, zeigt die Tatsache, daß man sich auch eine Klage an jemanden vorstellen kann, der nicht helfen kann oder will. Auch dann, ohne den Sprechakt der Bitte, ist die Klage (als expressive Weigerung gegen Situation und Widersacher) nicht zwecklos, wenngleich sie (vgl. das Negativmodell in der Strukturanalyse (s. o. 3.2.1) dann in die Hoffnungslosigkeit führen kann.
41 Vgl. Gerstenberger 1980, 12, 119, 123, 163; zur Auseinandersetzung mit Westermann a.a.O., 12 Anm. 24; vgl. Drijvers 1961, 235.

der Anklage in der Klage trifft zuerst den Kommunikationspartner selbst und will ihm gegenüber das Unverständnis und den Wider-Willen ausdrükken. Die Klage markiert so im Krisen- und Konfliktgespräch ein Beziehungsproblem, nicht zuerst das Problem der Situationsveränderung[42]. Dies gilt natürlich nur für eine adressatenorientierte und nicht für eine unpersönlich-namenlose Klage. Aber letztere steht auch bei Gersterberger nicht zur Verhandlung. Die Klage hat damit durchaus einen begegnungsorientierten „Selbstzweck" und enthält erst darin latent die Aufforderung zu helfen. Freilich wird diese Latenz in der Folge des Klageprozesses in die Bitte hinein enthüllt.

Es scheint, als bestimme bei Gerstenberger und manchen anderen Autoren ein unreflexes Vorverständnis der Klage als Funktion der Bitte dann auch die einteilungsorientierten und gattungsbezogenen Ergebnisse. So werden die Klagelieder einfachhin als „kultische Bittreden" bezeichnet, deren Verwendung dazu noch hauptsächlich vom Erfolg abhängig gemacht wird. Die Klagelieder werden dadurch auf die Erfolgsfunktion in der entsprechenden kultischen Kasualpraxis reduziert. Der Bitterfolg wird der Klage als beherrschender Beziehungsaspekt unterstellt[43]. Demgegenüber ist mit Ridderbos festzuhalten, daß „die Klage wohl von der Bitte unterschieden werden" muß. Bittpsalmen unterscheiden sich von den Klagepsalmen dadurch, daß sie auch mit einer Bitte und nicht etwa wie die Klagelieder mit einer klagenden Frage beginnen[44].

---

42 Freilich geht es hier nicht so sehr um eine Trennung als um eine Dominanzfeststellung, denn der Gegensatz Beziehungsproblem versus Situationsveränderung kann so streng nicht aufrechterhalten werden: In der Beziehung zu Gott bezieht sich der Beter auf den Gesamthorizont seines Lebens. In dieser Begegnung stellt er sich und seine Situation in das eigentliche, angemessene Bezugsfeld. Mit Gott eine Beziehung eingehen heißt, seine Situation in den ihr zustehenden wesentlichen Horizont stellen. Wenn der Beter *diese* Beziehung aufnimmt, ist die Beziehungsaufnahme Erstziel, nicht die Situationsveränderung, wenngleich sich gerade *in* dieser Beziehungsaufnahme bereits die Situation des Beters im Horizont der Nähe Gottes *real* verändert. Es geht aber nicht mehr um eine Situationsveränderung, die außerhalb dieser Beziehung sich ereignen könnte. (Schon gar nicht kann es sein, daß mit der Situationsveränderung als Erfolg der Beziehungsaufnahme letztere abgeschlossen und abgegolten wird.) In diesem Sinne bedeutet: Mit Gott in Beziehung sein, heißt seine Situation schon geändert haben; heißt, ihre Sinnlosigkeit, das Leiden nicht als das letzte Wort zu akzeptieren (was ja wirklich sinnlos wäre!), sondern von einem personalen Horizont von Sinnhaftigkeit zu wissen, an den ich mit der Klage appelliere: Das darf doch nicht so sein!
43 Vgl Gerstenberger 1980, 117, 163; dabei schreibt der Verfasser selbst 159: „Es ist charakteristisch, und eigentlich nicht verwunderlich, daß das Gewebe der sozialen Beziehung im Klagelied des Einzelnen in der Hauptsache im Klageelement sichtbar wird."
44 Ridderbos 1972, 90-93, Zitat 92; lediglich die Gattung der Klagelieder (in denen also auch mögliche Bittlieder enthalten sind) haben: Kraus 5/1978, XLV 5; Groß/Reinelt 1978, 12 f.; Schmidt 1979, 304 f.; u. a. Westermann plädiert 1977, 27 für

Ein Blick auf den ersten Abschnitt zeigt in der Tat, daß die Elendsschilderungen innerhalb der eigentlichen Klageteile direkt auf Gott zu ausgesprochen sind und somit die Beziehung des Beters zu Gott zum Gegenstand und zum Problem haben (vgl. V. 2-3, V. 7 und 9: In V. 9 besteht gerade die Verachtung der Leute in dem Verdacht, daß die Gottbezogenheit des Beters nicht in Ordnung sei). Auch die zur Gegenwart kontrastierten Heilserinnerungen sprechen die ehemals „gute Beziehung" zu Gott an und markieren so den jetzigen Kontrast zwischen Gott und Beter (V. 4 versus V. 7).

Thema des Abschnittes I ist das sprachliche Ringen des Beters um die Qualität seines Gottes als „mein Gott". Dieses Ringen geht freilich weiter in dem Bittabschnitt II: Auch hier geht es bei aller Sehnsucht nach Veränderung der Situation doch nicht nur um die Tatebene der Rettung, sondern vor allem darum, daß nur Gott der Helfer sein soll und sein kann. Wenn er nahe ist, ist und wird alles gut. Von seiner Heilszusage her wird erst die Erhörungsgewißheit möglich, von ihr her *ist* sie dann aber auch möglich, auch wenn sie noch nicht ergriffen werden kann. Der Höhepunkt der Klage ist also nicht die Bitte um etwas, sondern durch die Bitte hindurch die lobende Anerkennung Gottes, wie sie in Abschnitt III folgt. Der Beter bleibt nicht bei der Bitte stehen und wartet auch nicht darauf, bis sie erfüllt ist; er geht durch sie hindurch weiter hin zur größtmöglichen Beziehung zu Gott. Gerade dies bringt die Innovation gegenüber jeder Bittkonzeption, die nur auf den Erfolg aufgebaut ist. Die Bitte im Prozeßakt der Gesamt-Klage (Klage, Bitte, Lob) ist demnach kein Erfolgsgesuch! Sie kann nicht als formales Kriterium für individuellen Erfolgswillen angesehen, sondern muß in ihrem Kontext des Gesamtsprechaktes und in ihrer Funktion darin beachtet werden.

In diesem Sprechakt geht der Autor vorwärts vom Individuellen zum Generellen, individuelle Erfahrungen will er einbetten in die *Grundhaltung israelitischen Glaubens.* Ziel ist also nicht bloß eine Rückspiegelung der Erfahrungen und Wünsche im Wort, sondern deren Weiterführung auf das Theologumenon des für den Israeliten möglichen Vertrauensbezugs zu Jahwe. So ist sein Text auch von der Spannung zwischen ganz auf die konkrete Situation eingehendem Vokabular auf der einen und einem diese Situation übersteigenden Vokabular auf der anderen Seite gekennzeichnet. Manchmal werden mit gleicher Ausdrucksform Transzendierendes *und* Konkretes ausgesprochen (z. B. ‚mein Gott?': *„mein"* als *Frage*!). Die Spannung kann auch gekennzeichnet werden als eine zwischen der Offenheit der Formulierung *für die* Situation (als Identifikationsangebot) und der Diskongruenz der Formulierung *zur* Situation (als Innovation und Wei-

---

die Beibehaltung des Gattungsbegriffes der „Klagepsalmen" mit der Begründung, daß in ihnen die Bitte ihren Charakter durch die Klage bekommt.

terführung). Die Konkretheit der Situation wird aufgenommen und zugleich einem generellen Datum israelitischer Theologie bzw. Anthropologie zugeführt (s. u. 5.3).

Der gesamte Klageprozeß von der anklagenden Frage bis hin zum Lobpreis Gottes erlöst demnach die in ihr liegende Bitte von ihrer immer gefährlich nahen Pragmatisierung, Funktionalisierung und Entpersonalisierung: Die Rettung wird nicht wichtiger als der Rettende. Das beziehungslose Daraufaus-Sein auf das Haben von Dingen und Dienstleistungen mag in gegenwärtiger menschlicher Kommunikation beherrschend sein, es bestimmt aber nicht die Gebetskommunikation des Ps 22. Hier ist vielmehr der Adressat zugleich der „Inhalt" des Gebetsprozesses. Gegen die reale Erfahrung des Unheils antizipiert der Psalmist den heilenden Gott als gegenwärtigen Partner seines Lebens. Eine Fixierung auf eine von personalen Beziehungen entfremdete Dingwelt weicht der Begegnungswelt: In der Beziehung zu Gott verliert die Not ihre entfremdende und den Menschen zerstörende Gefahr.

Daß Klage und Bitte als Sprechakte des Ps 22 streng zu unterscheiden sind, zeigt auch die unterschiedliche Funktion der Proposition, also der Inhalte (Erinnerung bzw. Elendsschilderung), mit denen sie verbunden sind: Die Klage wird mit der personalen Kategorie des Beziehungsproblemes begründet, dergestalt daß Erfahrung wie Erinnerung beziehungsorientiert besprochen werden (Verlassenheit, Ferne Gottes, Spott als Nichtgefallen Gottes, vertrauende Väter, Von-Geburt-an-auf-Gott-Geworfen-Sein); die Bitte dagegen bringt weitgehend nur die Notschilderung, um sich als Sprechakt zu begründen. (Lediglich in V. 16 c „Du legst mich in den Staub des Todes." nimmt die unmittelbare Notschilderung zu Gott Beziehung auf). Außerdem geht die Erinnerung der Klage in die kollektive und individuelle Heilsvergangenheit und kontrastiert sie unmittelbar mit der Notgegenwart. Bei der Bitte dagegen erfolgt die Kontrastierung der Notgegenwart mit der erbetenen zukünftigen „Erinnerung" als Errettung durch Gott. Die Klage geht vergleichend von der Gegenwart in die Vergangenheit und ist erschüttert über deren Widerspruch. Die Bitte geht von der Gegenwart in die Zukunft und bespricht sich hoffend die Erfüllung des erbetenen Heils. Über den Sprechakt der Bitte gelangt die Anamnese der Klage in eine neue Vertrauensbeziehung zu Gott, die sich wieder für eine heilvolle Zukunft aus seiner Hand öffnet und schließlich im Lobpreis Gottes in die Schlußphase des Gebetes überleitet.

Zusammenfassend kann festgestellt werden, daß nicht Unerhebliches dafür spricht, Bitte und Klage als zwei unterschiedliche Sprechakte aufzufassen und somit auch die Abschnitte I und II zwischen V. 11 und 12 zu trennen. Jedenfalls entscheiden wir uns aus sprechakttheoretischen Gründen für diese Aufgliederung, auch um die Klage (im engeren Sinn des Wortes, nämlich der Frage und Anklage) von der Bitte innerhalb des Gesamtklageprozesses zu trennen und deren unterschiedliche Profile zu entdecken.

4.2 Motive und Traditionen im Ps 22

Im folgenden Abschnitt sollen dem Textverlauf entlang bestimmte Aussagen, Wortzusammenstellungen (Syntagmen) und Einzelwörter vom alttestamentlichen Vorstellungs- und Verstehenshintergrund in ihrer Bedeutungsdimension näherhin geklärt werden[45]. Dabei wird man sich besonders auf die strukturrelevanten Bedeutungsbereiche konzentrieren, wie sie auch in den Tiefenmodellen der Strukturanalyse vorgekommen sind. Zugleich kommen jetzt die entsprechenden hebräischen Bedeutungsnuancen ins Spiel. Ziel ist dabei, Übereinstimmungen, Ergänzungen und Korrekturen hinsichtlich der Ergebnisse aus der Strukturanalyse festzustellen bzw. durchzuführen. Zu unterscheiden ist dabei zwischen den im Text selbst benannten semantischen Werten und denen, die von außen her das beschreiben und benennen, was im Psalm in Aktionen und Reflexionen vor sich geht. Beide müssen nicht immer performativ zusammenfallen. So wird auf der einen Seite der Sprechakt des Lobpreises und des Lobpreisgelübdes performativ beim Namen genannt (V. 24/26/27), während auf der anderen Seite weder die Bitte noch die Klage sich als solche im Text benennen[46]: Dennoch sind beide Sprechakte implizit vorhanden und äußern sich unter anderem im Fragen, im Schildern der Not, in imperativischen Verbformen u. ä. Als Quellen für die folgenden Ausführungen wurden die einschlägigen Kommentare, Monographien zu Bedeutungsbereichen und (Lexikon-)Artikel zu einzelnen hebräischen Begriffen herangezogen.

4.2.1 Frage, Vertrauen und Geschichte: Ps 22, 2-11

(1)   Fragende Anrede des persönlichen Gottes

● *Die Anrede „mein Gott"* in V. 2 hat eine lange Geschichte, die bis in die Vätererzählungen reicht. Zwei Momente sind dabei entscheidend: Gott ist der *persönliche* Gott; und: Zu diesem persönlichen Gott kann und darf der Mensch *sprachliche Kommunikation* aufnehmen. Dazu ermutigen ihn die geschichtlichen Erfahrungen des Volkes Israel und seiner Führer, in denen Gott als einer erlebt wurde, der bei seinem Volke bleibt und mit ihm mitgeht. Indem er mit dem Menschen ist, ist er Garant seines Wohlergehens, ist er sein Beschützer: Israel steht unter dem Segen Gottes! „Das

---

45 Vgl. zu diesem Vorgehen Fuchs 1978 a, 296-300, 328/9.
46 Die in V. 2 b begegnenden Verbformen (Schreien und Flehen) können nämlich nicht leicht als Synonyme für den Sprechakt der Klage angesehen werden, da dieses Schreien nicht unbedingt identisch ist mit der jetzt gebeteten Klage, denn diese bleibt ja nicht nur beim expressiven Schreien. Von V. 3 her haben diese Verbformen einen Vergangenheitsvektor in die bis in die Gegenwart hineinreichende erzählte Situation des Beters, die gegenwärtig gerade durch den Sprechakt der Klage überwunden werden soll. Schreien ist noch nicht adressatenorientiertes Klagen: „Sie schreien nicht zu mir in ihrem Herzen, sondern heulen auf ihren Lagern;" (Hos 7, 14; vgl. Keel 1969, 141).

Mitsein stellt folglich einen typischen Zug der Wirksamkeit des persönlichen Gottes dar."[47] Gott ist also wirksam in menschlichem Leben und menschlicher Geschichte, sowohl im individuellen wie auch im kollektiven Bereich. In dieser Geschichte erlebt Israel Jahwe als einen Gott, „der exemplarisch befreit"[48]. Folgende Aspekte machen das „Mit-Sein" Jahwes mit Israel aus: Zuverlässigkeit, Unverfügbarkeit, Ausschließlichkeit und seine bleibende Präsenz. Solches Mit-Sein ermöglicht, ja provoziert rückwirkend ein Unterwegssein des Menschen: Nirgendwo kann Gott eingeholt und verfügbar gemacht werden, aber auch nirgendwo gibt es einen Ort, wo er nicht als Wegbegleiter da ist. Nach Görg präsentiert die Formel des „Mit-Seins Gottes" das „dynamisch-funktionale Sein" des „sozialen Gottes"[49]. Dies ist die Voraussetzung dafür, daß Gott als „mein Gott" angesprochen werden kann.

Dabei will Gott mit den Menschen sein im Sinne einer andauernden helfend-schützenden Begleitung, aber auch im Sinne einer punktuellen aktiv-kämpferischen Provokation (z. B. bei den Propheten), die zur Gefährdung des Berufenen führen kann, ja eines kämpferischen Voranziehens, in dessen Nachgehen sich der Mensch — ermutigt durch Gottes „fürchte dich nicht" — zugunsten des eigenen Weitergehens und neuer Hoffnungsaufbrüche einbeziehen läßt (vgl. Jes 43, 1 b-5). Ja, Gott selbst greift kämpferisch ein, um in Form einer Rettung das Blatt zu wenden. Israel traut ihm solches Eingreifen zu. Solches Hoffen auf den auch in der Not mitgehenden Gott bringt Zuversicht und wird später zur theologischen Kernerfahrung der Exilszeit werden (s. u. 5.2.3). Im deutero-jesajanischen Gottesknechtlied ist Gott gerade auf der Seite des Geschlagenen. „Nirgendwo im Alten Testament wird die Mahnung zur Furchtlosigkeit und die Zusage des Mitseins . . . mit größerer Eindringlichkeit formuliert als in diesem Kontext, wo der Erwählte zugleich als der Geschlagene wie auch der Erlöste präsentiert wird."[50] Von Gott als dem Bewahrer vor Unheil gelangt der Glaube über Gott als den Retter des Bedrängten zu dem Gott, der in die Bedrängnis führt und in ihr mitgeht. Nicht mehr Bedrängnis und ihre ersehnte Abwendung sind das Entscheidende, sondern das Mit-Sein des persönlichen Gottes. Immer weniger wird Gott damit in einen Ergehen-Beziehung-Zusammenhang eingezwängt. Wohlergehen ist nicht automatisch ein Zeichen für die Nähe Gottes. Wer derart Gott in seinem Angebot „Ich bin mit dir" zu sich sprechen lassen kann und ihm das abnimmt, der kann auch selbst

---

47 Vorländer 1975, 193; Görg Art. 1980, 216; zum Aspekt individueller und kollektiver Geschichte vgl. Vorländer 1975, 194 und Görg Art. 1976, 260; zu „mein" und „unser Gott" vgl. Albertz 1978, 32-37, auch 18-23/48; zum Mit-Sein Gottes 81-88.

48 Görg Art. 1980, 263. Die folgenden Aspekte bringt Zenger im Anschluß an Ex 3, 11 (Zenger Art. 1976, 8) und werden von Görg (Art. 1976, 264) durch den letzteren Aspekt ergänzt.

49 Vgl. ders. Art. 1980, 238 und Art. 1976, 262; zum folgenden vgl. Art. 1980, 221-224 und ff.

50 A.a.O., 226, vgl. auch 227; zum folgenden vgl. a.a.O., 232/217; ders. Art. 1976, 260.

aus jeder Situation zu Gott „mein Gott" sprechen. Jahwe ist schützend und kämpferisch präsent, gleichgültig wo er kultisch „sitzt" oder wo der Mensch steht. Auch und gerade persönliches und kollektives Desaster verhindert nicht, daß der Dialog zwischen Gott und Mensch weiterhin im Gang ist: im Gesamtsprechakt der Klage als Frage, Bitte und Lobpreis! Das Gespräch ist möglich, die Anrede „mein Gott" *gilt*. Individuelle und kollektive Rede mit Gott hat dabei ihren Ursprung in der erzählten und geglaubten Rede Gottes zu den Menschen: in seinem Versprechen des Mit-Seins und der Wegbegleitung. In solchem Vertrauen gesteht der Mensch Gott zu, daß er biographische und kollektive Geschichte macht, die jede gegenwärtige Situation (des Wohlergehens wie auch der Not) in den Prozeß der Heilsgeschichte zu integrieren vermag. „Aus der Teilhabe am Glauben der biblischen Interpreten gewinnt der in die Rede von Gott Hineingeforderte die Überzeugung, daß dieser Gott seine eigene Strategie realisiert, auch wenn das Gespräch in die Tiefen der Verlassenheit und menschlichen Ohnmacht hineinführt."[51]

In solcher Rede *von Gott* gründet die Rede *zu Gott*: Die Psalmen realisieren als ·Gebete die so begründete ·Ansprechmöglichkeit Gottes, wobei sie mögliche menschliche Grundsituationen theologisch reflektierend als Klage oder Lob (bzw. als Bitte oder Dank) aussprechen. Sie vermitteln so die dialogische Form, das dialogische „Regelverhalten" zwischen Mensch und Gott. Als Resultate und Formulare von individuellem und kollektivem Beten können sie nachvollzogen und mit den Konkretionen der Situation und Person angereichert werden. Sie sind Dialogangebote mit dem persönlichen Gott als dem Garanten des Heiles, wie immer er sich ent- oder verbirgt[52]. Im Vollzug dieses Angebots entsteht aktuell das Vertrauen auf sein Mit-Sein. So spricht im „mein Gott" der Psalmist seinen persönlichen Gott an, wie er ihn (in V. 10-12) als Schöpfer und Mitgeher seiner Biographie erlebt hat. Im Sinn von V. 9 möchte er, daß Gott auch wieder erfahrungsnah als sein Gott im Sinne des Wohlwollens und der Erhörungsgewißheit erlebbar wird[53]. Auch V. 20 b, wo Gott als „meine Stärke" angesprochen wird, richtet sich nochmals vertrauensvoll an diesen Gott, traut ihm die Stärke zu und bittet ihn um sein Einschreiten.

● Nach Westermann ist *Gott* in der *Dreigliedrigkeit der Klage* das die Klagekommunikation erst ermöglichende Adressatensubjekt[54]. Das zweite entscheidende Glied ist der *Beter* selbst. Dazu kommen die *Feinde* in der Rolle der Opponenten des Beters (und Gottes, sofern sie, wie in nicht wenigen Psalmen, nicht aber in Ps 22, als „Frevler" benannt werden). Die Situation der Not wird demnach im Klagegebet in Richtung auf die drei

---

51 Görg Art. 1980, 240; vgl. auch 238.
52 Vgl. a.a.O., 217; Vorländer 1975, 246 ff.; Rowley 1967, 146/251.
53 Vgl. Vorländer 1975, 273-275.
54 Vgl. Westermann 1977, 128/9; Art. 1973, 88.

entscheidenden Partner bzw. Gruppierungen dimensioniert, die menschliches Leben überhaupt ausmachen: Es sind dies das Ich des Beters, der persönliche Gott und die anderen (als Feinde). Diese Dimensionierung begegnet aber nicht nur im Klage- sondern auch im Lobgebet, wo die anderen nicht die Feinde, sondern die Freunde und Brüder sind. Auch in unserem Ps 22 begegnen im lobpreisenden Abschnitt III nicht mehr die Feinde, sondern die Brüder (V. 23). Innerhalb des israelitischen Gottesdienstes schlägt sich diese Dimensionierung in den Größen der Gemeinde (oder des Volkes), des einzelnen und im Gottesnamen Jahwe nieder. Die heilvoll wie auch unheilvoll erfahrene Lebensordnung ist eingespannt zwischen diesen Kommunikationsfiguren und möchte die jeweilige Situation und Erfahrung in bezug auf Nähe und Distanz zu diesen Figuren beschreiben und bewältigen. Dabei ist in der Situation der Klage die Erfahrung der Gottverlassenheit nur in der Verbindung mit der realen Not und der realen Reaktion bzw. Aktion der Feinde verständlich. Das Erlebnis der Gottverlassenheit ist also kein nur spiritualisierender Vorgang, sondern hat ausgesprochen reale Initiatoren. Dies darf aber nicht den Blick vor der wirklichkeitsschaffenden Kraft des Gebets selbst verstellen, nämlich daß die im Gebet neu gewonnene Beziehung zu Gott tatsächlich der Ausgangspunkt auch neuer Beziehungsmöglichkeiten des Ichs des Beters zu den anderen wird: An die Stelle der Feinde treten jetzt die Brüder.

Wir erwähnen dies im Zusammenhang des personalen Gottes und der entsprechenden Gottesbegegnung im Gebet deswegen, um deutlich zu machen, daß die Gottbezogenheit biblischer Klage ihr entscheidendes Charakteristikum ausmacht. Sie ist Zielpunkt der Klage über die Not und katastrophalen sozialen Beziehungen wie auch Ausgangspunkt einer neuen Einstellung zu denen, die vorher als Feinde erlebt wurden, gleichgültig, ob die Notsituation getilgt ist oder nicht. Gott ist der alleinige Adressat biblischer Klage; Feinde und Freunde des Beters sind dies nie (etwa in dem Sinn, daß die Feinde um Milde und die Freunde zu Hilfe gebeten werden). Wenn man also die Gottesbeziehung in den Klagetexten des Alten Testaments als Zentrum ihrer Dynamik ansieht, dann muß das kein „spiritualisierendes Mißverständnis" sein[55]. Es macht vielmehr die durch und durch lebensbezogene Spiritualität des alttestamentlichen Gläubigen aus, reale Erfahrungen mit Gott in Verbindung zu bringen und von dieser Verbindung her die realen Erfahrungen wieder neu zu perspektivieren. Dies ermöglicht Neuerfahrungen alter oder auch neuer Situationen.

● *Die Frage „Warum" (oder „Wie lange noch") gehört wesentlich zur theologischen Qualität wie auch zur emphatischen Introduktion des Klagegebets.* In ihr kommt nicht nur die Klage über den Notzustand Gott gegenüber zu Wort, sondern in der Frage-Anrede beginnt die Klage mit dem Moment der Anklage und der Einklage dessen, was Gott doch an heilvollem

---

55 Vgl. Steck Art. 1980 b, 59.

Mitgehen versprochen und auch bisher getan hat, aber in der Gegenwart unverständlicher- und schockierenderweise anscheinend nicht mehr einlöst[56]: „Der Klagende hat in dem Schlag, der ihn traf, erfahren: Gott hat ver-sagt." Bei aller Schärfe dieser Anfrage wird die Klage jedoch nie zur Verurteilung Gottes. Die Frageklage bewegt sich „auf dem schmalen Grad zwischen Vorwurf und Urteil"[57]. Wenn Westermanns Beobachtung richtig ist, daß die individuellen Klagelieder nicht die gleiche Anklageschärfe aufweisen wie die Volksklagelieder, so gilt das nicht für Ps 22. Hier wird die Anklage voll gewagt[58].

Ps 22 stellt tatsächlich biblische Klage in der Vollform dar: Er bewahrt alle drei Momente, die zum Sprechakt des Klagegebets gehören: die anklagende Frage, die *sich* beklagende Elendsschilderung und schließlich das Versagen der Feinde. Anklage und Sich-Beklagen bringen unmittelbar das Beter-Ich als Subjekt und seine Situation als (zu bewältigendes) Objekt in die Kommunikation der Klage ein. Bei aller Offenheit dieser Frage für Leidenschaft und Schmerz ist sie dennoch nicht einfachhin ein „Aufschrei der Verzweiflung"[59], sondern der Anfang eines theologisch-reflektierenden Sprechaktprozesses, in dem gegenwärtige Leiderfahrung verbalisiert und in das Kommunikationsgeflecht zwischen Mensch und Gott gebracht wird. Hier liegt kein „Rätsel" vor, das (dinghaft) gelöst werden könnte, sondern eine bohrende Frage, die Antwort aus der Begegnung sucht. Freilich betet der Psalmist laut diese Frage auf Gott zu hinaus[60].

Denn es bleibt unbegreiflich für den Beter, daß Gott so schweigt und sich so entzieht, bis in die Verborgenheit hinein. Letztere ist aber keine theologische Lehr- bzw. Tatsachenaussage (dies wäre im Gegensatz zu einem nur affektiven das rationalisierende Mißverständnis des Psalms), sondern markiert ein mit der vitalen Erfahrung des Beters verbundenes Beziehungsproblem, in dem Schweigen und Entzug des einen Partners die klagende Frage des anderen evoziert[61]. Voraussetzung für die Frage ist also, daß der Psalm

---

56 Vgl. Westermann 1977, 134 f.; 141 ff. Deisslers Ansicht, daß das „warum" nicht die Dimension auch des Vorwurfes hat, ist unwahrscheinlich (Deissler 3/1966, 149): Gunkel trifft hier den Sachverhalt: „Im Hintergrund steht die vorwurfsvolle Frage: Wie ist es möglich, daß derselbe Gott, der bisher das Vertrauen auf ihn niemals getäuscht hat, jetzt an mir so anders handelt?" (5/1968, 91).

57 Westermann 1977, 135 (beide Zitate).

58 Wie Westermann 1977, 142 selbst einräumt, vgl. 143 und 144 ff. Das Vorwurfsvolle in der Klage kommt besonders auch bei Hiob zum Vorschein (Hi 3, 1-10/ 11-19/20-30; 7, 7 ff., 9, 28 ff.; 13, 24/27 ff.); vgl. Gerstenberger Art.1980, 71; Perlitt Art. 1971, 369/372. Nach Westermann ist das Hiobbuch gleichsam die narrative Ausgabe dessen, was in der Textsorte der Klagegebete strukturell ebenfalls vorhanden ist (z. B. die Dreigliedrigkeit der beteiligten Figuren, vgl. Westermann 1977, 139/140).

59 Vgl. Weiser 7/1966, 149. Alttestamentliche Klage ist nie nur ein Schrei, sondern ein „Wortgeschehen", ein „personales Geschehen"; vgl. Westermann 1977 b, 53.

60 Vgl. Gunkel 5/1968, 90/91.

61 Zur Frage hinsichtlich der Verborgenheit Gottes vgl. Perlitt Art. 1971, 368-372;

keinen Grund für die als Ferne Gottes interpretierte Not kennt. Er weiß die Antwort nicht: Weder erwähnt er Schuld als möglichen Grund für die Katastrophe, noch beteuert er seine Schuldlosigkeit (wodurch mehr oder weniger Gott der Schuld verklagt würde). Der Psalmist denkt auch nicht theodizeehaft über den Zweck des Leidens nach. Er geht nicht diese indirekten Umwege menschlichen Reflexionsvermögens und entsprechender Plausibilität[62], sondern den direkten Weg auf den zu, den er zutiefst – bei aller gegenwärtigen Verborgenheit – als den mitgehenden Gott glaubt. Die der Unverfügbarkeit Gottes entsprechende existentielle Erfahrung seiner Verborgenheit wird demnach nicht durch menschlichen Zugriff enthüllt, sondern in der Begegnung mit ihm ausgehalten. Nicht der Mensch kann Gottes Handeln mit Begriffen wie Strafe, Bewährung u. ä. rechtfertigen, begründen und legitimieren: Gott allein könnte dies tun. Deshalb gilt ihm auch die direkte Frage. Das „Warum" ist die einzig mögliche Verbindung und Überbrückung zwischen dem heilvoll geglaubten Gott und der Erfahrung der Gottverlassenheit[63]. Der Hiatus der klagenden Frag-Würdigkeit Gottes wird nicht vorschnell mit dinghaften (allzu) menschlichen Denkfiguren aufgefüllt. Vielmehr hält der Beter im klagenden Appell „gegen" Gott an Gott fest. Sein Leid wird offen nach „oben", verliert an Verzweiflung und wird zur lebendigen Frage an Gott, den Schöpfer menschlicher Geschichte[64].

Westermann 1957, 17: „Wir haben streng darauf zu achten, daß in diesen Sätzen nicht Tatsachen festgestellt werden, daß es weder Gedanken über die Gottesferne noch Aussagen über das Faktum der Gottesferne sind, sondern daß es ein zu Gott hingewendetes Reden bleibt, daß es Anrede bleibt, daß nicht ein Wörtlein hier aus dem Du herausfällt. Der Schrei des ersten Satzes dieses Psalms ist etwas ganz anderes, als es die Aussage wäre: Gott hat mich verlassen. So allein ist die Paradoxie zu verstehen, daß der Mensch, der Gott so furchtbar anklagt, in dieser Anklage ihn anredet: ‚Mein Gott!‘ "

62 Hier geht es nicht um die Denunziation menschlichen Reflexionsvermögens überhaupt, sondern um das Entlarven der Einbildung, mit *systematisierenden* Reflexionsvorgängen bereits Lösungen in den Händen zu haben. Nicht um die Fähigkeit und um den *Vorgang* der Reflexion geht es also, sondern um den mit ihr oft verbundenen ideologisierenden *Anspruch der Totalität*. Reflexion bleibt der entscheidende Vorgang der Theologie, doch wird in ihr *Personales* (Mensch und Gott) rational ausgesagt und verantwortet. So kann in ihr der Mensch wirklich und ganz als Mensch behauptet werden und sich behaupten. Sie ist dann keine von diesem personalen Bezugsfeld abstrahierte sekundäre Reflexion „über Gott und die Welt" im Sinne systemhafter Geschlossenheit, die die Transparenz und Transzendenz von Begegnung und Geheimnis aussperrt. Der Theologie geht es vielmehr um die Begegnung und Beziehung zwischen Mensch und Gott. In diesem Sinne wird hier über den Begegnungscharakter des Klage-Beters zu Gott „reflektiert".

63 Vgl. Perlitt Art. 1971, 369; Kraus 5/1978, 178. Auch jede emotionale Argumentationsfigur auf der Basis des „Sündenbock"-Schemas macht solche Frage-Klage überflüssig; vgl. dazu Schwager 1978, 117-142. Zur „Theologie der Frage" vgl. Bastian 2/1970.

64 Vgl. Westermann Art. 1973, 96.

● Der brisanten Frageaktivität des Beters liegt bereits die von ihm vermutete *eingetretene Aktivität des Angesprochenen* zugrunde: *Er hat den Beter verlassen!* So jedenfalls sieht letzterer die Not: als Ferne Gottes.

Die Bedeutungsnuancen von ʿzb reichen vom „verlassen" zu „im Stich lassen" und „verachten" (s. u. die Ausführungen zu „verachten"). „Verlassen" ist ein häufiges Verb in den Klagepsalmen und hat Gott als Subjekt (synonym mit „vergessen" (škḥ), „ferne sein" (rḥq) und „verwerfen" (šlk)[65]. Durch die Erfahrung der Not als Gottverlassenheit wird eine Grundgewißheit israelitischen Glaubens außer Kraft gesetzt: daß Gott erhört, wenn ein Bedrängter zu ihm ruft. In der Klagefrage wird Gott der Vergeßlichkeit seiner Treue gezogen[66]. Dabei steht dem Gläubigen nicht die Möglichkeit offen, Gott und seine Existenz theoretisch zu bestreiten; es bleibt ihm nur, die Verborgenheit Gottes als unerklärbaren Akt seines „Kabod" aufzufassen. So kann er nicht anders als zu dem rufen, der lebendig ist, aber dessen Gehör nicht erlebbar wird. Die Not wird im Schema des Tat-Wirkung-Zusammenhangs gesehen, dergestalt daß der Entzug Gottes die Ursache für die Noterfahrung sein müßte. „Indem Gott sich vom Menschen zurückzieht, gibt er bösen Mächten Raum zum Handeln."[67]

Not und Elend sind konkrete Erfahrungen der Gottverlassenheit. Sie werden im Sinne des personalen Gottes nicht als relationsloses Neutrum erlebt, sondern reflektiv in das Beziehungsverhältnis zu Gott gebracht und dort als Problem verbalisiert. Insofern spitzt sich die Klage für den israelitischen Gläubigen auf das „Urleiden der Gottverlassenheit" zu[68]. Solches Leiden geht der Beter an und steht es durch, indem er Tag und Nacht zu Gott ruft. Klagen ist ein solches (womöglich über einen längeren Zeitraum) unablässiges Rufen zu Gott. In Ps 22 wird die Dringlichkeit und Unablässigkeit der aufgenommenen Beziehung in der doppelten Anrede Gottes (mein Gott) und in der doppelten Aktivität des Beters (Flehen und Schreien) des V. 2 transparent. So kommt der Beter nicht zur „Ruhe" der Verzweiflung, Resignation oder Apathie. Vielmehr hält er die Bitterkeit der Not in der Hinwendung zu Gott als dessen nun existentiell erfahrbare Verborgenheit und Unverfügbarkeit aus.

● *Die räumlichen Kategorien der Ferne und Nähe* sind die semantischen Werte, die wiederholt die Beziehung Jahwes zum Beter formulieren.

„Ferne" variiert als Adjektiv (bzw. Substantiv) den Resultatzustand der Verlassensaktion Gottes. Gott ist entfernt, weil er sich entfernt hat (vgl. Jer 23,23). Der höchsten Intensität der Klage beim Texteinstieg entspricht

---

65 Vgl. Stähli Art. 1976, 249-252.
66 Vgl. Perlitt Art. 1971, 369/370; vgl. Ps 13, 2; 42, 10; 71, 19. Zum folgenden vgl. Westermann 1957, 17-20.
67 Vorländer 1975, 275/6; vgl. Stolz Art. 1980 a, 138; Westermann 1957, 16.
68 So Kraus 5/1978, 177 und Westermann 1957, 16; leicht abweichend und modifizierend Vorländer 1975, 274/5.

die weiteste Ferne Gottes (V. 2 b). In V. 3 wird diese Ferne auch in die zeitliche Dimension ausgeweitet: Lange Zeit schon ruft der Beter[69], aber Gott schweigt. Seine Gegenwart ist zeitlich weit in die Vergangenheit gewandert (in die der Väter nämlich, vgl. V. 5-6) und für die aktuelle Zukunft nicht mehr spürbar. In Abschnitt II wird das Stichwort „fern" doppelt wieder aufgenommen (Gott möge nicht fern sein), so daß „Nicht-Ferne-Bitten" (V. 12 und 20) den Abschnitt und die darin befindliche Elendsschilderung einrahmen[70].

Im Theologumenon des Jahwekrieges ist Gott „nahe" im Kampf; in späterer Zeit wächst dementsprechend der Glaube, daß Gott denen nahe ist, die ihn *anrufen.* Doch setzt sich schon bei Jeremia die Einsicht durch, daß Gott auch ein Gott aus der Ferne ist (23,23) und von *dort her* Heil beschließen und wirken kann (vgl. auch Jes 57,19). Er ist weder lokal noch zeitlich an kultische bzw. individuell erfahrfeste Orte gebunden, um nahe zu sein[71]. An dieser Stelle vollzieht sich die Wende des israelitischen Gottesglaubens, in der Gott immer mehr auch dann nahe vermutet wird, wenn er fern zu sein scheint (s. u. 5.3).

● Am Übergang von der Klage zur kollektiven Heilserinnerung im V. 4 fällt überraschenderweise bereits das Stichwort, das später der Abschnitt III entfalten wird: „. . . *du thronst über dem Lobpreis Israels."* Dieser Ausdruck ist im Alten Testament singulär. Im Anschluß an die eben beschriebene Gottesferne mag das „thronen über" als kontrastierender Übergang vom individuellen Klagestück zur kollektiven Heilserfahrung provoziert sein. Denn auch in V. 4 wird Gott als der den Menschen weit entzogene *Heilige* angesprochen, wobei sein „Entferntsein" freilich gepriesen wird, weil es nicht verhindert, sondern gerade ermöglicht, im vertrauensvollen Anruf überwunden zu werden (V. 5-6). Aus der „Höhe" über dem Lobpreis Israels hervor kann seine Rettung nahe werden. Im „Lobpreis" Israels verbinden sich tatsächlich Rühmen und Gerühmtes, die Aktionen des israelitischen Preisens sowie die geschichtlichen Heilstaten Gottes, wie sie in den folgenden beiden Versen auch erinnert werden[72]. In diesem Substantiv vereinigen sich subjektive wie auch objektive Qualität des Verhältnisses zwischen Mensch und Gott: Der Mensch lobt Gott (subjektive Kompo-

---

69 Vgl. Westermann 1977, 129 (hier wird das Rufen als die Äußerungsform des Betens definiert); Gese Art. 1968, 6; Kraus 5/1978, 178; Gunkel 5/1968, 95.
70 Vgl. Ps 35, 22; 38, 22; 71, 12. Vgl. Kühlewein Art. 1976 b, 770; Groß/Reinelt 1978, 124.
71 Vgl. Kühlewein Art. 1976 b, 770/781; Görg Art. 1976, 264.
72 Vgl. Zirker 1964, 27; Westermann schreibt Art. 1971 a, 499 in Hinsicht auf Rühmen und Ruhm: „Die Stellengruppe ﹍ . . . setzt voraus, daß das Gott-Sein Gottes im AT nicht als ein An-sich-Sein, nicht als transzendentes Seiendes verstanden werden kann; Gott ist nicht anders Gott als in seinem Wirken, und dieses wiederum ist nicht anders da als in menschlichem Erfahren, das rühmend darauf reagiert."

nente) aufgrund seiner Heilstaten (objektive Komponente). Im Substantiv überwiegt dabei die objektive Sicht, während in der Verbform „lobpreisen" der subjektive Aspekt vorherrscht. So geht es auch in V. 4-6 um eine, zunächst noch von der subjektiven Lobpreismöglichkeit des Beters abstrahierte Erinnerung der Heilstaten Gottes, während in V. 23 ff. tatsächlich der Punkt erreicht sein wird, an dem der Beter selbst Gott loben kann. V. 4 markiert dabei eine Anredewende von der direkten Klage zu einem Ansprechen Gottes mit hymnischer Qualität[73]: „Aber du bist heilig . . .". Dabei ist Gott bei all seiner Heiligkeit nicht außer der Rufweite Israels, sondern „die Erhabenheit Gottes ist da in dem zu ihm aufsteigenden Lob Israels"[74]. Jahwe empfängt im menschlichen Lobpreis die auf seine Heilstaten bezogene Begegnungsreaktion des Menschen. Doch der Beter ist dazu noch nicht fähig, er kann diesen Lobpreis nur „zitieren": in Erkenntnis des schrecklichen Gegensatzes zwischen dem gegenwärtig im Schweigen fernen Gott und dem in der Rettung nahen Gott der Väter sowie zwischen dem armseligen Psalmisten und der Majestät Gottes! Dieser Gegensatz wird in V. 7 weitergeführt werden. Für die Väter war die Majestät Gottes eine Quelle der Hilfe und zugleich der Adressat ihres Lobpreises: Warum kann das gleiche nicht beim Beter der Fall sein? Es ist doch unwandelbar derselbe Gott! So bleibt bei diesem kollektiven Erinnerungteil im Kontext des Psalms die klagende und vorwurfsvolle Frage hintergründig beherrschend, die die heilsgeschichtliche Identität Gottes einklagen will[75].

• *Wenn wir uns abschließend auf die Suche nach einem performativen Verb machen, das den Sprechakt dessen, was in der Frageklage V. 2-3 geschieht, ausdrückt,* dann gibt uns die hebräische Basis *drš* einige interessante Aufschlüsse.

In einer Reihe von alttestamentlichen Erzählungen ist dieses Verb ein fester Terminus für das Fragen, das ein Prophet als Beauftragter des Königs in dessen Notsituation vor Jahwe bringt, damit Gott die Not behebt[76].

---

73 Zum „aber"-Anschluß vgl. ausführlich Westermann 1977, 52/53; vgl. zur hymnischen Qualität Gunkel 5/1968, 91/95; Westermann 1957, 21 f. Neuerdings hat Wambacq freilich eine zu der hier vorgestellten Übersetzung („du thronst über dem Lobpreis Israels") abweichende Variante vorgeschlagen, die sich besonders von dem Motiv der Nähe und Ferne Gottes inspirieren läßt: „Und du, Heiliger, komm zurück . . .!" (Vgl. die genaue Diskussion Art. 1981, 100). Textkritisch wie auch vom semantischen Kontext her wäre dieser Vorschlag akzeptabel, zumal dadurch die Singularität von „Thronen über dem Lobpreis Israels" elegant beseitigt wäre. Doch wird Wambacqs Vorschlag erst der fachexegetischen Diskussion auszusetzen sein.

74 Westermann Art. 1971 a, 501; vgl. Ringgren Art. 1977, 441; Rowley 1967, 253 f./259 f./261 f.

75 Vgl. Gunkel 5/1968, 91; ausführlich mit Exkurshinweis Kraus 5/1978, 178. Zum Aspekt der Nähe Gottes vgl. auch Goeke Art. 1973, 116 f.

76 Vgl. Ruprecht Art. 1971, 462/3: Hier finden sich die entsprechenden alttestamentlichen Bibelstellen. Vermutlich erfolgten solche Gottesbefragungen in der

Wichtig ist dabei allerdings nicht die Befragung als solche, sondern der (außerkultisch ergehende) Gottesspruch des Propheten. Als solches Fragen hat drš nur indirekt auch die Dimensionen der Klage und Anklage. So steht dem Sich-Wenden an Jahwe am Kultort die Befragung Gottes durch einen Propheten gegenüber[77]. Doch verschwindet diese Befragungsinstitution spätestens mit dem Exil. Denn dadurch, daß der Mittler, der real den Gottesspruch vermitteln konnte, in der königs- und prophetenlosen Zeit wegfällt, entfällt auch eine so konkrete antwortheischende Befragung. Die Folge ist, daß nunmehr die *Klage* in der Frage dominant wird: Nicht mehr ist die Klage nur eine Funktion der Frage, sondern jetzt wird die Frage zu einer Funktion der Klage. Der einzelne (bzw. die Gemeinde, das Volk) wendet sich nun direkt an Jahwe in der Form der Klage, die zwar fragt, aber zugleich auf einen direkt erfahrbaren Gottesspruch als Antwort zu verzichten hat. Diese unmittelbare, nun nicht mehr mit einer konkret vermittelten Antwort rechnende Klage auf Gott zu heißt dann drš in der Bedeutung: „fragend zu Gott *klagen*".

Prompt fällt dieses performative Wort auch in V. 27 unseres Psalms: „ . . . Den Herrn sollen preisen, die ihn suchen," besser: „die ihn angehen, die ihn fragen, die Kontakt mit ihm aufnehmen". Im Sinne des Kontextes ist dies genau das, was der Psalmist bis zu diesem Vers hin getan hat. Von der ersten Frage V. 2 an suchte er Gott. Nun kann er ihn loben mit allen, die mit ihm den gleichen Text beten bzw. mit ihm eine ähnliche Erfahrung durchgemacht haben oder auch nur für möglich halten. Nicht von ungefähr erscheint dieses den ganzen Sprechakt des Psalmes im allgemeinen und die Eingangsphase im besonderen performativ ausdrückende Wort im letzten Vers des ursprünglichen individuellen Klageliedes (zur Redaktionsgeschichte s. u. 5.2). Es expliziert und beschreibt dort rückwirkend, was im Sprechakt der Klage abgelaufen ist[78].

Regel nur in bezug auf persönliche Anfrage. Erst später wurden sie auf die Volks-nöte hin erweitert (a.a.O., 463).

77 Dies spricht übrigens gegen das Heilsorakel als alleinige Institution des Klage-psalms und für „Therapeuten" (prophetischer Provenienz) lokaler Art, vgl. Gerstenberger 1980, 134-160.

78 Vgl. Jes 58, 2 a (auch Ps 78, 34): Was beispielsweise in der Volksklage als Sprech-aktprozeß vor sich geht, paraphasiert Jesaja selbst als drš. – Im Bezug auf die Pragmatik (Entstehung und Sitz im Leben) des Ps 22 lassen sich hier folgende Anfragen formulieren: Als Klagelied des Einzelnen müßte V. 27 zum Lobgelübde-teil gehören und das künftige Toda-Mahl am kultischen Ort (lokal oder am Tempel) im Sinne haben. Diese kultischen Orte weisen in die vorexilische Zeit. Ist V. 27 aber exilisch verstanden bzw. entstanden und eingefügt (als literarische Replik auf vergangene kultische Institutionen), dann kann er nicht mehr das vorexilische kultische Toda-Mahl meinen, allenfalls eine irgendwie geartete synagogale Gemeinde-versammlung. Die ehemals pragmatischen Institutionen werden zu innertext-lichen sprachlichen „Institutionen" umbesprochen. (So ist etwa nach Vorländer V. 27 tatsächlich sekundär; 1975, 296). Dies spricht für eine freie, an den ehe-maligen kultischen Institutionen orientierte und deren Sprachformen übernehmende Literaturschöpfung (s. u. 5.2).

In exilisch-nachexilischer Zeit wird die „Deresch Jahwe" als Volksklagefeier für das gottesdienstliche Leben bestimmend (mindestens bis zum Neubau des Tempels), allerdings in der Regel mit dem Schuldbekenntnis im Sinne der deuteronomistischen Theologie, die die Umkehr als Voraussetzung für die Erhörung der Klage postuliert[79]. Die Kollektivierung des Ps 22 geschieht offensichtlich, noch bevor dieser theologische Theodizeeprozeß in die Klagespiritualität Eingang findet. Jedenfalls ist in ihm mit der Antwort der Not als Strafe im Sinne der Gerechtigkeit Gottes die Klage noch nicht mit einem systematisierenden Denkmodell zurückgenommen. Im Zuge der nachexilischen Zeit nämlich verlöscht allmählich das Moment der Klage im *drš Jhwh* und gibt der allgemeinen Beziehung für Jahweverehrung überhaupt Platz: Das Sich-an-Gott-Halten und -Wenden ist mehr eine Haltung als ein akuter Klageakt (s. u. 5.3.2). Abschließend sei mit Weiser der Sprechakt von *drš*, wie er in unserem Ps 22 zum Vorschein kommt, folgendermaßen zusammengefaßt: „Gott suchen und Gott finden ist das eigentliche Grundthema des Psalms, das seine beiden Teile miteinander innerlich verknüpft."[80]

(2) Vertrauen und Hoffnung

Dreimal wiederholt sich V. 5-6 das Wort Vertrauen auf Gottes Macht und Hilfe als Motivation für das Rufen der Väter. Im Kontext soll durch diesen Einschub der kollektiven Heilserinnerung deutlich werden, daß auch das Rufen des Beters (bzw. der Gemeinde s. u. 5.3.2) nicht nur harte Klage als Anklage und Vorwurf ist, sondern in sich ähnliches Vertrauen aufbringt wie die Väter, also ähnliche Wirkung haben müßte[81]. Daß der Beter klagt, hat nicht nur die Faktoren der Anklage und der Notschilderung, sondern seine Klage hat in sich den Kern des *Vertrauens* und der *Erwartung* auf die Nähe Gottes und damit auf die Rettung. Dieser Kern wird in Abschnitt II in der intensiven Bitte aufblühen, wo Gott tatsächlich um Nähe und Erlösung gebeten wird. Soweit fügt sich also der Einschub dem Klageprozeß konsistent ein und macht die spätere Bitte bereits im eigentlichen Klageteil einsichtig. Nur eine Klage, die bei aller Heftigkeit auch Vertrauen zum Gegenüber hat, daß er einschreiten will und kann, kann sich zur Bitte hin öffnen. Dadurch wird die Klage noch nicht entschärft[82], sondern von ihrer ätzenden und überschüssigen Anklageaggression (die sich nur deswegen gegen Gott richtet, um ihm alles „ins Gesicht zu werfen")

---

79 Vgl. Ruprecht Art. 1971, 465/6; vgl. beispielsweise die Stelle 1 Sam 7, 3-4 u. a.
80 Weiser 7/1966, 148. Die eben benannte *Haltung* der Jahwe-Verehrung kann freilich auch bereits im Ps 22 mitgemeint sein, doch sehr wohl noch mit dem scharfen Element der Klage, die dann auch in einer speziellen Notsituation aktualisiert werden kann; vgl. zu Ps 22 als Ausdruck einer existentiellen Haltung Stolz Art. 1980 a, 144-5.
81 Vgl. Kraus 5/1978, 179; Gunkel 5/1968, 91.
82 Gegen Vorländer 1975, 274, vgl. Westermann 1977, 150-164; auch 130/142.

wie auch von der heillosen Resignation (die nur noch fragend klagen kann und nicht mehr die Kraft zur Bitte hat) erlöst. Die Klage bleibt, was sie ist, verliert freilich die Punktualität des Augenblicks, indem der Zeithorizont der Vergangenheit aufgemacht wird. Dies ist nicht nur ein tröstlicher Hinweis, denn gerade der Gegensatz von vergangenem und gegenwärtigem Handeln des doch identisch geglaubten Gottes müßte die Klage noch viel mehr verschärfen, wenn der Beter nicht gerade im Vertrauen der Väter auch seine eigene Motivation wieder auffinden könnte.

Inhaltlich wie entwicklungsgeschichtlich steht der Ps 22 (besonders mit diesem redaktionsgeschichtlichen Einschub der kollektiven Heilserinnerung) etwa in der Mitte und gleichsam am Höhepunkt möglicher biblischer Klage zwischen der explosiven Klage ohne ausdrückliche Bitte in ihrer Frühform und der Klage, die in die Bitte hineinverschwindet, in der Spätform[83]. Hier erweist sich um so mehr die günstige Auswahl des Ps 22 als schlechthin exemplarischer Klagetext: Er bewahrt auf der einen Seite die Momente der Anklage wie auch auf der anderen Seite die der vertrauensvollen Bitte in sich, wobei letztere aber nicht die Klage verdrängt (etwa aus frommer theologischer Reflexion auf die Gerechtigkeit Gottes und die Schuld des Menschen). Damit hängt auch zusammen, daß Ps 22 überhaupt als Mischform zwischen primärem individuellen und sekundärem kollektiven Klagelied sowohl die Heftigkeit der Volksklage vor und gegen Gott wie auch die Vertrauensarbeit der gezügelteren individuellen Klage in Bitte und Elendsschilderung rettet[84].

● Welches *semantische Umfeld* hat aber nun das hebräische *bṭḥ* (vertrauen)? Seine Wurzelbedeutung ist „sich sicher fühlen", „sorglos sein"; zu-

---

83 Die Entwicklung geht hin bis zu der mit dem Gotteslob eingeleiteten Bitte in der Spätgeschichte, vgl. Westermann 1977, 157 ff., überhaupt 155 ff.,; s. u. 5.2.
84 Vgl. Westermann 1977, 134 f./142 f.; auffällig ist freilich, daß die aggressiven Elemente der Klage im Ps 22 mehr vom ursprünglichen individuellen Klagelied kommen und weniger aus der sekundären Kollektivierung des Psalmes in der Exilszeit. Vermutlich löst sich das Problem dadurch, daß Westermann bei seinem Urteil über die Heftigkeit der Volksklage zunächst hauptsächlich die alten und ursprünglichen Klagelieder des Volkes im Blick hat und weniger die im Exil entstehenden, die meist ehemalige Individualpsalmen auf die kollektive Situation projizieren. In diesem Übertragungsprozeß werden dann auch Formelemente der ursprünglichen kollektiven Klagelieder in die ursprünglichen Individualpsalmen eingebracht: V. 4-6 also die Passage der kollektiven Heilserinnerung, die sonst in den Individualpsalmen nicht begegnet; vgl. Vorländer 1975, 273; auch Westermann 1977, 165-170 (abweichend zu Vorländer 169); Albertz 1978, 27-32/48. Die Funktion der Einschübe kann sich dann etwas verändern: In Ps 22 hat die kollektive Heilserinnerung im Kontext mit den individuellen (die ja bis in die Gegenwart hinein besprochen wird, vgl. V. 10-11) wohl nicht mehr den starken Abbruchcharakter hinsichtlich Vergangenheit und Gegenwart, wie er noch in den ursprünglichen Klageliedern des Volkes dadurch gegeben war, daß zwischen den Klagenden und den erinnerten Vätern keine Kontinuität benannt wurde. Vgl. Vorländer Art. 1981, 111 Anm. 116. Zum Begriff der „Mischform" vgl. Deissler Art. 1981, 105.

sammen mit dem Grund der Sicherheit bedeutet es: „sich auf etwas oder jemanden verlassen". Zugleich hat dieses „sich verlassen" einen skeptischen und enttäuschungsschweren Klang. Wer sich auf etwas oder jemanden verläßt, baut falsche und trügerische Sicherheiten auf. Ganz überraschend ist dagegen, daß dieses Verb sofort volle Sicherheit annimmt, wenn *Gott* derjenige ist, auf den sich der Mensch verläßt[85]. Die starke konnotativ-semantische Ambivalenz des Verbs drückt die in den Sprachgebrauch eingefrorene Erfahrungsgeschichte Israels aus: Wer sich auf andere (Dinge, Menschen, Götzen) und nicht auf Gott verläßt, ist verlassen[86]. Am allerwenigsten kann sich der einzelne auf sich selbst verlassen (vgl. Ps 62,11; Jes 30,12). Jeremia treibt die Unsicherheit noch weiter: Selbst auf den Tempel und auf die Propheten ist kein absoluter Verlaß (Jer 7,4/8). Wer sich also irgendwie dinghaft sicher glaubt, geht fast sicher irre. Gott ist nicht objektivierbar, weder im Tempel noch im Wort. Das „sich verlassen" muß offensichtlich ein ständig neu anzugehender und gewagter lebendiger Begegnungsprozeß sein, der nicht dinghaft entsaftet werden darf, sondern mit seinen Höhen und Tiefen das Leben zu bestimmen hat.

Biographische und geschichtliche Erfahrungen menschlichen Lebens werden im Kontext dieses Begegnungsprozesses erlebt und besprochen: „Bedeutendes geschichtliches Geschehen wurde vielmehr von vornherein in personalen Kategorien erfahren und in personaler Sprache erfaßt: Gott hat gehört, Gott hat angesehen, Gott hat herausgerissen, Gott hat sein Angesicht verborgen, Gott zürnt, Gott hat sich abgewandt."[87] Eben diese Begegnung geschieht im vertrauenden Du zu Jahwe, indem sich der Mensch auf keinen anderen als den lebendigen und persönlichen, geschichtlich wirkenden Gott Israels verläßt. „Denn du verläßt nicht, die dich suchen." (vgl. Jer 49,11, vgl. entsprechend Ps 22, 27; auch Ps 37, 3/5).
Diese Glaubensgewißheit holen die Verse 4-6 durch die kollektive Reminiszenz auf die Geschichte Israels (Auszug, Landnahme u. ä.) in das Gebet ein. Das Vertrauen hat also nicht nur eine gegenwärtige, sondern auch eine vergangenheitsbezogen-geschichtliche Komponente: Es lebt auch und besonders vom erinnerten Gott der Väter und deren Glauben her. Dieser erinnerte Gott wird geschichtlich wirksam in der durch sein Gedächtnis angefachten Vertrauensarbeit des Beters in seiner Gegenwart, wobei letztere aufgrund des Verheißungscharakters der Erinnerung auf eine hoffnungsvolle Zukunft hin aufgebrochen wird: „Dieses Vertrauen auf Jahwe schließt die *Hoffnung* auf Errettung (Hi 11,18) und den *Glauben* an den Gott der Väter (Ps 22,4 f.) ein."[88]

---

85 Vgl. Jepsen Art. 1973, 607-615, hier besonders 610: Die Septuaginta-Übersetzung bringt für beide Bedeutungsmöglichkeiten auch unterschiedliche griechische Varianten.
86 Vgl. a.a.O., 611/12: Dort finden sich auch die entsprechenden Stellenangaben.
87 Westermann 1977, 181.
88 Gerstenberger Art. 1971 c, 305.

Solches Vertrauen wiederzugewinnen, ist besonders entscheidend für Menschen, die sich in Not und Dunkelheit befinden (vgl. Jes 50,10). Deshalb begegnet *bṯḥ* auch sehr häufig in den Texten, die im Gebetsprozeß das Vertrauen auf Jahwe zu „erkämpfen", nämlich in den Klageliedern[89]. Ihr Grundtenor ist: Ich vertraue dir, deiner Stärke und Treue, mein Gott! „Gemeinsam ist diesen Stellen, daß es in der Notsituation, wie immer sie ist, keine andere Existenzmöglichkeit gibt als die Zuflucht zu *Jhwh,* daß nur auf ihn Verlaß, nur bei ihm Sicherheit ist."[90] Wer sich sicher fühlt in Gott, braucht sich nicht mehr zu fürchten (vgl. Ps 50,5/12; 25,2). Vertrauen ist überhaupt die einzige Möglichkeit, Furcht nicht zu verdrängen, sondern wahrzunehmen und zu überwinden. Das um das Vertrauen Israels buhlende Wort Jahwes „Fürchte dich nicht!" spricht hier eine deutliche Sprache (vgl. Jes 12,2; Ps 56,5/13, s. u. 5.2). Insofern meint *bṯḥ* immer eine existenzbegründenden und -erhaltenden Vorgang, der in Jahwe seine Lebenssicherheit sucht und findet. Damit ist es synonym mit dem hebräischen Wort für Glauben (*'mn*), das am besten mit „sich sicher und fest machen in Gott" zu übersetzen ist[91].

Es ist einsichtig und auch vom Textmaterial her offensichtlich, daß das Thema „Vertrauen" auf kollektiver Ebene besonders in der Exilszeit aktuell wird[92]. Von daher spricht einiges dafür, daß V. 4-6 in der Exilszeit dem ursprünglichen Indiviudalpsalm in Richtung auf dessen Kollektivierung auf das Schicksal des Volkes Israel im Exil eingefügt wurde (s. u. 5.2.3). Im Sinne des ursprünglichen Psalms verdoppelt dieser Einschub das Vertrauensmotiv, indem zur individuellen Heilserinnerung v. 10-11 nun die kollektive beigefügt wird. Der ursprüngliche Sprechakt der Vertrauensermutigung bleibt also durch den Einschub nicht nur erhalten, sondern wird dadurch verstärkt. Die Identität des Gottes, der der Befreier der Väter war und jetzt der Adressat des Klagegebetes ist, bringt die Hoffnung auf, daß er — wie damals — zukünftige Rettung schenkt.

Denn die Väter werden *„nicht zuschanden"* (V. 6 b). Letzteres Verb kommt in den Klagepsalmen vor allem in der Verbindung mit dem Ver-

---

89 Zwei Fünftel aller *bṯḥ*-Stellen finden sich im Psalter, besonders freilich in den Klageliedern: vgl. Gerstenberger Art. 1971 c, 301/2/5; Jepsen Art, 1973, 614. Zum Motiv „Kampf des Glaubens" vgl. Kraus Art. 1977.

90 Jepsen Art. 1973, 614.

91 Zur Entsprechung von *bṯḥ* zu *'mn* vgl. Gerstenberger Art. 1971 c, 304; Wildberger Art. 1971, 189 ff., auch die *'mn*-Stellen sind in den Psalmen unvergleichbar häufig (ein Viertel aller Vorkommen) a.a.O., 182.

92 Vgl. a.a.O. 1971, 304 (hinsichtlich Jes 36 f.; Jer 7, 3-15); 305, auch 302, wo davon die Rede ist, daß das Nomen *mibṭāḥ* erst seit der Exilierung Judas aufgekommen sei (Jer 2, 37 als früheste Stelle womöglich!). Auch dieser Befund spräche für eine Aktivierung des Wortfeldes in Exilszeiten; vgl. Jepsen Art. 1973, 609, 615. Zur Aufnahme individueller Vertrauensmotive in die Klage des exilierten Volkes vgl. insgesamt Albertz 1978, 180-190.

trauensmotiv und der entsprechenden Bitte vor. Auch in unserem Fall enthält die auf das Vertrauen der Väter replizierende Passage eine indirekte Bitte: Auch der Klagende möge – wie diese damals – verschont bleiben. Bezeichnenderweise ist „zuschanden werden" ein häufiges Wort in der Prophetie des Jesaja und Ezechiel (also exilisch-nachexilisch), mit dem Tenor, daß alles, was gegen den Willen Jahwes läuft, zunichte werden muß[93]. Hier zeigt sich freilich um so mehr der tiefe Kontrast zwischen der Verlassenheit des Beters und der Rettung der Väter, obwohl beide sich ja auf Gott verlassen und so nicht gegen den Willen Gottes handeln. In diesem Kontrast zieht die Klage als vorwurfsvolle Anfrage weiter. Aber, indem er weiterbetet, bleibt der Psalmist dabei: ‚Im Vertrauen auf Jahwe liegt meine Kraft!' (Vgl. Jes 30,15).

Die Not wird zum Testfall des Glaubens, zum Appell, sich in Gott „festzumachen". „Sooft auch der Mensch vom Menschen enttäuscht wird, sicher darf er sich in der Obhut Gottes wissen."[94] Die Väter werden dabei zur Chiffre einer noch immer für möglich gehaltenen Erfahrung, nach welcher jeder, der sich auf Gott verläßt, niemals verlassen ist. So wird die Gegenerfahrung zu gegenwärtigen Erfahrungen im Bewußtsein des Beters heraufbeschworen. Die Väterreplik scheint Vorbote zu Jes 41,8 und 43,1 zu sein, wo „aus der Vorstellung vom göttlichen Mitsein das Bewußtsein, selbst in radikalster Gefährdung Gottes gegenwärtig sein zu dürfen" erwächst[95]. An diesem „heils"-geschichtlichen Ort scheint auch der aktuelle redaktionsgeschichtliche Ort des Ps 22 zu sein. Von solchem Glaubenskontext dürfte der Impuls zu dem Einschub der kollektiven Heilserinnerung ausgegangen sein.

• In diesem Zusammenhang wird die *massive Anhäufung der Verben des „Rettens"* in den Versen 5-6 und 9 interessant: sie sind untereinander ziemlich austauschbar; die unterschiedlichen Bedeutungsnuancen bleiben in Grenzen.

So bedeutet das zweimal begegnende *plṭ* (V. 5 und 9 a) in seiner Grundbedeutung „entkommen lassen", wobei im Hintergrund dieses Verbs vor allem an Gefangenschaft zu denken ist. Mag dieses Wort ursprünglich vor

---

93 Vgl. Stolz Art. 1971 a, 269-272. Zum Vertrauensmotiv vgl. a.a.O., 271 (mit den entsprechenden Parallelstellen im Psalm); zur Verwendung in der Prophetie a.a.O., 272.
94 Jepsen Art. 1973, 615; vgl. Görg Art. 1980, 232/240. Albertz 1978, 48.
95 Vgl. Görg Art. 1980, 227; Groß Art. 1981, 18. Die Herausführung der Väter aus Ägypten wird als Taterweis der Liebe Gottes gedeutet, wodurch Gott theologisch als „Retter" bestimmt ist, „so daß neue Hoffnung auf analoges Handeln bewußt geweckt werden kann." Die Verkündigung von Deuteronomium 1-4 zeigt „die Herausführung aus Ägypten absichtlich transparent auf die erhoffte neue Herausführung aus Babel durch Jahwes Macht und Gnade hin . . . Weitererzählen der Großtaten Gottes ist hier der Beginn von Theologie." (Preuß Art. 1981, 813).

allem im Bezug auf den einzelnen aktuell gewesen sein, so wird es spätestens in der Exilszeit von ausgesprochen kollektivem Interesse. Fast bedeutungsgleich damit ist das in V. 6 verwendete *mlt*, das allerdings mehr die allgemeine Bedeutung von „retten" hat[96].

Der gebräuchlichste Ausdruck für das rettende Handeln Gottes ist *nsl* mit seiner Grundbedeutung „heraus-ziehen", bzw. „-reißen", im räumlichen Bild des Entferntwerdens aus der Bedrängnis und Todesnähe (vgl. V. 16 c)[97]. Dieses Verb hat bei aller generellen Bedeutung der Rettung aus jeder Art von Bedrängnis von einzelnen und einer Mehrheit „schon früh" den impliziten Erinnerungskern der Erlösung Israels aus Ägypten[98] und gelangt so zusammen mit den anderen Errettungsaussagen in die Nähe der Herausführungsformel. Jedenfalls kann man sich auf dem Hintergrund der großen Bedeutung der Exodustradition im Jahweglauben nicht vorstellen, daß auch nur eine Errettungsaussage nicht diese anamnetische Qualität als assoziierbaren Bedeutungsanteil haben könnte. Dies wird deutlich in der Anhäufung der Errettungsaussagen (mit durchaus unterschiedlichen und vielfältigen Verben) in der Literatur der Exilszeit und der dabei gleichzeitig aufkommenden und wieder aufgefrischten sowie theologisch reflektierten Erinnerung an die Heilstaten Gottes an den Vätern.

Mit hoher Wahrscheinlichkeit erfolgt der eigentliche Durchbruch der Herausführungsformeln überhaupt erst in der Exilszeit, wobei bislang unterschiedlich nuancierte Errettungsaussagen aus der Sehnsucht nach Befreiung heraus häufig verwendet, einander angeglichen und mit der entsprechenden theologischen Erinnerung aufgeladen werden. Die Tatsache, daß überlieferte Klagelieder des Einzelnen keine näheren Angaben über die konkrete Situation bringen und somit für spätere Sinnanreichungen offen sind, macht es möglich, ursprünglich auf den einzelnen bezogene Errettungsaussagen nun kollektiv und zugleich auch innerhalb des Kontinuums der Heilsgeschichte Jahwes mit Israel zu verstehen. Aus diesem Grund verwun-

---

96 Vgl. dazu Bergmann Art. 1976 a, 97; Barth 1947, 128/9; zum dominanten Bedeutungshintergrund der Errettungsaussage vgl. a.a.O., 139 ff.
97 Vgl. Bergmann Art. 1976 a, 96-99; zur Räumlichkeit der Errettungsaussagen (auch in Beziehung zur Raumvorstellung hinsichtlich des Todes und der Totenwelt) vgl. Barth 1947, 87/125, vgl. dazu ausführlicher 4.2.2 (3).
98 Barth 1947, 135. Zur „Herausführungsformel" vgl. Preuß Art. 1981, 804-821; Görg Art. 1976, 262/3; Groß Art. 1974, 425-253. Barth 1947, 141. Die Errettungsaussagen haben sämtliche mehr oder weniger die hintergründige räumliche Vorstellung des Herausgeführtwerdens oder Herausgehens aus einem Notbereich; vgl. Barth 1947, 124-146; Bergmann Art. 1976, 97. Dies führt natürlich leicht zu der besonders in der Exilszeit erfolgten Angleichung der Bedeutungen unterschiedlicher Wörter zueinander: Die gleiche Notsituation mit der entsprechenden Sehnsucht will sich möglichst vielfältig zum Ausdruck bringen und zieht so womöglich bislang profiliertere Verben an und bündelt sie auf sich zu. So kommt beispielsweise auch das hebräische Wort für helfen (*'zr*) ganz gehäuft bei Deuterojesaja vor: vgl. Bergmann Art. 1976 b, 258/9; Barth 1947, 136.

dert es nicht, daß ursprünglich auf die Rettung einzelner bezogene Erlösungsaussagen nun auch im Zusammenhang mit kollektiver Heilserinnerung verwendet werden können (so *mlṭ* und *plṭ* in V. 5 und 6). Insgesamt weist der Gebrauch vielfältiger, auf Gott bezogener Rettungsaussagen auf das in Israel lebendige Vertrauen hin, daß Jahwe beständig bzw. immer wieder neu befreiendes Handeln zugetraut wird.

• Ein *weiteres Vertrauensmotiv* liegt der zum Individualpsalm gehörenden biografischen Heilserinnerung zugrunde, die bis in die Gegenwart des Predigers reicht und an seinen Gebetsakt anschließt: „. . . vom Mutterleib an bist du mein Gott." (V. 11 b, vgl. Gebetseingang V. 2 a und 3 a: „mein Gott . . . warum hast du . . ."). Gott war „Geburtshelfer", er war der, der den Beter aus der Mutter heraus ins Leben gebracht und an ihrer Brust geborgen hat (V. 10-11). „Gott war ihm immer schon voraus mit seinem umfangenden Bewahren."[99] Entsprechend der Vorstellung vom persönlichen Gott wird in Israel Jahwe als der Schöpfer des Menschen[100] angesehen, wobei diese Schöpfungstat aber nicht für sich stehen bleibt, sondern dem Gottesverhältnis fruchtbar gemacht wird: Das Vertrauen auf Gott wird mit der Geburt begründet[101]. Diese Denk- und Gefühlfigur der individuellen Klagelieder mündet in der Prophetie der Exilsperiode in die strukturanaloge Denkfigur, in der Schöpfungstat und neuer Exodus (letzterer hervorgeholt aus der Erinnerung des alten Exodus!) verbunden und aktualisiert werden[102]. Die individuelle Heilserinnerung wird damit mit ihrer ganzen konnotativen Tiefe in die kollektive überführt.

---

99 Westermann 1957, 27; vgl. Kühlewein Art. 1971, 177. Freilich geht kaum einer der Kommentare auf die vertrauensorientierte und theologische Qualität der Mutterreferenz an dieser Stelle ein. – Übrigens zeigt ein Vergleich der individuellen Vertrauensäußerung mit der kollektiven, daß jede von ihnen eine selbständige und für sich eigene Einheit der Vertrauensäußerung bildet. Dies gilt vor allem dann, wenn die kollektive Erinnerung sekundär ist, weil damit der Beleg erbracht wäre, daß die Einheit kollektiver Heilserinnerung formkritisch für sich ohne den Sprechakt der Bitte auskommt. Diese Beobachtung ist jedenfalls ein Indiz dafür, daß die Bitte V. 12 nicht zu der Einheit V. 10-11 gehören kann. Die biographische Erinnerung braucht analogerweise also auch nicht, um selbständig zu sein, am Ende die Bittformulierung (s. o. 2.1.2). Zur biographischen Erinnerung überhaupt vgl. Gunkel 3/1975, 236 ff.
100 Vgl. Vorländer 1975, 274/5.
101 Vgl. Görg Art. 1980, 227; Albertz 1978, 37 f./48.
102 Vgl. Kühlewein Art. 1971, 177. Dies hängt auch damit zusammen, daß die Sehnsucht nach Geborgenheit und Vertrauen in exilischer und besonders nachexilischer Zeit der Diaspora „Jahwes Heilshandeln mit dem Tun einer Mutter verglichen wird: Jes 66, 13 . . ." (Kühlewein Art. 1971, 177). Tritojesaja hat darin allerdings bereits in Hosea einen prophetischen Vorläufer (vgl. Hos 11, 3-4). Im Zuge größerer Verunsicherung wird die Sehnsucht nach Geborgenheit brisant und gelangt in einen Sprechakt der Vertrauensäußerung auf Gott zu, die auch feminin-mütterliche Momente auf ihn überträgt. – Zur Verbindung von Schöpfungstat (der Welt und des Menschen) und neuem Exodus besonders in der prophetischen Verkündigung des Exils vgl. Rendtorff Art. 1954, 9-13; Görg Art.

Denn ein ausgesprochen tiefes Bild für Urvertrauen und Geborgenheit ist die Evokation der *Mutter*. Der an sich „maskuline" israelitische Gott wird dreimal durch semantische Übertragung mit Mutterwirklichkeiten verbunden, wodurch eine Übertragung der Muttererfahrungen auf Jahwe angeregt wird. Hochinteressant ist in diesem Zusammenhang das in V. 10 b gebrauchte hebräische Wort *mabṭīḥī*. Seine wahrscheinliche Etymologie macht die archetypische Verquickung von Geborgenheitssehnsucht auf der einen und Vertrauen auf der anderen Seite transparent: Jepsen vermutet die Urform des hebräischen *bṭḥ* (vertrauen) in der Bedeutung „prall sein", womit V. 10 b recht sinnvoll zu übersetzen wäre: „. . . der mich rund werden ließ an meiner Mutter Brust". Man kann sich gut vorstellen, daß in der konventionalisierten syntaktischen Verbindung mit der Mutter das *bṭḥ* die ursprüngliche Bedeutung weitergebracht hat. Das *mabṭīḥī* hier mit „Vertrauen" zu übersetzen, wäre verfehlt, weil man von einem Säugling ein aktives Vertrauen kaum erwarten könnte[103]. Das Erlebnis der Fülle scheint also den semantischen Knoten des Verbums *bṭḥ* zu bilden, auf dessen Basis sich das konkrete „satt und rund werden" wie auch die übertragene semantische Weiterentwicklung „Vertrauen" vollziehen konnte. Unser Vers bringt beide Dimensionen aufeinander zu, indem es die reale Ebene als tiefes Bild für die spirituelle Ebene des Vertrauens heraufbeschwört. Damit wird der Sprechakt der individuellen Vertrauenäußerung zutiefst verankert in der sehnsuchtsvollen Tiefenerfahrung der Sättigung und Fülle sowie des Vertrauens in der Geborgenheit. Im Zusammenhang mit dieser möglichen archaischen Urbedeutung von *bṭḥ* ist natürlich der V. 27 zu sehen, wo das sich bewahrheitete Vertrauen in der gemeinsamen Sättigung gefeiert und in seiner Vollendung erlebt wird: „Die Armen sollen essen und sich sättigen . . .".

1980, 236/7; auch Art. 1970, 423-426; Weimar/Zenger 2/1979, 155 ff.; Albertz 1974, 1-53; 161-164; Stuhlmueller 1970, besonders 59-98; 233-237; Vorländer Art. 1981, 107 f.

103 Vgl. Jepsen Art. 1973, 609. Zur konnotativen Qualität solcher Wörter wie „Mutter" vgl. Fuchs 1978 b, 28-40. Kraus sieht in den Versen 10-11 übrigens Anklänge an die Adoptionsvorstellung des Regenten als Sohn Gottes (vgl. Ps 2, 7). Dieser Bedeutungsklang kann hier durchaus noch hintergründig durchschimmern, doch tut er dies lediglich aufgrund sprachlicher Anklänge: Von einer Gattungszugehörigkeit zu den Königspsalmen kann hier kaum die Rede sein; vgl. Kraus 5/1978, 179. Görgs Interpretation von Ps 2, 7 b (heute gebäre ich dich!) in der Kategorie einer von Jahwes Schöpfungstätigkeit her gedachten Wiedergeburt des Königs führt tatsächlich assoziativ sehr nahe an Ps 22, 10 und 11 heran (vgl. Görg Art. 1970, 423). Der ganze Motivkomplex von Geborenwerden, Erlebnis von Fülle, Vertrauen und Rettung als göttliche Schöpfungstat der Wiedergeburt in Verbindung mit der sogenannten Adoptionsformel bis hin zum David redivivus und neugeborenen Gottessohn als einer implizit eschatologisch-messianischen Gestalt muß der Fachexegese zur näheren Klärung überlassen bleiben (vgl. a.a.O., 424-426). In unserem Zusammenhang ist entscheidend, daß V. 10-11 im Grunde herausfordern, daß Gott abermals und gegen die erfahrbare Realität den Beter als „seinen Sohn" annimmt bzw. ihm dies erfahrbar macht. V. 11 b führt schon nahe an dieses Bewußtsein hin, das dann in V. 22 b durchbricht: ‚Du antwortest mir! (indem du mir die schöpferische Rettung zusprichst)'; s. o. Anm. 32.

Insgesamt wird in diesen Versen also das Geborgenheitsgefühl im Vertrauensprozeß der individuellen Heilserinnerung *auf Gott übertragen.* Da hier eine geprägte Wortverbindung zwischen Mutterbereich und Vertrauensäußerung vorliegt, erhält der Beter in diesen Worten das Angebot, sich zu verlassen und bei Gott heimisch zu fühlen. Darin ist angelegt, was Görg im Zusammenhang mit der „Ich bin mit dir"-Formel feststellt: Die „Empfindung (sc. der Geborgenheit) wird allerdings nur für den vollziehbar, der sich aus der eigenen Befangenheit befreien lassen will und sich bewußt auf den einläßt, der die Geborgenheit garantiert." Der Beter wird dazu ermutigt, sich „der bergenden und prospektiv begleitenden Präsenz seines Gottes gewiß" zu sein[104]. Die poetisch geprägte Rede des Psalms verstärkt natürlich die konnotative Kraft der darin aufgenommenen Redefiguren[105].

● In die gleiche Richtung von Geborgenheit und Vertrauen weist auch das *„Geworfen-Sein-auf-Gott"* in V. 11 a. Von seiner Hauptbedeutung „aussetzen, preisgeben" bekommt es im Zusammenhang vor allem mit den Klageliedern eine auf Gott bezogene positive Bedeutung: Der einzelne weiß sich Gott ausgesetzt, er weiß sich auf Gott geworfen, und dies im Sinne einer Vertrauensäußerung in einer Situation, wo von keinem anderen noch Hilfe erhoffbar ist.

Der Beter ist Gott preisgegeben, aber in dem positiven Sinn, daß Gott auch tatsächlich Hilfe gibt. Interessant ist in diesem Zusammenhang, daß das Spottzitat der Gegner V. 9 das gleiche Verbum aufweist; „Er wälze (= werfe) die Last auf den Herrn . . ." V. 11 kann man als indikativische Voraussetzung dafür nehmen, daß der Beter tatsächlich als hoffnungsvolles Handeln auffassen kann, worüber die Spötter nur zweifeln können. Weil der Psalmist von Geburt an auf Gott geworfen ist, kann er nun auch seine Last auf den Herrn werfen: Er wird – gegen den Zweifel der Spötter, aber auch gegen die Erstvermutung des Beters selbst – tatsächlich befreien. In die gleiche Richtung eines am konnotativen Wert der Geborgenheit orientierten Vertrauens weisen auch die Synonyma für „sich bergen", die ziemlich gleichbedeutend sind mit dem archaischen *mabṭīḥī* in V. 10 a[106].

Insgesamt können wir resümieren, daß der in der struktural-semantischen Analyse erhobene dominante Sprechakt des *Vertrauens* von der historisch-kritischen Exegese und der von ihr erhobenen Bedeutungskonnotation hinreichend (bis in die performative Dimension hinein) belegt ist. Ähnliches

104 Görg Art. 1980, 239; vgl. Kühlewein Art. 1971, 177.
105 Zum Begriff der Konnotation und der sozialpsychologischen Entstehung von emotionalen Bedeutungsgehalten vgl. Fuchs 1978 a, 48 f.; 1978 b, 46-63. Zum Verhältnis von Sehnsucht und geprägtem Wort vgl. Görg Art. 1980, 217, 238-240. Hinsichtlich rhetorischer Figur und konnotativer Kraft vgl. Fuchs 1978 a, 139-147.
106 Zum synonymen Bedeutungsfeld von „sich-bergen (bei Jahwe)" vgl. Gerstenberger Art. 1971 b, 621 ff.; besonders 623; Barth 1947 127; Zimmerli 1968, 17. Zu „werfen" vgl. Stolz Art. 1976, 915-919.

gilt für den Sprechakt der *Erwartung*, obgleich dieser nur implizit zu erheben ist: Der spöttisch gemeinte Imperativ erfährt so vom Indikativ des V. 11 her Sinn und wird seines Spottes entledigt.

● Jedes Vertrauen ist auf dem Weg in der Form des „Noch-Etwas-*Erwartens* und *Hoffens*". Warten ist die aktive Dimension jeder Hoffnungshaltung[107]. Zwar begegnet dieser Sprechakt des Erwartens (hebräisch: *jḥl*) in unserem Text nicht ausdrücklich, doch impliziert die Gegenwart des „du bist mein Gott" in V. 11 b auch die Erwartung, daß Gott sich jetzt − trotz der Not und Verlassenheit − wieder als der Gott des Beters zeigt. Dies bestätigt dann auch der anschließende Bitteil, der ohne die Hoffnung auf Erfüllung sinnlos wäre. Tatsächlich begegnet „erwarten/harren" häufig in den anderen Klagepsalmen, und zwar jeweils als Zuversichtsaussage[108]. Solche Hoffnung wartet auf Gott und erwartet von ihm alles, besonders die befreiende Wende (vgl. Ps 39,8). Umgekehrt gilt: „Die Bedeutung des Wartens auf Gott zeigt sich in der Klage, in der das Aufgeben des Wartens den Tiefpunkt bedeutet."[109]

Wo aber vertrauensvolle Erwartung allmählich aufkommt, beginnt implizit schon der Sprechakt des Lobes: nicht zuletzt aus diesem Grund ist Abschnitt III bereits in Abschnitt I angelegt und vorbereitet. Denn jede Hoffnung gibt Gott die Ehre und anerkennt ihn als den Herrn des Lebens und der Geschichte[110]. Was für den ganzen Psalm gilt, nämlich daß der Beter mitten in der Notsituation zum Lob Gottes gelangt, gilt für Abschnitt I im besonderen: Mitten in einer hoffnungslosen Situation erinnert er aus kollektiver und indivdueller Heilsgeschichte heraus neues Vertrauen. Die-

---

107 Die Hoffnung wäre ausgedrückt, wenn V. 4 „tohälät" lesen könnte. Zur elementaren Bedeutung der Hoffnung im Jahweglauben vgl. Schmidt Art. 1969 (mit Literatur); vgl. dort besonders den sich immer mehr steigernden Transzendenzcharakter der Hoffnung, demzufolge der Hoffende über das geschichtlich Wirkliche, ja über das geschichtlich Mögliche hinaus die Gegenwart übersteigt: in einer Negation des Negativen, einem immer schärferen Kontrast zur Wirklichkeit. Trotz der Nichterfüllung von Erwartungen und Verheißungen treibt die Hoffnung in eigenartiger Paradoxie weiter bis hinein in eschatologische und apokalyptische Dimensionen (vgl. a.a.O., 207-212). Vgl. auch Herrmann 1965; Schreiner Art. 1968.
108 Vgl. Westermann Art. 1971 b, 727-730: Warten und Hoffen als semantisches Feld von *jḥl* .
109 Westermann Art. 1971 b, 729; Zimmerli 1968, 28; vgl. Hiob 30, 20/26; Klgl 3, 18. Interessanterweise wird auch bei Deuterojesaja „warten" zu einer wichtigen Vokabel für das Verhältnis zur Heilsbotschaft: vgl. Westermann Art. 1971 b, 730. Daß mit der Erwartungslosigkeit auch der absolute Tiefpunkt religiöser Lebenseinstellung erreicht ist, zeigt auch unser Minusmodell in Kap. 1 (s. o. 3.2.1).
110 Vgl. Zimmerli 1968, 12; zu den einzelnen Bedeutungsnuancen besonders 17-18; zum Verhältnis von „loben" und „vertrauen" a.a.O., 40 und Ps 38, 14; im Zusammenhang mit dem Sprechakt des Lobes zieht Westermann das Warten in Richtung auf das Neue Testament aus: Westermann 1977, 123/4.

ses Vertrauen ist ein entscheidendes Element des Gotteslobes, der Anerkennung Gottes überhaupt, und ist angelegt auf das Warten, das Gott traut und zutraut, daß er die Erwartung einlösen und auslösen wird.

Im Warten hält der Gläubige hoffende Ausschau auf den, auf den er angewiesen ist. Für diesen Akt des Glaubens gibt es mehrere hebräische Synonyme, die alle mit unterschiedlicher Akzentsetzung den Ausgriff auf die Zukunft für die Gegenwartsbewältigung profilieren: als „wartendes Aus-Sein auf Dinge, die erst kommen", als ein „Sich-Spannen" zwischen Gegenwart und Zukunft, als ein Erwarten von etwas Kommendem im „Zustand des Noch-Nicht", als ein Sich-Ausspannen auf das Zukunftsmoment als Ergebnis und Ziel des Wartens, als ein Akt, der aufgeladen ist mit Sehnsucht und Vertrauen, das sich mit Gewißheit auf das Kommende verläßt, schließlich als ein Sich-Bergen bei Gott[111]. Mit der letzteren Bedeutungsnuance schließt sich der Kreis zu der dominanten Vertrauensaussage der individuellen Heilserinnerung.

Voraussetzung für dieses semantische Feld der Erwartung und Hoffnung ist freilich, daß es nicht ins Leere geht, sondern ein Gegenüber vermutet, das in der Kategorie der Verheißung (des erinnerten Versprechens aus der Vergangenheit (vgl. V. 3-4 und 8-9) durch die Gegenwart hindurch auf die Zukunft zu) Vertrauen ermöglicht. Deswegen hat auch das hoffende Warten seinen angestammten Ort in den Vertrauenspassagen der Klagepsalmen und findet dort seinen in direkter Gebetskommunikation formulierten Ausdruck. Es ist damit die Aktualisierung der Gottsuche, die auch tatsächlich in Abschnitt III V. 27 benannt wird (s. u. 4.2.3 (1)). Dabei geht es − und das korrespondiert mit dem Verhältnis von V. 22 und 23 ff. − nicht *zuerst* um die Beseitigung der Not, sondern um die Hoffnung, ob der Beter wieder einmal in die Lage kommt, Gott in der Gemeinde zu loben, ihn mit allen anderen voll und feierlich als Gott des eigenen Lebens anerkennen zu können. Die gegenwärtige Beziehungsaufnahme hat also eine gesteigerte zukünftige Begegnung mit Gott zum Ziel, so daß eine Erhörung bzw. Rettung als Funktion der gewünschten Lobesbegegnung zu werten ist. Erwartet wird nicht nur die Rettung, sondern vor allem, daß der identische *Gott* Israels rettet.

Die personale Kategorie bestimmt das erwartende Hoffen des Betens: Dies ist ein Spezifikum alttestamentlichen Glaubens. Das Wagnis des Wartenden und Hoffenden, sich ausspannend auf Gott und seine Hilfe zu, hat keinen anderen Grund, keine andere Bedingtheit (also weder eine „weltbildliche Abstützung" noch eine „andere Gesetzmäßigkeit") als Gott selbst[112]. An

---

111 Vgl. Ps 38, 16; die Zitate: Zimmerli 1968, 15/16, vgl. auch 38/40. Zimmerli bringt auch a.a.O., 39 das theologische Verständnis von „erwarten" im Zusammenhang mit „Gott suchen". Vgl. V. 27 b, wo im Nachhinein der implizite Sprechakt der Erwartung als „Gott suchen" expliziert wird.
112 Vgl. Zimmerli 1968, 27/43-45.

der Wende und Nahtstelle zwischen Noterfahrung und Hoffnungsaufkommen steht allein Gott: Hier wird sein Name *unbedingt* angerufen[113]. Nichts ist dabei dinghaft kalkulier- und berechenbar, alles aber ist aus der lebendigen Beziehung zu Gott heraus erwart- und hoffbar.

● Unterbrochen werden die im Gesamtsprechakt der Erinnerung gemachten beiden Hoffnungsanläufe (V. 4-6 und 10-11) durch die *gegenwärtige Situationsbeschreibung*, die durch die negativen Aktionen der Leute und des Volkes charakterisiert ist. Zu den beiden Heilserinnerungen steht die Passage in der Verbindung eines kräftig kontrastierenden Gegensatzes, der sich besonders in den Verbformen (also den Aktionen der Leute) niederschlägt. Dieser Gegensatz wird im Spottzitat in der Form höhnischer Ironie auch semantisch auf die Spitze getrieben. Das Volk *verachtet*, weil offensichtlich auch Gott den Beter verachtet. Die Grundbedeutung ist „mißachten, mit Geringschätzung betrachten". Ein Bedeutungskontext dieses Wortes besteht in der Geringschätzung Israels durch andere (Völker), weil Israels Würde als Gottesvolk nicht erkannt wird. Aber auch, und dies ist der eigentliche theologische Gebrauch, Jahwe selbst kann verachten, und zwar in Sinne von „verwerfen"[114]. Im Gegensatz dazu bedeutet eine Achtung Gottes die entsprechende Erwählung im Sinne von „helfend gedenken und bewahren". Dieser Gegensatz ist besonders in V. 10-11 ausgeführt, so daß die Passage als Bebilderung der biographisch erlebten Achtung Gottes gelten kann. Die in V. 8 apostrophierte Verachtung der Leute korrespondiert mit der gleichen Vokabel in V. 25, wo klar und nunmehr mit aller Sicherheit festgestellt wird, daß Gott den Armen und damit auch den Beter nicht verachtet. Die Verachtung des Volkes ist so durch die Achtung Gottes gänzlich überholt. Dies zeigt sich auch darin, daß dieses Volk nun in der Gemeinde mit dem Beter Gott lobt und damit – in Aktionseinheit mit Gott – den Psalmisten (wieder) achtet.

---

113 Vgl. in diesem Zusammenhang besonders Klgl 3, 18; Jahwe allein ist es hier, der die Hoffnungslosigkeit überholt, auch die, die von ihm selbst provoziert zu sein scheint. 3, 21 wird in dem „vielleicht" deutlich, daß diese Hoffnung keine Berechnung sein kann, sondern ein Resultat der lebendigen Vertrauens- und Treuebeziehung zwischen Gott und Mensch ist: „Das ‚Vielleicht' der letzten Hoffnungsaussage redet da deutlich genug mit seinem Hinweis auf die volle Freiheit Jahwes, in dessen Entscheidung allein die Verwirklichung der Hoffnung liegt." (Zimmerli 1968, 46), vgl. Ps 73, 23-26. Diese Kritik an der Hoffnung, die verhindern soll, daß aus ihr Kalkulation wird, wird zuerst wohl bei Amos laut: „Haßt das Böse, liebt das Gute und stellt das Recht im Tor her! *Vielleicht* wird Jahwe . . . dann dem *Rest* Josef gnädig sein!"(Am 5, 15); vgl. Schmidt Art 1969, 212/215.

114 Vgl. Wildberger Art. 1976, 4/5; vgl. Klgl 1, 15 mit dem hebräischen *slh* und Klgl 2, 6 mit dem *m's*, beide mit der Bedeutung von „verwerfen". Das die Verachtung und den Spott der Leute verstärkende Kopfschütteln kann als eine „Handlung des Hohns" aufgefaßt werden: vgl. Gunkel 5/1968, 95; Kraus 5/1978, 179; Albertz 1978, 38-43; s. u. Anm. 195.

In V. 25 b steht „verachten" in semantischer Similarität zu „verabscheuen": Hier schwingt die Bedeutung „als kultisch unrein verabscheuen" mit[115]. Diese religiös-soziale Dimension haftet freilich bereits der Verachtung der Leute in V. 7 f. an: Verabscheut wird nämlich das zum Volk und seinem Gott Wesensfremde, das Angst- und Ekelerregende, das die Homogenität der Gruppe in Gefahr bringt[116]. Als solcher also, als Wesensfremder, Gottverlassener und damit Angstauslösender wird der Notleidende vom Volk verachtet. Der Gegensatz dazu ist das Wohlgefallen, das der einzelne bei Gott (und damit im Volk) hat[117]. Gerade dies wird in V. 9 b hinsichtlich des Bedrängten bezweifelt. Die Grundbedeutung der beiden im hebräischen verfügbaren Verben „Gefallen haben" (*rṣh* und *ḥpṣ*) ist „annehmen". Bei dem in V. 9 gewählten ist charakteristisch, daß es konnotativ eine gewisse Niveaudifferenz zwischen Subjekt und Objekt ausdrückt und daß bei ihm das Moment der Liebe auf ein „Interesse haben" abgeschwächt ist. Es hat somit etwas von einem „deklaratorischen Akt" an sich[118].

(3) Geschichte und Erinnerung

Die „luftholenden", die Klage und Notschilderung unterbrechenden Passagen V. 4-6 und 10-11 haben beide die Funktion, in die gegenwärtige Situation hinein die Größe „Vertrauen" laut werden zu lassen: als Sprechakt vertrauender Erinnerung auf einen Gott zu, der bislang in kollektiver und biographischer Heilsgeschichte treu war bzw. ist. Die Erinnerung ermöglicht die zunehmende Vertrauensbeziehung in der Gegenwart. Die Proposition des erinnernden Sprechaktes (ich erinnere mich bzw. dich daran, *daß* . . .) besteht in den erzählten Fakten, die intentionale Sprechaktdimension erscheint nicht in performativer Weise, sondern implizit in syntaktischen und semantischen Signalen (z. B. Perfekt als Präteritum, die Anredeform, Wörter wie „vertrauen" und „sich bergen" u. ä.): Man kann insgesamt vom Sprechakt der *erinnernden Vertrauenserweckung* reden. Als solcher ist er im Kontext und in der Sprechaktsequenz des Gesamtpsalms Vorbereitung zur Bitte.

Die Erinnerungspassagen bringen die „entscheidenden Gegensätze" zur

---

115 Vgl. Gerstenberger Art. 1976, 1051.
116 Vgl. Gerstenberger Art. 1976, 1053/4.
117 Zu „Wohlgefallen" als Gegensatz zu „verabscheuen", vgl. Gerstenberger Art. 1976, 1053; zu den beiden hebräischen Verbformen für „Gefallen haben" vgl. Gerlemann Art. 1971a, 623 ff.; 1976 c, 810-813. Die Basis *rṣh*, die im Ps 22 nicht vorkommt, gehört hauptsächlich in die vorexilische Zeit und hat ausgesprochen kultische Bedeutung: vgl. a.a.O., 810/812. Die Basis *ḥpṣ* freilich scheint dominanten Sprachgebrauch in den Psalmen und bei Deuterojesaja aufzuweisen: Von 86 Vorkommen im Alten Testament begegnet es hier insgesamt 30mal; vgl. dazu Gerlemann Art. 1971 a, 624. Die Problematik des Exils scheint die Frage nach dem Gefallen Gottes provoziert zu haben. Objekt des göttlichen Wohlgefallens ist vor allem der Fromme, Israel und Zion (vgl. a.a.O., 626); bzw. die Exulantengemeinde (= Gola), vgl. Vorländer Art. 1981, 88 ff.
118 Vgl. Kraus 5/1978, 179.

Realität ein[119]: Die Väter rufen und erhalten Antwort, der Beter ruft und erhält keine Antwort; bisher gab es Geborgenheit, jetzt ist nur noch die Verlassenheit Gottes erfahrbar, wobei freilich im letzteren Fall die biographische Erinnerung mit ihrer positiven Proposition bereits in die Gegenwart reicht und so den Sprechakt der vertrauenden Bitte vorbereitet und damit das „mein Gott" mit dem ironsich verweigerten Wohlgefallen Gottes in V. 9 b kontrastieren kann. Wichtig ist, daß sich der aktuelle Einschub V. 4-6 tatsächlich im Sprechakt wie auch in der Propositon in die Struktur der individuellen Heilserinnerung einfügt: In beiden Fällen geht es um positive geschichtliche Erfahrungen mit Gott, die Vertrauen erweck(t)en: Diese Erfahrungen werden im Sprechakt der Erinnerung der vergangenen Erfahrungen, wie diese selbst, Vertrauen erwecken können. Diese Krise der Gegenwart wird durch die aufgemachte Spannung zwischen Erinnerung und Notsituation kontrastiv besprochen und dadurch auf eine mögliche Bewältigung hin weitergetrieben, dergestalt daß Erinnerung und Situation durch den ihnen gemeinsamen Nenner des Vertrauens überbrückt werden.

Die kollektivierende Aktualisierung des Psalms für die (Nach-)Exilszeit (s. u. 5.2.3) parallelisiert ihre Aussagen zur bestehenden Aussagestruktur und bleibt so im Konzept des generativen Basismodells (s. o. 3.2.2). Diese Strukturanalogie der kollektiven zur individuellen Heilserinnerung kann im Wegfalltest nachgewiesen werden: Auch wenn V. 10-11 wegfielen, blieben Elemente und Strukturen der vertrauenerweckenden Heilserinnerung mit dem Zusatz erhalten und gerettet. Doppelung bzw. Selektion oder Ersetzen unter dem Gesetz der Strukturanalogie zum ursprünglichen Text sind die entscheidenden Operationen der Aktualisierung eines Textes[120]. Damit exemplifiziert der Ps 22 in seiner Entstehungsform selbst, was methodischer Ausgangspunkt unserer Untersuchung ist: Die kollektivierende Doppelung der Heilserinnerung gibt das Beispiel für eine aktualisierende Texterzeugung, wie auch wir sie provozieren möchten (s. o. 1.2 und 1.3). Wie hier sollen auch in einem möglichen modernen Klage-Beten Struktur und Sprechakt des Ausgangstextes erhalten bleiben.

---

119 Magaß Art. 27; vgl. Fuchs Art. 1980, 186 ff. Zur Funktion der „Väter" in individuellen Klagen vgl. Albertz 1978, 77-81, 88-91; vgl. auch Zirker 1964, 128.
120 Entsprechendes (hinsichtlich V. 23-27) geschieht auch V. 28-32. – In beiden Heilserinnerungen erscheinen übrigens die beiden unterschiedlichen Aktionsarten der Hilfe Gottes: in der kollektiven begegnet Gott als der *Retter*-Gott, der *punktuell* in einer akuten Situation hilft, in der individuellen begegnet er als der solidarische *schützende* Gott, der *kontinuierlich* helfend mitgeht. Interessant ist in diesem Zusammenhang, daß eine Vermischung beider Perspektiven in den Psalmen, bei Deuterojesaja und im Chronikwerk festzustellen ist, vgl. Bergmann Art. 1976 b, 258/9. Durch die Vermischung entsteht in unserem Psalm auch eine Übertragung der heilvollen Schöpfungstat am einzelnen auf die kollektive Heilsicht: Gott ist ebenfalls der „Schöpfer" des Volkes Israel, der es in der geschichtlichen Tat (der Berufung Abrahams, des Exodus usw.) „geschaffen" hat, der mit ihm mitgeht und es ein großes Volk werden läßt. Zum Verhältnis von Schöpfung und Geschichte vgl. Westermann 1977, 91/94; Kraus 1979, 72-83; Müller Art. 1973, 102.

● *Doch nun genauer zum Sprechakt der Heilserinnerung im jüdischen Glaubensgeschehen:*
Geschichtliche Fakten können unter unterschiedlichen Aussageintentionen vermittelt werden. Der Historiker wird behauptend informieren und womöglich ideengeschichtlich interpretieren, der Verfasser historischer Romane wird um die historischen Fakten ein Erzählnetz legen, mit dem er fesselnd unterhält im Sinne spannender und kämpferischer Begegnungsabenteuer. Auch die geschichtlichen Stationen des Volkes Israel, sofern es sich derer erzählend und tradierend bewußt bleibt, haben eine Intention und Funktion für das Selbstverständnis des Volkes und seiner Geschichte. Erst Perspektive und Interesse machen geschichtliche (und biographische) Fakten zu gegenwarts- und zukunftsbezogenen bzw. -wichtigen Wirklichkeiten. Entscheidend für Israel ist, daß die geschichtlichen Ereignisse ihren Ort in der Begegnungsgeschichte mit Jahwe haben: Sie sind nicht unpersonal-neutrale Fakten, sondern Erfahrungsmomente einer Beziehung, nämlich der Kommunikation zwischen Volk (bzw. seinen Führern oder jedem einzelnen Volksmitglied) und Gott. Was also Ps 22 konkret-aktuell als Sprechakt direkt realisiert, nämlich eine geschichtliche Situation auf Gott zu zur Sprache zu bringen, bestimmt die theologische Qualität der Geschichte Israels überhaupt. Die Geschichte „war für Israel der Ort der Begegnung mit Gott. Und zwar so, daß die Bewegtheit der Geschichte mit ihren Höhen und ihren Abgründen ihm die Lebendigkeit seines Gottes bezeugte, seine unbegreifliche Liebe und seine erschreckende Heiligkeit."[121] Dies ist der Kern des „geschichtlichen Credos" Israels: Gottes geschichtliche Heilstat wird gegenwärtig im Sprechakt des begegnungsorientierten Gotteslobes ausgesprochen[122]. Die Transformation von Ereignissen in die Begegnungsdimension erfolgte immer über das Wort, sei es das Wort Gottes zum Menschen, sei es über das respondierende Wort des Menschen zu Gott. Für letzteres ist Ps 22 ein aktuelles Beispiel.

Gottes Wort ergeht freilich nicht nur so, daß es Ereignetes interpretierte, sondern vor allem darin, daß Gottes Wort Geschichte, Heilsgeschichte nämlich, *macht*. Das bebildert die Berufungsgeschichte des Moses: Aus der Begegnungsgeschichte des Moses mit Jahwe in der Wüste setzt sich auf Gottes Initiative die Freiheitsgeschichte Israels ingang. Gottes begegnungsorientiertes Wort auf den Menschen zu geht entscheidenden geschichtlichen

---

121 Westermann 1977, 193; vgl. Kühlewein 1973, 16. Zum Gesamtthema von „Gedenken" im Alten Orient und im Alten Testament vgl. die Monographie Schottroff 2/1967: zu „sich erinnern" in den Psalmen 127-132; zum personalen Bezug des Erinnerungsprozesses bes. 160 ff.; zum darin ausgedrückten Gottesverhältnis 166 ff.; vgl. besonders das Ergebnis 339 ff.; vgl. auch Gese Art. 1974 b.
122 Vgl. zur Struktur des „geschichtlichen Credo" in Dtn 26: Westermann 1977, 178/9; auch 181, 193; vgl. Zirker 1964, 100. 106. 110; Kühlewein 1973, 13; Müller Art. 1973, 73 ff.

Ereignissen voraus und schafft sie, während die Antwort des Menschen meist eine nachträgliche, nach Sinn fragende Gebetsreaktion auf gegenwärtige Situationen ist.

Die wichtigsten Stationen der Erlösungsgeschichte Israels werden sowohl für die prophetische Verkündigung wie auch für die Gebetsspiritualität die bevorzugten und markanten Erinnerungskomplexe (Traditionen), die sich Israel immer wieder bespricht, übrigens nicht nur in den Feiern des Volkes bzw. im öffentlichen Kult, sondern durchaus auch im „privaten" Bereich des einzelnen, seiner Familie oder Sippe[123]. Es sind dies die Traditionen der Rettung am Schilfmeer, der Herausführung aus Ägypten, der Sinaiereignisse und des Ziongeschehens (sowie deren traditionsgeschichtlichen Verknüpfungen)[124]. Dabei ist es einsichtig, daß jede spezifische individuelle oder kollektive Situation eine ganz bestimmte Tradition erinnert. So wird in der Exilszeit vor allem die Exoduserinnerung der Befreiung Israels aus Ägypten aktuell. Von seiner Entstehungsgeschichte her (s. u. 5.2.3) dürfte sich der Einschub der kollektiven Heilserinnerung auch auf dieses Geschehen beziehen[125]. Um der Gegenwart willen wird die entsprechende Heilstat Gottes aus der Geschichte in die Spiritualität und Prophetie des Exils heraufgeholt und wird darin zum hermeneutisch-existentiellen „Lesegerät" der Situation in Richtung auf eine mögliche befreiende Veränderung.

So kommt der *Sprechakt des „Erinnerns"* in den Psalmen auch 44mal durch das performative *zkr* (gedenken) zum verbalisierten Bewußtsein (von insgesamt 171 alttestamentlichen Stellen) und zwar in doppelter Begegnungsrichtung: Einmal möge Gott seiner helfenden und not-wendigen Zuwendung zu den Menschen gedenken (besonders in den Klageliedern); zum anderen hat Israel seines Gottes Jahwe und seiner Heilstat zu gedenken[126].

---

123 Vgl. Kühlewein 1973, 132/3.
124 Vgl. Kühlewein 1973, 130-162.
125 Zum Verhältnis von Exodusgeschehen (kein Ereignis in Israels Geschichte war in der exilischen und nachexilischen Zeit derartig traditionsbildend wie dieses, vgl. Kühlewein 1973, 162) und prophetischer Verkündigung in der Exilszeit, vor allem Deuterojesaja, vgl. Westermann 1977, 179.80; Görg Art. 1980, 227; Müller Art. 1973, 96. Vgl. dazu besonders den konzentrierten Überblick über die Herausführungsbedeutungen in ihrer Entstehung und Geschichte Preuß Art. 1981, bes. 807-821. „Damit ist für das Reden von der Herausführung aus Ägypten ein Schwerpunkt in der exilischen Situation und Literatur unbestreitbar." (a.a.O., 817); s. o. Anm. 102. Vgl. auch Müller 1969, 35; das räumliche, an das Exodusgeschehen orientierte „herausführen" begegnet auch in Ps 22, 9.
126 Vgl. Schottroff Art. 1971, 506/513. Das Verhältnis von Vergangenheit und Kult kann hier ausgespart werden (vgl. Zirker 1964, 61 ff., 84 ff.). Bei der Diskussion der Gattung werden wir später genauer darauf zu sprechen kommen, s. u. 5.1.1. Hier nur die Bemerkung, daß die im Kult durchgeführte Aktion der Anamnese (erzählen und hören) nicht an den Kult im institutionellen Sinn des Wortes gebunden ist. Die Sprachformen mögen ähnlich sein, doch erfolgen diese Erinnerungsaktionen auch in der Familie oder Sipppe, ja die Erinnerung der Heilsgeschichte scheint älter zu ein als der kultische Rahmen: vgl. Kühlewein 1973, 13, 132 f.; Zirker 71; Schottroff 2/1967, 339: „Daß zkr Terminus für die kultische Vergegenwärtigung des göttlichen Heilshandelns wäre, ließ sich dagegen nicht erweisen."

Gedenken meint also ein wechselseitiges *Beziehungsgeschehen* zwischen Jahwe und Israel bzw. den einzelnen in Israel[127], das das für Israels Glauben wirklich Schlimmste und Tödlichste verhindern soll: ein gegenseitiges Sich-Vergessen. „Dieses Vergessen aber müßte das Ende der Geschichte Gottes mit seinem Volk heraufführen."[128] Es ist auch ohne weiteres einsichtig, daß für eine Gottesbeziehung, die unter der Struktur der Verheißung steht, ein Vergesssen die „Ursünde" schlechthin sein muß. Am bedeutendsten unter den Synonymen für „gedenken" darf man wohl „erzählen" (*spr*) halten. Letzteres Verb schildert die verbale Realisationsform, in der das Gedenken ausgesprochen wird: in Erzählungen, in Geschichten[129].

• Der *generelle Sprechakt der beziehungsorientierten Erinnerung* kann nun durch die *direkten Anredeakte der Klage bzw. des Lobes* spezifiziert sein[130]. Wir haben in diesem Zusammenhang danach zu fragen, welche Funktion die Erinnerung vergangener Heilsereignisse Jahwes in den Klagepsalmen einnimmt[131]. Zunächst ist auffällig, daß hauptsächlich die Klage-

---

127 Nach Schottroff meint das alttestamentliche Erinnern nicht ein gedächtnismäßiges Memorieren, sondern die Vergegenwärtigung eines Sachverhaltes. Im Bezug auf Gott ist es der Sachverhalt der gegenseitigen Beziehung. Erinnern hat eine „Tendenz zur Tat". „Die Erinnerung greift Vergangenes um seiner Gegenwartsbedeutung willen und im Blick auf ein gegenwärtiges Handeln." (2/1967, 339). Entscheidend ist bei solcher Erinnerung die darin aufgemachte aktuelle und direkte Gottesbeziehung (a.a.O., 160, 166 ff.).

128 Westermann 1977, 192; vgl. Müller 1969, 33; Schottroff Art. 1971, 513 und ff.; 516 ff., auch 509. Vgl. auch dazu entsprechend die Minusmodelle in unserer Analyse (s. o. 3.2.1).

129 Vgl. Zirker 1964, 10.70; zum Begriff „erzählen" (*spr*) vgl. Kühlewein Art. 1976 a, 163-166. Durch das Erzählen werden Erinnerungen gleichsam zum „Buch" (*séfær*: der gleiche Stamm) gemacht. Das Verb hat ein dominantes Vorkommen in den Psalmen (a.a.O., 164). Zu den Synonyma des Verbs vgl. Kühlewein 1973, 15.16; Zirker 1964, 11. In unserem Psalm begegnet das Verb in V. 18, allerdings in der Urbedeutung des Zählens, und in V. 31 b als performativer Sprechakt des Erzählens. Mit dem Verb „erzählen" korrespondiert das „gedenken" (*zkr*), das in V. 28 a begegnet; vgl. Zirker 1964, 10. Es fällt auf, daß beide performativen Verben erst in der (wohl sekundären und mehr auf die eigenen Aktionen reflektierenden) universalen Ausweitung des Gotteslobes vorkommen (als späteres reflexives Einholen dessen, was der Psalm initiiert?).

130 Zum lobenden Sprechakt in der Erinnerung vgl. die Ausführungen zu Abschnitt III (s. u. 4.2.3). Vgl. Kühlewein 1973, 19 ff.; 33 f.; Westermann 1977, 191.

131 Der Begriff Funktion entspricht hier dem Begriff des Sprechaktes, weil der vorliegende Text ja innerhalb einer intentionalen sprachlichen Kommunikation eine ganz bestimmte Aufgabe hat. Alle Aussagen haben hier eine kommunikative Funktion, also eine bestimmte Intention. Wir können methodisch auch keine Unterscheidungen machen zwischen subjektiver Intention und Sprechaktanalyse, denn uns ist nur der Text als Formular eines bestimmten Sprechaktes mit den entsprechenden Propositionen verfügbar, in die hinein freilich sich ein potentieller Beter mit seiner subjektiven Intention einbringen kann. Übrigens kann der Sprechakt der Erinnerung in V. 4-6 und 10-11, der ja nur implizit vertreten ist, folgendermaßen in performativer Form paraphasiert werden: „Ich erinnere mich, daß dir die Väter vertraut haben . . ."

psalmen des Volkes Auffindorte solcher geschichtlicher Erinnerungen und Benennungen sind. Gegenwärtige Notsituation hat offensichtlich das Gedenken an Gottes geschichtliches Heil herausgefordert.

In den Klageliedern des Einzelnen kommen die Erinnerungen kollektiver Heilstaten in elaborierter Form kaum vor. Ausnahme ist in diesem Fall unser Ps 22, V. 4-6[132]. Vermutlich provozierte die gegenwärtige kollektive Noterfahrung des Exils die vergangenen kollektiven Heilserfahrungen Israels und projizierte sie in den ursprünglichen Individualpsalm in Richtung auf seine Aktualisierung hinein (s. u. 5.2.3). Wir haben oben dargestellt, daß von der Struktur dieser Erinnerungspassagen her der ursprüngliche Psalm für diese Erweiterung offen, ja, daß sie in ihm geradezu angelegt ist. Kollektive Noterfahrung, die die Textsorte individueller Klageliteratur zum Ausdruck ihrer selbst macht, findet sich darin wieder und wird aufgrund dieser Identifikation auch dazu gebracht, sich selbst darin strukturanalog zum Ausdruck zu bringen. Dies geschieht im Ps 22 durch die Motivübertragung kollektiver Heilserinnerung von den Klagepsalmen des Volkes in einen ursprünglichen Individualpsalm, der dadurch zu einem aktuellen Klagegebet der Exilsgemeinde wie auch des einzelnen Israeliten in ihr werden kann.

Die *Funktion* der Vergegenwärtigung der kollektiven oder/und individuellen Heilsgeschichte in den Psalmen besteht zunächst in der Kontrastierung von gegenwärtiger Not und vergangenem Heil. Dieses Kontrastmotiv ist Ausdruck des Erstaunens, des Schocks, der Unbegreiflichkeit darüber, daß gegenwärtig die Kontinuität der Heilsgeschichte abgebrochen scheint. Da damit auch das Unheil von Jahwe gewirkt scheint, kann der Betroffene nicht ohne Reaktion bleiben: So liegt in diesem Kontrast implizit der Sprechakt der Anklage, des Vorwurfes und der Frage: Warum?[133]. Dabei wird das heilvolle Weitergehen der Heilsgeschichte und damit der Begegnungsgeschichte Israels (bzw. des einzelnen Israeliten) mit Gott eingeklagt, und zwar aufgrund der Heilsverheißung und der im Bundesschluß versprochenen Treue Gottes. Über die Notschilderung wird Gott von dieser Inkonsequenz in heftiger *Klage und Vorhaltung* „informiert"[134]. Zugleich bahnt

---

132 Vgl. Zirker 1964, 41; Kühlewein 1973, 15; zur Einzigartigkeit der geschichtlichen Erinnerung Israels im Vergleich zur altorientalischen Umwelt vgl. a.a.O., 17. Zu den *individuellen* Schöpfungsaussagen als Charakteristika der Klagelieder des Einzelnen und ihrer besonderen Situierung in der an einem persönlichen Gott orientierten Volksfrömmigkeit vgl. Albertz 1974, 118-131; 150-164. Zur Aufnahme der Menschenschöpfungstradition in die prophetische Verkündigung der Exilszeit bei Deuterojesaja vgl. a.a.O., 26-53.
133 Vgl. Westermann 1977, 166; Kühlewein 1973, 16.
134 Zur Bundestreue vgl. Zirker 1964, 111 (im Zusammenhang mit Ps 74, 20); vgl. Kühlewein 1973, 59. 61; zur Bitte, Gott möge aufwachen vgl. Zirker 1964, 119. Klagefähigkeit und Auffassung der Bundestreue in der Kategorie des Rechts bedingen sich gegenseitig: Der Jahweglaubige kann als Rechtspartner die Bundestreue einklagen; vgl. Westermann 1977, 90.

sich der *Appell* an, Gott solle entsprechend seiner Heilsqualität für Israel eingreifen[135]. Dadurch entsteht zunächst einmal eine massive *Klageverschärfung* in Richtung auf Anklage, Unverständlichkeit, Vorhaltung und Bitterkeit, dann freilich eine ebenso massive *Verstärkung des Sprechaktes der Bitte* und des damit verbundenen Appells an Gott, alles wieder gut zu machen[136].

In eigenartiger und doch charakteristischer *Spannung* zur verschärfenden Funktion der Heilserinnerung hinsichtlich der Klage und der Dringlichkeit der Bitte steht die gleichzeitige, oben beschriebene Funktion der *Heilserinnerung als Grund des Vertrauens*: Allein der Herr der Geschichte, der angerufen und dessen Bundestreue eingeklagt wird, kann helfen, das Mißverständnis zu beseitigen[137]. Durch die Erinnerung wird *der* Gott als gegenwärtiger bewußt, der er für Israel war und auch — gegen die Notrealität — jetzt sein kann[138]. Noch bevor die Not weicht, weicht die Hoffnungslosigkeit dem mit Hilfe der Vergangenheitstat antizipierten rettenden Gott. So ergibt der Prozeß von der kollektiven bzw. individuellen geschichtlichen Heilserinnerung hin zu der gerade darin begründeten Zuversicht, daß Gott tatsächlich Heil geschaffen hat, schaffen kann und auch schaffen will, die typisch-biblische Ätiologie oder, wenn man so will, Archäologie des Vertrauens[139]. Der Keim zum hoffnungsvollen „dennoch" wird gelegt. Die Erinnerung hat „Verheißungscharakter": Die vergangene Heilstat ist „Typos" der Zukunft. Die Vergegenwärtigung geschieht in der Struktur der Analogie bzw. Typologie von „signum rememorativum und signum prognosticum"[140]. Diese innere heilsgeschichtliche Analogie von erinnertem vergangenen und erhofftem zukünftigen Heil hat somit prophetische Qualität. Erinnertes Gedächtnis wird im Sprechakt der Klage zur erinnerten Verheißung. Aus der Vergangenheit heraus wird die Gegenwart für die Zukunft wieder aufgebrochen.

Die *Vergegenwärtigung* vergangener Heilsereignisse erfolgt dabei nicht zeitlos-mythisch, auch nicht enthusiastisch-präsentisch (wodurch gegenwärtige Realität verdrängt würde), sondern durchaus im Bewußtsein des

---

135 Vgl. Westermann 1977, 166; zu den Imperativen an Gott, er solle sich doch erinnern und die Not des Beters nicht vergessen vgl. Zirker 1964, 118/9 (in Verbindung mit Ps 44 und 74).

136 Vgl. Kühlewein 1973, 60; ähnlich 94; zur Funktion der Kontrastierung vgl. auch Zirker 1964, 118. 120 (auch Anm. 230).

137 Vgl. Zirker 1964, 118-120. Die Verbindung von Klage und Geschichtserinnerung ist in Israel im Verhältnis zur altorientalischen Umgebung singulär, vgl. a.a.O., 119.

138 Vgl. Kühlewein 1973, 63; Müller 1969, 35; zum Verhältnis von Geschichte und Gebet vgl. Kühlewein 1973, 9 ff.; Fuchs Art. 1980.

139 Vgl. Westermann 1977, 169; Zirker 1964, 122.

140 Zitatteile vgl. Zirker 1964, 123, vgl. auch 125.

geschichtlich-zeitlichen Abstandes. Sie erfolgt aber auch nicht so, daß sie sich gegen die Realität nicht behaupten könnte und nicht die innere Kraft aufbrächte, gegen Verzweiflung, Resignation und Apathie Vertrauen und Hoffnung zu mobilisieren. Das einmalige historische Faktum wird vielmehr in seiner generellen heilvollen Bedeutsamkeit gegenwärtig aktuell[141].

● Die Frage bleibt noch, worin die *vermittelnde Brücke zwischen Vergangenheit und Zukunft* begründet ist. Die Antwort führt uns zum Zentrum der Überlegungen. Die Konzentration von vergangenem und zukünftigem Heil für Volk und einzelne in die gegenwärtige Notsituation hinein gründet allein darin, daß der „Produzent" vergangener und zukünftiger Heilsgeschichte der gleiche ist und bleibt, nämlich Jahwe, der Gott Israels. Ihm, dem mit dem Gott der Väter und dem erhofften Gott der Verheißung identischen Jahwe, begegnet der Beter aus seiner Gegenwart der Not heraus. Ihm lernt er so wieder Hilfe und Heil zuzutrauen. Mit Gott gibt es besonders in der Klagesituation keine geschichts- und damit heillose Begegnung. Denn allein die Gegenwart für sich genommen scheint Gott als Begegnungspartner verfinstert zu haben. Die Gegenwartsfixierung würde Gott als den möglichen Retter zuschütten[142]. Der Erinnerte und Erwartete wird als gegenwärtig Hörender und Hilfswilliger geglaubt. „Es geht hier primär um die Gegenwart des Gottes der Geschichte."[143] Vertrauen wider den Augenschein wird möglich. Dies macht die Ganzheit oder Kontinuität der Geschichte Gottes mit den Menschen aus, daß Jahwe der eine Herr der Geschichte ist und daß er sie prägt.

Solche Einheit ist zerbrechlich und ständig gefährdet, besonders in den Differenzerfahrungen des Gotteshandelns „gegen den Strich" menschlicher Erwartungen.[144] Israel freilich hält im lebendigen sprachlichen Begegnungsprozeß mit Gott an ihm als dem „Mitgeher" seiner Geschichte fest. Deswegen ist der Israelit wie das Volk Israel (besonders im Exil) selbst in der Notsituation offen für neue Heilsverheißungen, sofern sie mit dem Gott zu tun haben, dessen heilsgeschichtliche Taten sie kennen. „Der Glaube an die Gegenwart Gottes im Jetzt und Hier jeweiliger Geschichte wird zum Für-Wahr-Halten eines Vergangenen."[145] Die dabei entstehende Hoffnung evoziert sinnvolle Erwartung[146]: Auf diese Weise gelangt Israel im Lauf seiner Geschichte, insbesondere durch die Exilserfahrung hindurch, zu einer

---

141 Vgl. Zirker 1964, 109-118: „Die Begegnung mit der Vergangenheit in der liturgischen Vergegenwärtigung gründet auf der vom Abstand der Generationen getragenen „Erzählung" und dem Wissen um die Gegenwart des Gottes der Geschichte . . ." (a.a.O., 118); vgl. Müller 1969, 48/223.
142 Vgl. Zirker 1964, 100; s. o. Minusmodelle 2.2 und 3.2
143 Zirker 1964, 106; vgl. auch 112/3; sowie Fuchs Art. 1980, 188-193.
144 Vgl. Westermann 1977, 168/9; Kühlewein 1973, 65; zu den Differenzerfahrungen des einzelnen gegenüber dem befriedeten geordneten Kultleben des Volkes vgl. Steck 1972, 36-37.
145 Müller 1969, 49.
146 Vgl. Müller 1969, 223.

Tiefendimension geschichtlicher Wirklichkeit, die aus schlimmster Situation noch Gott anreden kann, sich an ihn klammert und sich von ihm her Antwort erschreit[147].

Eben dieser geschichtlich (kollektiv und biographisch) durchgemachte Begegnungsprozeß mit Gott erlöst den Glauben an Jahwe von einem magisch-mythischen Tat-Ergehen-Zusammenhang, von einem Ergehen-Beziehung-Zusammenhang, wonach gegenwärtige Situation und Erfahrung – losgetrennt von aktueller Beziehungsaufnahme mit Gott – automatisch und verdinglicht Gottes Handeln erklären könnten: wonach etwa Wohlergehen zugleich mit Gottes Nähe, moralisches Gutsein zugleich mit Leidfreiheit verkoppelt werden. Solche Erklärungsmechanismen sind meist mehr willkommene Handwerkszeuge in diffamierenden und schadenfrohen Vorurteilen der Menschen, denn daß sie Offenbarung Gottes und seines Willens wären (vgl. Ps 22,9). Letzterer erschließt sich für Volk und einzelnen in der Kategorie der Begegnung mit dem aus der Tradition erzählten und darin zugleich verheißenen Gott. Diese Begegnung ist zwar durch Erinnerung und Hoffnung vermittelt, aber in ihrem Vollzug durchaus unmittelbare Begegnung mit Gott[148]. Nur die Begegnungskategorie garantiert auf Dauer die Unverrechenbarkeit Gottes als freies Gegenüber des Menschen. So eigenartig es klingt: In der interpersonalen und auch versprachlichten Begegnung mit Gott wird seine Transzendenz gerettet[149].

● Nun haben wir bislang fast nur im Blick auf die kollektive Heilserinnerung gesprochen, nicht direkt von der *biographisch-individuellen*, wie sie unser Psalm V. 10-11 bringt. In welchem Verhältnis stehen beide geschichtlichen Dimensionen?

Erwähnt wurde bereits, daß die biographische Erinnerung in Strukturanalogie steht zur Erinnerung aus der Geschichte des Volkes. Dies wird durch folgende Beobachtung bestätigt: In V. 23-26 verspricht der Beter das Gotteslob in der Gemeinde. Inhalt (nicht nur Anlaß) des Lobes ist die Verkündigung: „denn er hat nicht verachtet, er hat (mich) gehört" (V. 25). Das „daß" der Erhörung ist Inhalt und Grund des Weitererzählens. Das Gotteslob gewinnt so verkündigenden Charakter[150]. Selbst wenn V. 25 eine generelle Aussage sein sollte[151], ist darin doch die Erfahrung des Beters als Erlösung integriert; letztere bleibt der biographisch-historische Anlaß, das Generelle dieser Aussage ins Bewußtsein der Gemeinde zu heben. V. 28 f. wird diese nie ungeschichtlich zu denkende Lobverkündigung in universale

---

147 Vgl. Westermann 1977, 169; Müller 1969, 37.
148 Vgl. Zirker 1964, 113; Fuchs Art. 1980, 190 ff.
149 Zur Unverrechenbarkeit und Transzendenz des geschichtlich begegnenden Gottes vgl. Müller 1969, 33.
150 Vgl. Zirker 1964, 51-53: Das Lob Gottes hat verkündigenden Charakter und ist nie ungeschichtlich!
151 Vgl. Kilian Art. 1968, 184.

Dimensionen hinein weitergebracht („. . . denn er hat das Werk getan, bzw. tut es sicher"). Somit ist das biographische Erleben der Erhörung Anlaß und (wenigstens partieller) Inhalt des Weitererzählens und zukünftiger Erinnerung (V. 30) der Heilsgeschichte Gottes mit den Menschen. Die persönliche Heilserfahrung kann damit in Analogie zur kollektiven gesehen werden; sie hat — mit ihr — die gleiche Funktion und Wirkung: sie wird potentiell ebenfalls zur Erinnerung guter Vergangenheit in eine notvolle Gegenwart hinein und wird auch im Zuge der Erhörungsgewißheit dem Lob und der verkündigenden Erinnerung entsprechend aufgegeben.

Bei solcher Ähnlichkeit von individueller und kollektiver Heilserinnerung wie auch individueller und kollektiver Heilsverkündigung (erstere im Sprechakt der eigentlichen Klage, letztere im Sprechakt des Lobes) wird es überhaupt fraglich, noch zwischen kollektiver und individueller Dimension im jüdischen Beten zu unterscheiden. Wir wollen freilich „in mente" diese Unterscheidung zur besseren Benennung dessen, was profiliert werden soll, beibehalten (s. u. 5.1). Ausdrücklich ist freilich zu markieren, daß das individuelle Klagegebet strukturell und intentional jederzeit offen ist für ein kollektives Verstehen und umgekehrt. Beide sind aufeinander angelegt und rufen sich gegenseitig hervor. Zwar sind die biographischen Heilserinnerungen punktueller, flüchtiger und für die Gemeinde auch leichter vergeßbar als die entscheidenden Heilsfaktoren, die die *Bundestreue mit Israel* konstituieren. Aber analog dazu konstituieren die individuellen Heilserfahrungen die *Bundestreue Gottes zum einzelnen* als Glied des Volkes Israel. Umgekehrt können — wie später im Exil — literarische biographische Heilserfahrungen kollektiv verstanden werden (so wahrscheinlich Ps 22, 10-11 im Verständnis und Gebrauch der Exulanten). „Damit zeigt sich, daß individuelle und kollektive Lobverkündigung in ihrer Ausdehnungsbereitschaft nicht nur parallel gehen, sondern ineinander münden und aufeinander aufbauen."[152] In der individuellen Heilserinnerung erlebt der Beter darüber hinaus eine Verstärkung und Bestätigung der weiter entfernten kollektiven Heilstaten, wodurch gerade diese vor dem Vergessen gesichert werden[153].

Von entscheidender Bedeutung ist in beiden Fällen, daß die Heilserinnerungen nicht im Sinne einer Mechanik und Vergegenständlichung verwendet werden, etwa nach der Denkfigur: Wenn es damals so lief, dann kann

---

152 Zirker 1964, 76/7 (bezüglich Ps 71); „Zwischen kollektiver und individueller Verkündigung der Vergangenheit darf . . . kein grundsätzlicher Unterschied angenommen werden . . ." (a.a.O., 101); vgl. Görg Art. 1980, 224-6: So wird auch das Schicksal des einzelnen, sein Aufenthalt in einer Notsituation oder Gefangenschaft, weniger existentialistisch reflektiert, denn als Teilerfahrung gedeutet, als Partizipation am Schicksal der Gemeinde (Klagepsalmen!) (225); vgl. bereits Barth 1947, 119-120; vgl. Albertz 1978, 4-22 (genauere Diskussion zum Verhältnis von Kollektiv und Individuum).
153 Vgl. Zirker 1964, 75 (bezüglich Ps 71, 6).

es zwangsweise auch heute nicht anders gehen, dann besteht Anrecht auf Rettung. Eine solche argumentative Funktionalisierung der Heilserinnerung im Sinne einer Zwangsausübung auf Jahwe wird außer Kraft gesetzt durch die aktuelle Gebetsbegegnung, die Freiheit atmet und Gott Transzendenz zugesteht: Hinter der Klage und der Bitte, auch noch im Lobpreis, bleibt die Frage offen, warum Gott so gehandelt hat und ob und wie er denn jetzt anders handeln wird. Die Erhörungsgewißheit muß in ihrer strikten Bedeutung verstanden werden: Der Psalm baut das Bewußtsein auf, daß Gott hört und irgendwie erhört, insofern er trotz der Noterfahrung dem Beter *nahe* ist. Ein Anrecht auf einen Tun-Ergehen-Zusammenhang im Sinn zwingender Notwendigkeit besteht nicht[154] (etwa so: Wenn ich Gott im Sinne der Heilserinnerung anrufe, wiederholt Gott mit Sicherheit die gleiche Geschichte mit mir bzw. mit dem Volk in der jetzigen Situation). Der aktuelle Beter wird seine *eigene* Begegnungs- und Erlösungsgeschichte mit Gott durchzuleben und durchzustehen haben.

Selbst wenn die biographische Erinnerung des Heiles, setzt sie bei der Geburt an, den *Schöpfer-Gott* ins Gerede bringt, so ist auch dies eine Kategorie der Geschichte und Begegnung, wie in Ps 22 der Folgetext zeigt: „Ich bin geworfen auf dich." Hier wird nicht in abstraktiver Weise die Herkunft von Erde und Menschen reflektiert oder im Mythos geklärt, sondern das Geschaffensein des Beters (bzw. Israels) mit seiner unverwechselbaren Geschichte in Verbindung gebracht. Der Schöpfungsglaube behält seine Abhängigkeit von der Soteriologie der geschichtlichen Begegnungsprozesse zwischen Gott und Volk bzw. Volksglied. So wird die Schöpfung zum ersten Datum der heilsgeschichtlichen Ereignisse[155]. Damit ist die individuelle Geburt die erste Begegnungsinitiative zwischen Gott und Mensch. Als solche wird sie auch erinnert und bis in die Gegenwart hinein ausgefahren (vgl. V. 11).

Spätestens im Exil wird die biographische Heilserinnerung in ihrer Offenheit für das Schicksal des Kollektivs ausgewertet: Im Zuge eines gesteigerten Monotheismus verbinden sich (besonders in der prophetischen Verkündigung bei Deuterojesaja) Schöpfungstat und geschichtliche Heilstat Gottes zur gegenseitigen Verstärkung und Erklärung. Der Gott, der das Chaos überwunden hat, der Israel aus Ägypten befreit hat, wird auch jetzt mit einer neuen heilvollen Schöpfungstat in die Geschichte der Exilierten eingreifen. Denn auch Israel ist am Anfang seiner Schöpfung bzw. geschichtlichen Erwählung „auf Gott geworfen"[156]. Vermutlich sehr hilfreich für

---

154 Vgl. Müller 1969, 33; Schottroff Art. 1971, 515.
155 Vgl. Rendtorff Art. 1954; Groß/Reinelt 1978, 127; Kühlewein 1973, 161; Zirker 1964, 148: „Die Schöpfung wird zum ersten Geschichtsereignis, das als ständiges Zeugnis vor aller Welt gleich dem kultischen Lob zurückverweist auf das vergangene (und noch gegenwärtige) Wirken Jahwes."
156 Zum Verhältnis von Schöpfung und Geschichte in diesem Zusammenhang vgl. Zirker 1964, 119 (im Bezug auf Ps 74); Görg Art. 1980, 227; Westermann 1977, 91/4; Mosis Art. 1978, 73-77; s. o. Anm. 102 und 125.

das aufkommende Vertrauen der Exilierten ist die Tatsache, daß die Gegenwartsaktualität der biographischen heilsgeschichtlichen Erfahrung im Ps 22,11 semantisch realisiert wird, ganz anders als dies bei kollektiven Heilstaten der Fall ist, die, weil zu weit entfernt, im Präteritum bleiben. Freilich ist bei ihnen die Verbindung von Vergangenheit und Gegenwart (wie auch der erhofften Zukunft) indirekt vorhanden und dadurch erschließbar, daß in der Erinnerungssituation der Väter der gleiche Gott mit Du angeredet bleibt wie in der Klagesituation des Beters[157].

Im Zusammenhang mit der in die Gegenwart reichenden biographischen Heilserinnerung jedenfalls haben wir nicht nur eine Elendserzählung (V. 2-3), die in die gegenwärtige Elendsschilderung (V. 7) mündet, sondern auch eine Heilserzählung (V. 10), die bis in die gegenwärtige Heilsschilderung (V. 11 b) eingeht. Elend und Heil treffen sich paradoxerweise „unvermittelt" in der Sprechgegenwart und machen das aus, was man im Gebetsbewußtsein des Beters als den theologischen „Schock" bezeichnen kann[158]: Der schützende Gott (V. 11) ist derjenige, der jetzt als der Verlassende und Ferne erlebt wird (V. 2). Im Gesamtsprechakt des Psalmdichters als des Vor-Beters und „Gebetsanbieters" (s. u. 2.3.1 (2) und 2.3.2) wird der Schock erst für den, der das Gebet als sein Gebet nachvollzieht, als ein *theologischer* ausgelöst und ausgesprochen. Der anthropologische Schock der Not wird in den theologischen hinübergeführt und darin bewältigt. Der Psalmist provoziert den theologischen Schock in den Text hinein, will ihn damit auslösen und führt ihn zur Bewältigung in Abschnitt III: als ausgestandene bzw. auszustehende Krisen- und Konflikterfahrung mit Gott aufgrund menschlicher Notsituationen. Der Konflikt wird nicht verdrängt!

Indem der Beter (der einzelne, die Sippe, die Kultgemeinde) des Ps 22 aus seiner Not heraus den Mund öffnet und Notgegenwart schildernd sowie Heilsvergangenheit erinnernd derart in einem kontrastreichen Sprachprozeß seine konfliktreiche lebendige Begegnung mit Gott bespricht, geht er *vom Tod zum Leben*. Das Schweigen des Beters wäre Abbruch des Heils,

---

157 Von diesen Ausführungen wird einsichtig: Sowohl für das individuelle als auch für das kollektive Klagelied sind kollektive und individuelle Heilserinnerungen möglich und nötig. Sie müssen nicht beide vorhanden sein (etwa kollektive Erinnerung auch in einem individuellen Klagelied und umgekehrt), aber sie können es, wobei sie in Funktion und Sprechakt aufeinanderzuarbeiten. So konnte auch der einzelne kollektive Heilsgeschichte im Kultgeschehen rezipieren. Außerdem dürften die kollektiven Erinnerungstaten nicht nur die kultische Frömmigkeit des Tempels und lokaler Heiligtümer, sondern auch die der Sippen und Familien bestimmt haben; vgl. Wendel 1931, 126 ff.; Zirker 1964, 41 Anm. 43; Kühlewein 1973, 13/132; Westermann 1977, 169; Gerstenberger 1980, 134-160. Denn von der Bundestreue Gottes zum Volk lebt auch das Vertrauen auf die Treue Gottes bei Familie und Einzelperson.

158 Vgl. Zirker 1964, 42/3; Gerstenberger Art. 1971 a, 67; Perlitt Art. 1971, 377.

des Lebens. „Wo der Einzelne so sehr vom Leid getroffen ist, daß er sein Leben nicht mehr in die Heilserzählung einzubeziehen vermag, da herrscht für das Alte Testament bereits ‚Tod', dessen Macht nicht erst mit dem medizinellen Ereignis beginnt."[159] Für die Toten gibt es kein Heil, weil sie aus der Gemeinschaft des Hörens und Erzählens herausgerissen sind, s. u. 4.2.2 (3). Der Beter dagegen begibt sich mit seinem Text in die Gott anerkennende Lebensgemeinschaft hinein.

● Noch ein letztes bleibt im Zusammenhang der Heilserinnerungen zu diskutieren, nämlich der durch die *kollektive Erinnerungspassage eingebrachte und sie eröffnende V. 4:* füglich der damit verbundene gattungsorientierte Sprechakt sowie der in diesem Vers performativ ausgedrückte Sprechakt des Lobpreises.

Mit dieser Einfügung scheint in Abschnitt I ein (noch) artfremder Sprechakt des Hymnus und Lobpreises in eine Sprechaktumgebung eingeführt zu sein, die beherrscht ist von Klage, Frage, kontrastierenden Erinnerungen und erst entstehender Vertrauenssuche. Das adversative „aber", das den Vortext und Nachtext mit der Passage verbindet (V. 4 a und 7 a), ist auch von daher nur zu berechtigen. Formgeschichtlich ist anzunehmen, daß ursprünglich die „eigentliche Verkündigung der Vergangenheit nicht der Klage angehört, sondern dem kultischen und gemeindebezogenen Hymnus."[160] Im Ps 22 hebt sich tatsächlich die Passage V. 4-6 vom Kontext der Klage als Hymnus ab[161]. Dabei ist V. 5-6 nicht etwa die Begründung, sondern – in Form eines indikativischen, Jahwe anredenden Berichtes – die Durchführung des hymnischen Aktes bzw. des Lobpreises[162].

Vom Fragehorizont her, welche Funktion nun dieser hymnische Einschub im Kontext des Psalms hat, ist anzumerken: In dem hymnisch anredenden beschreibenden Lob der Majestät Gottes (Heiligkeit) wird in Verbindung mit dem folgenden erzählten Bericht von der Güte Gottes Jahwe bereits ein Sprechakt zuteil, der erst in V. 23 ff. dem Beter wirklich in eigenem Nachvollzug möglich sein wird. An dieser Stelle kann er ihn nur beschreibend und erinnernd *zitieren.* Er erlebt die Majestät („thronen") als Ferne, als Gegensatz zur Güte, die, im Gegensatz zu ihm, die Väter erleben durften. Erst V. 23, also im Lobgelübdeteil, kann der Beter den „Namen"

---

159 Zirker 1964, 82; vgl. die Negativmodelle in 3.2; zum wesentlichen Zusammenhang von Lob, Leben und Gemeinde s. u. 4.2.3; vgl. auch Zirker 1964, 81 ff.; vgl. Ps 118, 17 f.
160 Zirker 1964, 41; vgl. Crüsemann 1969, 208; zur Kult- und Gemeindebezogenheit des Hymnus vgl. Zirker 1964, 41, auch 128 (hier hinsichtlich Abschnitt III).
161 Zu den Merkmalen des Hymnus (Anrede und beschreibendes Lob) vgl. Westermann 1977, 179 ff.; auch Crüsemann 1969, 80-155. Die hymnische Formulierung „du thronst über dem Lobpreis Israels" ist singulär (s. u. 4.2.3 (3)).
162 Vgl. Crüsemann 1969, 80 ff. (im Mirjamlied erfolgt der Hymnus imperativisch); nach Crüsemann gibt es kein Danklied des Volkes, sondern nur einen Hymnus Israels. Durch spätere Motivübertragungen gelangen dann diese hymnischen Teile in die Klage- und Danklieder des einzelnen (a.a.O., 208/9).

Gottes verkünden, weil er erst bis dahin die Nähe seines Namens, die „offenbare, anrufbare Seite Gottes", seine „den Menschen zugewendete Wirklichkeit" erfahren haben wird[163]. Die im Hymnus adressierte Majestät und in der Heilserinnerung apostrophierte Güte Gottes sind hier keine zufälligen Motive. „In dieser Zweipoligkeit der Grundaussage des Gotteslobes ist schon das Geschichtswirken Gottes angelegt: ‚Hoch ist Jahwe und sieht auf das niedrige'[164]. In V. 25 erst kann der Beter diese Aussage erlebnismäßig im Gotteslob nachvollziehen: „Denn er hat nicht verachtet . . . das Elend der Armen" (V. 27 a).

So ist der Gott des Beters: Der Thronende erlöste die Erniedrigten (V. 4 und 5-6); eben dieser Gott wird nun angesprochen, damit er sich als der gleiche erweisen möge, nämlich als der in der Gegenwart Heil wirkende Herr (nicht etwa als einer, der die vergangene Heilstat einfachhin wiederholt)[165]. Der im Text versprochene und künftige Lobpreis Gottes (Abschnitt III, auch hier mit hymnischem Charakter[166]) gelangt demnach über die hymnische Form der kollektiven Heilserinnerung im eigentlichen Klageteil zu einem Vorsignal seiner selbst. Der Sprechakt des Lobens, der Anerkennung Gottes als Gott, der heilig und treu ist (vgl. V. 26 a), wird in Abschnitt I als Aktion des Volkes Israel gebracht: als Lobpreis Gottes in seiner den Menschen unverfügbaren Heiligkeit, die der Beter noch als unverständliche Ferne erlebt. Die Heilserinnerung zieht den hymnischen Lobpreis im Klagekontext bereits an sich und gibt einen Vorschein auf das Ende des Psalms.

Die eigentliche Klage schließt also die Anerkennung Gottes nicht aus, sondern ist ein Moment von ihr; und das Lob schließt die Klage nicht aus, vielmehr ist die Klage selbst ein Realisat der Anerkennung Gottes. Daß dies so ist, wird später auch wirklich eingelöst: Der Beter kann Gott als Partner seines Lebens achten, weil dieser ihn *als* Notleidenden nicht verachtet. Denn der Mensch braucht wesentlich jemanden, der ihn nie verachtet, der immer mit ihm ist, der ihn nie verläßt. Dies kann in der vollkommensten Form für den Israeliten nur Gott selber sein. Jahwe ist es, der des Psalmisten Pochen auf Menschlichkeit und seinen entsprechenden Behauptungswillen schützt, gerade wenn der Beter im Moment von Menschen verlassen ist.

• *In den letzten Worten „bist du mein Gott"* des V. 11 b und damit des Abschnittes I kommt implizit eine unformulierte Frage zum Ausdruck: Wie vertragen sich beide Gotteserfahrungen, die der Heilserinnerung und die der jetzigen Gegenwart des Beters? In dieser Zuspitzung der Gegensätze schließt Abschnitt I. Die Frage des Eingangs wird in der Gegensätzlichkeit von „du hast mich verlassen" und „du bist mein Gott" über den Textver-

---

163 Zimmerli 1968, 43; vgl. Zirker 1964, 24.
164 Westermann 1977, 183; vgl. Ps 138, 6.
165 Vgl. Westermann 1977, 184.
166 Vgl. Crüsemann 1969, 284.

lauf von V. 2-11 zugespitzt. Damit erscheint überhaupt der ganze Abschnitt I als Entfaltung der Eingangsfrage von V. 2: „*Mein* Gott, warum hast du mich *verlassen!*" So schließt der erste Teil. Zugleich aber bahnt sich eine Antwort an: Der gleiche Gott, der verläßt, ist auch der, der heilen kann und heilswillig ist. Im kommenden Sprechakt der Bitte mündet das bislang aus der Vergangenheit herangewachsene Vertrauen auf Gott in die Hoffnung auf sein innovatives Handeln in der Zukunft.

4.2.2 Notschilderung, Feinde und Todesnähe: Ps 22, 12-22

(1) Bitte und Notschilderung

Der beherrschende Sprechakt des Abschnittes II ist die *Bitte* (V. 12/20-22), die die heftige *Notschilderung* einrahmt.

● Dieser Sprechakt wird im Psalm nirgendwo performativ profiliert, doch scheint das „Schreien" (in V. 2 b und – wohl rückschauend die Sprechakte des Abschnittes I und II meinend – in V. 25 c) beide Sprechrichtungen mitauszusagen: die Klage und auch die Bitte. Ähnliches gilt für das „Rufen" (in V. 3)[167]. Dies bestätigt auch der *semantische Hof der für Schreien und Rufen* gebrauchten hebräischen Verben[168].

Das „Schreien" in V. 2 (šʾg) meint lautes Schreien mit expressiver und appellativer Komponente: Es ist Ausdruck des Schmerzes und der Not und zugleich ein Hilferuf. In ihm findet sich der Sprechaktkern einer Begegnung zwischen zwei Menschen, von denen der eine in Not ist, der andere helfen kann. Darin steckt der normative Anspruch, „daß jeder, der den Schmerzensschrei eines anderen Menschen hört, diesem ganz selbstverständlich zu Hilfe eilt." Um so mehr wird eben diese Begegnungseinstellung und -reaktion von Gott erwartet und erhofft, nämlich daß auch er „sich genauso wie ein Mensch von dem Notschrei eines gequälten Menschen rühren läßt"[169]. In Bedeutungssimilarität zu ṣʿq (mit deutlicher Tendenz zum Hilferuf) steht das in V. 2 b und 25 b vorkommende šwʿ[170].

---

167 Auf den ersten Blick könnte man im hebräischen šʾl (fragen, bitten) ein Performativ zu dem finden, was in Ps 22 als Bitte abläuft. Doch ist dies mit diesem Verbum nicht sehr empfehlenswert, weil seine semantische Streubreite ziemlich weit reicht: von der demütigen Bitte zum Betteln, zum Borgen bis hin zum fordernden Verlangen und zum Anklagen in der Rechtssprache. In der theologischen Sprache ist das Wort auch zu sehr auf das Orakelsuchen konzentriert; vgl. dazu Gerlemann Art. 1976 b, 841 ff.

168 Zu den Bedeutungsbereichen der synonymen hebräischen Wörter ṣʿq (schreien) und qrʾ (rufen) vgl. Albertz Art. 1976, 568 ff.; bzw. Labuschagne Art. 1976 b, 666 ff.

169 Albertz Art. 1976, 570 bzw. 574; vgl. auch 569. Zum bedeutungsähnlichen šʿq (mit der starken appellativen Komponente des Hilferufes) vgl. a.a.O., 569.

170 Das in V. 2 b vorkommende šwʿ (fern meinem Schreien) ist bedeutungsähnlich mit dem gleich darauffolgenden ṣʿq, hat jedoch eine speziellere Profilierung in

Von V. 3 ist über den „Stimmungsumschwung" V. 22 b bis zu V. 25 b die verändernde Kraft des Textes abzulesen: Vom Erlebnis des Nichterhörtwerdens gelangt er über die Erhörungsgewißheit zur Erhörungsfeststellung. Damit bündelt der Psalm in sich die alttestamentliche Grunderfahrung schlechthin: „So durchzieht das Geschehen von $ṣ^cq$ und $šm^c$ die Geschichte Jahwes mit seinem Volk wie ein roter Faden."[171]

In V. 2 hat das klagende Schreien noch dominant den Charakter des Expressiven: Der Klagende bleibt unmittelbar bei sich und seiner Situation und schildert sie beklagend. Als solche wird sie dann in der Kommunikation mit Gott zur An- und Einklage. Erst der Klagende ermöglicht den Kläger. Dafür spricht auch, daß am Ende des V. 2 das Verb $š^2g$ begegnet, das ein unmenschlich lautes Schreien, ein Brüllen meint, das sonst nur von Löwen ausgesandt wird (vgl. V. 14 c)[172]. Doch wird durch die Zusammenstellung des Brüllens mit den „Worten" (V. 2 b) der Schrei verbalisiert und vermenschlicht. Diese Vermenschlichung der akustischen Schmerzensäußerung wird weitergetrieben im „Rufen" (qr^2) des V. 3. In ihm dominiert nicht mehr so sehr die expressive als vielmehr die appellative Komponente. Der absolute Gebrauch dieses Verbs an unserer Stelle bedeutet nach Gunkel „um Hilfe rufen", so daß hier der Sprechakt der Bitte deutlich durchkommt[173]. Ja, es wird darin geradezu performativ benannt, was in Abschnitt II folgt. Es spricht für die poetische Qualität des Psalms, daß im Übergang von der expressiven zur appellativen Klage (von V. 2-3) bereits angedeutet wird, was zwischen Abschnitt I und II geschehen wird: Aufgrund des wachsenden Vertrauens öffnet sich die Klage zur Bitte[174]. In die gleiche Richtung geht, daß das „Rufen" insofern reflektierteren Charakter hat, als es von der Grundbedeutung her die bewußte Kommunikationsanstrengung ausdrückt, mit der Entfernungen überbrückt werden. Die räumliche Vorstellung von der Ferne Gottes zieht vor allem in der direkten Gebetsbegegnung der Psalmen dieses Verb an sich, mit dem der Abstand überrufen werden soll und kann[175]. Im aktuellen Bittruf „sei nicht ferne!"

Richtung „um Hilfe rufen": Es begegnet wieder in V. 25 c: „Er hat auf sein Schreien gehört". Der Akt der Klagebitte wird also auch im Lobteil deutlich performativ ausgesprochen. Der Hilferuf hat Hilfe erhalten.

171 Albertz Art. 1976, 574 ($šm^c$ heißt, daß Gott die Klage *erhört*).
172 Vgl. dazu Albertz Art. 1976, 570; Gunkel 5/1968, 90; Kraus 5/1978, 178. Es handelt sich um die extremste Schmerzäußerung, die nur eine äußerste Not vermuten läßt.
173 Vgl. Gunkel 5/1968, 95.
174 Zum Übergang von der Klage zur .Bitte und der dabei wichtigen Funktion der Zuversicht als Brücke zwischen beiden vgl. Westermann 1977, 42/4, zum Prozeßverlauf des Ps 22 vgl. 20 und 40; vgl. Bergmann Art. 1976 b, 258.
175 47mal kommt qr^2 in den Psalmen vor: Dies ist mehr als die Hälfte seines Gesamtvorkommens im Alten Testament (83mal), vgl. Labuschagne Art. 1976 b, 672.

(V. 12) vollzieht der Beter jetzt aktuell, wovon er als Dauerhandlung (Tag und Nacht) V. 3 gesprochen hat: Er ruft um Hilfe!

● Der Psalmist bittet *um Hilfe*[176], weil sonst niemand hilft: Er ist allein, er ist − das ist der Gegenbegriff zur Hilfe Gottes − entgegen den Vätererfahrungen (V. 6) „zuschanden geworden". *Er erwartet Gottes Eingreifen*: „Der Betende erwartet in seiner Not also die Antwort und damit den rettenden Eingriff Jahwes . . .."[177] Das in V. 12 b und V. 20 b vorkommende hebräische Wort ᶜzr (helfen) kommt besonders gehäuft in den Psalmen (wo fast alle Stellen Gott zum Subjekt haben), bei Deuterojesaja und 1 und 2 Chronik vor[178]. Von seiner Etymologie her appeliert es wahrscheinlich an die Stärke und Macht Gottes[179]. Das in V. 22 a eingebrachte hebräische Wort für helfen (jšᶜ) bringt demgegenüber ergänzend die an- und einklagende Bedeutungskonnotation aus dem Gebrauch des Verbs im Rechtsleben ein: Wem unrecht geschehen ist, der ruft um Hilfe, worauf die Angerufenen zur Hilfe verpflichtet sind[180]. Die Dimension der Klage zieht also

---

176 Zum Bedeutungsbereich von „helfen" (jšᶜ) vgl. Stolz Art. 1971 b, 786 ff.; zum Synonym ᶜzr vgl. Bergmann Art. 1976 b, 256 ff.. Letzteres begegnet in V. 12 b und 20 b; vgl. auch Barth 1947, 136. „Helfen" steht in den Psalmen fast ausnahmslos in der semantischen Kollokation mit Gott als Subjekt. Überhaupt spricht die Tatsache, daß am Anfang und gegen Ende des Abschnitts II das Stichwort „Hilfe" fällt, für die entsprechende Rahmenfunktion und damit für die kompositorische Limitierung des Abschnitts II von Abschnitt I zwischen V. 11 und 12.

177 Stolz Art. 1971 b, 787.

178 V. 12 „niemand ist da, der hilft" scheint, gegen den Sprachgebrauch der Psalmen, Gott nicht als Subjekt der Hilfe aufzuführen; doch ist auch dieser Satz indirekt wenigstens auf Gott bezogen: Denn die Tatsache, daß niemand hilft, provoziert seine Funktion als Helfer! (gegen Bergmann Art, 1976 b, 258) − Wir müssen hier nicht diskutieren, in welchem Verhältnis Deuterojesaja zu den Psalmen steht. Primär ist sehr wahrscheinlich die sprachlich-spirituelle Welt der Psalmen, die womöglich nur der „Gipfel vom Eisberg" der uns überbrachten Gebetskultur darstellt, wie sie auf Deuterojesaja überkommen sein mag. Eine direkt literarische Abhängigkeit muß dabei nicht angenommen werden. Jedenfalls mußte sich die Klageliteratur von der Situation und von der prophetischen Botschaft her dem Autor als sprachliches Material und zum Teil auch direkt als Textsorte bzw. Gattung nahegelegt haben. So hat Deuterojesaja aus den Psalmen das entscheidende Wort der Situation herausgeholt (helfen) und mit seiner Heilsbotschaft in semantische Verbindung gebracht. Im Zug des Bekanntwerdens seiner Botschaft greift die dabei entstehende Bedeutungsprofilierung natürlich auch wieder auf das Gebetsbewußtsein zurück. Auch im Chronikwerk ist eine Häufigkeit des Wortes „helfen" festzustellen. Hier fungiert es aber nicht mehr − die Abfassungszeit ist nach dem Exil in der im ganzen enttäuschenden Phase nach der Rückkehr − in der Heilsverkündigung, sondern zugunsten der entsprechenden Theologie „nach der das Leben immer mehr von konventioneller und formaler Frömmigkeit geprägt wird, Gott dabei aber im Grunde ein ferner Gott ist. Helfen wird hier zum Allerweltswort, das aber immer weniger mit einem außerordentlich rettenden Eingreifen Gottes rechnet." (Bergmann Art. 1976 b, 259).

179 Vgl. Bergmann Art. 1976 b, 257.

180 Vgl. Westermann 1977, 141/2; 155 ff.; Stolz Art. 1971 b, 986 f., besonders 787,

auch hier in der Bitte weiter, etwas verdeckter freilich, in der Wahl des entsprechenden Verbs im entscheidenden Schlußvers des Abschnitts II.

Was hier im Ps 22 noch als eine Passage im Gesamtklageprozeß begegnet, registriert Westermann generell für die Spätzeit der Psalmen sowie für die Klagelieder des Einzelnen (spät-nachexilisch), nämlich ein Abwandern der Anklageanteile in die Bitte hinein. Die direkte Anklage der Frage versteckt sich besonders in der negativen Bitte. Letztere enthält eine verborgene Anklage Gottes: „Sei mir nicht fern . . .!" Solche negative Bitten werden oft mit Verben gebildet, die sonst (bzw. vorher und dies besonders in den Klageliedern des Volkes) in der Anklage vorkommen. Diesen Prozeß lebt unser Text gleichsam nach und holt damit eine Gebetsentwicklung in einen aktuellen Gebetsverlauf ein, der die dominanten Sprechaktanteile der *frühen* Klagelieder des Einzelnen (Dominanz der Bitte) und der frühen Klagelieder des Volkes (mit schärferen Anklageanteilen) besitzt sowie noch an Sprechakten in sich integriert, was in den *Spät*formen auseinanderfällt: Klage und Bitte (s. u. 5.3.2). Der Prozeß des Sprechaktes in der durch Ps 22 repräsentierten biblischen Klage ist somit dadurch gekennzeichnet, daß er sich in seinen Sprechaktdominanzen und -defiziten wandelt, wobei in allen Phasen aber alle beteiligten Sprechakte (wenn auch nur hintergründig) mitklingen. So klang das Element der Bitte bereits in Abschnitt I an, gelangt aber erst jetzt − nach der Vertrauensarbeit mit den Heilsgeschichten − in Abschnitt II zur Dominanz. Umgekehrt verringert sich das Moment der auf Gott zu verbalisierten expressiven Klage und Anklage: Die Expressivität wandert vielmehr in die bedrängende Qualität der Bitte und in die − diese Bedrängnis ausmachende − erschreckende Plastizität der Notschilderung[181]. Letztere wird in Abschnitt II tatsächlich ausgiebig entfaltet, wozu die kurze Notschilderung in Abschnitt I (V. 6/7) nur als Ouvertüre angesehen werden kann. Übrigens geht die Elendsschilderung, wenn auch verhalten, und damit der eigentliche Sprechakt der Klage in Abschnitt III weiter: als Erinnerung an das Elend und die Klage (V. 25 a und b). Freilich steht diese Erinnerung nun im Kontext der Zuversicht und des Überwundenseins: als Rückblick auf die Erhörungsgewißheit in V. 22 b, als genereller Indikativ bzw. als vertrauenssicheres Futur.

• In der relativ weiten *Elendsbeschreibung*, die die konzentrische Mitte des Psalms ausmacht, wandert ein entscheidender Klageanteil weiter, weil der Beter nun in *Intensität* dazu kommen kann, *sich und seine Situation zu beklagen*. War vorher Gott direkt zentraler Adressat der Klage, so rückt jetzt der Bittende selbst mit seiner Situation ins Blickfeld der Klage. Dabei

---

wo von der Funktion des Königs als „Helfer" die Rede ist. Diese Hilfe kann eingeklagt werden. „Die Klage der Psalmen ist im Grunde gleich strukturiert wie die profane Rechtsstreitigkeit.", vgl. a.a.O., 787. Dennoch geht es bei der Bitte nicht um einen Gott irgendwie zwingenden Zugriff: vgl. Rowley 1967, 262.
181 Vgl. Westermann 1957, 28. V. 2 und 3 sind nicht eigentliche Notschilderung, sondern die Schilderung der Klage über die Not; V. 6 und 7 ist ebenfalls erst die Ouvertüre zu der Notsituation, die in Abschnitt II aufgegipfelt wird. Zum sprechorientierten Gefällecharakter des Psalms vgl. a.a.O., 40; ders. 1977, 60.

hat – hinsichtlich des Sprechaktes der Bitte in der Klage – die sich beklagende Notschilderung die Funktion, die Bitte auf Gott zu möglichst dringlich und die Erfüllung unaufschiebbar zu machen. Gott muß klargemacht werden, wie weit es schon steht! Alles steht auf dem Spiel: nämlich das Leben (vgl. V. 16 und 21). Der drohenden Gefahr solcher Notschilderung, nur noch klagend bei sich zu bleiben, verfällt der Text nicht. Er versucht auch nicht eine Diagnose der Situation mit möglicher Selbsthilfe und Therapie anzustellen[182]. Dies würde den Adressaten aus dem Blick verlieren. Das Sich-Beklagen ist nur dann integrativer Bestandteil biblischen Klagebetens, wenn es hingeordnet bleibt auf die theologische Gesamtrichtung der Klage in der Anrede Gottes. Der Beter kann sein Herz ausschütten, aber nicht so, daß er in seinem eigenen Wortschwall in Chaos und Angst erstickt. Denn sonst ist die Not wirklich so nahe herangedrängt, daß die Nähe Gottes nicht mehr eingesehen werden kann. Das Klagegebet hat die Aufgabe, den Beter innerlich von seiner Notsituation zu entfernen, ihn davon Abstand gewinnen zu lassen, damit er den Blick freibekommt für die Begegnung mit dem, der tatsächlich helfend eingreifen *kann*. In dieser Beziehung entstehen die Kräfte, die allein gegen Angst und Verzweiflung gewachsen sind: Mut und Vertrauen[183].

Voraussetzung der Bittphase in der Klage ist demnach das in Abschnitt I durch den Rekurs auf den „Ursprung" der Heilsereignisse aufgebrachte *Vertrauen*. Erst in dieser neuen Begegnungszuversicht auf Gott zu wird die Bitte möglich. Zugleich wandert das Vertrauen in der Bitte selbst und im Ausschütten des Herzens durch die Elendsschilderung mit, ja es wächst an bis zur Erhörungsgewißheit (V. 22 b). In dieser anwachsenden Zuversicht ist zunehmend der Sprechakt innerhalb der Gesamtklage angelegt, der in Abschnitt III zur Dominanz gelangt: der Sprechakt des Lobpreises des Gottes, der die Klage hört und erhört. Das entscheidende Moment alttestamentlichen Lobens, die *Anerkennung Gottes* als Lebens- und Gesprächspartner, als Mitgeher durch die eigene Geschichte und Situation, findet sich bereits – gleichsam im Aggregatzustand der Anklage, die Gott ernstnimmt, – in Abschnitt I, findet sich gesteigert im Zutrauen des Abschnitts II und vollendet sich schließlich in Abschnitt III zum Durchbruch der alle Einsamkeit auflösenden, sozial und schließlich universal ausgedehnten Lobesbeziehung zu Gott, dessen geglaubte Nähe wieder eingeholt ist. In solchem Lob gipfelt sich der Glaube energisch als Wagnis und Vertrauen auf: auf Gott setzen, mit ihm In-Verbindung-Sein ist alles, alles andere ist letztlich sekundär.

---

182 So besprechen beispielsweise die babylonischen Psalmen die Not in sehr ausführlicher und diagnostischer Weise: vgl. ders. 1957, 32; 1977, 143.
183 Vgl. ders. 1957, 40-33; Weiser 7/1966, 150. Zur psychologischen Wirkung einer auf der einen Seite „gefaßten" und *dosierten* Notschilderung und auf der anderen Seite gerade damit ermöglichten *Aussprache* der Elendssituation vgl. Teil III in einer künftigen zweiten Publikation, s. o. 1.1.

● Zirker wirft im Zusammenhang mit dem Situationsbezug der Psalmen die Frage auf, ob denn die *Situationsschilderungen als erzählende (also vergangenheitsbezogene)* Textsorten zu bestimmen sind. Damit hängt indirekt auch das Problem zusammen, ob die Redesituation des Textes die der Not oder die der Errettung bzw. nach der Errettung ist[184]. Hier weist tatsächlich die Unterscheidung zwischen Erzählung und Beschreibung, zwischen erzählter und besprochener Welt, ihre Grenzen auf, sofern nicht allein die Zeit (das Präteritum als Kriterium für erzählte Welt) maßgebend ist[185]. Erzählbar ist ja auch eine gegenwärtige Situation, vor allem wenn sie bereits seit einiger Zeit bis in die Redesituation hinein andauert.

Menschliche Gegenwart kann nie so punktuell sein, daß sie nur synchrone (geschichtlose) Beschreibung wäre, sie hat immer auch die Dimension der Herkunft und der Dauer, also des Zeitverlaufs. Das hebräische „gedenken" (*zkr*) kann deshalb durchaus auch „gegenwärtige Gegebenheiten" meinen, welche die Existenz prägend bestimmen[186]. Ähnliches gilt für „erzählen" (*spr*), gerade in Verbindung mit der vom gleichen Stamm gebildeten Wortbedeutung „Buch" (*sēfær*): Ein Buch ist das gegenwärtige Realisat vergangener Erzählungen bzw. Reflexionsbemühungen.

Am besten wird man wohl in unserem Zusammenhang der Noterzählung von einer dem englischen „present perfect" abgeschauten präsentischen Vergangenheit sprechen können, so „daß dieser der Form nach in der Vergangenheit ansetzende Bericht eigentlich um der Beschreibung der schmerzlichen Gegenwart willen steht."[187] Die in der Notschilderung erzählte (relativ nahe) Vergangenheit reicht in die Gegenwart hinein: Sie ist noch nicht beendet, noch nicht gewendet. Die vergangenen bzw. gegenwärtigen erzählenden bzw. beschreibenden Leidensaussagen der Klagepsalmen haben somit die Funktion „der Selbstdarstellung des Menschen vor Gott", also einer „Beschreibung" seiner Existenzweise in Verbindung mit einem energischen Appellcharakter an Gott, durch seine Nähe die Situation zu verändern[188].

---

184 Vgl. Zirker 1964, 42-43; 44 ff.; s. u. 5.1.2.
185 Zur Unterscheidung von besprochener und erzählter Welt vgl. Weinrich 2/1971, besonders 42-50; Fuchs Art. 1979, 862-864. Zur ähnlichen Unterscheidung zwischen beschreibendem und berichtendem Lob vgl. Westermann 1977, 61 f., 76 f., 87 ff.; vgl. auch 100, wo klargemacht wird, daß das beschreibende Lob immer vom berichtenden Lob lebt und dieses voraussetzt. Jedes beschreibende Lob (z. B. „du treuer Gott") ist nur aufgrund berichteter Heilstaten möglich und stellt dafür die anredekonzentrierte Kurzform dar.
186 Vgl. Schottroff Art. 1971, 511/514 (etwas gegenläufig Zirker 1964, 43); zum entsprechenden Bedeutungsbereich von *spr* vgl. Kühlewein Art. 1976, 163 ff.
187 Zirker 1964, 43; zum präsentischen Perfekt vgl. 42.
188 Von Rad 5/1968, 413; vgl. Zirker 1964, 43; Keel 1969, 147.

Nachdem nun die *Funktion* der Elendsschilderung sowohl im Sprechakt der Bitte wie auch im Gesamtsprechakt der Klage geklärt ist, kommen wir jetzt auf ihren *Inhalt* zu sprechen. Welche Not wird wie geschildert und mit welchen Beteiligten? Welche Figuren bzw. Faktoren machen die Not aus?

(2)   Das Elend und die Feinde

V. 2-3 klammern wir aus der eigentlichen Notschilderung aus, denn diese Passage beschreibt bereits die durch die Not bewirkte Klage als bislang mißlungene Kontaktaufnahme mit Gott. Dies ist zwar gerade die entscheidende „Urnot" der Gottverlassenheit für das Glaubensleben des Beters, aber diese Not gehört direkt in das Beziehungsproblem zwischen Mensch und Gott, während die Notsituation und die entsprechende Schilderung deren Ursache ist, also nur mittelbare Qualität in Richtung auf den Adressaten hat. In der Eingangsphase klagt der Beter, indem er *Gott an*klagt; in der Notschilderung *be*-klagt er *sich* und seine Situation. Die entscheidenden dramatischen Figuren in V. 2 und 3 sind der Beter und Gott, in den Abschnitten der Notschilderung V. 7-9 und 13-19 der Beter und die Gegner bzw. die Feinde. Deshalb gehört auch V. 16 c, der in der Mitte des Abschnitts wie auch des ganzen Psalms die Notschilderung durch die direkt (an)-klagende Anrede zu Gott unterbricht, nicht zur Noterzählung selbst, sondern ist der Ausdruck einer aus ihr herausbrechenden direkten Klagekommunikation mit Gott und bringt so V. 2-3 aus Abschnitt I noch einmal punktuell in Abschnitt II zum Vorschein. Gott wird abermals intensivst vorgehalten, wie weit er es schon hat kommen lassen. Der Beter sieht sich bereits vor dem Ende, in dem alle Begegnung mit Gott abbricht. Wenn Gott die Beziehung zum Beter am Herzen liegt (vgl. V. 9), dann muß er *jetzt* die Bitte *erhören*[189].

Insgesamt ist eine doppelte Ausformung der Elendsschilderung in Ps 22 zu erkennen und auch zu unterscheiden: einmal die V. 7 und 15-16 b, in denen der Beter seine Situation als Resultat des Elends bzw. der feindlichen Aktionen in *Ich-bin-Reden* direkt beschreibt. Zum anderen die V. 8-9, 13-14 und 17-19, in denen davon die Rede ist, daß andere (Feinde) den Beter als Subjekte negativer Aktivitäten gegenübertreten. Man kann diese Stellen *Sie-tun-Reden* nennen. Kompositorisch interessant ist, daß in besonderer Nähe zu den direkt Gott anredenden Klagen die Ich-bin-Reden stehen[190]. Eine weitere Unterscheidung wird notwendig, diesmal hinsichtlich der Gegner: einmal sind sie *Konsequenzfiguren* der Not, indem sie als ideologische Konsequenzmacher (Not ist Zeichen für Nichtgefallen

---

189 Zur Klageaufforderung an Gott, doch hinzusehen und hinzuhören vgl. Keel 1969, 188.
190 So geht V. 3 dem V. 7 voraus (wenn man V.4-6 als Einschub ausklammert) und V. 16 a dem V. 16 b; vgl. ähnlich Westermann 1957, 34 ff.

Gottes) auf das Elend mit Spott reagieren und es damit verstärken, zum anderen *Kausativfiguren* des Elends, also solche, die die Not verursachen und bis zum äußersten treiben[191]. Die ersteren finden sich in V. 7 b-9, die anderen im Bitteil V. 13. 14, 17-19. Auch diese Verteilung der Akteure zeigt, wie sehr sich die Notschilderung in Abschnitt II steigert. V. 12 ist die Scharnierstelle: es ist nicht nur niemand da, der hilft, sondern es werden jetzt sogar Feinde genannt, die das Schlimmste antun (können).

Auffällig ist in diesem Zusammenhang die Beobachtung, daß V. 16 c nicht unmittelbar aus den kausativen Aktionen der Feinde heraus aufbricht und somit eine Gleichstellung der feindlichen Aktionen mit Gottesaktionen evozieren könnte, sondern daß sich der Beter zuerst wieder auf *sich* besinnt und von sich her — ohne Replik auf die Feinde — Gott als den anspricht, der wirklich der ist, der alle Macht und Freiheit hat, die sich die Feinde anmaßen: *Er* macht lebendig und tot, er achtet und mißachtet (vergißt)[192]. So wird *indirekt* an Gott die anklagende Frage gestellt und

---

191 Vgl. ähnlich Vorländer 1975, 258.
192 Gott ist also nicht nur der schützende, sondern auch der schlagende und tötende Gott: vgl. Kühlewein 1973, 16; Gunkel 3/1975, 208. Zur „Ambivalenz" der Gotteserfahrung: Die Klage nimmt das ernst, was die „Alten" das Dämonische in Gott, den schlagenden, den strafenden Gott genannt haben, was wir womöglich das Unerklärbare und Unverfügbare in Gott nennen. Der *māšhit*, der Dämon, der Verderber schlägt die Erstgeburt Ägyptens. Israel feiert in der Nacht den Umgang des Dämons (vgl. Keel Art. 1972, 426). Bei Hiob erscheint der Dämon Gottes als Satan, gleichsam als Bundesgeneralanwalt. Er ist allerdings Gott selbst untergeordnet. Es ist gleichsam das andere Ich in Gott, das die Strafe gegenüber Fremden und auch in den eigenen Reihen wahrnimmt (vgl. Westermann 1976 b, 51-80). Beide, der Verderber und der Satan, haben die Funktion Gottes, die Menschen zu schlagen (Bildwort für Leiderfahrung usw.). Religionsgeschichtlich ist dabei wichtig, daß das „Böse" nicht ein zweites Prinzip ist, gleichberechtigt zum Guten, sondern in dem einen Gott selbst, und zwar in seiner Funktion des „Schlagens", beheimatet ist. Die Klage setzt sich mit dem als schindenden Gott erfahrenen Jahwe auseinander. Dies gilt jedenfalls für die Frühform der Klage. Natürlich ist hier die Frage zu stellen, ob mit dem Neuaufleben des Klagegebetes auch ein Rückfall in den dämonischen Gottesglauben verbunden sein muß, also eine Repristinierung der Gottesangst erfolgt. Demgegenüber ist festzustellen, daß, gleichgültig mit welchen semantischen Werten man das Unergründliche und Uneinsichtige in Gottes Schöpfung belegt, die jeweilige Betroffenheit in jedem Fall beim Menschen erfolgt und somit die Fragwürdigkeit Gottes auslöst. Letztere muß, wenn dieser Gott tatsächlich als Gegenüber ernst genommen wird, ausgesprochen werden. Damit ist nicht notwendig verbunden, daß er dämonisiert wird. Die Gefahr freilich ist anzumerken. Es geht dabei um eine volle und vitale „Transzendenz"-Erfahrung dieses Gottes im Bezug auf das eigene Leben. – Außerdem ist ja noch nicht ausgemacht, ob nicht gerade der schenkende Gott auch als der schlagende erfahren werden kann: So schlägt er beispielsweise die Feinde Israels; freilich kommt dieses Schlagen immer mehr auf die eigenen Reihen zu: Schließlich bezieht spätestens der Exilsglaube auch auf kollektiver Ebene in sich das Ringen um den schenkenden *und* schlagenden Gott ein. Damit werden Mitleiden und Liebe Gottes nicht suspendiert, aber die Erscheinungsformen dieser Liebe werden radikal offengehalten. Der schützende Jahwe wird nicht dämonisiert, aber ohne daß das *als* dämonisch Erscheinende nicht bespro-

weitergebracht, ob er mit den Feinden des Beters gemeinsame Sache macht. Zugleich wird die Verneinung dieser Frage im Gebetsprozeß von Anfang an angelegt: Von Gott wird noch erwartet, daß er lebendig macht und achtet (vgl. V. 25 und 26). Die Feinde dagegen werden auf keinen Fall als Adressaten der Hilfe angesprochen: Von ihnen wird nichts erwartet, weder daß sie ihren Spott aufgeben, noch daß sie ihre Bedrängungen einstellen. Sie bleiben in der dritten Person.

● *Wer sind nun aber die Feinde?* Aller Wahrscheinlichkeit nach sind *die Spötter in V. 7-9 reale Subjekte der sozialen Umgebung* des Beters. Dafür spricht einmal ihre Bezeichnung als „Volk" (ʿam), was sie in der eigenen Volks- bzw. Stammesbeziehung, vielleicht sogar in der eigenen Verwandtschaft angesiedelt sein läßt[193], zum anderen auch die ironische Argumentation, die im Glaubenskontext Israels selbst beheimatet ist. Die ehemaligen Freunde und Verwandten verspotten den Beter, weil er in Not ist. Ihre Aktivität liegt im kommentierenden Reden, wodurch sie das eigentliche Leid noch durch die Schande des Leids verschärfen[194]. Sie schütteln den Kopf und wenden sich in diesem apotropäischen Gestus vom Leidtragenden abwehrend ab, um nicht von seinem Unheil angesteckt zu werden[195]. Die Umgebung hat Angst, mit dem vom Unheil Betroffenen in Kontakt zu kommen. Daher kann sie selbst nicht Anteil nehmen an seinem Schicksal, sie will ihm nicht helfen und verweist ihn auf Jahwe (V. 9 a): Wenn *er* dem Beter nicht hilft, hat er kein Wohlgefallen an ihm. Denn Gottes Wohlgefallen müßte sich im Wohlergehen zeigen[196]. Daß es dem Beter schlecht geht, muß seinen Grund haben: Er ist selber schuld daran. Der Psalmist freilich greift diesen Hinweis des schadenfreudigen Spottes positiv auf. Was Inhalt ihres Spottes ist, wird für ihn zum Anlaß des Vertrauens auf Erhörung: Im Prozeß seines Betens wälzt er tatsächlich seine Last auf den Herrn[197].

---

chen wird, wird es auch nicht aufgearbeitet. Der „Ambivalenz" der Gotteserfahrung entspricht dann einfach die Ambivalenz auch unserer Wirklichkeitserfahrung, mit der wir zurechtzukommen haben. Wird auf Gott zu diese Ambivalenz nicht personal ausgesprochen und mit ihm „ausgehandelt", bleibt ein ganz bestimmter Teil der Wirklichkeitserfahrung gott-los.

193 Zu den Theorien hinsichtlich der Feinde in den Klageliedern (vor allem des einzelnen) vgl. die Zusammenstellung bei Ruppert 1972 a, 2-16; vgl. Albertz 1978, 43 f./48; Szörényi 1961, 222-247; Kraus 1979, 156-171; Steck 1972, 39 ff. Ps 22, 9 dürfte nicht ein fingiertes Zitat, sondern ein tatsächliches Wort aus dem Mund der näheren Umgebung sein (vgl. a.a.O., 15). Vgl. Hulst Art. 1976, 290-325; besonders 293/5; Keel 1969, 133/147; Vorländer 1975, 258; bereits Gunkel 3/1975, 211 ff. und Schmidt 1934, 36.

194 Vgl. Westermann 1977, 145.

195 Vgl. Keel 1969, 142-143; s. o. Anm. 114.

196 Vgl. dazu Gunkel 3/1975, 208 (Gott schlägt den Sünder), Seybold 1973, 160, 170 ff.; Lohfink Art. 1977, 154.

197 Ps 55, 23 ist bedeutungsgleich zu V. 9 in Ps 22, wird dort aber nicht positiv auf-

● Nun haben wir zwar oben von realen „Umstehenden" gesprochen, doch impliziert dies nicht, daß auch deren Handlungen in Gänze real seien. Es spricht vielmehr alles dafür, daß sie zum guten, vielleicht größten Teil, *Projektionen des Notleidenden sind*[198]. Seine eigene Angst projiziert er in die Umgebung hinein, in V. 9 besonders seine eigenen Glaubenszweifel, wobei die Grenze zwischen Realität und Phantasie fließend ist und die objektiven und subjektiven Anteile nicht leicht zu trennen sind. Immerhin wäre solches Verhalten der Umstehenden in der Realität durchaus möglich, sonst könnte es nicht befürchtet werden. Fragen und Schwierigkeiten, die im Beter selbst auftauchen, könnten auch von anderen an ihn in bedrängender Weise gestellt werden. So sagt er im Grunde V. 9 zu sich selber. Das erklärt dann auch die inhaltliche und sprechaktorientierte Durchführung dieses Verses im Folgetext: Die Last wird im Sprechakt der Klage auf Jahwe geworfen und Wohlwollen wird ihm zugetraut (s. o. 4.2.1 (2)). Die drohende Angst vor Nichterhörung freilich plaziert der Beter in den Spott der anderen hinein, um sie *dort* vor Gott ad absurdum führen zu können, paraphasiert etwa so: „Das stimmt doch gar nicht, was die sagen (könnten), denn du hast ja Gefallen an mir usw.!" Hier geht es im Grunde weniger um die Umstehenden als um Empfindungen, kurz: um die in brennendsten Farben emotional aufgeladener Schlüsselwörter („Feindimages") ausgedrückte Selbstdarstellung des Beters. Dies gilt im gesteigerten Maß für die Feindbeschreibung in Abschnitt II. „Zu einem guten Teil projiziert der Beter seine eigene Angst und Schwäche, seine Verträglichkeit oder Rachsucht und die Angefochtenheit seines eigenen Vertrauens in die Freunde."[199] Solches projektive Verhalten kann nicht nur für die psychischen Folgen von Krankheit angenommen werden, sondern überhaupt für jede intensive Notsituation bzw. für jede entsprechende subjektive Erlebnisper-

---

genommen, sondern ist Anlaß für um so größeren Hoffnungsverlust: vgl. Keel 1969, 143-7; wie sehr „theologische" Argumentationsfiguren dem Notleidenden nicht nur nicht helfen, sondern die „Freunde" durch ihre Vorwürfe und Rechtfertigungen von vornehrein von jeder mitmenschlichen Begegnung dispensieren, wird bei Hiob deutlich: vgl. die entsprechenden Parallelstellen bei Gunkel 3/ 1975, 204 ff.

198 Bereits Gunkel (3/1975, 190) redet von „seelischer Verfassung"; vgl. Keel 1969, 72.

199 Keel 1969, 147; zu den Feindimages vgl. 76-90; die projektive Kraft der Selbstdarstellung geht dabei in eine doppelte Richtung: einmal in die qualitative: Die Feindlichkeit der Feinde wird radikalisiert (vgl. a.a.O., 240 ff.), dann in die quantitative: Die Überzahl der Feinde wird eindringlich gemacht (vgl. a.a.O., 123/148), wobei auch die Freunde in ihre Reihen gestellt werden. Im Augenblick, in dem wieder Mut und Vertrauen entstehen, zerfließen die Projektionen der Angst und der Aggression: Dies zeigt deutlich der krasse Übergang von der Bitte zum Lob. Die Feinde sind verschwunden, an ihre Stelle ist – ebenfalls in immer größerer Anzahl – die Gemeinde, ja die ganze Welt der Lobenden getreten (vgl. a.a.O., 206/7).

spektive dessen, der sich im extremen Elend befindet[200]. Welche Notsituation dem Ps 22 (ursprünglich) zugrundeliegt, ist nicht zu entscheiden. Es genügt zu sagen: Der Beter leidet intensiv an einer sichtbaren Not. Diese Erfahrung läßt ihn die Isolation der Umgebung spüren. Das Anders-Sein als Notleidender, die damit empfundene soziale Wertlosigkeit, hebt ihn von der Umgebung ab und schafft so ein Entfremdungserlebnis von der Normalsituation. Diese Entfremdung drückt sich darin aus, daß Freunde zu aggressiven Gegnern werden. So ermöglicht der Text dem Psalmisten, seine Angst und damit verbundenen Aggressionen (gegen die, denen es besser geht und die soziale Integration erleben) im Feindbild anzusprechen[201].

Die Benennung der Feinde hat dazu aber auch den *intentionalen Zweck*, Gott gegenüber das eigene Schicksal als extremes Elend und damit mit intensiviert klagender Schilderung und besonders dringlichem Bittappell zum Ausdruck bringen zu können[202]. Beides freilich geht nicht auf das Konto berechnender Kalkulation, sondern läuft unter- bzw. vorbewußt ab. Die um so stärker erlebte Not ist vielmehr der Grund, warum der Beter sich klagend und bittend und damit vertrauend in die Hand Gottes begibt und von seiner Macht und Treue alles erwartet.

● Im Zug der neu entstehenden Zuversicht auf Gott wird dann auch wieder der *Blick heller für die soziale Umgebung*: Der Beter kann seine Brüder, seine Gemeinde, sein Volk (vgl. V. 23 ff.) wieder zur Feier und zum Lob Gottes einladen.

Die neu entfachte Treuebeziehung (vgl. Lobgelübde s. u. 4.2.3 (2)) zu Gott ermöglicht auch wieder ein offenes Zugehen auf die anderen. Die Projektionen der Aggression und der Angst sind aufgelöst. Dies kann allein aufgrund der neu erlebten Vertrauensbeziehung zu Gott geschehen, die Notsituation selbst muß sich dadurch nicht unmittelbar verändern. Jede kleine Hoffnung auf Veränderung kann wieder wahrgenommen werden, weil durch die neu erfahrene Nähe Gottes die Totalverdüsterung des Lebens und der Umgebung sich aufgelichtet hat. Gott hat auch, ja gerade an dem Gefallen, der leidet. Seine Not ist kein Zeichen des Mißfallens (vgl. V. 9 mit V. 25)[203]. Der projektiven Treulosigkeit der Feinde steht die „projektive" (geglaubte) Treue Gottes gegenüber (vgl. V. 26).

Jahwe ist ein gemeinschaftstreuer Gott, der im bevorzugten Maß die Gemeinschaft will und schützt. Wenn Jahwe also Wohlgefallen am Beter hat, dann will er ihn auch (wieder) in der Gemeinschaft seines Volkes sehen.

---

200 Vgl. Lohfink Art. 1977, 145 ff. gegen Seybold 1973, 72: Letzterer hält es im Falle von Ps 22 für sehr fraglich, ob er sich als „typischer Krankheitspsalm" auf eine konkrete Krankheit bezieht; vgl. Westermann 1957, 34; ähnlich Gunkel 3/1975, 184, 193; Barth 1947, 98.
201 Vgl. Lohfink Art. 1977, 155.
202 Vgl. Keel 1969, 132, 206; Westermann 1957, 34.
203 Vgl. Keel 1969, 226, 138 f.; Fuhs Art. 1981 b, 219.

Dieses zunächst „spirituelle" Integrationserlebnis schafft dann in Abschnitt III eine überraschend soziale Aktion: Nicht die Gegner werden aufgefordert, zum Beter zu stehen, sondern der Beter selbst ergreift die Initiative und lädt sie *als* „Brüder" ein. Dies zeigt sich deutlich am Wechsel der Subjekte zwischen Abschnitt II und III: Waren vorher die Feinde die beherrschenden Akteure, so beginnt in 23 ff. die Aktivität des Beters: Er fordert sie auf, mit ihm die Treue Gottes zu loben und damit die Entscheidung Gottes für den Beter anzuerkennen. In solchem Lob der Treue wäre dann doch noch gegenseitige Solidarität angelegt, sofern eine reale Wende der Situation nicht unbedingt vorausgesetzt werden muß. Gott hat sein Gesicht wieder zugewendet; davon kann neu gelebt und gelobt werden, damit kann man sich selbst wie auch wieder andere neue in den Blick bekommen (vgl. V. 27 c).

So entsprechen sich tatsächlich V. 7-9 und V. 23-27 als die korrespondierenden Gegenstücke. Entfremdung und Isolation, die Gefahren jeder Not, sind aufgehoben. Der Beter kann aus der erlebten Treue Gottes heraus selbst aktiv die soziale Reintegration angehen, gleichgültig ob als Kranker oder Gesunder, als Notleidender oder als einer, dem es wieder gut geht. Denn auch eine vergangene Noterfahrung kann weiterbohren und den Menschen dazu bringen, seine Projektionen und Aggressionen zu pflegen. Die veränderte Perspektive ist somit zuerst eine Frage der Vertrauenseinstellung zu Gott; sie muß nicht situationsabhängig sein, wenngleich jeder Situation je neu die Zuversicht in der Begegnungsarbeit mit Gott abzuringen sein wird. Das Erlebnis der Treue Gottes jedenfalls läßt auch wieder Menschen Treue zutrauen. So wird die Klagegebetsarbeit mit Gott zur Lernschule, zur Energiequelle zwischenmenschlicher Vertrauensbeziehung und -bemühung überhaupt. Gottvertrauen überwindet Angst und Aggression[204].

● *Wie sehr projektive Operationen bei den Feindbenennungen am Werk sind, zeigen schließlich die Feindbilder des Abschnittes II:* Stiere, Büffel, Löwen, Hunde, Rotte von Bösen. Gunkel sieht darin noch Bezeichnungen für „wichtige, vornehme Leute", die wütend gegen den Psalmisten angehen. Dies ist nicht unmöglich, aber recht unwahrscheinlich, wie Keel nachgewiesen hat[205]. Er spricht vom „stark projektiv-partizipativen" Ich des orientalischen Menschen, der in seiner Verbundenheit mit der sozialen Umgebung lebt wie ein Kind im Mutterschoß. Sofern diese Umgebung die Ge-

---

204 Vgl. a.a.O., 132-137, 138 ff. Angst und Aggression werden dabei nicht verdrängt, sondern kommen semantisch zutage und werden in der Gebetsbegegnung „entmachtet".
205 Vgl. Kraus 5/1978, 180; Gunkel 5/1968, 92; Keel 1969. Zu den psychologischen Korrespondenzen dessen, was hier im Aussprechen theologischer Wirklichkeit geschieht vgl. Keel 1969, 206 Anm. 177.

borgenheit zurückzieht (oder solche Aktionen auch nur befürchtet werden können), erlebt der einzelne eine um so größere Angst vor Schutzlosigkeit. Das metaphorische Sprechen von Feinden in Tierbildern, ja ganzen Bildreihen, versucht diese eigentlich nicht artikulierbare Angst vor „etwas" Bedrohlichem in Worte zu bringen. „Der Satz ‚Stiere umstellen mich' evoziert das Erleben des Beters, einem aus Vitalität geborenen, unerbittlichen, unberechenbaren Überwältigungswillen ausgeliefert zu sein. Das ist die Wirklichkeit, die der Beter beschreibt. Ob die objektive Gestalt dieser Wirklichkeit die von Menschen oder die von Stieren ist, bleibt außer Betracht."[206] Noterfahrung und Projektion sind korrespondierende Ereignisse im affektiven Leben des Leidenden. Die Ängste und Aggressionen werden dabei in die fiktive Außenwelt verlagert und in „konkreten" Figuren festgemacht. Sie sind in ihrem Gruppencharakter und ihrer Hinterhältigkeit Repräsentanten einer unheimlichen Welt bzw. von bösen dämonischen Mächten. Dafür gibt es das bereitstehende Metaphern- und Formelgut der Feindpatterns, wie sie Ps 22 aufführt.

Auffällig ist dabei die *Entmagisierung des menschlichen Verhaltens zu den dämonischen Mächten.* Weder werden die Feinde bagatellisiert, noch durch diffizile Namenslisten in ihrem Einfluß magisch gebändigt, um sie dadurch *selbst* in den Griff zu bekommen, sondern es geht darum, „die Gefahr so darzustellen, daß Jahwe zum Eingreifen veranlaßt wird."[207] Die *Beziehung zu Jahwe bestimmt das Verhältnis zu den feindlichen Mächten:* Er errettet von ihnen. Deswegen können diese Mächte auch nie bittend angesprochen werden.

Darin ist angelegt, daß später in den Psalmen die Feinde zunehmend als Frevler und Gottlose diffamiert und so in das Beziehungsgeflecht von Gott und Israel bzw. Israelit als Opponenten (Gottes, nicht nur des Bedrängten) ein-„geordnet" werden. Sieht man einmal von V. 17 b (Rotte des Bösen) ab, so ist diese Entwicklung in unserem Psalm noch nicht sehr weit fortgeschritten. Ihre Benennungen sind mehr archaisch als moralisch und die damit verbundenen Aussagen bringen mehr ihr Handeln als ihr Sein. Die Gefahr, daß damit der Feind unverhältnismäßig breit Gegenstand der Klage und Reflexion (z. B. auf sein Schicksal) wird, ist (noch) nicht in Sicht. Denn: „Der Übergang vom Verklagen der Feinde zur verallgemeinernden Schilderung der Feinde in ihrem Sein bedeutet das Heraustreten aus der strengen Redeform der Klage."[208]

---

206 Keel 1969, 73-75 (Zitat 73); auch 62.77 und 201 ff. (hier die Aufzählung der Feindmetaphern).
207 A.a.O., 92, vgl. 91; Kraus 5/1978, 180.
208 Westermann 1977, 148; vgl. auch 144 ff., 148 ff. Während ältere Psalmen den Feind in seinen konkreten gegnerischen Handlungen charakterisieren, vollziehen spätere Psalmen über die Begriffe Frevler und Gottlose eine religiös-moralische Wertung. Ps 22 ist in dieser Hinsicht noch sehr unpolemisch; vgl. a.a.O., 129 ff., 142.

• Es ist bislang deutlich geworden, daß *Projektion und Zweckgebundenheit* hinsichtlich der Beziehung zu Gott die sprachlichen Feindbildoperationen des Israeliten bestimmen[209]. Grundlage dieses Prozesses ist der Glaube an die Allkausalität Jahwes (*er kann vor den Feinden retten*) und die Begegnungs- oder *Bundes*-Kategorie Jahwes zu Israel und den einzelnen. Der Glaube an Gottes *Macht* und *Treue* bestimmt somit das kognitiv-emotionale Verhältnis zu den feindlichen Figuren und Mächten. Zentralanliegen ist daher der *Kampf um das Vertrauen* zur Macht und Treue Gottes. Die Feinde werden durch ihr Reden und (drohendes)[210] Handeln als Bedrohung der Gottesbeziehung erlebt. In ihnen kann man *figurale Extrapolationen* dessen erkennen, was sich zumindest auch *im Beter-Ich selbst abspielt:* Der Zweifel, die Aggression, die Verzweiflung, die Hoffnungslosigkeit, die erdrückend-totalitäre Erfahrung des Elends, auch die vorwurfsvolle Anklage[211]. Diese buchstäbliche „Äußerungs"-möglichkeit persönlicher Erlebnisse und Zustände wird durch die redenden und handelnden dramatischen Figuren der Feindschaft ermöglicht. In ihnen erlebt der Beter seinen eigenen „dunklen Bruder", den er nicht will, aber in dieser Form dennoch heilsam wahrnimmt. Indem er Gott zutraut, daß er die Feinde überwindet, kann er auch sich selber wieder zur Hoffnung überwinden (lassen). Dies bestätigt Baumgartners Bemerkung, daß beim klagenden Beter etwa die gleichen Gedanken und Zweifel begegnen, die bei den Feinden des Beters vorkommen[212]. Indem sich der Psalmist sprachlich mit diesen Feinden seines Gottvertrauens auseinandersetzt, dämmt er ihre seelisch-zerstörerische Kraft ein. Indem er darüber hinaus seine Situation direkt auf Gott zu bespricht, entsteht im anwachsenden Glauben an *dessen* Nichtfeindlichkeit, also an dessen Heilswillen, neues Vertrauen, das dann die Bilder des Mißtrauens und der Angst verblassen läßt. So gehen die „Feinde" – gerade weil sie in schärfster Schwarzweißzeichnung ausgesprochen werden durften – buchstäblich im Verlauf des Betens „zugrunde"[213]. V. 23 f. werden die „Brüder" zum gemeinsamen Lob Gottes aufgerufen.

• Die im Beter wie auch in Israel (besonders im Exil) aufgebrochene Frage „Wo bleibt Jahwe" (vgl. V. 9) ist die Frage der Jahweanhänger selbst und repliziert auf das *Zentrum jüdischen Glaubens:* daß Jahwe mit seinem

---

209 Vgl. Keel 1969, 137, besonders 178.
210 Drohend ist das Handeln deswegen, weil es noch nicht effektiv durchgeführt ist, vgl. Westermann 1977, 145. Der eigentliche Todesstoß ist noch nicht ausgeführt (vgl. V. 13/14). Zum „Kampf des Glaubens" vgl. Kraus Art. 1977.
211 Vgl. Keel 1969, 178/184.
212 Solches bemerkt Baumgartner im Hinblick auf die Klagelieder des Jeremias: 1917, 15; vgl. Keel 1969, 185.
213 Vgl. Ps 6 (dazu Knuth 1971); Lohfink Art. 1977, 151; Keel 1969, 186-190, 218 ff.

Volk ist und geht! Dieses Mit-Sein Gottes kann nicht gegenständlich verstanden werden, sondern erfolgt im Entzug, in der Form der Verheißung. Ständig lauert die Frage *zuerst* bei den Jahwetreuen: Ist Gott in unserer Mitte, obgleich wir ihn (scheinbar) nicht als Heil erleben? Denn es gilt: „Jahwe aber ist ein Gott, der sich nicht so sehr durch seine evidente Macht, sondern durch seine Verheißungen, Forderungen und Drohungen, kurzum durch sein auf die Zukunft bezogenes Wort manifestiert. Dieses Wort aber drängt sich nicht auf. Seine Wahrheit erschließt sich erst im Laufe der Zeit. So besitzt der Israelit die Möglichkeit, es anzunehmen, zu glauben, zu propagieren, oder aber es mißtrauisch abzulehnen, zu mißachten, zu verwerfen und zu vergessen."[214] Um dieses gegenseitige Engagement in der personalen freiheitlichen Begegnung zwischen Gott und Mensch geht es in der Geschichte Israels und der Israeliten, bis hin zu der in ständig neuer Vertrauensarbeit zu erringenden Einsicht: „Wer auf Jahwe vertraut, ist sicher."[215] Der intensive und exklusive durch die Geschichte gehende Bund der Treue zwischen Gott und Volk ist die lebendige Institution dieses gegenseitigen Verhältnisses. Der Bund der Treue hat freilich wesentlich die Dimension der Wegbegleitung in der Zeit der zu durchlaufenden und zu durchringenden gemeinsamen Heilsgeschichte (kollektiver und individueller Art) mit ihren schlimmen und guten Situationen. „Israel glaubt in seinen Anfängen an einen Gott . . ., der bei der Landsuche gegenwärtig und beim Landverlassen wirksam ist. Der an diesen Gott glaubende Mensch ist immer unterwegs, . . ."[216] Ps 22 vertextet in der Gattung des Gebets ein solches geschichtlich-situatives Ereignis menschlicher Vertrauensarbeit, nämlich Gott den Jahwe der Väter sein zu lassen und ihm seine Macht und Treue zuzutrauen, auch gegen den Augenschein gegenwärtiger Noterfahrung[217].

Hier wird einmal mehr deutlich, daß Klagen, besonders das so grundsätzlich fragende Einklagen der Treue Gottes, eine nicht ungefährliche, bedrohliche, angstmachende *neuralgisch-sensible Krise* in der Beziehung zwischen Mensch und Gott ausmacht. Es ist der Konflikt zwischen der „Gotteserfahrung" und Gottesverheißung, zwischen dem, was Gott verspricht, und dem, was er (scheinbar nicht) hält. In der Klage steht die Begegnungsalternative zwischen Vertrauen und Mißtrauen, Beziehungsintensität oder Beziehungsabbruch an. Gefährlich ist dieser Konflikt deswegen, weil er grundsätzlich auch negativ ausgehen kann. Dagegen freilich kämpfen die Gebetsformulare der Psalmen und die entsprechenden Erzählstücke des

---

214 Keel 1969, 219, vgl. auch ff. und 189.
215 Spr 29, 25: vgl. Keel 1969, 220 (dies ist auch subjektiv gemeint, nicht nur bundesrechtlich, vgl. a.a.O., 223), vgl. Jes 30, 15.
216 Görg Art. 1976, 264.
217 Vgl. Keel 1969, 224-226; auch 185-190.

Alten Testamentes (besonders Hiob) nie aufgebend und ständig neu ansetzend an. Denn dieser Konflikt darf nicht verschwiegen, überkleistert oder verdrängt werden, sondern muß, wenn Gott für konkretes menschliches Leben nicht unrelevant werden will, sprachlich ausgetragen werden. Darin zeigt sich, wie ernst der Mensch Gott nimmt. Jahwe wird dabei als der geglaubt, der auf *seine* Weise den Menschen zutiefst ernst nimmt, auf seinen Vertrauenskampf eingeht und ihm gegen alle Fernerfahrung „irgendwann und irgendwo" seine Nähe signalisiert. In diesem Gegenseitig-sich-Ernst-Nehmen wird das Verhältnis zwischen Mensch und Gott nicht vergegenständlicht in Ritual und Magie, es wird nicht auf stabilisierende und synchrone kultische Systeme reduziert. Die Voraussetzung einer Beziehung, nämlich das Zulassen von Freiheit, Geheimnis und Geschichte, bildet das Herzstück des Treuebundes zwischen Gott und Mensch.

(3)   Die Todesnähe

Die Aktion der Feinde (besonders in Abschnitt II sowie die Elendsschilderung des Beters V. 15-16) zeigen, daß der Psalmist den absoluten Ernstfall extremster Not ausdrückt, daß das Ende droht (vgl. V. 18 und 19). Er ist von der Vernichtung direkt bedroht, die Auflösung der Existenz steht bevor (vgl. V. 15)[218]. Dies bringt der Klagende auch in V. 16 c äußerst scharf in der direkten Anrede zu Wort: „Du legst mich in den Staub des Todes."[219] Der Beter ist bereits in der Sphäre des Todes[220]. Der *Gegensatz zwischen Leben und Tod* durchzieht überhaupt den Psalm, besonders in Abschnitt II: So bittet der Psalmist, Gott möge sein Leben dem Schwert (= dem Tod) entreißen, sein einziges Gut (vgl. V. 21). Später darf man aufleben für „immer" (V. 27 c). Die Feinde gelten in diesem Zusammenhang als Repräsentanten der Todes- und Chaosmächte, die die Welt, das Volk und den einzelnen ständig durch Vernichtung bedrohen. Sie sind auf den Tod des Beters aus: „Der Tod ist der Feind par excellence."[221]

---

218 Bereits V. 7 hat die Elendsschilderung zutiefst eingebracht: Das „Wurm-Sein" ist Ausdruck für totale Erniedrigung und Entstellung, vgl. Kraus 5/1978, 179. Zur näheren Bedeutung der einzelnen Bilder und Metaphern für den Todesbereich vgl. Kraus a.a.O., 180/1. Wir können die Aufzählung und Beschreibung hier sparen, weil sie alle als Varianten für die gleiche Invariante stehen: „Der Leidende steht unmittelbar vor dem Tod." (a.a.O., 181).
219 Hier liegt ein Hendiadyoin vor: Denn „Staub" ist bereits eine Metapher des Todes, vgl. Wanke Art. 1976, 355. V. 16 c ist übrigens nicht nur (ursprünglich) individuell, sondern durchaus von der Situation des exilierten Volkes kollektiv zu verstehen.
220 Zum alttestamentlichen Verständnis des Todes im allgemeinen und seinem Vorkommen in individuellen Klage- und Dankliedern vgl. Barth 1947; Kraus 1979, 204-211.
221 Keel 1969, 200, auch 198 ff. und 211 ff.; Barth 1947, 165/6, auch 11 und 18 (hier ist davon die Rede, daß Tod und Leben zu den zentralen Themen israelitischen Glaubens gehören).

• *Doch was bedeutet für den alttestamentlichen Gläubigen Tod und was bedeutet für ihn Leben?* Zunächst ist wichtig, daß „der Begriff des Todes Krankheit, Bedrängnis und Unglück einschließt", daß er also nicht nur ein punktuelles, sondern ein bereits in das Leben hineinreichendes duratives Ereignis ist. Der Begriff des Lebens impliziert entsprechend „Gesundheit, Heil und Glück"[222]. Doch haben beide, das Leben und der Tod, auch einen Adressanten: Gott ist es, der das Leben gibt und es auch nimmt. Tod und Leben sind also die entscheidenden Momente in der Beziehung zwischen Gott und Menschen[223]. Aber Jahwe errettet auch vom Tod. Barth erklärt diesen Zusammenhang damit, daß die Bitte um Errettung vom Tod nicht den Tod überhaupt (gewiß nicht den „natürlichen" Tod nach einem langen und erfüllten Leben) meint, sondern den plötzlichen, „feindlichen, drohenden und richtenden" Tod[224].

Aus dem Todesreich selbst gibt es nach alttestamentlicher Auffassung keine Rückkehr. In den Psalmen wird diese Todesgrenze nicht überwunden, freilich ist in ihnen die Hoffnung darüber hinaus zumindest bereits (natürlich in keiner Weise systematisch) angelegt: nämlich in der sich aufdrängenden Hoffnung aus dem Vertrauen auf die Treue des lebensspendenden Gottes: „Die alttestamentlichen Frommen haben für ihr Vertrauen keine Garantie außer die Treue Gottes."[225] Eben darin liegt der Keim jeglicher Auferstehungshoffnung.

Die alttestamentliche *Vorstellung vom Tod ist eine räumliche und dynamische.* Der Tod hat eine Ausbreitung und auch die kraftvolle Tendenz dazu[226]. Die Eigenschaften und damit Kraftfelder des Totenreiches sind: Nichtleben, Gefangensein, Einsamkeit, Schwachsein, Leibverfall, Freudeverlust, Verlust der Aktionsfreiheit[227]. Entscheidend ist, daß der einzelne

---

222 Barth 1947, 11.
223 Vgl. a.a.O., 73/4; Gerlemann Art. 1971 b, 555.
224 Vgl. Barth 1947, 165; vgl. Ps 91, 16.
225 A.a.O., 166, vgl. auch 165 sowie Gerlemann Art. 1971 b, 557; Gunkel 3/1975, 186 f.; Mußner 1969, 30-48. Ps 22, 30, dazu s. u. 4.2.3 (3).
226 Vgl. Barth 1947, 75; auch 11.16. 77 ff. 85. 89. 91. 144. 164 ff. Bei Barth finden sich auch viele Parallel- und Vergleichszitate aus den anderen Psalmen an den jeweils entsprechenden Orten.
227 Vgl. a.a.O., 77-80; zur Lokalisierung der Totenwelt „in der Tiefe" 81 ff.; („In der Tiefe" meint die chaotische Wassertiefe, den Chaoszustand); zu den Arten des Bedrängtseins zusammenfassend 145; zur Todesnähe vgl. auch Westermann 1977, 120. Wichtig ist, daß in Israel die Rolle des Chaotischen grundsätzlich die Macht verloren hat (während sie in Ägypten als ständig gefährdende Potenz vor Augen steht, in der grundsätzlich das Chaos die gleiche Gewalt hat wie die Heils- und Ordnungsgottheit). Dies ist ja auch der Grund, weshalb der Psalmist in diesem Maße Vertrauenshilfe geben kann. Das Chaos kann zwar für den Glaubenden insofern gefährlich werden, als er seinen Glauben „verliert" (im Sinne: Israels Gott untreu werden), aber für den, der durch die Noterfahrung und die Anfechtungen hindurch sein Vertrauen auf Gott nicht verliert, kann die Chaos-

schon zu Lebzeiten in die Gewalt der Todessphäre geraten kann. Dabei nimmt er an, daß er sich bereits realiter im Totenreich befindet, weil er ja auch ganz real dessen machtvolle Eigenschaften als lebensvermindernde Not erfährt. Der Tod nähert sich, er reicht ins Leben in Krankheit, Gefangenschaft, Anfeindung, überhaupt in allen Arten des Unheils: im Unglück, in der Armut, im Hunger, im Durst und in der Drangsal[228]. Es kann deswegen nicht als metaphorische Redeweise reduziert werden, wenn sich der Klagende bereits im Reich des Todes bzw. in dessen Macht glaubt. Er schildert die Gefahr bzw. die Tatsache der Todeserfahrung nicht in einem übertreibenden Stil, sondern im Bewußtsein *realer* Zustände. Jeder, der Leiden hat, hat es mit dem Tod zu tun.

● In solcher Erfahrung der Todessphäre entstehen Anfechtung und Verzweiflung, die *erst wieder im Kontakt mit dem überwunden werden können, der stärker ist als die Macht des Todes*, der als einer geglaubt wird, der vom (bösen) Tod errettet. Dies führt freilich in Konfrontation mit folgendem Vorstellungskomplex zu einem Dilemma: Wer sich in der Spähre des Todes befindet, ist *gottferne*. Die Todesrealitäten haben also die gleiche Wirkung im Bezug auf die Gottesbeziehung wie Schuld und Sünde. Deswegen stehen letztere auch in besonderer Nähe zum (bösen) Tod. Von daher ist es dem alttestamentlichen Menschen auch so schwierig, im Zustand der Todesnähe zugleich die Nähe Gottes anzunehmen. Damit konkomitiert auch die Vorstellung, daß allein der sich im Leben Befindliche die Möglichkeit hat, Gott zu loben. Wenn deshalb unser Psalmist um das Leben als das „einzige Gut" bittet, bittet er nicht um einen Gegenstand abgelöst von der Gottesbeziehung für sich selbst, sondern gerade um die weitere Möglichkeit, Gottes Angesicht zu „sehen" und ihn zu loben (vgl. V. 21 b und 25 c). Loben und Leben gehören zusammen und bedingen sich gegenseitig[229].

---

macht nicht entscheidend gefährdend werden. Jahwe nämlich ist endgültiger Herrscher und Sieger über das Chaos. Der Glaubende kann in den Untiefen der Chaosmächte nicht mehr versinken, dessen Wasser können über ihn nicht mehr zusammenschlagen. Diese Vertrauensposition auf die Treue Jahwes hat Endgültigkeit und gilt im Ernstfall: Dafür ist der Prozeß der Klage sowohl die Ermöglichung als auch das Zeugnis. So will der Psalmdichter sagen: Es kann nie passieren, daß du ins Chaos versinkst. In Ägypten dagegen ist das Chaotische eine zyklisch immer wieder ernsthaft wiederkommende Gefahr, der man auch magisch zu begegnen hat. So sind die Wanddekorationen in Ägypten angereichert mit dem „Sprechakt" der Magie, die chaotischen Mächte fernzuhalten. In Israel ist es dagegen: Die Überwindung des Chaos wird im Glauben Jahwe als Handlung von vornherein zugeeignet: als endgültiges Faktum; vgl. Gelübdestruktur, s. u. 4.2.3 (2). Dies ist ausgesprochen singulär zur Umweltreligiosität!

228 Vgl. Barth 1947, 93 ff., 102 ff., 104 f., 108 f., zur Realität in der Todeserfahrung vgl. 144 f., 92.
229 Vgl. a.a.O., 114; zum Verhältnis von Tod und Sünde vgl. 109 f.; zur inneren Beziehung von Loben und Leben vgl. 150; auch Zirker 1964, 81; Fuhs Art. 1981 b, 216; Gerlemann Art. 1971 b, 550; Deissler 3/1966, 15.

Wer sich im Bereich des bösen Todes befindet, hat ein außerordentliches Eingreifen Gottes nötig, um aus dieser Sphäre ins Leben hinein herausgeholt zu werden. Tod und Leben, Unheil und Heil stehen sich demnach als gegensätzliche Räume gegenüber. Der semantische Befund der Errettungsaussagen ist entsprechend gekennzeichnet durch die räumliche Vorstellung des „Herausholens" (vgl. V. 21)[230]. Die Konsequenz, der erwünschte Zustand nach der Errettung, sind die Gegenerfahrungen zur Todessphäre: Gottes Nähe (eventuell mit Schuldbefreiung), Genesung, Sicherheit von Feinden, Wiederherstellung einer glücklichen gesegneten Existenz und die volle Wiedereingliederung in das erwählte Volk sowie Freude und Dank als Reaktionen auf die Errettungswirklichkeiten und die damit erfahrenen Lebenserweiterungen[231].

● Ps 22 geht das *Wagnis* ein, *in der Situation der Not den Tod beim Namen zu nennen*[232]. Darin zeigt der Beter deutlich, daß es weder in seiner Macht liegt, sich selber aus dem Tod herauszuholen, noch daß er die Gefahr befürchtet, durch die Nennung des Todes auf magische Weise dessen Macht sich gegenüber zu vergrößern. Sein Mut ist in seinem grundsätzlichen Glauben begründet, daß Gott allein die Kompetenz gegenüber dem Tod besitzt. In Hinsicht auf die alttestamentliche Todesanthropologie mutet es schließlich geradezu revolutionär an, daß Gott in der Erfahrung der Todesbedrängnis dennoch seine Nähe und lebensspendende Hilfe zugetraut wird. In der erhörungsgewissen Bitte V. 22 b geschieht dieser „qualitative Sprung". Der Weg ist frei zur Anerkennung Gottes in der Lobbegegnung mit den Brüdern[233].

---

230 Vgl. Barth 1947, 124 ff.; Preuß Art. 1981; s. o. 4.2.1 (2).
231 Vgl. Barth 1947, 148-151.
232 Es spricht für den ausgesprochen profilierten Sprechakt der Klage in Ps 22, daß hier der Tod in einem Klagelied beim Namen genannt wird. In der Regel nämlich wagt erst der Dankende (in Dankpsalmen) aus dem Überstandenhaben im Rückblick heraus, den Tod nachträglich beim Namen zu nennen: vgl. a.a.O., 93, auch 145.
233 Übrigens spricht die Form der sprechaktorientierten Rahmenfunktion von V. 12 und V. 20 sowie deren ähnliche semantische und syntaktische Gestaltung (Imperativ und Indikativ in Verbalform (niemand ist da) bzw. Imperativ und Indikativ in Nominalform (du meine Stärke als Gegensatz zu „niemand hilft")) für unsere oben gewählte Absatzeinteilung. Auch die wieder aufgenommenen Wortwerte „ferne" und „helfen" gehen in die gleiche Richtung. V. 12 ge'!ört also kompositorisch zu V. 20 f. Man kann V. 20/21 gleichsam als (poetisch als Klimax gestaltete) Ausführungsbestimmungen des gewünschten „Nichtferneseins" Gottes (V. 12) im Sinne des Herausgeholtwerdens aus der Macht des Todes verstehen.

4.2.3 Lob, Gelübde und Universalität: Ps 22, 23-32

(1) Der Lobpreis

Abschnitt III verfällt deutlich in zwei Teile, nämlich V. 23-27 und 28-32, in denen der Text einen doppelten Anlauf zum Lobpreis Jahwes unternimmt. Der erstere ist geortet in der Aktion des Beters und seiner erfahrungsbezogenen Umgebung der Gemeinde; der zweitere bewegt sich im Vorstellungsfeld des Universalen und Globalen, jedenfalls bis V. 30 b. V. 30 c-32 könnte sich wieder an V. 27 anschließen: Die räumliche Ausweitung (V. 28-30 b) wird nämlich abgebrochen und weicht der zeitlichen Ausweitung, die zwar die gegenwärtige aktuelle Gemeindeversammlung (v. 26) übersteigt, aber durchaus innerhalb des Erzählzusammenhanges bleibt, worin auch der Beter selbst noch integriert ist[234]. Die Anknüpfung von V. 27 c auf V. 30 c kann über das Stichwort „leben" erfolgt sein[235].

● Der *Voluntativ in der ersten Person (V. 23)* drückt die feste Absicht aus, Gottes Namen zu verkünden und zu lobpreisen. Der Beter hat erfahren, was dieser Name Gottes für ihn bedeutet: In ihm erscheint ihm die Nähe des zuerst als fern geglaubten erhabenen Gottes (vgl. V. 4 und 7)[236]. Diese Erfahrung will der Psalmist verkünden. Damit integriert er sich mit seinem

---

234 Besonders Keels Übersetzungsvorschlag böte sich hier an: Art. 1960, 413; die Ausweitung über die aktuelle Gemeinde hinaus auf Israel ist ja bereits in V. 27 angelegt.

235 Wir ersparen uns in diesem Zusammenhang weitere textkritische Spekulationen, weil der Text als unsicher gilt und die Übersetzungen stark variieren. Es fällt bedeutungsmäßig auch nicht entscheidend ins Gewicht, ob V. 30 c eine spätere Glosse (spiritualisierender bzw. dogmatisierender Art) ist (vgl. Kraus 5/1978, 176; Weiser 7/1966, 147; Gese Art. 1968, 4). Mit dieser Annahme fiele natürlich der Stichwortanschluß über „Leben" mit V. 27 c weg. Jedenfalls besteht Einigkeit in der in V. 23-27 bereits angelegten Tendenz zur Universalität, die V. 28-30 räumlich in der Gegenwart und 30 c bzw. 31 f. zeitlich in die Zukunft weitergetrieben wird, allerdings — diese Reduktion bleibt — nur für den eigenen Stamm bzw. das eigene Volk als Träger der Heilsverkündigung. Daher wirkt eben doch der adversative Anschluß „aber" von V. 31 c, wie ihn Stolz 1980, 131, bringt, nicht unbegründet. Wir entscheiden uns für seine Übersetzungsvariante, weil sie am wenigsten Textveränderungen nötig hat: „Aber es erhält aufrecht seine Lebenskraft das Geschlecht, das ihm dient." Läßt man das „aber" weg, das aufgrund des Einschubs V. 28-30 c nötig wird, so schließt sich V. 30 c f. an V. 27 an, besonders wenn man den Übersetzungsvorschlag Keels akzeptiert: „Und wo einer selbst nicht (mehr) lebt, wird Nachkommenschaft ihm dienen" (vgl. Keel Art. 1970, 413). Dadurch wird das „auf immer" von V. 27 über den Tod des einzelnen hinaus in die Zukunft weitergebracht.

236 Vgl. Westermann 1977, 43/4; 93: Gott erhöht und erniedrigt, der erhabene Gott ist dem Armen nicht ferne, er ist ihm treu (vgl. V. 25); vgl. Zirker 1964, 24; Kraus 5/1978, 128. Die Jahweanrede V. 23 hat übrigens, wie V. 4, hymnische Dignität. Der Hymnus, ursprünglich ein Moment der Volkslieder, wurde durch Motivübertragungen und sekundäre Stilisierungen in die Klagelieder des Einzelnen übernommen; vgl. Crüsemann 1969, 309; 208/9 (besonders Nr. 7). Zum Lob Gottes in den Psalmen vgl. Schreiner Art, 1974; zur Nähe und Hilfe Gottes anhand von Ps 124 bzw. Ps 42/43 Schreiner Art. 1969 a bzw. 1969 c.

eigenen Heilserlebnis in die aktuelle und durch die Zeiten hindurchgehende Erzählgemeinschaft der Gemeinde bzw. Israels (vgl. V. 31 b). Das Erzählen ist die Durchführung des Lobpreises selber (vgl. V. 25)[237]. Der Beter will dies tun vor den Brüdern, in der Gemeinde, wobei es nicht entschieden werden muß, ob es sich hier um eine lokale bzw. tempelorientierte Kultversammlung der Glaubensbrüder oder um einen synagogalen Gottesdienst der Gemeinde handelt[238].

Viermal begegnet in den *V. 23-27 der Sprechakt des Lobpreises* in performativen Ausdrücken, eigenartigerweise nicht mehr ab V. 28. Dort wird er durch neue Varianten abgelöst (dazu später). Das hebräische Verb „loben" (*hll*) begegnet im Alten Testament überwiegend auf Gott bezogen und im Zusammenhang mit anderen Gläubigen. Auch das Lob des einzelnen vollzieht sich nicht singulär, sondern kommunitär[239]. So wird in V. 24 die Gemeinde in drei Anläufen zum Lobpreis aufgefordert. Beim zweiten und dritten Anlauf spricht der Psalmist die Gemeinde auf ihre geschichtliche Herkunft an (vom Stamm Jakobs, als Nachkommen Israels). Im Zusammenhang mit V. 30 c f. kann man hier von der Herkunftsseite, dort von der Zukunftsseite israelitischer Erzähl- und Heilsgeschichte sprechen[240].
Neben dem Voluntativ der Selbstaufforderung ist der *Imperativ* als Aufforderung an die Gemeinde die zweite beherrschende Stilform des Lobpreises. Als drittes kommt die *jussivische* Weiterführung des Imperativs („sie sollen", vgl. V. 27 a und b) dazu[241]. Gotteslob und Glaubensgemeinschaft gehören wesentlich zusammen: „Im Gotteslob gibt die Gemeinschaft ihrem Selbstverständnis, ihrem Sein gegenüber Gott einen Ausdruck."[242] Es geht dabei um das Selbstverständnis, daß die Gemeinde von der gottanerkennenden Begegnung mit ihm her lebt. Dieses Leben mit Gott aktualisiert sich im Sprechakt des Lobpreises, in dem Gott „groß gemacht"[243],

---

237 Vgl. Crüsemann 1969, 80/307; Westermann 1977, 87/9: Bei ihm ist das erzählende Weitersagen Gottes identisch mit dem berichtenden Lob.
238 Vgl. Ringgren Art. 1977, 436. Welche Gemeinschaftsform jeweils gemeint ist, ist eine Frage der Pragmatik, des Ortes und der Zeit, in der der Psalm gebetet wird. Bei der Textsorte des (Gebets)-Formulars bleiben durch die Zeiten hindurch weder „Sitz im Leben" noch die Gattung konstant. So ändert sich in der Aktualisierung des Exils sowohl die Situation wie auch die Gattung im Sinne Gunkels: Aus dem individuellen wird ein Volksklagelied. Die Gattung bliebe lediglich konstant, wenn man sie als textinternes tiefenstrukturelles semantisches Sprechaktpotential definierte, denn dieses wird durch die Erweiterungen nicht lädiert. Andernfalls würden die Zusätze den Text nicht erweiternd aktualisieren, sondern zerstören; s. u. 5.1.1.
239 Vgl. Westermann 1971 a, 497; Zirker 1964, 38/9.
240 Dies spricht für den Anschluß von V. 30 c an V. 27: Beide Seiten ergänzen sich.
241 Der Jussiv begegnet meist als Abschluß der Klage des einzelnen und stellt darin das künftige Lob in Ausblick. Dies ist ein deutlicher dramatischer Hinweis darauf, daß bis einschließlich V. 27 die Gattung des Lobgelübdes weiterläuft; vgl. Westermann Art. 1971 a, 496.
242 Westermann Art. 1971 a, 495.
243 Vgl. Ringgren Art. 1977, 435. Klimaktisch verstärkt wird dieses „Großmachen" durch den in V. 24 b begegnenden Wortstamm von „Kabod" (parallelisiert zu

in seiner Fülle als Gott, in seinem Gottsein gegenüber Israel „anerkannt, bejaht und bestätigt" wird[244]. Solches Loben bedeutet das Leben für Gemeinde und einzelnen, ist Bedingung des Lebens überhaupt[245]. Dies erfährt der Beter an seiner eigenen Existenz: Sein Sprechaktprozeß der Anerkennung der Gottheit Jahwes in seiner erhabenen Freiheit wie auch in seinem treuen Mitgehen hat ihn zum Leben gebracht. Die $t^e hill\bar{o}t$ als Lobpreisäußerungen für die geschichtlichen Heilstaten Gottes in V. 4, die dort noch seltsam fern scheinen, kann der Beter nun mit seiner eigenen Heilserfahrung und damit möglichen Integration in den großen Lobpreis anreichern.

- *Das Lob hat deutlich die Kommunikationsstruktur der Tripolarität von Beter, Gemeinde und Gott.* Der Beter will in der Gemeinde Gott loben, er fordert sie selbst zum Lob Gottes auf. Der *Tripolarität der Klage von Beter, Feinde und Gott* entsprechen demnach die drei Kommunikationspartner des Lobes, wobei freilich die Feinde durch die Brüder, durch die Gemeinde ausgetauscht sind. Weder Klage noch Lob sind für sich allein Angelegenheit zwischen Gott und dem einzelnen Menschen, sondern sie haben beide *sozialen* Charakter. Jetzt haben die Menschen die Funktion, Dank und Freude (über die Rettung bzw. Rettungsgewißheit) zu verstärken und mitzuverursachen. Beide Gruppen werden in die Gebetsrede einbezogen, sie gehören wesentlich zur entsprechenden Gebetsbegegnung zwischen Gott und Mensch und dürfen nicht nur darin, sondern sollten darin zum Ausdruck kommen: Die Feinde haben etwas gegen den Beter getan, die Brüder tun nun etwas zusammen mit ihm: Sie loben Gott.

In dieser Konzentration auf das gleiche Sprechaktgeschehen konstituieren sich letztere als (solidarische) Gemeinde. Hätten die Umstehenden (V. 7 ff.) nicht als Feinde reagiert und von vorneherein mitgeklagt, wären sie bereits im gemeinsamen Sprechakt der eigentlichen Klagegemeinde gewesen[246].

---

halal in 24 a). Gott soll in seiner Kabod, in seiner Herrlichkeit gelobt werden. Diese Verherrlichung der Ehre Gottes hat nicht metaphysischen, sondern geschichtlichen Charakter und geschieht durch die Gottes Heilstaten vergegenwärtigende Verkündigung; vgl. Zirker 1964, 26; vgl. Ps 96, 3. Vgl. zum „Großmachen" auch die von Westermann gemachte Paraphasierung des Halal durch das deutsche „Hochhalten": 1977, 132.

244 Vgl. Westermann Art. 1971 a, 495/6.

245 Vgl. Zirker 1964, 82; auch Ringgren Art. 1977, 439; vgl. auch V. 27, wo Lob und Leben zusammengebracht sind. Von daher wird auch einsichtig, daß alles, was lebt, alles Geschaffene, die Kreatur und die Völker *durch den Sprechakt Israels hindurch Gott lobt*. So bringt Israel alles Leben in das Lob Gottes ein. An eine Missionierung der Völker ist dabei ebensowenig gedacht wie an die der Kreatur. Zur Funktion des Gotteslobes vgl. Rowley 1967, 259.

246 Wie weit es im Zusammenhang mit den einzelnen eine solidarische Klagegemeinde gegeben hat, braucht hier nicht weiter verfolgt zu werden (s. u. 5.2): Hinweise darauf geben die Untersuchungen von Albertz 1978 und Gerstenberger 1980. Wahrscheinlich jedoch ist, daß der Klagende, sofern er sich noch in der Phase des Abschnitts I befand (in dem selbst die Freunde als feindliche Spötter

Doch konnte der Beter offensichtlich „damals" diese Erfahrung noch nicht machen bzw. zulassen, weil sein Verhältnis mit Gott noch ungeklärt war. Wer sich von Gott verlassen glaubt, keine Antowort zu hören meint, wird genau dies auch Menschen nicht zutrauen können. Wer Gott keine Sympathie mehr zutraut, kann es nach alttestamentlichem Verständnis des „Vertrauens" (s. o. 4.2.1 (2)) erst recht den Menschen nicht[247]. So kann der Psalmist, nachdem er Gottes Treue wieder trauen kann, durch die lobende Verkündigung seines biographischen Heils in der Gemeinde ein gemeinsames Gedächtnis als Ausdruck der neuen Gottes- und Menschengemeinschaft in der Form des Gelübdes in Aussicht stellen. Es ist ein „rühmendes Bekenntnis, das die Hinwendung zu Gott verbindet mit dem Rückblick auf vergangene Ereignisse."[248]

● *Der Lobpreis ist nicht inhaltsleer, sondern mit der Verkündigung und Erzählung einer Heilstat oder der Heilstaten Jahwes propositional aufgefüllt*[249]. Im $t^ehill\bar{a}$ verbindet sich die Aktion des Rühmens wie auch der

---

angesehen werden), also im ersten Schock der Noterfahrung, alleine bzw. nur mit engsten Freunden und Verwandten zu beten vermag. Anders ist es natürlich bei der kollektivierenden Rezeption des individuellen Klagegebetes im Exil: Hier gibt es tatsächlich in den synagogalen Gottesdiensten die Klagegemeinde, weil ja die Noterfahrung allen Exilierten gemeinsam ist. Die Feinde sind hier nicht mehr innerhalb des Volkes, sondern außerhalb der eigenen Volksgruppe zu suchen. (Abschnitt II freilich hätte der einzelne in einer (lokalen) Klagegemeinde wohl beten können, weil es hier vor allem um die sich nicht auf die unmittelbare Umgebung beziehenden Projektionen der Chaos- und Todesmächte geht).

247 Zur Tripolarität der eigentlichen Klage, Feinde, Ichklage und Anklage Gottes, vgl. Westermann 1977 b, 65-80; s. o. 4.2.1. Zur Entstehung der Bipolarität (Gott und Gemeinde) des Dankliedes und des entsprechenden kultischen Sitzes im Leben vgl. Crüsemann 1969, 282-284; auch 309, 2. Spätestens durch die durch das Exil erzwungene Ablösung vom Kult (Joschija) hatte schon vor dem Exil die lokalen Kultstätten abgeschafft, nun war auch der Tempel als Zentrum kultischer Frömmigkeit zerstört) erfolgt der Prozeß der Spiritualisierung (vgl. a.a.O., 284 und 306). Nach aller Wahrscheinlichkeit ist dieser Prozeß aber längst vor dem Exil eingeleitet, nämlich als geistlicher Raum an spirituellen Zentren (ein solches Zentrum muß nicht nur der Tempel sein), an denen „in weitgehender Freiheit von kultisch-rituellen Vollzügen ein schöpferischer Umgang mit dem überkommenen Form- und Traditionsmaterial möglich, . . . der Bezug des einzelnen zu Jahwe zentral war, aber zugleich ein didaktischer Wille herrschte." (vgl. a.a.O., 306). Welche Realisierung dabei die in kultischer Reminiszenz ausgedrückten Vorgänge des Todamahles erhalten, oder ob man sich gänzlich mit der metaphorischen und spirituellen „Verwirklichung" des Textes begnügte, ist nicht mehr auszumachen. Ähnliches gilt wohl für die Zeit des zweiten Tempels. Kultische Sprache allein jedenfalls läßt noch nicht notwendig auf kultischen Sitz im Leben schließen; vgl. Rowley 1967, 246 ff., 266/269/271; zur joschijanischen Reform vgl. Lang Art. 1981, 70 f.; (s. u. 5.2).

248 Zirker 1964, 11, vgl. auch 10.

249 Leere Illokution wäre eine inhaltslose Kommunikation, beispielsweise die Frage „Wie geht es Ihnen?", die rein formal-höflich plaziert ist und den Inhalt des Gefragten gar nicht einholen will. Einem solchen formalisierten und ritualisierten Umgang mit geschichtlicher Erinnerung im Kult ist der israelitische Gottesdienst nie zum Opfer gefallen: Der Kult wäre dabei zum reinen synchronisierenden Mythos geworden.

Inhalt des Gerühmten, die „traditio activa und passiva"[250]. Gottes Lobpreis ist zugleich identisch mit der geschichtlichen Offenbarung des heil-
schenkenden Gottes. Die Offenbarung der Wahrheit Gottes erfolgt im
Sich-Anreden-Lassen durch Jahwe und erschließt sich in der Anrede, im
Sprechakt des Lobes. Offenbarung ist eine Funktion der Begegnung zwischen Gott und Mensch. Deshalb kann der Mensch nicht schweigen, will
er nicht die Begegnung mit Gott und seiner Wahrheit verlieren bzw. vergessen[251]. Dabei haben nicht nur die kollektiven Heilstaten Jahwes, sondern auch seine individuell-biographischen gemeindlichen Öffentlichkeits-
und damit Heilscharakter. Das Gotteslob ist dann um so gesteigerter, je
„größer" die Versammlung ist, die die Erzählung hört. So steigert sich die
Hörerschaft des Beters von V. 23 über V. 27, wo nicht nur die Gemeinde,
sondern alle Armen und Gottsuchenden zum Lobpreis aufgefordert werden, bis hin zu V. 30 c ff., wo die Heilstat kommendem Volk zu verkünden ist. Die reale Runde der Hörer und Mitlobenden weitet sich mehr und
mehr zugunsten einer zeitlich und räumlich immer entfernteren bzw. um-
fangreicheren kollektiven Größe aus. Der intentionale Impuls dazu ist ein
möglichst intensives und breites Gotteslob. Die *räumlichen und zeitlichen
Ausbreitungen sind eine Funktion des aktuellen lobpreisenden Sprechaktes.* In diesem Tendenzzug zunehmender Universalisierung fügt sich auch
das Überschreiten der eigenen Volksgemeinschaft auf die Völker und Enden der Erde (V. 28-30) sowie der Einbezug der ganzen Kreatur und
Schöpfung ein (s. u. 4.2.3 (3)).

• *Die Hörer und Mitlobenden in der Gemeinde werden in V. 27 als die
„Armen"* bezeichnet. Darin findet sich kein soziologischer Begriff, sondern
ein theologischer: Es sind die Frommen, die Jahwe fürchten (vgl. V. 24/
26), die, im Gegensatz zu den Frevlern, offene Ohren haben für Gottes
Heilstaten, die die aktuelle Gemeinde am Ort des Gottesdienstes bilden[252].
Sich selbst nennt der Beter V. 25 b einen „Armen", wobei freilich (vom
Kontext „Elend des Armen") bei ihm beide Bedeutungsdimensionen mit-
spielen: Er ist aufgrund der Not ein real Armer, gehört aber aufgrund der
Erhörung zugleich zur Gemeinde der „Armen", an denen Gott Gefallen
hat, die er nicht verachtet (V. 25 a)[253]. Im Moment ist er (noch) beides

---

250 Vgl. Zirker 1964, 27; Westermann 1977, 180 ff., 185. Vgl. ders. Art. 1971, 499.
251 Vgl. Zirker 1964, 82; Wildberger Art. 1971, 204, wo sehr deutlich ausgeführt
    wird, daß die Wahrheit des Hebräers in der personal erlebten Verläßlichkeit,
    also in einer Treuebeziehung besteht. Vgl. auch Fuchs Art. 1981, 110-118.
252 Vgl. Zirker 1964, 63; entgegen Gunkel 3/1975, 209, der nur vom sozialen Ge-
    gensatz zwischen arm und reich ausgeht.
253 Vgl. Gerlemann Art. 1971 a, 623 ff.; Wildberger Art. 1976, 3 f. Das Elend wird
    im Lobteil nicht – wie in den Dankpsalmen – breit geschildert, sondern nur in
    einem Wort in Erinnerung gerufen. Dies spricht eindeutig dagegen, in V. 23 f.
    die Gattung des Dankliedes erkennen zu wollen: So Kraus 5/1978, 182, ob-

gleichzeitig. Gott hat gerade ihn als den Armen geachtet und erhört. *Reale Armut* jeglicher Art ist also kein Anzeichen, nicht zu den *theologisch qualifizierten Armen* zu gehören. Gott verachtet den Elenden nicht wie die Spötter, er treibt ihn nicht gänzlich in den Todesstaub wie die Feinde. Gott ist anders, er ist nicht leicht aufgrund einer erlebten Situation kalkulierbar. Über erlebte „Ferne Gottes" (auch über seine „Nähe") kann man sich täuschen. *Diese Täuschungsoffenheit von Situationen in ihrer Aussagekraft hinsichtlich der Beziehung Gottes zu den Menschen macht die Freiheit Jahwes und des Menschen aus und ermöglicht das Krisengespräch*[254].

Der Beter des Ps 22 steht das Konfliktgespräch durch, er provoziert es direkt und gelangt schließlich zu einer neuen Vergewisserung der *Treue* Gottes (V. 26). Diese Treue ist ihm die entscheidende Hilfe. V. 32 spricht er von ihr als einer Heilstat der Gerechtigkeit[255]. In diesem Wort erscheint die Appreviatur für das, was der Psalmist mit Gott erfahren hat: Seine Gerechtigkeit besteht darin, daß er die Armen, Gefangenen und Hilfsbedürftigen mit der Erfahrung geschichtlicher Heilstaten beschenkt. So fallen bei Deuterojesaja häufig Gerechtigkeit und Hilfe bedeutungsmäßig zusammen. Wer die Gerechtigkeit Gottes verkündet, verkündet deshalb keine statisch-gesetzliche Norm, sondern die lebendige Beistands- und Mitgehbeziehung Gottes zum Volk und zum einzelnen; er erzählt von dieser Art von lebendiger Begegnungsnorm, wie sie in jeder erzählten Heilstat konkret geworden ist und wird. Diese Heilstaten bürgen für Gottes Heilsgegenwart und -zukunft[256]. Der Begriff der Treue Gottes spricht diesen Begegnungskern seiner „Gerechtigkeit" aus: Jahwes Treue rühmt man in den Klageliedern, weil man ihn als Helfer erfahren hat. Gott vergißt seine Bundestreue zum Volk wie zum einzelnen nicht[257]. Darin besteht die Wahrheit Gottes, daß er verläßlich ist.

---

gleich er 183 selbst verwundert ist, daß die zu erwartende *tôdā*-Basis in V. 26 nicht vorkommt.

254 Der Ausgang solchen Krisengesprächs ist freilich nie „sicher": Weder das Gefallen noch die Verachtung sind kalkulierbar; vgl. Westermann 1957, 28; 1977, 93. 182/3; Fuhs Art. 1981 b, 217.

255 Vgl. Zirker 1964, 22; Jahwe hat Gefallen daran, heilvoll und gemeinschaftstreu zu sein. So wird seine Gerechtigkeit als Hilfe erfahren. Diese Einsicht verkündet besonders Deuterojesaja: vgl. zu *ṣdq* (gemeinschaftstreu/heilvoll sein) Koch Art. 1976, 518 ff.; hier besonders 520/3/7.

256 Ähnliche Bedeutung hat der Parallelbegriff zur Treue, die *hœsœd* (Güte, Huld, Gemeinschaftswille). Auch dies ist ein Verhältnisbegriff der Verbundenheit und Solidarität; vgl. Zirker 1964, 23; Wildberger Art. 1971, 204/5; Albertz 1978, 81 ff.

257 Vgl. Wildberger Art. 1971, 201 ff.; besonders 204/5; auch Zirker 1964, 116/8. Im Grunde ist es ziemlich sinngleich, ob man *mēʾitkā* mit „Treue" (vgl. Gunkel 5/1968, 97) oder mit „von dir aus geht mein Lob!" (vgl. Kraus 5/1978, 170; Weiser 6/1966, 147; Gese Art. 1968, 3) übersetzt. Im Kontext des Psalms meint das „von dir aus" gerade die Erfahrung des heilenden und nahen Gottes, der nicht verachtet, sondern treu ist!

Außer dem *Erzählen* und *Verkünden* gehören zum Sprechakt des Lobes einige weitere Aktionen, die ihm vorausgehen und ihn zugleich begleiten. Es sind dies die Aktionen des *Fürchtens* und *Erschauerns* (V. 24 a/c und 26 c), des *Suchens* (V. 27 b), des *Essens und Sich-Sättigens* (V. 27 a) und schließlich des *Auflebens* (V. 27 c). Diese Verben präzisieren noch einmal den Lobpreis in seinen verschiedenen Profilierungen. Daß all diese Verben zum lebendigen und durch und durch *vitalen Lobpreis Gottes* gehören, zeigt sich syntaktisch und poetisch darin, daß sie im Parallelismus membrorum einander als bedeutungsähnliche Größen zugeordnet sind.

● *Zuerst zum Bedeutungsfeld der Gottesfurcht:* Becker hat in seiner Untersuchung über die Gottesfurcht auch den Psalmen seine Aufmerksamkeit geschenkt. Gottesfurcht meint in ihnen die Momente der Jahwetreue, jedoch weniger im aktuellen Verhalten der Furcht, denn in der Qualifikation der Fürchtenden als solche, die der Gemeinde Jahwes angehören. „Der Begriffsart eignet so ein kommunitärer Zug, ein Interesse an der Zugehörigkeit zu der Gemeinde Jahwes und dadurch etwas Statisches."[258] Die Dimension des Unheimlich-Numinosen in der akuten Furcht vor Gott ist nur noch als konnotative Nuance vorhanden. Oft meint der Begriff in den Psalmen die Kultgemeinde in actu (vgl. V. 23 f.), er kann aber auch das ganze Volk Israel meinen, das ja nicht leicht als aktuelle Kommunität greifbar ist[259]. Hiob (6, 14) spricht diese innere Verquickung von *Gottesfurcht und Gemeinschaft* sehr deutlich aus: „Wer die Gemeinschaftstreue bricht, gibt auch die Furcht vor Gott auf."

Später, in nachexilischer Zeit, sind die Gottesfürchtigen identisch mit der Elite der Jahwetreuen, deren Gemeinde nicht mehr unmittelbar durch den Kult, sondern durch ein frommes Leben (auch im sittlichen bzw. nomistischen Sinn) geprägt ist[260]. Welche genauere Bedeutungskonnotation nun das Verb hat, hängt mit der literarischen Gattung und ihrem Sitz im Leben zusammen. Man müßte wissen, wer den Psalm zu welcher Zeit und aus welcher Situation heraus betet, um *sein* Verständnis des „Fürchtens" zu bestimmen. Ps 22 dürfte, wenn man seine Redaktionszeit (s. u. 5.2.3) in Rechnung stellt, sicher vom Tempelkult losgelöst sein, freilich lebt er literarisch von dessen sprachlichen Reminiszenzen und hat so noch nicht hinsichtlich „fürchten" die auch sprachlich durchkommende Ablösung vom kultischen Geschehen in Richtung des allgemeiner verstandenen „Sich-an-

---

258 Becker 1965, hier 126; Fuhs Art. 1981 a; vgl. auch Stähli Art. 1971 b, 774 ff.
259 Welche Bedeutung die Gottesfürchtigen im Zusammenhang mit den Armen im Verständnis der Zeitstufe haben, in der Ps 22 seine Redaktion erfährt, dürfte eine Mischung sein aus der ursprünglichen Bedeutung (wer sich in Not befindet, kann sich an Jahwe wenden) und aus dem sittlichen Aspekt der Frommen (was noch nicht sapiential sein muß); vgl. Becker 1965, 131/2.
260 Zur semantischen Entwicklung des Numinosen zum Sittlich-Nomistischen im Begriff der Gottesfurcht vgl. a.a.O., 19. 283 f.; vgl. Fuhs Art. 1981 a, 876/7, 879-883.

Jahwe-Haltens."[261] So verschärft „Gottesfurcht" in Ps 22 den Aspekt des Kommunitären und der Verehrung im Sprechakt des Lobpreises, eventuell auch, im späteren Gebrauch, den Aspekt der Jahwetreuen als der ausgesonderten Frommen.

Sicher wird aber auch das alte, dem Wort anhaftende Moment der numinosen Furcht vor dem unbegreiflichen verborgenen Gott durchfärben, auch wenn diese Furcht bereits auf die geistigere Ebene der Ehrfurcht gehoben ist[262]. Die archaische Spannung zwischen Tremendum und Faszinosum schwingt hier mit und gibt dem Lobpreis eine eigenartige Qualität und Tiefe[263]. Solche Gottesfurcht ist der Boden, auf dem Gottes Majestät (vgl. V. 4) in überraschend heilsamer Nähe erlebt wird. Gottesfurcht ist also nicht im Gegensatz zur *Freude* zu sehen, sondern steht zu ihr in einem Ergänzungs- und Spannungsverhältnis. Mit Freude und Furcht nämlich reagiert der Gläubige auf die heilvolle Gegenwart des *heiligen* Gottes[264]. Der Verborgene entbirgt sich als der Helfende. So wird das Fürchten

---

261 Vgl. Becker 1965, 131; ein gutes Beispiel dafür ist die Verwendung von *gur* (erschauern) als Parallelwort zu fürchten in V. 24: Es ist ein altertümliches Wort, das seinen Ursprung im Kult hat. In Ps 22 wird dieses Wort lediglich noch als stilistische Abwechslung zum „fürchten" benutzt. Die alte kultisch-numinose Furcht gibt freilich noch eine Randkonnotation ab. Im Kontext des Psalms verstärkt das Verb die Dimension der Verehrung; vgl. Becker 1965, 182/3.
262 Vgl. ders. 19 ff.; 57 ff.; 84; Westermann 1957, 52. Zu 89: Zur numinosen Furcht vgl. Fuhs Art. 1981 a, 879 ff.; Becker 1965, 19 ff./54 ff. Zum Verständnis der Gottesfurcht in den Psalmen vgl. 125 ff., zu Ps 22 besonders 131 f.; zur Gottesfurcht als Gottesverehrung (im deuteronomisch-deuteronomistischen Begriff) vgl. 85 ff.: Dort gilt der Akt der Verehrung als Treue zum Bundesgott, und zwar in Verbindung mit der entsprechenden Gesetzesbeobachtung: Erst als solche Gottesfürchtige gehört man zum Bundesvolk.
263 Zur Zweipoligkeit der Gottesbeziehung im Zusammenhang mit der Gottesfurcht vgl. Fuhs Art. 1981 a, 876-877; 879-883. Wer Gott fürchtet, hat eine spannungsreiche Beziehung zu ihm (die Begegnung zum Numinosen als einem Mysterium tremendum et faszinosum, a.a.O., 876): Die religionsgeschichtliche Entwicklung geht zunehmend dahin, daß der unbegreifliche und verborgene Gott zugleich mit aller innerer Polarität und Dynamik der Garant und Spender des Lebens und Lebensglückes ist. „Aus solcher Erfahrung erwächst Vertrauen und Liebe, die ihren Ausdruck findet in der Hinwendung der Gemeinde zu Gott in Gottesverehrung und Gottesdienst, aber auch des einzelnen in Frömmigkeit und Gebet." (a.a.O., 877). Im Alten Testament schlägt sich der ursprünglich numinose Charakter der Gottesfurcht in der Bezeichnung seiner „Heiligkeit" durch. „Zwischen Heiligkeit und numinoser Furcht besteht eine innere Korrespondenz und Entsprechung, . . ." (a.a.O., 879). Diese Heiligkeit macht die Begegnung mit Gott gefährlich (a.a.O., 880); es gilt aber auch: „das Erschauern unter dem Eindruck von JHWHs Handeln weckt Vertrauen" (a.a.O., 882). Dieses Handeln Gottes wird vor allem in der Geschichte erfahren. Sie ist der Ort, wo die Heiligkeit Gottes als heilendes Ereignis nahe wird. In diesem Spannungsfeld von Heiligkeit und Heil, von Ferne und Nähe Gottes bewegt sich auch Ps 22 (vgl. V. 4 a mit V. 26 b). Vgl. Kraus 1979, 36-49; Schreiner Art. 1969 c.
264 Vgl. Fuhs Art. 1981, 882-883. Dadurch wird einsichtig, warum das Stichwort der Gottesfurcht gerade hier im lobpreisenden Abschnitt des Psalms begegnet.

Jahwes zu dem Ort, wo genau solche Heilserfahrungen (daß Not und Nähe Gottes zusammengebracht werden können) im Lobpreis verkündbar sind.

● *Das in V. 27 b vorkommende „Suchen" (drš) meint die hilfesuchende Befragung Jahwes aus der Notsituation heraus* und ereignet sich seit altersher auch außerhalb des kultischen Bereiches[265]. Es ist ein performatives Wort für die Klage (s. o. 4.2.1 (1)).

Bezeichnend ist, daß hier im letzten Vers des Lobgelübdeabschnittes noch einmal der Sprechakt von Abschnitt I beim Namen genannt wird, und das in Verbindung mit dem Sprechakt des Lobpreises. Konsequent und konzentriert kommen hier der gesamte Sprechaktprozeß von Abschnitt I-III und das entsprechende Ergebnis der Gebetserfahrung zum Ausdruck: Auch wer klagt, kann und soll lobpreisen[266]. V. 27 b klingt wie ein Schlußappell an alle, die in ähnlicher Situation sind, Gott zu suchen und als solche Gott anzuerkennen. Die Not ist kein Grund, an Gottes Größe und Nähe zu zweifeln. Von daher fällt freilich (durch die poetische Parallelstellung von „Arme" und „Suchende" in 27 a und b) auch nochmal ein Bedeutungsanteil auf die Armen, bei denen wohl auch und mindestens potentiell die reale Armut in irgendwelcher Form mitschwingt[267].

● Die ganze *Vitalität und Leiblichkeit*, also den ganzen Menschen ergreifende Qualität des Lobpreises kommt in der Aufforderung zum Ausdruck, die Armen sollten *essen und sich sättigen* (V. 27 a). Dies ist die durch und durch reale Form des Lobpreises: Es ist allgemein menschliche Erfahrung, daß Enttäuschungen oft durch leeren Magen verschärft erlebt werden; umgekehrt erhält derjenige, der wieder zu essen beginnt, die vitale Vorausetzung zu neuem Vertrauen und zu neuer Hoffnung.

Hier melden sich Anklänge an die archaische Urbedeutung des hebräischen *bṭh* (Rundwerden) und dessen Zusammenhang mit Vertrauen an (s. o. 4.2.1 (2)). Nicht-Essen ist dagegen ein Zeichen der Traurigkeit, während umgekehrt Essen ein Zeichen der Freude ist[268]. Damit das Essen in seiner Fülle des „Rundwerdens" ausgedrückt wird, wird es im „Sich-sättigen" in einer Kurzklimax verdeutlicht. Es ist nicht genau auszumachen, ob, wann

---

265 Auch zur Zeit des Tempels muß also nicht immer die Institution des Tempels bzw. eines lokalen Kultheiligtums im Zusammenhang mit dem Klagegebet gestanden haben. Zu allen Zeiten wird es frei gewesen sein, sich auch außerhalb des Kultes an Jahwe zu wenden. Die so verstandene „Spiritualisierung" dürfte also nicht erst mit der Exilszeit entstanden sein (vgl. Rowley 1968, 246 ff., 266/9, 271). Sie war in der Frömmigkeit des Volkes seit langem angelegt und realisiert; (gegen Becker 1965, 131). Zum Bedeutungsbereich von drš vgl. Ruprecht Art. 1971, 462-465; auch Groß/Reinelt 1978, 133 (dort freilich sehr stark ethisiert).

266 Vgl. Ficker Art. 1976, 785; vgl. Ps 5, 12; 35; 27.

267 Vgl. Westermann 1957, 54, wo auch beides zum Bedeutungsbereich der Armen gehört.

268 Vgl. Gerlemann Art. 1971 c, 140; besonders Smend Art. 1977, 450.

und wie die Aufforderung zum Essen ganz realistisch gemeint ist. Der Text gibt von sich aus keine Anzeichen für eine übertriebene Spiritualisierung dieser Aussage. Die Einladung zum Mahl scheint tatsächlich zur Erfüllung des Lobgelübdes zu gehören. Wie und in welchem Rahmen dieses Mahl situiert ist, hängt von den jeweiligen kultischen Institutionen ab. Es kann dies der Tempel, eine lokale Kultstätte oder auch eine synagogale Gemeindeversammlung sein[269]. In späterer Zeit könnte es durchaus spiritualisiert verstanden worden sein, wobei lediglich die Terminologie des Essens (als Metapher für die Freude) beibehalten wurde. Auch so ist es dann noch eine sprachliche Zeichenhandlung für das Genießen durchaus realer Heilsgüter Jahwes[270].

● Als Abschluß von V. 27 und überhaupt des direkt ausgesprochenen Lobimperativs folgt ein ermunternder Appell: ‚*Aufleben* soll euer *Herz* für immer!' Wer Gott lobt und ernst nimmt, der lebt auf, weil nur er in der lebenschenkenden und -steigernden Beziehung zu Gott lebt.

Dies gilt auch und gerade für den, der im Elend und arm ist, sofern er dennoch Gott als den Nahen und Erhörenden loben kann[271]. Die Vokabel „Herz" gehört zur Topologie der Klage und bezeichnet die menschliche Lebenskraft, die durch die Erfahrung der Heilstaten und durch die Sättigung wieder aufgefrischt wurde. Die seelische Mitte des Menschen als der Sitz seiner Gefühle soll aufleben zu den besten Emotionen: zu Mut, Freude und Vertrauen; aber auch zu den besten Erkenntnismöglichkeiten, zur Erinnerung der Heilstaten und zur entsprechenden Einsicht, und schließlich zum besten Wollen. Wie ein Trinkspruch mutet die Aufforderung zum Leben (*l^eḥajjīm!*) an[272].

Das „Herz" ist der Sitz der potentiell besten Lebensmöglichkeiten und -steigerungen des Menschen, wie sie alle in der Begegnungserfahrung mit Gott geweckt werden. Darin kommt bereits der Wunsch des künftigen Gastgebers an seine Gäste zum Ausdruck: Der Psalmist schenkt und vermittelt durch seinen Text wie auch durch seine Einladung seelisch und leiblich erfahrbaren Lobpreis und damit Leben.

---

269 Vgl. Zirker 1964, 85-86, auch 88; zur Institution des Todamahls vgl. Beyerlin Art. 1967; Gese Art. 1968, 11 ff. Zum Aspekt der Einladung, in der der von Gott Beschenkte selber weiterschenkt: nämlich bei der Gelübdeauslösung, wenn die Not vorbei ist, vgl. Westermann 1957, 53/4; vgl. auch Rendtorff 1967, 63-66, 133-147; s. u. 5.2.
270 Vgl. Gerlemann Art. 1976 a, 821.
271 Zirker 1964, 82; vgl. Westermann 1977, 168/9. Zum Verhältnis von Leben und Loben vgl. Westermann 1977, 120 ff.
272 Zum Bedeutungsbereich von *lēb* vgl. Stolz Art. 1971 c, 861-867 (besonders 861-865). In V. 27 c liegt tatsächlich eine formelhafte Aussage vor, die in konventioneller Form den Wunsch des Gastgebers für seine Gäste ausdrückt; vgl. Gese Art. 1968, 4; Edel 3/1966, 35 Anm. 7.

(2)   Das Lobgelübde

V. 23-27 hat die Sprechaktqualität eines *Gelübdes*. Was hier freudig gemacht wird, ist ein Versprechen des Beters, das er in der Zukunft einlösen
will, wobei freilich im Lobgelübde selbst bereits eine Form des Gotteslobes
erkannt werden muß. Nur ist es offensichtlich noch nicht abgeschlossen,
sondern hat eine noch größere Zukunft. Wo wird dieses Gotteslob gesprochen? Etwa „privat"? Jedenfalls ist anzunehmen: Wenn die Situation der
Klage auch die der Not ist (s. u. 5.1.2), dann muß auch angenommen
werden, daß diese nicht mit der Situation dessen identisch sein kann, was
das Lobgelübde *ankündigt*[273]. Demnach gibt es im Vorfeld des kommunitären Gotteslobes eine Form des Lobes, die der einzelne allein bzw. in der
Sippe ausführt: das Lobgelübde, das freilich gerade als solches inhaltlich
auf die (kultische) Gemeinde ausgerichtet bleibt und somit auch den Beter
auf sie vorbereitend ausrichtet.

Das Gelübde gibt es bereits in den alten Erzählungen Israels, wobei Menschen in einer Notlage von Gott Hilfe suchen und erhoffen und gleichzeitig
Gott selbst im Versprechen „Hoffnung machen" auf eine Gabe[274]. Das
Gelübdeversprechen scheint eine alte und durch die Zeiten kaum veränderte lebens- und glaubensprägende Institution in Israel zu sein. Wichtig

---

273 Um herauszufinden, welche *Funktion* der Dank- bzw. Lobteil in Klagepsalmen
    hat, muß also der Unterschied festgestellt werden zwischen den Lobabschnitten
    in Lobpsalmen und denen in den Klagepsalmen: In den Dankpsalmen geht der
    Dank der (indirekten) Klage voraus und hat somit eine andere Funktion in einer
    anderen Gattungsqualität (s. u. 5.1.1): nämlich die des Ausdrucks erfahrener
    Rettung! Vgl. zum ganzen Westermann 1977, 56 ff.; 170 ff.; zum eben Ausge-
    führten vgl. 78: „Auch wenn der Betende im Tempel sein Herz ausschüttet und
    durch das Heilsorakel das lösende Wort empfängt, ist er in diesem Geschehen
    allein."; vgl. Bayerlin Art. 1967, 216: Die Heilsvergegenwärtigung der Wunder-
    macht Jahwes in der Notsituation dürfte aber nicht nur an den Altar des Tem-
    pels gebunden, sondern auch im alltäglich- und literarisch-spirituellen Gebets-
    und Glaubensfeld des Volkes, der Sippen und des einzelnen jederzeit möglich
    gewesen sein, und zwar verstärkt gerade dann, wenn diese Heilsvergegenwärti-
    gung auch „offiziell" im Tempel ausgetragen wurde. M. E. müßte man hinsicht-
    lich des gegenseitigen Ursächlichkeitsverhältnisses vermuten, daß diese Struktur
    des Lobgelübdegebets deswegen im Tempel Eingang gefunden hat, weil sie zur
    menschlichen Not- und Gebetsstruktur überhaupt gehört; vgl. Westermann 1977,
    58/9; Albertz 1978, 14-18/77-95; Zeller Art. 1981, 30 f.
274 Vgl. Gen 28, 20; Keller Art. 1976, 41; Westermann 1977, 44; auch nach Wendel
    ist das Gelübde ursprünglich eine persönliche Sache des einzelnen: 1931, 115 f.;
    so kommen in den Klageliedern des Volkes Lobgelübde nicht vor, allenfalls erst
    sehr viel später durch sekundäre Motivübertragung aus den Klageliedern des
    einzelnen, vgl. Westermann 1977, 45. Zum Kennzeichen des Lobgelübdes durch
    Voluntativ und Gottesanrede (vgl. Ps 22, 23 a) seit ältester Zeit vgl. a.a.O., 56 –
    57/78; Westermann paraphrasiert auch das Wort „Gelübde" an vielen Stellen mit
    dem verständlicheren Sprechakt des „Versprechens", Stolz als „Gotteslob auf
    Vorschuß": Art. 1980, 135. Zur Beschreibung des Sprechaktes des Versprechens
    vgl. Searle 1971, 84-113.

ist freilich zu bemerken, daß es im Grunde keine „bedingten" Gelübde gibt, in dem Sinne, daß ein Gelübde erst zu halten ist, wenn sich das Erwünschte eingestellt hat. Ein einmal gemachtes Gelübde gilt, gleichgültig welche Ereignisse eintreten[275]. Die Gelübde der Klage sind natürlich durch Notsituationen „bedingte" (provozierte) Versprechen, doch erstreckt sich diese Bedingtheit auf Vergangenheit bzw. Gegenwart, nicht auf die Zukunft. Außerdem gehört es zum Wesen des Gelübdes, daß es immer freiwillig abgelegt wird und in der spirituellen Wertordnung über dem (Tier-)Opfer steht[276].

Wir wollen im folgenden versuchen, *Art und Struktur des Gelübdes* im Zusammenhang mit unserem Text transparent zu machen. Daß es sich hier um ein Gelübde handelt, wird in ihm selbst semantisch reflektiert: V. 26 b ist − rückschauend auf den V. 23-26 a bereits erfolgten Sprechakt und diesen jetzt performativ qualifizierend − vom Gelübde die Rede, in einer Form, daß dadurch seine arteigene inhaltliche Qualität als Versprechen in der syntaktischen Kombination von Voluntativ und dem Wort „Gelübde" verstärkt bzw. verdoppelt wird: „Ich will meine Gelübde erfüllen", paraphasiert: ‚Ich verspreche, mein Versprechen (des Lobes) zu erfüllen.' V. 27 bringt die Ausführungsqualitäten der Erfüllung: die Armen einzuladen, die Klagenden zum Lobpreis aufzurufen, ihnen lobendes Leben auf Gott zu zu vermitteln. Der Beter verspricht, von Gott beschenkt, nun auch selbst Gott und seinen Brüdern „etwas" zu schenken: im kultischen Dankopfer bzw. im Festmahl mit den Brüdern Gottes Lobpreis anzustimmen und so den Armen realen und spirituellen Anteil an seiner Freude zu geben[277]. Er tut dies, indem er Gottes Heilstaten verkündet.

---

275 Vgl. Keller Art. 1976, 41 ff.: Die Bezeichnung „bedingt" ist bei Keller mißverständlich, weil erst deutlich gemacht werden muß, daß sich die Bedingtheit auf die Notsituation und nicht auf die Erfüllung bezieht. Statt die Unterscheidung zwischen bedingt und unbedingt würden wir lieber vorschlagen: Klage- und Lobgelübde. Diese Bezeichnungen entsprächen dann auch den unterschiedlichen Psalmgattungen. (Etwas undeutlicher wäre die Bezeichnung konkrete und spirituelle Gelübde (Andachtsgelübde!)). Zur absoluten Gültigkeit des Gelübdes vgl. a.a.O., 40.

276 Vgl. a.a.O., 42; zur Entwicklung und allmählichen Trennung von Lob (-Gelübde) und Opfer bzw. Tempelkult (die sogenannte „Spiritualisierung") s. u. 2.3.2; vgl. Crüsemann 1969, 309; Rendtorff 1967, 65.

277 Zum Verhältnis von Lob und Festmahl vgl. Barth 1947, 150/1; Keller Art. 1976, 41; Westermann 1957, 53 ff. Zum individuellen Dankopfer vgl. Rendtorff 1967, 66; der beherrschende Sprechakt jedes individuellen Dankopfers ist die „Anerkennung der Vormachtstellung Jahwes" (a.a.O., 84); zum Individualopfer als Gelübdeerfüllung vgl. a.a.O., 84-86; zur Gelübdeerfüllung im zebach a.a.O., 134-144; interessant ist dabei die Feststellung, daß „in der älteren Überlieferung der zebach niemals den Charakter eines öffentlichen Opfers hat. Vielmehr ist es der Kreis der Familie oder der Sippe oder sonst ein begrenzter Kreis von Geladenen, die an der Opferfeier teilnehmen, wobei als Anlaß besonders das Dankopfer als Erfüllung eines Gelübdes hervortritt." (a.a.O., 143). Nach der Kultreform Joschijas, die eine Zentralisation des Kultes in Jerusalem anzielte, wurden auch diese lokalen Opfer weitgehend eingeschränkt. Nur zum Teil übernahm der Jerusalemer Tempel die Aufgabe, Ort des zebach zu sein (a.a.O., 144); zum Ritus des zebach vgl. 144 ff.

• Westermann hat die *Unterscheidung zwischen berichtendem und be-schreibendem Gotteslob in den Psalmen* eingeführt.

Mag sie formkritisch nicht unproblematisch sein, so hat sie doch einen Vorteil: Sie geht von den Texten und ihrer Art, Geschichte zu erinnern, selbst aus und braucht keine außertextlichen Institutionen und Ideologien als Voraussetzung[278]. Primär und ursächlich für das beschreibende ist das berichtende Lob, in dem (meist in der Vergangenheitsform) ein geschicht-liches Ereignis als Heilstat Gottes erzählend bekannt wird. Dies kann auch in einem einzigen Satz geschehen, z. B. „Er hat gerettet."[279] Das beschrei-bende Lob dagegen ist identisch mit dem Hymnus, in dem Gott „in seinem Tun und Sein als Ganzem" (in der Gegenwartsform) durch entsprechende Qualitativa gepriesen wird, z. B. „Gnädig ist Jahwe und gerecht . . ." (Ps 116, 5)[280]. Einen Übergang zwischen beiden Lobformen stellen Formulie-rungen wie „Du erhörst und erniedrigst" dar. In allen Fällen, ob beschrei-bend, berichtend oder in einer Mischform, ist Loben eine Antwort auf Gottes Handeln, das aus der Tiefe herausholt. Das beschreibende Lob zeitigt *den* Aspekt des Lobpreises, daß er nicht nur in einer, Gottes *Tun* zusammenfassenden Vergegenwärtigung der Geschichte ergeht, sondern daß derjenige, der Geschichte macht, *als solcher präsentisch* an- bzw. aus-gesprochen wird[281]. Das deskriptive Lob entspricht dabei in etwa dem performativen Verb *hillel*, das narrative der *Toda*, dem dankend beken-nenden Lob aufgrund erfahrener Heilstat. Beide haben den Bedeutungs-kern des „Bejahens"[282].
Mit diesem Unterscheidungsbesteck ausgerüstet ist die Einordnung der Aussagen des Lobgelübdes in Ps 22 nicht leicht: V. 22 liegt mindestens ansatzhaft ein beschreibender Lobpreis vor (ich will deinen Namen verkün-den); auch in V. 23 b begegnet nicht das für Dankpsalmen charakteri-stische *jdh*, sondern der Wortstamm *hll*, der auf hymnisch-beschreibendes Lob hinweist. V. 25 kann, je nach Übersetzungsauffassung (historisches, generalisierendes oder prophetisches Perfekt) berichtendes oder (im gene-ralisierenden Fall) anfanghaft beschreibendes Lob (bzw. die Mischform) sein. V. 26 a ist vollends beschreibendes Lob. Im *meˀitkā* erscheint die gegenwärtige Resultatqualifikation dessen, was Gott getan hat: Gott ist treu. Mit der Dominanz des beschreibenden Lobes konkomitiert auch die Häufigkeit des *hll* und das völlige Fehlen des *jdh* in Ps 22, das in bevor-zugter Weise in den Dankpsalmen vorkommt[283]. Die hymnische Dignität

---

278 Vgl. Crüsemann 1969, 210 ff.; ähnlich Westermann 1977, 116, auch 28 und 88.
279 Vgl. a.a.O., 177-182; auch 79.
280 Vgl. a.a.O., 87 ff.; 91 (Zitat), 96, 182 f; s. o. Anm. 185.
281 Vgl. Zirker 1964, 106; Westermann 1977, 88; interessant ist der entsprechende Vergleich bei Kirchenliedern (a.a.O., 26, Anm. 26), wo er ebenfalls berichtendes und beschreibendes Lob wiederfindet.
282 Vgl. a.a.O., 25-26.
283 Vgl. zu *jdh* als Charakteristikum für Dankpsalmen Westermann Art. 1971 a, 497; Ringgren Art. 1977, 437. So hat *jdh* die Bedeutungstendenz des Dankens. Dies widerspricht Gese Art. 1968, 11 ff., der diese gattungsbezogene Unter-scheidung zwischen *tôdā* und *tᵉhillā* nicht kennt. Er argumentiert fälschlicher-weise damit, daß hymnische Formen die Form des eigentlichen Gelübdes nicht zuließen: gerade das Gegenteil ist der Fall! Dafür, daß Ps 22 seinen Sitz im

dieser Passage kann demnach nicht leicht bestritten werden. Interessanterweise gilt dies auch (und das spricht für einen ursprünglichen Zusammenhang von V. 27 und 30 c-32) für V. 32 a und b: Gottes Heilstat wird als seine Gerechtigkeit verkündet (beschreibendes Lob!) und für V. 32 b gilt das gleiche, was von V. 25 gesagt wurde[284].

Insgesamt neigt Abschnitt III stark zum beschreibenden Lobpreis und ist damit kein rückblickend erzählendes Danklied, das in der Situation einer beseitigten Not gesungen worden wäre. Das würde bedeuten, daß wir es mit einem echten Gelübde zu tun haben, nicht etwa mit einem nur sprachlich fingierten. Dennoch kann Crüsemanns Vorschlag angenommen werden, hier von „Gelübdeformulierungen" zu sprechen. Er wählt diesen Begriff für kohortativische Formulierungen („ich will preisen . . ."), auch wenn sie leichte Annäherungen an die Todaformel aufweisen[285]. Der Terminus „Gelübdeformulierung" trifft für Ps 22, 23 ff. zu, sofern gilt: „mit ihnen wird ganz offensichtlich nicht wie mit der Todaformel der Dank gegenüber dem rettenden Gott selbst bereits vollzogen, sondern erst für die Zukunft angekündigt."[286]
Wieder steht die neuralgische Frage des Zeitpunktes an: Faßt man Ps 22 als Danklied auf, so ist die Redesituation nach der erfolgten Notbeseitigung. Eine solche Situation kann sich natürlich erzählendes Lob leisten. Faßt man ihn freilich als Lobgelübde und damit als integralen Bestandteil des Klage-

---

Leben im kultischen *tôdā*-Opfermahl (im Tempel) im Munde des bereits Erretteten hat, gibt es im Text keine semantischen Anhaltspunkte, was nicht ausschließt, daß Ps 22 im Tempelkult bei ähnlichen Feiern verwendet wurde. Doch ist dies von der Gattung des Psalms her unwahrscheinlich. Schon gar nicht kann er in einem Sitz im Leben auf diese Institution allein konzentriert und reduziert werden. Allenfalls müßte man sonst die Toda-Situation annehmen, die Beyerlin in seiner „Heilsvergegenwärtigung" für den Notleidenden entwickelt hat, Art. 1967, 211/218/223. Vgl. ähnlich kritisch Crüsemann 1969, 210, Anm. 1, 216; vgl. Gunkel 5/1968, 93.

284 Vgl. Stolz Art. 1980 a, 131: Er übersetzt den letzten Satz: „Ja, er tut's."
285 Vgl. Crüsemann 1969, 75; Die Annäherung an die Todaformel ist dadurch gegeben, daß hier noch Jahwe direkt angesprochen wird. Doch erfolgt dies im Ps 22 recht zurückhaltend (dein Name V. 23, deine Treue V. 26) und nicht direkt, vgl. etwa Ps 52, 11 „Ich danke dir, Jahwe, auf ewig, denn du hast es getan." Außerdem begegnet mindestens in gleichem Maße in Abschnitt III die dritte Person. Bei allen (in der Spätzeit auch erfolgten) Vermischungs- und Verwischungsmöglichkeiten der beiden Formen (Gelübde und Toda) hat sich die Todaformel (die im Charakter unhymnisch ist) in ihren entscheidenden Merkmalen nicht in Ps 22 durchgesetzt, vgl. a.a.O., 283, auch Anm. 1. Im Dankopfer erfolgt erst die Einlösung des Gelübdes, vgl. Barth 1947, 151. Doch ist davon semantisch kein Anzeichen im Text zu spüren: *jdh* kommt einfach nicht vor. Demnach kann nicht die Situation des Dankliedes bzw. des Errettetseins begründetermaßen angenommen werden (gegen Gunkel 5/1968, 92; Kraus 5/1978, 183; s. o. Anm. 283).
286 Crüsemann 1969, 275, vgl. auch 276. 283 scheint Crüsemann aber seinen eigenen Kriterien zu widersprechen, wenn er dort Ps 22, 23 ff. als dankend interpretiert.

betens auf, so ist die Redesituation die aktuelle Not. Dieser Redesituation eignet im Lobgelübde der beschreibende Lobpreis[287]. In solches Lobversprechen fügt sich dann auch die forensische Näherbestimmung der versprochenen Situation (in der Gemeinde, bei den Armen usw.) organisch ein, die ja in der Situation des Dankens keinen Sinn mehr hätte, weil der Beter bereits in diesem Kreis wäre[288]. In der Zukünftigkeit dieser erwünschten Situation zieht im Lobgelübde selbst das Moment der Klage weiter.

• Während das eigentliche Lob (besonders als berichtender Dank) meist Gott Subjekt sein läßt (du hast getan . . ., du bist . . .), ist das *„Ich" des Beters im Lobgelübde das aktive Subjekt:* „Ich will . . .". Der Beter will Gott auf seine Erhörung durch sich selbst, durch seine eigene Person in der Aktion des Lobgelübdes und später des Lobens antworten. Das Loben ist also ein Prozeß, der mit dem Beter im Gelübde beginnt und als kommunitäres Gotteslob bei Gott als dem verkündeten Retter ankommt. Anfang und Endpunkt dieser Linie gehören zum Sprechakt des Lobpreises, als Versprechen des Beters und als Erfüllung des Gotteslobs. Dies zeigt deutlich (zusammen mit der oben besprochenen Unbedingtheit), daß alttestamentliches Geblübdeverständnis nicht werk-, sondern beziehungsorientiert ist, und zwar in doppelter Hinsicht: zu Gott und den Brüdern[289]. Das Versprechen also, mit den Brüdern und gesteigert mit Gott in Kontakt zu kommen, löst die Entwicklung einer Bindung, einer Verbindlichkeit zur Begegnung aus[290]. So markiert das Gelübde den verpflichtenden Übergang von der Isolation (Abschnitt I besonders auf Gott und Abschnitt II besonders auf die Feinde bezogen) zur Kommunikation (Abschnitt III), von der Not zum Segen (wobei Segen nicht mit Notbeseitigung identisch ist), von der Gottesferne zur erfahrenen und noch intensiver zu erfahrenden Gottesnähe. Das Lobversprechen vermittelt und verbindet in seinem Sprechakt den Menschen, der klagt und bittet, mit dem Menschen, der erhört und auf Rettung hoffend lobt. „Das Lobgelübde ist das Gelenk zwischen Bitte und Lob."[291] Diese Verbindung ist spannungsreich, weil sich in ihrem Akt Klage bzw. Bitte (also das Noch-Ausstehen der Hilfe) und Lobpreis (als zukünftiger Dank für die Errettung) treffen. *Im Gelübde wird noch geklagt und schon gelobt.* Es holt sowohl die Situation der Not wie auch die Hoff-

---

287 Vgl. Beyerlin Art. 1967, 211, vgl. auch 214/218/223; s. o. Anm. 283. Im ganzen scheint es mir doch verwirrend, für beide Situationen, auch wenn sie von Beyerlin in der kultischen Situation angenommen werden, den Begriff der Toda zu bemühen und nicht unterscheidend von Todaformel und Gelübdeformulierung zu reden (s. u. 5.1.2).
288 Vgl. Westermann 1977, 78.
289 Vgl. a.a.O., 23. 56/7; Zirker 1964, 38. 55; Crüsemann 1969, 282.
290 Vgl. Westermann 1957, 46 f.
291 A.a.O., 58.

nung auf die Beseitigung dieser Situation in die Gegenwart des Beters ein und nimmt damit beide ernst.

Gott selbst ist es, der in seiner Heilsverheißung, die ihm der Beter abnimmt, beide zusammenhält: Gegenwart und Zukunft. Die göttliche Verheißung überspannt beide Zeiten durch das Versprechen des Heils, das – wenngleich noch nicht vorhanden – in der Gegenwart die Kraft zu Vertrauen auf Sinn und zum Ausschreiten auf das Heil gibt (vgl. Gen 12,1-4 a). Das Lobgelübde hat in sich die gleiche zeitliche Struktur: Es verbindet einen Augenblick in der Zukunft mit dem gegenwärtigen Augenblick der Klage, und zwar durch den aktiven Sprechakt des Beters, die Heilstat Gottes zu loben, die bereits, wenngleich noch nicht realisiert, als feste Zusage geglaubt wird.

Die Erinnerung vergangener Heilstaten verschafft diesem Prozeß die Wurzel in der bisherigen Heilsgeschichte von Verheißung und Erfüllung, von Lobgelübde in Klagesituationen und von lobpreisendem Einlösen der Gelübde in Situationen der Erlösung. „Vom Jetzt und Hier des Kommens und Eingreifens Gottes in die Geschichte ergeht die Bewegung der Wirkungen zum zeitlich und räumlich Unendlichen, wobei ihr die Bewegung des menschlichen Lobes gleichsam zu folgen sucht."[292] In dieser geschichtlichen Unverfügbarkeit in der Kategorie der Begegnung besteht die „Transzendenz" der alttestamentlichen Gottesoffenbarung[293]. So ist das Gelübdeversprechen tatsächlich Initiative einer dichter werdenden Beziehungsgeschichte zwischen Mensch und Gott, zwischen Israel und Jahwe, der sich selbst offenbart in der Sprechaktstruktur des Versprechens. Verheißung und Gelübde sind zueinander strukturanalog[294]. Damit entspricht die spirituelle „Institution" des Lobgelübdes zutiefst prophetischer Botschaft

---

292 Müller 1969, 29; vgl. auch Westermann 1977, 170; Zirker 1964, 54.
293 Vgl. Müller 1969, 30-38/160/222-224; Westermann 1977, 102 „Theologie, d. h. Reden von Gott, Aussagen über Gott kann es nur umfangen vom Loben Gottes geben. Gott kann, streng genommen, niemals zum Objekt werden. In der Theologie darf sich das Erkennen niemals aus dem Anerkennen lösen." Hierin also liegt der zutiefst theologische (verstanden als Begegnungskategorie zwischen Mensch und Gott) normative Kern der Theologie, in unserem Zusammenhang vor allem auch der Theodizee.
294 Vgl. a.a.O., 171: „Kontinuierliches Geschehen und damit geschichtliche Erstreckung wird wahrgenommen, wo im Verhältnis zwischen Gott und Mensch zwei Zeitpunkte durch Reden und Handeln in Gegenseitigkeit (d. h. in der Entsprechung von Wort und Antwort) aneinander gebunden werden. Dies ist der Fall, wenn ein von Gott gegebenes Wort (Verheißung als Versprechen) den Augenblick dieses gegebenen Wortes auf den Augenblick der Auslösung hin spannt. Vom Menschen her gesehen entspricht das Lobgelübde der Verheißung darin, daß auch hier der Augenblick des Versprechens eine Spannung erzeugt zu dem Augenblick hin, in dem das Versprechen ausgelöst wird. In beiden Fällen aber, bei der Verheißung wie beim Lob- (und Treue-!) Gelübde ist die Auslösung nicht erschöpft in einem Augenblick, sondern leitet ein weitergehendes Geschehen ein."; a.a.O., 59: „Ich weiß, mit dem Versprechen, das ich der Bitte anfüge, beginnt eine Geschichte zwischen mir und Gott."

sowie prophetischer Glaubensgestaltung: „Die ungebrochene Endgültigkeit des von den Propheten neu angekündeten Eingreifens Gottes gründet in dessen Zukünftigkeit, die in die neue Betroffenheit der Erwartung versetzt."[295] Das zwischen Klage und Lobpreis plazierte Gelübde realisiert die korrespondierende glaubende Antwortstruktur des Menschen auf die Verheißungsstruktur der Offenbarung Gottes. Es garantiert die Konitinuität der Heilsgeschichte *in* der Unheilsgeschichte und läßt beide nicht auseinanderfallen. Es handelt sich um ein Theologumenon, nicht nur eine psychologische Einsicht: „Das Lobgelübde hat seinen eigentlichen Platz beim Notschrei."[296] Das Heil ist im Unheil anwesend, Gott lebt *im* Exil (s. u. 5.3)! Das Lobgelübde ist damit das Bekenntnis zu Gott und zu seinem in die Gegenwart reichenden Heil: So ist es Anerkennung Gottes und darin Lob.

Stellenweise hat man freilich den Eindruck, als müsse das eigentliche und volle Gotteslob im Lobgelübde selbst durchbrechen. Die Grenze zwischen Gelübde und ausgeführtem Lob kann *deshalb* stellenweise fließend sein (vgl. V. 26-27 und 30 c-32). Übersetzt man V. 25 im Präteritum[297], so hätten wir damit ein Merkmal für das direkte Gotteslob, bzw. den Dankpreis. Dennoch bleibt insgesamt die Struktur des Gelübdes bestehen. V. 25 kann ja auch (selbst im Präteritum) eine dem Gelübde integrierte Antizipation der erfolgten Rettung sein. Ähnliches gilt für die Anrede bzw. Erwähnung der Brüder, der Gemeinde, der Nachkommen Israels (V. 23-24, 26-27, 31-32): Im Sinn der weitergehenden Heilsgeschichte wird die in Gott beschlossene Rettung antizipatorisch im gegenwärtigen Sprechakt vergegenwärtigt. Man muß deswegen noch nicht annehmen, daß ein Mirakel geschehen sei. „Geschehen" freilich ist die Erhörung Gottes und die Erhörungsgewißheit des Beters. „Damit ist das Entscheidende geschehen."[298] Berichtendes Lob im Lobgelübde kann ein Zeugnis für das das israelitische Glaubensbewußtsein bestimmende Vertrauen sein, daß Jahwe das Beste für den Beter will und tut, ja schon als Faktum der Zukunft beschlossen hat. Aus der Tiefe heraus kann der Beter deshalb Lobversprechen und die zukünftige Rettung im Versprechen präsent machen: Gott achtet ihn, er hat sein Angesicht ihm zugewandt (vgl. V. 25). Indem der Beter dies Gott

---

295 Müller 1969, 223.
296 Vgl. Westermann 1977, 58: Hier argumentiert er fast nur psychologisch; die theologische Grundsicht freilich bringt er 171.
297 Beim „ersten Sitz im Leben" in vorexilischer Zeit kann V. 25 durchaus Präteritumbedeutung gehabt haben, als (auf die Erhörungsgewißheit) rekurrierendes berichtendes Lob in der Form der Hodah, das das Gelübde anreichert, aber nicht zerstört, vgl. Westermann 1977, 25 f.
298 A.a.O., 60; vgl. auch 53/5/9. Wenn Westermann an mehreren Stellen (1974, 54, 55, 60) davon spricht, daß zwischen offener und erhörter Bitte schwierig zu unterscheiden sei, so muß entgegengehalten werden, daß er selbst so viele Kriterien an die Hand gibt, daß eine solche Entscheidung auch in Ps 22, der bislang in dieser Hinsicht umstritten ist, möglich wird. Zur Umstrittenheit vgl. Becker 1965, 131.

zutraut, wird das Lobgelübde zum Sprechakt gegenseitiger Treue im Feld eines Begegnungsprozesses in geschichtlicher Kontinuität. Diese Kontinuität ist direkt in V. 27 c benannt: „Für immer" soll das Herz leben und loben[299].

Dabei geschieht aber nicht eine Synchronizität der Geschichte und Zukunft auf eine gegenwärtige Systemstruktur mythischer oder ideologischer Art[300], sondern die Gegenwart ist offen in die Vergangenheit hinein (woher sie sich die Heilserinnerung holt) und offen für die Zukunft (woher sie sich die Verheißungs-„Erinnerungen" holt). Der Zeitabstand wird nicht aufgehoben oder gelöscht, sondern die beiden Zeitpunkte werden durch die entsprechende erzählende Erinnerung überbrückt. So findet ein „gedenkend erzählendes Überspannen" statt[301]. Dabei gibt es für Israel freilich besondere heilsgeschichtliche „Urereignisse" (s. o. 4.2.1 (3)), die wohl etwas notwendiger als andere (z. B. biographische Ereignisse im individuellen und Stammesleben) erinnert werden und so zum konstanten und kontinuierlichen Glaubensbestand Israels gehören[302].

(3) Die universale Ausweitung

Mit V. 27 könnte der Psalm für abgeschlossen gehalten werden; er besitzt bis dahin bereits alle Momente alttestamentlichen Klagegebets (sofern

---

299 Leben und Loben sind hier fast Synonyma, vgl. Westermann 1977, 120 f.; 171-172.

300 Auf diese Weise werden die zwei zeitlich getrennten Zeitpunkte und mit ihnen auch die unterschiedlichen inhaltlichen Situationen trotz ihrer häufigen Gegensätzlichkeit miteinander ideologisch verschmolzen. Angelegte Spannung bricht damit zusammen. Widersprüche werden verkleistert. Die entscheidende Entgegen-Setzung von Gegenwart und Verheißung unterbleibt zugunsten eines nur noch stabilisierenden, kultischen, mythischen oder ideologischen Rituals. Zur Bedeutung der Gegensätzlichkeit und ihrer Verbindung mit der Geschichtlichkeit vgl. Westermann 1977, 52 ff.; 166; auch Klinger Art. 1980, 54. Zu den mythischen und ideologischen Operationen vgl. Fuchs 1978 a, 171-174, im Gegensatz dazu 175-183: Erst in spannungsreichen geschichtlichen Räumen wird Innovation möglich. Zur synchronisierenden Glaubensstruktur vgl. die analysierte Predigt a.a.O., 192 ff.; besonders 278-295 und 344-395. Zur Auseinandersetzung mit den Konzeptionen mythisch-kultdramatischer Vergegenwärtigungen im israelitischen Kult vgl. Zirker 1964 passim, Westermann 1977, 172/5.

301 Westermann 1977, 175, vgl. 174 ff. „Liegt das Gewicht in der Vergegenwärtigung im erzählenden Wort, dann ist die Grundkonzeption der Geschichte zweipolig oder mehrpolig. D. h. *Geschichte kann nicht in einem einzigen Augenblick, in ein einziges Ereignis eingehen. Geschichte ist immer Erstreckung oder Ablauf, niemals bloß Ereignis.* Die deutlichsten Beispiele dafür sind die . . . durch das ganze Alte Testament sich ziehenden Spannungsbögen von Ankündigung und Eintreffen des Angekündigten einerseits, von Lobgelübde und berichtendem Lob andererseits." (a.a.O., 175).

302 Dabei gilt freilich: „Es werden nicht . . . einzelne Geschichtsereignisse in Erinnerung gebracht, um sie auf irgendeine Weise für die Gegenwart ,aktuell' zu machen, es wird vielmehr in der Erweckung der Vergangenheit das Weitergehen der Geschichte verkündet, die Gott mit seinem Volk angefangen hat.", vgl. Westermann 1977, 177.

man nicht noch V. 30 c bis 32 dazurechnen möchte)[303]. Das imperativische Gotteslob wird jedoch in V. 28 f. weitergetrieben, und zwar über die mögliche reale Gemeindeumgebung hinaus. Die quantitative räumliche (auf die Völker) und zeitliche (auf die Nachkommen) Ausweitung ist freilich bereits intentional angelegt in der möglichst großen Gemeinde, die sich der Beter als spätere Hörerschaft wünscht und die bereits in V. 27 ein gutes Stück die empirisch erreichbare Gemeinde überschreitet[304]. Je größer der Kreis, desto größer der Lobpreis, denn letzterer wächst mit dem Charakter der Öffentlichkeit und Universalität (vgl. die Steigerung des „privaten" Lobgelübdes zum kommunitären Lobpreis V. 23-27).

• Der Beter geht jetzt daran, Gott den *universalen Lobpreis* zu gönnen und ihn — über den Imperativ an die Völker, Toten und Zukünftigen — als den Herrn der ganzen Welt anzuerkennen. Die Ausweitung des Lobes durch die Erweiterung der entsprechenden Akteure hat demnach die Funktion, den Sprechakt des Gottespreises selbst zu steigern[305]. Dem von Israel geglaubten Herrn der Geschichte und damit dem Erschaffer der Welt gebührt das Lob seiner ganzen Kreatur, wofür der Beter bzw. Israel mit seinem Sprechakt einsteht. Wo also die Aufforderung zum Gotteslob nicht konkret-empirische Dimensionen (an eine konkrete Gemeinde), sondern fiktiven Charakter hat, handelt es sich nicht um eine realistische Aufforderung etwa an die Völker, dergestalt daß erst das reale Niederfallen der Mächtigen und Stämme das hier ausgesagte Gotteslob ermöglichte. Schon gar nicht liegt hier eine indirekte Aufforderung zur „Missionierung" der Völker vor. Sie werden vielmehr in der Dimension des besprechenden Lobes gleichsam als „Statisten" zur notwendigen, der Größe Gottes entsprechenden Abrundung des Gotteslobes *zitiert*. Das ist bereits genug, alles andere, ob und wann die Völker tatsächlich niederfallen, ist die Sache des Herrn der Geschichte selbst, nicht aber die Israels. Für Israel freilich ist als ‚causa finalis' entscheidend, Gott durch die Benennung universalisierender Faktoren ein *möglichst großes Gotteslob* auszusprechen und so für die

---

303 Vgl. zu den Elementen alttestamentlichen Klagegebets Westermann 1977, 48-50; auch 1957, 9; zum Abschnitt V. 28-32 vgl. 54 ff.; Zirker 1974, 65 ff.; zur Hinzufügung des Abschnitts in der Exilszeit s. u. 5.2.3.

304 Dies gilt, sofern V. 27 c keinen direkten Anredecharakter mehr hat, sondern, wie Gese Art. 1978, 4 meint, als formalisierter Gastgeber- bzw. Trinkspruch mehr generell und auf der Ebene der 3. Person zu verstehen ist (vgl. Ps 69, 33). Zum Öffentlichkeitsinteresse des Gotteslobes vgl. Zirker 1964, 62; vgl. auch Westermann 1957, 54 f.

305 Vgl. Zirker 1964, 67 (etwas in Spannung zu 66!); Keel Art. 1970, 412; Kraus 5/1978, 183; Gerstenberger 1980, 128. „Hymnische Erweiterungen zu anderen Elementen des Klageliedes haben sämtlich eine dienende Funktion; sie sollen Macht und Größe Jahwes anerkennen . . ."; vgl. Wildberger Art. 1970, 320; Lang Art. 1980, 54; Wolff Art. 1964, 399. Daß bereits die Gabe des Opfers mehr zu Ehren Gottes und weniger aus Sühne und Verschuldung gegeben wurde: vgl. Zimmerli 2/1975, 131.

Realität und Verwirklichung des Gottespreises einzustehen und Sprachrohr zu sein, aber nicht etwa den Völkern gegenüber, sondern in der *direkten* Beziehung zu Gott. Erst eine solche, um Gottes willen realisierte Anerkennungsbeziehung zu ihm kann dann *indirekt* als ‚causa consequentis' die Folge haben, daß die Völker auf sie aufmerksam werden und Gottes Heilskraft an Israel erkennen. Gotteslob ist reiner Selbstzweck und nicht vermittelbar mit einer direkten kalkulierten Absicht in Richtung auf die Nichtgläubigen. Ziel des Gotteslobes ist allein Gott als der Herr der Geschichte, die aus der Vergangenheit in die Gegenwart reicht und von dieser in die Zukunft „für immer" (vgl. V. 27 c).

Dabei werden die Heilstaten der Vergangenheit erinnert und der Glaube aufgebracht, daß *Gott* seine Heilsgeschichte weitertreibt und *noch größere* universellere Heilstaten bringt. Dafür ist die Erfahrung der gegenwärtigen Erhörungsgewißheit das aktuelle Zeugnis. „Geht vom Jetzt und Hier des Eingreifens Gottes in die Geschichte die Bewegung seiner Wirkungen zum zeitlich und räumlich Unendlichen, wird das Entsprechende auch von dem auf dieses Eingreifen Gottes antwortenden Lob des Menschen gelten: Nun muß das Lob der(s) Geretteten bis in die Ewigkeit währen; es muß vor allen Menschen geschehen, ja alle Menschen mit ergreifen."[306] Der Beter bzw. Israel respondiert auf die von Gott ergangene Verheißung seiner Geschichtsmächtigkeit darin, daß er bzw. es nun von sich aus Gott im Lobpreis die entsprechende „Verheißung" macht: Die Völker und die Toten sollen bzw. werden Jahwe anerkennen, indem sie vor seiner Majestät niederfallen[307].

● Auch diese, in den gegenwärtigen *Sprechakt des Lobpreises gebrachte „Verheißung" an Gott steht in Strukturanalogie zum Gelübde,* in dem ja ebenfalls Gott versprochen wird, daß er (in der Gemeinde) Lobpreis erhalten wird. Allerdings ist ein Subjektwechsel eingetreten: Im Lobgelübde verspricht der Beter sein eigenes Loben, im universalen Lob holt er das

---

306 Vgl. Müller 1969, 26-29; Zitat 26.

307 Hier muß natürlich bemerkt werden, daß das Lobgelübde als zu verantwortende Aktion des Beters sein Ende hat, weil es nicht mehr in der Hand des Beters liegt, das Einlösen der Lobanforderung an die Völker und Nachkommen zu versprechen. Dies signalisiert auch der Subjektwechsel, wonach die Ichformulierungen, die V. 23-27 beherrschen, in V. 28 f. nicht mehr begegnen, es sei denn, man übersetzt V. 30 c und 31 a entsprechend der Einheitsübersetzung. Zudem herrscht nun (bis auf V. 32 b, will man ihn nicht generalisierend präsentisch auffassen oder auch als versprengtes Teilstück des ursprünglichen Klageliedes des Einzelnen – ähnlich wie es bei V. 25 möglich wäre – betrachten, das hier als guter Abschluß angeheftet wurde; es läßt sich gut denken, daß V. 32 b vormals mit V. 27 c verbunden war!) massiv das beschreibende Lob Gottes vor (vgl. dazu Westermann 1977, 25 f., 87 f., 91 f.), ein Merkmal kollektiver Psalmen, besonders von Psalmen, die erst später mit hymnischen Elementen angereichert wurden. Zur Spätform des Lobpreises mit seiner Tendenz zur Lobbeschreibung und Kollektivierung in exilisch bzw. nachexilischer Zeit vgl. a.a.O., 102 ff.

Loben der Völker, der Toten und der Zukünftigen in die Gegenwart herein. V. 27-32 ist also eine arteigene, in Richtung auf die totale Gottesanerkennung zielende eschatologische Weiterführung der V. 23 ff.: in der Verheißung universalen Lobes, ausgeführt als antizipierendes Hereinholen der Zukunft globaler Jahwe-Verehrung in den gegenwärtigen Sprechakt des Lobes (ähnlich wie im Gelübde das zukünftige Lob vor der Gemeinde in die Gegenwart geholt wird) und in der Ausweitung der „großen Gemeinde" auf alle Menschen aller Zeiten. Das Lob der Völker ist dabei ebensowenig gegenwärtige Realität wie es die Notbeseitigung hinsichtlich des Gelübdes sein muß. Dennoch werden beide als für die Zukunft beschlossene Heilstaten Gottes, als „Perfekta" des Kommenden (vgl. V. 29), geglaubt. Die für den Beter erfahrbare Reaktion Gottes auf sein Rufen bestand darin, daß er dessen Güte als gegenwärtige Erhörung und zukünftige Errettung zugesprochen bekommt. Die Reaktion des Beters ist nun, daß er Gott seine Majestät durch die antizipierte Referenz der ganzen Erde und ihrer Geschichte als eigenen Lobpreis im Sinne der geglaubten zukünftigen und not-wendigen Realität zuspricht. In beiden Fällen ist Gott der geschichtsmächtig Handelnde, in beiden wird er als solcher bezeugt und gelobt.

Die angeführten Figuren universalen räumlichen und zeitlichen Lobpreises sind also sprechaktfunktionalisiert: Es geht dabei nicht zuerst um sie selbst, auch nicht um eine jüdische Missioneinstellung, dergestalt daß nun auch den Völkern neben Israel das Heilsangebot gemacht würde. Sie sprechen vielmehr ähnliche „statistische" Rollen an wie etwa anderswo in den Psalmen die kreatürliche Welt für die entsprechende Ausweitung des Lobes „eingesetzt" wird. Es geht um den Lobpreis der Majestät Jahwes in ihrer Grenzenlosigkeit, wobei dieser Sprechakt — stellvertretend für alle — durch Israel bzw. den einzelnen Betern zu erfolgen hat, denn de facto sind alle und ist alles von den Geschichtstaten Jahwes betroffen. Nichts kann deshalb dem Lob Gottes entzogen sein. In solchem Sprechakt eines „eschatologischen Lobgelübdes" wird Gott das universale, räumliche und zeitliche Lobopfer verbalisiertermaßen dargebracht[308]. Daß die beigebrachten Lobfiguren weitgehend *formalen* Charakter haben, zeigt sich auch darin, daß ihr Loben in der Umkehr und besonders der Proskynesis besteht, während das Lob Israels und seiner Nachkommen *inhaltlich* die Heilstaten Gottes erzählt.

In der Entgrenzung des Lobpreises entsteht eine geschichtliche, zeitliche und räumliche Verbindung zwischen dem Beter und den entsprechenden

---

308 Vgl. Ringgren Art. 1977, 437/8; Westermann 1971 a, 495; 1957, 55; Zirker 1964, 65-68; besonders 67/8; zur religionsanthropologischen Wurzel möglichst universaler und totaler Anerkennung der Gottheit sowie zum entsprechenden Kreaturgefühl des Menschen vor dem Schöpfer-Gott und zu den jeweiligen Anerkennungsformen vgl. Keel 1972, 289. Zum eschatologischen Verständnis von Ps 22, 28 ff., s. u. 5.2.3.

Grenzen der Erde und Zeiten. War bereits in dem in die Klage hinein vorge-zogenen Lobpreis der Heilstaten Gottes Vergangenes in der Erinnerung aufgehoben gewesen, so erfolgt nun die Erinnerung einer global heilvollen Zukunft. Damit bekommt die Erhörung des Beters universale Bedeutung und die künftige Erhörung bzw. Huldigung der Welt wird hineingebracht in die Heilserfahrung des einzelnen bzw. Israels. Was alle in den Augenblick des *aktuellen Sprechaktes* hinein vereint, ist die große *eschatologische* Soli-darität der lobpreisenden Anerkennung Jahwes, ist also die gemeinsame preisende Beziehung zu ihm. Verborgen zieht in der Spannung zwischen Doch-Schon und Noch-Nicht des universellen Lobpreises die Struktur der Klage weiter.

● *Betrachten wir die einzelnen Verse und Motive etwas näher:* Die ganze Erde soll V. 28 a an Gottes Heilstaten lobend denken, wobei vom Kontext her die biographische Heilstat zum aktuellen Anlaß und „Aufhänger" für alle kollektiven und universalen Heilstaten wird. Eine bestimmte und kon-krete geschichtliche Erfahrung der Nähe Jahwes wird zur Initiative für die Darstellung der insgesamten Geschichtsmacht des Herrn als König und Herrscher (vgl. V. 29 und 30). Eine eigenartige Zeitatmosphäre charakte-risiert die Aussagen: Imperativisch-Imperfektes und Futurisch-Indikativi-sches gehen ineinander über. Voraussetzung und Inhalt des Lobpreises der Völker und Mächtigen ist deren *Umkehr*, die durch das *„Sich-Nieder-Wer-fen"* verschärft als Ausdruck der Anerkennung seiner Majestät bebildert ist[309]. Voraussetzung für die Umkehr und das Niederfallen wiederum ist das *Gedenken der Heilstaten Jahwes* (V. 28 a), wie sie Israel verkündet: Gedenken und Umkehr „stehen in heilsgeschichtlicher Entsprechung"[310]. Von Umkehr freilich ist beim Beter bzw. bei Israel und der Gemeinde nicht die Rede (vgl. V. 23 ff.): *Deren* Teil am Lobpreis ist das Lobgelübde bzw. (als Aufforderung des Beters) das zukünftig eingelöste Loben in Wort, Mahl und Opfer. Damit ist es zugleich inhaltlich qualifiziert, denn dieses *Lob erinnert Gottes Heilstat(en)* als Zeugnis und Bekenntnis der Treue Gottes, freilich nicht als „Fensteraktion" für die Bekehrung der Völker, sondern zuallererst als *direkte Begegnungsaktion* zwischen Beter bzw. Ge-meinde und Gott. Dahinter steht die Denk- und Glaubensfigur, daß Jahwe in seiner *Majestät und Güte* zu loben ist. Seine Güte besteht darin, daß er die Elenden erhöht, die Mächtigen erniedrigt. Die mächtigen Völker also kön-nen nur insofern Anteil an Gottes Lob haben, als sie sich niederwerfen (Erniedrigung) vor der Majestät Gottes. Israel freilich ist (seit dem Exil) erniedrigt und gewinnt damit Anteil an der Anwaltschaft Gottes für die Armen, an seiner Güte also. Das Loben Gottes geht auf Jahwe, *„der so ist,*

---

309 Zur prophetischen Herkunft des Umkehrbegriffes, der hier auf die Völker ange-wendet wird, vgl. Westermann 1957, 56; zur Proskynesis vgl. Keel 1972, 289.
310 Zirker 1964, 10.

wie er sich in seinem Wirken an den Völkern (Majestät) und an Israel
(Güte) gezeigt hat."[311]

Dem Unterschied zwischen Israels Gotteslob und dem der Völker entspricht auch die voneinander abweichende Funktion von V. 25 (*denn* er
hat nicht verachtet . . .) und V. 29 (*denn* der Herr regiert als König . . .)
innerhalb ihres engeren Kontextes. Im ersteren Fall liegt weniger eine argumentative Begründung, denn die inhaltliche Durchführung des Lobes durch
die Erzählung der Heilstat selbst vor; im letzteren ist die Tendenz einer
formalen und generellen Begründung spürbar. V. 29 ist ganz und gar beschreibend, während V. 25 mindestens konkrete Reminiszenzen zuläßt.
„Unter Einfluß des Lobwunsches, einer alten hymnischen Redeform, verliert der Aufruf gelegentlich seine konkrete Funktion und wird rethorisch,
da er an Nichtanwesende ergeht; dabei nähert sich die Durchführung einer
Begründung an."[312]
V. 30 werden die lebenden Mächtigen der Erde *und* die, die in der Erde
schlafen, als die apostrophiert, die sich *niederwerfen*. Ein schärferer Gegensatz zwischen der Macht Lebender und der Ohnmacht Toter ist kaum möglich. Das hebräische Wort für „sich niederwerfen" (*ḥwh*) meint „sich ver-
neigen", „sich auf die Erde beugen", bis das Gesicht die Erde berührt, ein
huldigendes verehrendes Niederknien vor einem Höhergestellten. Theologisch beschreibt es die eingenommene Gebetshaltung als Ausdruck der Ehrfurcht vor Gott. Obwohl es nur den nonverbalen Ausdruck des Betens
bezeichnet, kann es auch synonym mit Beten verwendet werden. So sollen
die Mächtigen und die Völker Jahwe betend loben, wobei das Niederfallen
bei ihnen die Konnotation anerkennender Ehrfurcht, Umkehr und womöglich auch Buße einbringt. Niederfallen ist sonst kein spezifischer Ausdruck
des Jahwekultes, es ist aber ein bevorzugtes Wort der Psalmen: „Sie zeigen
ḥwh hist. als den Jahwe, dem auf Zion thronenden Gott(könig), darge-
brachten Huldigungsakt und gehen auf alte Jerusalemer (ursprünglich
kanaanäische) Kulttradition zurück"[313]. Nun sind hier freilich nur die
ursprünglicheren Bedeutungszusammenhänge aus der semantischen Entwicklungsgeschichte hinsichtlich der Wörter „niederknien", „herrschen",
„König" und „Gott" angesprochen:

● Das in V. 28-30 verwendete Vokabular leistet, jedenfalls im Verständnis der Redaktionszeit des Psalms, vermutlich terminologisch-semantische

---

311 Westermann 1977, 184; zur Spätform der Klage vgl. a.a.O., 104: Ps 22 ist zwar
   bereits auf dem Weg zu dieser Spätform, hat sie aber noch nicht erreicht. Als
   Hochform alttestamentlicher Klage trägt er in sich bereits die Tendenzen späterer Entwicklung.
312 Crüsemann 1969, 308. Dies gilt besonders für die Exilsituation. – Eigentlich hat
   aber V. 28 zwei begründende Momente: einmal das deiktische „daran" (sofern
   man es nicht auf den Folgetext bezieht), zum anderen die Begründung V. 29 ff.
   (ki), daß Jahwe als Herr der Völker regiert. Dieses „daran" begegnet freilich nur
   im deutschen Text und verweist auf den Vortext; es ist aber sicher in diesem
   Sinn auch ergänzbar, da hier der transitive Gebrauch von „gedenken" wahrscheinlich ist; vgl. z. B. Buber 1958, 37; Gunkel 5/1968, 90; Kraus 5/1978, 175.
313 Vgl. Stähli Art. 1971 a, 530-533, Zitat 533.

Zubringerdienste für eine neue, besonders im Exil aufgekommene Glaubensakzentuierung: für die Ausformulierung der *eschatologischen* Dimension der Heilsgeschichte Gottes mit den Menschen. So wird „herrschen" (vgl. V. 29 b) zum Vorzugswort der eschatologischen Zukunftssicht[314]. „König" wird vor allem von Deuterojesaja aufgenommen, „um die bevorstehende Befreiungstat Jahwes zu verkünden, durch die er, wie in der Urzeit, seine Weltherrschaft kundtut."[315] Der konsequente Glaube an die Königsherrschaft Jahwes hat in sich den Keim der Hoffnung auf ein endgültig verwirklichtes Gottesreich. Aller Wahrscheinlichkeit nach haben wir hier ein eschatologisches Loblied oder einen Hymnus vor uns, der zeitlich etwa parallel zu Deuterojesaja oder kurz danach steht, also mit der prophetischen Heilsankündigung der spät- oder kurz nachexilischen Zeit mit ihrer kollektivierenden Psalminterpretation in Verbindung steht[316]. In der exilischen Heilsverkündigung, vor allem bei Deuterojesaja, liegt deswegen der Keim einer später entfalteten Eschatologie, weil sie bereits deren Grundstruktur kultiviert: Angesichts der noch bestehenden Not und Exilszeit wird die befreiende Zukunft als sicheres „Perfekt" besprochen. Zukünftiges Gotteslob wird prophetisch als gegenwärtiger Ruhm vor Gott gebracht. Indem die Prophetie „von einem angekündigten Ereignis spricht, als sei es schon geschehen"[317], wird das dieser Prophetie glaubende Israel zur *t^ehillā*, zum „Lobpreiskollektor" aller Zeiten und Enden für Jahwe, denn Israel wird einmal wirklich Zentrum der *t^ehillā* der Welt für Jahwe, den König, der von Zion her herrscht, werden. Genau solche Hoffnung auf ein Ereignis ist *eschatologisch* zu nennen, denn ihr strukturelles Wesen besteht darin, daß die Endgültigkeit eines zukünftigen Geschehens den gegenwärtig Glaubenden trifft und betrifft. So wird − *analog der Gelübde- und Verheißungsstruktur* − der universale Lobpreis als zukünftig erwartet, insofern er als endgültig geglaubt wird. Gegenwärtige Erfahrung und geglaubte Endgültigkeit freilich stehen meist in spannungsreichem, häufig sogar gegensätzlichem Verhältnis und können nur durch das hoffende Vertrauen des Jahwetreuen vermittelt werden. „Insofern baut die Erwartung eines zukünftigen Endgültigen auf der Enttäuschung auf − vor allem dann, wenn

---

314 Vgl. Soggin Art. 1971 b, 930-933, besonders 932/3.
315 Zu „König" vgl. Soggin Art. 1971 a, 914 ff. (Zitat 916); Kraus 1979, 134-156; zum vorexilischen Begriff vgl. 916 ff.; zur Bedeutung des Königsbildes bei Deuterojesaja vgl. 916; zur eschatologischen Bedeutungsanreicherung dieses Sprachspiels in nachexilischen Psalmen vgl. 919-920; „. . . ein konsequent durchdachter und vertiefter Glaube an die Königsherrschaft Gottes mußte ohne weiteres zur Hoffnung auf ein verwirklichtes Gottesreich führen." (920); vgl. Schnackenburg 1959, 1-47; Klein 1979, 9-22.
316 Vgl. Westermann 1977, 108 ff.; 1957, 48/56; Crüsemann 1969, 308.
317 Westermann 1977, 108; vgl. Jes 62, 7; vgl. Westermann Art. 1971 a, 501; Crüsemann 1969, 308; Müller 1969, 223.

die ernüchternde Betrachtung durch sich aufdrängende, neue Tatsachen erzwungen wird."[318]

Damit schließt sich vom Ende des Psalms her der Kreis zum Anfang: Denn gerade diese *Situation der Enttäuschung ist der neuralgische Ort der Klage.* Die ‚relecture' des Psalms im Sinne eschatologischer Klage des Noch-Nicht des Heils, aber des Doch-Schon der Heilszusage, bewegt sich in strukturanalogen Linien zum Gebet der Klage, wie es schon lange vor dem Exil besonders aufgrund von Einzelschicksalen ausgesprochen wurde. Ob individuell-biographische, kollektiv-geschichtliche oder die alles umfassende eschatologisch-geschichtliche Klage: Je neu muß die Spannung zwischen erlittener Gegenwart und erhoffter Zukunft im Sprechakt von Klage, Bitte und Lob in der Gebetskommunikation mit Gott bewältigt werden. Darin liegt die „Tendenz auf sachliche und zeitliche Unbeschränktheit der gegenseitigen Bindung."[319]

Der räumlichen Entgrenzung des Gotteslobes über die ganze Erde, gleichsam auf horizontaler Ebene, folgt spätestens V. 31 f. die zeitliche Entgrenzung in die Vertikale der erzählten Heilsgeschichte. Die Frage ist nun, welche Funktion V. 30 zwischen diesen beiden Passagen hat und in welchem Verhältnis V. 30 a zu 30 b steht. Schwierig ist dabei auch die Bestimmung von V. 30 c.

● *Inhaltlich* kaum vereinbar mit alttestamentlicher Glaubensauffassung, zumindest relativ singulär wäre die Übersetzung, daß die *Toten, vor Jahwe niederfallend, loben*[320]. Für eine solche Übersetzung spricht freilich recht stark der philologische Tatbestand[321]. Akzeptiert man diese Übertragung, so muß man sich wahrscheinlich das Verhältnis zwischen Beten und Loben hier aus umgedrehter Perspektive vorstellen: Wer lobt und betet, wer Gottes lebensspendende Majestät anerkennt (denn die Güte Gottes können die Toten nicht mehr lobpreisen, weil seine Nähe für sie nicht erfahrbar ist), der erhält Leben. Ansatzpunkt ist hier also nicht der Tod, sondern das Lob. Hier bräche dann eine für Israel tatsächlich „verrückte" Idee und Hoffnung durch: Wer im Gebet die Beziehung zu Gott aufnimmt, lebt, wird leben, kommt zum Leben. Wenn es keine bleibende Möglichkeit gibt, ohne Gotteslob zu leben, dann muß der Lobpreis — *wäre* er den Toten möglich — als die anerkennende und liebende Beziehungsaufnahme mit Gott die aus sich herausdrängende Kraft haben, Leben zu schaffen. Um des Gottes-

---

318 Müller 1969, 222-223; vgl. Zirker 1964, 138/9.
319 Müller 1969, 222.
320 Vgl. Barth 1947, 165 ff.; s. o. 4.2.2 (3). Vgl. Ps 6, 6; 88, 11-13; Westermann 1977, 120 ff.; Zirker 1964, 81-83.
321 Zur synonymen Bedeutung von „Staub" und „Tod" vgl. Wanke Art. 1976, 355; Kraus spricht in diesem Zusammenhang von einer „durchbrochenen Schranke" 5/1978. 183.

lobes, um Gottes willen sollen die Toten leben. Damit wirkt das Gotteslob nicht nur lebenserhaltend und -steigernd, sondern auch lebenserweckend. Gegen den Strich bisheriger Glaubensanthropologie tut sich „subkutan" die Hoffnung auf: Die Lebensgemeinschaft mit Gott „muß" eine unzerstörbare sein[322]. Logisch unvermittelt blieben dann beide Glaubensfiguren: Für Tote gibt es keine Möglichkeit des Heilsverhältnisses, weil sie aus der Lobgemeinschaft des Hörens und Erzählens von Gottes Heilstaten ausgeschlossen sind. Aber wenn „irgendwie" sie wieder „loben" könnten, dann werden sie wohl wieder leben und Heil erlangen. Gott könnte dann abgebrochenes Leben auffangen. Dies befindet sich in der Linie des Glaubens, daß Gott niemanden verloren gehen läßt und „das Flüchtige sucht."[323] Die tiefste Einsicht jüdisch-prophetischen Glaubens ist Wurzel solcher „verrückten" Hoffnung: Wer glaubt, der lebt[324]!

Man könnte sich freilich eine räumlich-zeitliche Mischung generell-biographischer Art in diesem Vers vorstellen. Wenn das Im-Tode-Sein nicht nur eine Frage der Zeit, sondern vor allem eine des Raumes ist, so kann sich bereits der Lebende in einer schlimmen Notsituation oder kurz vor dem Tod in der Sphäre des Todes befinden. Es läge hier also eine *räumliche* Entgrenzung des Gotteslobes in Richtung auf die Räume des Lebens und des Todes vor! Die am äußersten Rand des erfüllten Lebens (die Satten und Mächtigen) sich befinden wie auch diejenigen, die sich am äußersten Rand der im Leben möglichen Todessphäre befinden: sie alle werfen sich vor Gott nieder. Im Bezug auf den einzelnen hat diese räumliche Entgrenzung zugleich *zeitlich-biographische* Relevanz. Auf der Höhe seines Lebens wie auch am äußersten Ende ist der Gläubige einer, der Gott lobt bzw. loben soll. V. 30 bewirkt dann tatsächlich hinsichtlich der Kategorien von Raum und Zeit die Vermittlung zwischen V. 28 und 29 auf der einen und V. 31 und 32 auf der anderen Seite. Einen ähnlichen Vorschlag hat Keel gemacht, allerdings nicht in der räumlich-zeitlichen Differenzierung, wie wir sie eben vorgeschlagen haben. Er schlägt V. 30 im ganzen schon der zeitlichen Dimension zu. Seine Übersetzung freilich bringt auch unser Anliegen zum Ausdruck:

Ja, vor ihm werfen sich nieder alle, die im Saft stehen,
vor ihm brechen zusammen alle, die zum Staub hinabsteigen.[325]

Interessant ist dabei, wie Keel das Niederfallen der im Tod Befindlichen interpretiert: Während die Mächtigen aus eigenem Entschluß sich vor Jahwe niederknien müßten, ist es bei den Menschen im Tode „ein unfreiwilliges Zusammenbrechen". Gerade darin zeigt sich Gottes allgewaltige Macht über Leben und Tod, die doppelsinnig selbst noch von den Sterbenden als „Huldigung" ausgedrückt wird. Überzeugend ist die poetisch-strukturale

---

322 Vgl. Gerlemann Art. 1971 b, 555; Westermann 1957, 58; 1977, 121; Barth 1947, 151; vgl. zum „Leben in JHWHs Gerechtigkeit" Fuhs Art. 1981 b, 219-220.
323 Vgl. Barth 1947, 166; Zirker 1964, 81; Zitat vgl. Koh 3, 15; zur Auferstehungshoffnung in Israel vgl. Mußner 1969, 36 ff.; 41 ff.
324 Vgl. Jes 7, 9; Am 5, 4.
325 Vgl. Keel Art. 1970, 413; zum folgenden 409-411.

Bemerkung, daß hier wie in vielen Hymnen ein Merismus vorliegt, in dem *gegensätzliche* Akteure das *gleiche* tun[326]. Es bleibt offen, ob im Zusammenhang von 30 b an den „guten" oder „bösen" Tod zu denken ist. Im ersteren Fall wäre das Niederfallen der Sterbenden − nach einem erfüllten Leben − tatsächlich ein (un-)willkürlicher Akt des Gotteslobes, im zweiteren wäre in diesem Vers noch einmal die äußerste Situation des Klagenden, bzw. des bereits nicht mehr Klagen-Könnenden eingefangen.

V. 30 c könnte man im Anschluß an die eben favorisierte Version übersetzen:

> *Und wo einer selbst nicht (mehr) lebt,*
> (V. 31 a: *wird Nachkommenschaft ihm dienen*).[327]

Die Kontinuität des Gotteslobes ist also auch über den Tod des einzelnen durch das Weitererzählen der Nachfahren in die Vertikale der Zukunft hinein garantiert. Entschließt man sich freilich für die zuerst genannte Übersetzungsmöglichkeit (die Toten sollen loben!), so kann man mit Kraus V. 30 c als bedeutungsgleiche Parallelvariante zu V. 30 b auffassen und dessen Verb weiterziehen:

> *und dessen Leben nicht am Leben blieb* . . .

ergänze: soll sich beugen![328]

Entscheidet man sich für die Übertragung, wie sie die Einheitsübersetzung repräsentiert (meine Seele, sie lebt für ihn), so könnte darin fast synonym eine Bedeutungsvariante und Replik auf V. 27 c gesehen werden, mit dem Unterschied der ersten Person, von „Seele" statt „Herz" und des hier ausformulierten „für ihn"[329]. Aber die Einführung der ersten Person an dieser Stelle paßt nicht leicht in den Zusammenhang der Universalisierung von Raum und Zeit und macht auch zu viel Textänderung nötig. Man kann sich allenfalls vorstellen, daß diese Bedeutung einmal in einem früheren Stadium des Psalms und dann in unmittelbarer Verbindung mit V. 27 c aktuell war.

● In V. 31 ist der *Übergang von der räumlichen Weite in die zeitliche Dauer* endgültig vollzogen. Dabei geht die zeitliche Ausweitung auf die Zukunft und die künftige Geschichte auf Kosten der räumlichen und reduziert damit die Weite des universalen Lobpreises der Völker, der Mächtigen und der Sterbenden. Akzeptiert man nämlich die entsprechenden Übertragungen, so steht der Beter hier mit den Trägern des *erzählenden* Lobs wieder in einem relativ nahen Kontakt: Seine Nachkommen, sein Stamm

---

326 Zum Merismus Alonso-Schökel 1971, 215 ff.; vgl. Keel Art. 1970, 410; der Merismus entspricht der einschließenden, konzentrischen Antithese bei Fuchs 1978 a, 39-40.

327 Vgl. Keel Art. 1970, 413; zum Weiterleben in der Nachkommenschaft vgl. Fuhs Art. 1981 b, 218 f.

328 Vgl. Kraus 5/1978, 175.

329 Es ist nicht sehr entscheidend, welche Variante nun die richtige ist. V. 30 c verdoppelt in jedem Fall, was schon da ist und fügt nichts entscheidend Neues an Inhaltlichem oder Illokutionärem hinzu. Zum ‚Leben für Gott' als dessen Erhöhung durch den Menschen vgl. Westermann 1977, 122. ‚Leben für ihn' wäre dann eine Variante für das Gotteslob und ist damit Ausdruck intensivsten Lebens überhaupt (war inhaltlich bereits oben V. 27 c mitgemeint).

werden die zeitliche Entgrenzung des erzählenden Lobes auf die Zukunft hin garantieren, mit ihnen könnte er noch in den jüngeren Zeitgenossen Kontakt haben: In der Gestalt seiner Kinder schärft er seinem Stamm ein, Gott zu dienen (V. 31 a). Dies würde V. 23-27 weiterführen: Der Beter ist wieder versöhnt mit seiner Sippe, er sieht sie nicht mehr als Feinde oder Spötter. Er spricht sie als die Nachkommen eines Erhörten (im Gegensatz zu V. 7-9) an.

Mit V. 31 b treibt die zeitliche wie auch räumlich-personenbezogene Ausweitung weiter: über das kommende Geschlecht bis an die Grenzen der Zeit, wobei nun das ganze nachgeborene Volk Akteur des Gotteslobes sein wird. Vom Herrn und seiner Heilstat (beide gehören wesentlich zusammen, poetisch verwirklicht durch die Parallelgestaltung von V. 31 b zu 32 a) wird man von Geschlecht zu Geschlecht erzählen und verkünden, weiterhin natürlich im Sprechakt des Lobpreises. Denn er hat das (Heils-)Werk am Beter bereits (antizipatorisch wenigstens) getan, ja er hat diese Heilstat im Zusammenhang mit dem neuen Kontext der universalen Ausweitung bereits für die ganze Erde und ihre Zeit als Faktum beschlossen. Im letzteren Fall kann man V. 32 b auch als sicheres Futur oder prophetische Gegenwart (er wird das Heilswerk endgültig tun bzw. er tut das Heilswerk sicher) übertragen.

Der Psalmist bleibt demnach nicht bei sich in der Gegenwart stehen, sondern nimmt die auf ihn gekommene Heilsgeschichte selbst wiederum so ernst, daß er sie mit seiner Heilserfahrung anreichert und durch seinen eigenen erzählenden Lobpreis zum lobenden Weitergeben weiterreicht. Die Solidarität der menschlichen Heilserfahrung lebt nicht nur von der Vergangenheit, betrifft nicht nur die gegenwärtige Gemeinde und ihre Freunde in naher Zukunft, sondern wird weitergebracht in die heilsgeschichtliche Zukunft des lobenden Weitererzählens von Gottes Heil und dessen Ausgespanntsein zwischen Verheißung und Erfüllung.

Durch sich selbst ermöglicht, ja schafft der Psalm so — ein Stück wenigstens — im Sprechakt des, das Gotteslob der Nachfahren solidarisch vergegenwärtigenden, eigenen Lobpreises die Kontinuität der Heilsgeschichte als einer von der Menschheitsgeschichte (von Israel, den einzelnen und von allen Völkern) mit Gottes Anerkennung aufzufüllenden Zeitspanne zwischen Heilszusage, defizienter Heilserfahrung und Heilserfüllung. „Diese vielfachen Verbindungslinien zwischen Klage und Lob, zwischen Gegenwart, Vergangenheit und Zukunft, zeigen, daß die alttestamentlichen Beter ihre jeweilige Situation nicht als ein isoliertes Geschehen empfanden, sondern als ein Ereignis, das in das Große und Ganze eines Geschichtsablaufes eingebettet ist."[330]

---

330 Kühlewein 1973, 65, auch 66; vgl. Zirker 1964, 68 ff.

Die Tradition gerät damit zu einem lebendigen Prozeß der Anerkennung Jahwes und seiner Heilsqualität, zu deren integrierenden Bestandteil eben auch die entsprechende Auseinandersetzung aus widriger Erfahrung heraus gehört. Der so verstandene geschichtliche Lobpreis Jahwes ist das innere „Drehmoment" der Beziehung Israels zu Gott, der allen Zeiten gleich treu gegenübersteht.

Die Paränese zu dieser Anamnese ist deshalb ständig notwendig, damit der ferne (Majestät!) Jahwe nicht durch ein Vergessen der Heilsgeschichte an Erfahrungsrelevanz als „naher Gott" in seiner geschichtlich (ethnographisch und biographisch, anamnetisch und eschatologisch) erleb- und besprechbaren Güte verliert[331]. Die zukünftigen Geschlechter brauchen zu ihrer heils- und lebenswichtigen Begegnung mit Gott die Erinnerung der Heilstaten Jahwes aus der geschichtlichen Vergangenheit (die die Gegenwart des Beters ist) als Verheißung *ihres* Lebens und *ihrer* Geschichte. Eine Gegenwart, die in diesem Sinn Gott anerkennt, ihn in den eigenen Erfahrungen aufsucht und die entsprechenden Heilsmomente verkündet, hat immer auch entscheidende Heilsbedeutung für die Zukunft. Dies ist das lebendige Grundprinzip in der geschichtlich weitergehenden Symbiose von menschlicher Tradition und göttlicher Offenbarung. Schafft das Lobgelübde durch sich selbst sprachliche Kontinuität zwischen zwei auseinanderliegenden Zeitpunkten (zwischen Versprechen und dessen Erfüllung), so liegt auch hier die analoge Struktur vor: Im Sprechakt der Paränese zur Anamnese verbindet der Psalmist durch seine sprachliche Aktion zwei Zeitpunkte miteinander, nämlich seine eigene Gegenwart mit der Zukunft der Nachkommen. Seine gegenwärtige Erhörungserfahrung soll (natürlich zusammen mit den großen „offiziellen" kollektiven Erinnerungen) für die Nachkommenschaft zu einer neuen Erinnerung werden, die für sich Verheißung für *deren* Noterfahrungen bedeutet. Die im Gebet erlebte Erhörungserfahrung und damit erhoffte Rettung hat die Aussagekraft für die Zukunft, als erzähl- und damit erlebbare Zusage des Heils zu gelten. Diese inhaltliche Dimension korrespondiert mit der formkritischen Bestimmung des Psalmtextes als eines Gebetsformulars, das weitere Verwendung für „Kommende" im Sinn hat.

---

331 Vgl. a.a.O., 70/1, 74; Westermann 1977, 170 ff.

5 „Sitz im Leben" und Geschichte alttestamentlicher Klage

Wir sind bisher – in der synchronen Analyse wie auch in der Bestimmung der Motive und Traditionen – innerhalb der Semantik des Textes geblieben, wenngleich natürlich im letzteren Fall die jeweiligen geschichtlichen, sozio- und religio-kulturellen Informationen der historisch-kritischen Exegese eingeholt wurden. Doch haben wir diese direkt zu einzelnen semantischen Werten und Passagen des Textes erkundet, um ihre entsprechenden Konnotationen und die damit verbundenen Bedeutungsnuancen – zusätzlich zu dem, was die semantische Textkohärenz für sich zur Bedeutung der Wörter beiträgt – kennenzulernen[1]. Es fehlt uns nun noch die Besprechung der Pragmatik des Textes in seiner Ganzheit: Welche Funktion hatte der Ps 22 in seiner jeweiligen geschichtlichen Gesamtheit im religiösen Leben Israels bzw. des Israeliten (also im Gesamtbezug zwischen Gott, Kommunität und Individuum) und welche geschichtlichen Wurzeln stecken darunter? Welche in der religiös-sozialen Kommunikationsstruktur konventionalisierten Wirkabsichten und Wirkungen hatte der so geformte Text? Umgekehrt: Welche Ausformungsgeschichte, mit welchen Phasen und Verlaufsschüben, hatte die entsprechende Wirkintention? Es geht also um die Bestimmung sowie die geschichtliche Entwicklung des Gesamtsprechaktes des integrierten Klagetextes im sozial-religiösen Kommunikationsfeld Israels.

Damit steht die Frage nach der Gattung und somit das Problem des „Sitz im Leben" an. Zugleich wird die Texterzeugungsgeschichte (von der Entstehungs- über die Transformations- bzw. Veränderungs- bis hin zur Redaktionsgeschichte) und die Verwendungsgeschichte des fertigen Textes (z. B. als Formular oder in der Redaktion der Psalmensammlung) aktuell. In Kap. 5.2 werden dementsprechend drei entscheidende Etappen besprochen: einmal die Früh- oder Vorgeschichte der Klagepsalmen in den „Laiengebeten" (in Prosatexten) Israels, dann die Entstehungsgeschichte des Psalms als eines Klageliedes des Einzelnen einschließlich der damit verbundenen Verwendungsgeschichte (diesen Psalm nennen wir Ps 22 I) und schließlich die kollektivierend transformierende Redaktionsgeschichte des Individualtextes in exilischer und nachexilischer Zeit (den dabei entstandenen Text, unseren vorliegenden „Urtext" also, nennen wir Ps 22 II), wobei auch hier ein Stück auf die folgende Verwendungsgeschichte repliziert wird.

---

1   Zur Vereindeutigung der Wörter eines Textes und den dafür nötigen Isotopiebegriff vgl. Fuchs 1978 a, 44-75; zum Verhältnis von synchroner und diachroner Bedeutungsdimension s. o. 1.3.2; zum Verhältnis von Konvention und Textsorte vgl. Fuchs 1978 a, 122-124; 132-135 (dort findet sich auch weitere Literatur); 1978 b, 28 ff.

5.1 Gattungskritische Bemerkungen zum Klagegebet

Bevor wir gründlicher auf Geschichte (5.3.1) und Theologie (5.3.2) der alttestamentlichen Klagegattung eingehen, seien zuerst einige Vorbemerkungen gebracht, die das Verhältnis von Gattung, Geschichte und Situation der individuellen Klagegebete – im Zusammenhang mit unserem methodischen Vorgehen – abklären möchten[2].

5.1.1 Gattung und Geschichte

Es gehört zur methodenkritischen Vorentscheidung unserer Arbeit, daß wir grundsätzlich – in der Synchron- wie auch in der Motiv- und Traditionsanalyse – den Text solange wie möglich „aushalten" und nicht vorschnell auf Erklärungsangebote eingehen, die von außen an den Text herangetragen werden und nicht aus ihm selbst gewonnen sind. Damit widerstehen wir einseitigen kult-, bundes- bzw. königsideologischen Deutehorizonten, deren vorschnelle Anwendung zur Erklärung innertextlicher „Spannungen" weder (sowohl aus dem Text selbst heraus wie auch aus den Informationen über die entsprechende Umwelt) genügend begründet noch von einer modernen Texttheorie her vertretbar sind[3].

---

2 Zur Auseinandersetzung besonders mit Gunkel um das Gattungsproblem vgl. Szörényi 1961, 67-156. Zur Frage nach der Gattung und ihrem Verhältnis zur modernen Texttheorie vgl. Egger 1979, 196-200; Fuchs Art. 1979 c, 61 ff.; Hardmeier 1978, 52-153; Schweizer Art. 1979, 27 f.. besonders 31. Im folgenden besteht unser Ziel darin, in den Definitionen „Tradition", „Gattung" und „Sitz im Leben" eine konzise Korrespondenz zu der in unserer Arbeit entwickelten Methode zu entwerfen. Der Übergang von der Betrachtung des Psalms als literarische Werke zum Forschungsansatz, nach ihrem „Sitz im Leben" zu fragen, ist methodisch der Überschritt von der literarischen Kompositions- und Ausdrucksanalyse zur traditionsgeschichtlichen Methode. Im letzteren Bereich ist nicht immer nur ein einziger „Sitz im Leben" zu postulieren. Es ist auch nicht unbedingt notwendig, zum Verständnis des Opus überhaupt den „Sitz im Leben" zu rekonstruieren. Die Literaturschöpfung für sich als „Sitz im Leben" darf nicht zu gering gesehen werden. Man muß gerade der Literaturschöpfung der Psalmen auch soviel zutrauen wie den Propheten, die mit dem überlieferungsgeschichtlichen Material sehr frei umgegangen sind (vor allem Jesaja, der souverän damit umgeht). Methodisch ist daraus zu folgern, daß es nicht unbedingt nötig und oft auch nicht möglich ist, nach dem kultischen Hintergrund der Texte Ausschau zu halten. Dies bestätigt (auch von der Art des Forschungsgegenstandes her) unser methodisches Vorgehen, den Text zunächst für sich als textinternes Kommunikationsspiel zu analysieren.

3 Die unserer Ansicht nach vorschnellen pragmatischen Erklärungsversuche sind besonders in den kult-, bundes- und königsideologischen Deutungen vertreten; vgl. Becker 1975, 18 ff.; 49 ff.; 42 ff.; vgl. Kraus 5/1978, XLIX ff.; besonders LV ff.; zum texttheoretischen Axiom, erst einmal die innere semantische Kohärenz eines Textes „auszuhalten" vgl. Schweizer Art. 1979, 31: „,Einheitlichkeit' ist ein literarisches Problem und sonst nichts. Die Frage der Historie stellt sich erst viel später, wenn nämlich bezüglich eines literarisch einheitlichen Textes geklärt ist, was

So liegt unsere methodische Prävalenz in der von Botterweck mit „vielleicht" aufgemachten Alternative (zwischen priesterlichem Heilsorakel und heilsgeschichtlichem Gedenken als Ermöglichung des Stimmungsumschwungs) auf deren zweiten Möglichkeit[4]. Bevor außertextliche (pragmatische) Erklärungsangebote und Institutionen innertextlicher „Spannungen" herangezogen werden, müssen zuerst alle textmethodischen „Empathieanstrengungen" geleistet sein, zu einem textinternen Verstehen der Passagen zu gelangen. An vorausgesetzten pragmatischen Situationen orientierte Erklärungsversuche werden damit nicht grundsätzlich abgelehnt, aber wohl in ihrem oft überstrapazierten totalitären Erklärungscharakter relativiert.

Demnach werden Redesituationen von Texten methodisch zuerst aus dem Text als textinternem Spiegelbild der (realen bzw. gewünschten) textexternen Kommunikation erschlossen. So plädiert der klagende Texteinstieg in Ps 22 deutlich für die entsprechende pragmatische Situation der Not, nicht für deren Vergangenheit. Die Annahme einer fiktiven Klage gilt von daher als grundlose Unterstellung, sofern nicht überwältigende pragmatische Informationen dafür sprechen; letztere freilich sind nicht auszumachen[5]. Für Ergebnisse, die aufgrund solcher methodischer Vorentscheidung – die ja ausdrücklich als solche offengelegt sein soll – gewonnen wurden, holen wir freilich die entsprechenden pragmatischen Belegmöglichkeiten bzw. deren kritische Stimmen ein. Wenn nicht ausgesprochen gewichtige pragmatische Faktoren (institutioneller Art) und Argumente (ideologischer Art) gegen die aus der semantischen Textkohärenz und -sequenz erschlossenen textexternen Situationsvermutungen sprechen, sehen wir deren Behauptungen als methodisch gerechtfertigt an.

Diese Überlegungen provozieren eine weitere Denkbemühung: Mit Kraus betonen wir die zumindest mitentscheidende Bedeutung der Geschichte in der Sicht der beiden formgeschichtlich relevanten Größen „Gattung" und „Sitz im Leben"[6]. Doch wie sind beide Begriffe im Horizont des eben

---

der so geformte Text mit welchen Wirkabsichten sagen wollte." Vgl. Fuchs Art. 1979 c, 52-56, 61 f.

4 Vgl. Botterweck, Art. 1965, 63; dies spricht teilweise gegen Limbeck Art. 1977, 8/9, wo weitgehend davon ausgegangen wird, daß eine *„äußere* Erfahrung der Zuwendung Gottes" anzunehmen sei.

5 Zur Funktion des Textanfangs vgl. Fuchs 1978 a, 149-151, dort findet sich auch weitere Literatur; zur Betrachtung eines Textes als eines Kommunikationsdramas vgl. a.a.O., 45-121.

6 Vgl. Westermann 1977, 125 ff.; Kraus 5/1978, LVII. Es ist jedenfalls festzuhalten, daß der Gattungsbegriff nicht nur ein Korrespondenzbegriff zu pragmatischen Institutionen ist (individuelle Klagelieder als Resultate und Realisate kultischer Einrichtungen), sondern daß Gattung sich bereits darin konstituiert, daß eine bestimmte Sprechaktfolge konstant in ganz bestimmten konventionalierten Kommunikationssituationen vorkommt. Diese Situationen müssen nicht identisch sein mit Institutionen. Wiederholungen gibt es nicht nur im Kult, sondern im alltäglichen Leben. So kann man Westermann Art. 1973, 85 ff. schon zustimmen, wenn er sagt, daß die eigentliche Gattungsbestimmung der Klage bzw. Lobpsal-

Gesagten zu definieren, wie verhalten sie sich zueinander im Kontext von Geschichte und Situation, von Konvention und Intention, und welche Funktion hat in diesem Bezugsfeld das, was wir „Tiefenstruktur" genannt haben?

Nehmen wir an, das Bedürfnis des Menschen zur Klage kann als anthropologische Konstante gesehen werden. Die Sehnsucht zur Klage wird dabei aus einer Not- bzw. Katastrophenerfahrung irgendwelcher Art heraus provoziert, so daß man diese Erfahrung als notwendige ursächliche Ermöglichung der Klage zur entsprechenden anthropologischen Konstante zugehörig zu bezeichnen hat. Gehört die ‚causa efficiens' zur Konstante allgemein menschlicher Klageaktivität, dann sollte man das auf den ersten Blick auch von der ‚causa finalis' vermuten: Die Klage hat immer ein Ziel, nämlich das Leid auszudrücken, es zu kommunizieren, womöglich Hilfe zu bekommen, Verantwortliche zu benennen und anzuklagen, sein eigenes Recht einzuklagen u. ä. Diese Aufzählung zeigt nun aber, daß das Ziel der Klage nicht so leicht zu vereindeutigen ist wie ihre Ursache. Nun ist zwar, abgesehen von vitalsten physischen Noterfahrungen, auch die Wahrnehmung psychischer und sozialer Not immer vom geschichtlichen und soziokulturellen Kontext des jeweiligen Menschen abhängig, doch kann man in jedem Fall

---

men die Situation der Klage bzw. des Lobes ist. So mögen die individuellen Klagelieder in gewisser Hinsicht und teilweise den ursprünglich kultischen Volksklageliedern nachgebildet sein, ihren eigentlichen Gattungsursprung jedoch haben sie aller Wahrscheinlichkeit doch in der relativ konstanten Struktur der „alltäglichen" individuellen Klagebegegnungen des Israeliten mit Jahwe. Diese Gebete übernehmen natürlich sehr leicht Vokabel und Wendungen aus dem kultischen Leben, sind aber deswegen gattungsspezifisch nicht auf diese Institution zurückzuführen (vgl. Ruppert 1972 a, 15). Ein Beispiel: Crüsemann behauptet die Herkunft der Toda-Formel aus dem Opferkult (1969, 271). Dies kann sich aber nur auf den Formelcharakter der Dankaussage beziehen. Denn die Frage erhebt sich, woher denn der Sprechakt der Toda kommt, der sich im Opferkult seinen kultischen Ausdruck sucht. Die Antwort dürfte sein, daß anthropologischerseits der Sprechakt des Dankes, also die Sehnsucht, Gott bzw. den Göttern zu danken, primär ist. Das „Ich danke dir, Gott!" kann jederzeit außerhalb des Kultes und seiner Formel und nicht ursächlich davon abhängig ausgesprochen werden. Es ist der einfachste Sprechakt, den es gibt. So waren Lobpreis und Opfer, noch bevor sie mit Gewalt im Exil voneinander getrennt wurden, schon immer zwei eigenständige, sich ergänzende und verstärkende Realitäten. Die vorexilische prophetische Verkündigung mit ihrer Kultkritik ist gerade darauf aus, daß das geistliche Lob nicht verschwindet und dem kultisch-formalen Opfer „geopfert" wird. Vgl. dazu auch Westermann 1977, 116: „Das ‚Kultgebet' hat in Israel in erstaunlichem Maß den Zusammenhang mit dem Laiengebet gewahrt . . ." und 128, auch 54; vgl. aber besonders Wedel 1931 passim (s. u. 5.2.1). Der Sprechakttext steht primär zum kultischen Kontext. Im Exil erfolgt dann durch die Notsituation eine Entformalisierung und Entkultisierung bisheriger Gebetstexte. Kultische Sprachlichkeit, die ehedem nur durch die vitale Sprechaktsehnsucht der Menschen überhaupt möglich war, bekommt wieder ihre Verbindung mit dieser Vitalität und wird neu und schöpferisch einem lebendigen Glaubensprozeß zugebracht (Prozeß der „Spiritualisierung", s. u. 5.2.3). So gesehen ist die Spiritualisierung keine Verflüchtigung von Inhalten und Sprechaktprozessen, sondern deren Wiederbelebung durch den Glaubensgeist der Jahweanhänger.

sagen, daß zur anthropologischen Konstante menschlicher Klage die Ursache als „Not" benennbar ist, was man hinsichtlich ihrer Finalität nicht tun kann: Man kann zwar sagen, daß die Klage irgendein Ziel hat, aber man kann kein generelles Wort inhaltlicher Art für ihr Ziel benennen. Vielmehr lassen sich eine ganze Reihe möglicher Ziele finden (z. B. Anklage, Hilferuf, reine Expression usw.), wobei Umwelt, Art der Katastrophe, soziale, rechtliche Verhältnisse, psychologische Verfassung u. v. ä. für die Bestimmung des Zieles (mit-)verantwortlich sind. Die jeweilige Konkretisierung des Klagezieles kann also nur *bedingt* zur anthropologischen Konstante der Klageaktivität des Menschen gerechnet werden.

Wo nun Konkretionen gefragt werden, kommen die Dimensionen der *Geschichte und der Situation* sowie der *Konvention und der Intention* ins Spiel. Es hängt sowohl von der geschichtlichen Situation und ihrem Gewordensein (z. B. die Klage Israels aus der Noterfahrung des Exils als Unterbrechung bisheriger Erwählungsgeschichte, wodurch die Katastrophe noch einmal potenziert erlebt wird), wie auch von den religiösen und sozialen Konventionen (bisherige Sozialformen, wie sie in Texten, z. B. in den Klageliedern des einzelnen, vermittelt und als Ausdrucksformen bestimmter anerkannter Interaktionen zwischen Menschen bzw. zwischen Gott und Mensch akzeptiert sind), wie schließlich von der Intention des jeweiligen Klagenden (was und wen möchte er mit seiner Klage erreichen und als wer, in welcher psychischen Situation und welchem sozialpolitischen Status, bringt er seine Klage im Rollengefüge der Gesellschaft ein) ab, wie nun eine konkrete Klage aussieht und welches Ziel sie hat. Das Ziel wird in dem Maße zu erreichen sein, als der Klagende sich im Prozeß der Klage mit seiner Intention durch die Konventionen hindurch in der betreffenden geschichtlichen Situation ausdrücken und kommunizieren kann, so daß die anderen Interaktionsteilnehmer ihn verstehen können.
Der Sprecher muß sich dabei einer gewissen Ausdrucksform bedienen, damit seine Inhalte und Intentionen tatsächlich in dieser spezifischen Situation kommunikativen Effekt haben. Soweit, so gut: die *Gattung* wäre dann aus dieser Pespektive das verfügbare Konventionsmuster, das in bestimmten ähnlichen Situationen („Sitz im Leben") einem einzelnen oder einer Gruppe dazu verhelfen kann, seine Intention möglichst effektiv zum Ausdruck und zur Kommunikation zu bringen.

So wird einer, der klagen muß, nicht gerade die Textgattung des Dankgebetes wählen, um diese Intention für seine Umwelt auszudrücken. Zudem wird er nicht einen „Sitz im Leben" wählen, wo die Klage keinen Ort hat, z. B. einen Dank- und Lobgottesdienst. So gesehen stellt die Gattung die geschichtlich relativ konstante (aber durchaus über längere Zeiträume hinweg oder durch sozialpolitische Umwälzungen auch flott veränderbare) Ausdrucksform zur Verfügung, um regelgeleitet und damit intersubjektiv verständlich bestimmte Inhalte und Intentionen auszudrücken. Die Gattung hat dabei einen oder mehrere „Sitze im Leben", wo sie als solche beheimatet ist und verstanden werden kann (z. B. die Predigt in der Kirche oder auf einem Festplatz, nicht etwa im Bundestag). So bahnt die Konventionalität der Textsorten bzw. Gattungen der Intentionalität des Autoreninteresses den angemessenen sozio- und religiokulturellen Kommunikationsweg in einer bestimmten geschichtlichen Situation.

Beispielsweise lernt der Israelit durch die Klagegebetstexte, wie er aus der Notsituation heraus mit Gott als dem Jahwe Israels kommunizieren kann und darf. Dieses im Text aufgehobene Beziehungsgefüge ist das Resultat der Geschichte Israels mit seinem Gott. So kann der aktuelle Beter im Sprechakt von Frage, Bitte und Lob Jahwe seine Not klagen. Die *Noterfahrung* ist reale Basis und Ursache der Klagekommunikation, die auch als Proposition in der Klage vorkommen muß. In den Ziellilokutionen von *Frage, Bitte* und *Anerkennung* kann der einzelne sein Interesse und sein Bedürfnis zu klagen, regelgeleitet ausdrücken. Die israelitische Regel der Klage beispielsweise läßt keine Klage zu, die die Existenz Gottes abstreitet, Gott verflucht oder am Schluß in der Verzweiflung landet. Solche Klageakte sind von der geschichtlich entstandenen „Konvention" zwischen Gott und Volk nicht möglich und erlaubt, weil sie eine Kommunikationssituation unterstellen, die es von den bisherigen Erfahrungen Israels mit Gott nicht gibt[7]. So lernt die Exilgemeine durch die Klagetexte des Einzelnen in ihrer eigenen Situation und als Kommunität zum Gott der Väter zu klagen.

In der *Ausdrucksform* des individuellen Klageliedes wird der Gott, den der

---

7 Vgl. Fuchs Art. 1979 a, 855-862; 1978 a, 122-125. 130-134; 1978 b, 28 ff. Es geht also um die Voraussetzungsbedingungen des Gebets, die aus dem Beziehungsgefüge zwischen Gott und Mensch resultieren. Letztere stecken ja ab, was an Interaktionsvermutungen von seiten des Beters vorzustellen, zu erhoffen und zu glauben ist. Diese Spiritualität gehört bereits als geistiger Zustand zur Grundlage des betenden Sprechaktes. Es geht hier also um eine aus der „Konvention" Gottes mit den Menschen resultierende Einstellung des Menschen zu Gott. Denn grundsätzlich gilt: Das Vorhandensein des jeweiligen intentionalen geistigen Zustandes ist die entscheidende Wahrheitsbedingung eines bestimmen Sprechaktes. „In der Tat stellen diese intentionalen Zustände jeweils die Aufrichtigkeitsbedingungen der entsprechenden Sprechakte dar, ihr Vorliegen oder Fehlen entscheidet ja darüber, ob der Vollzug des Sprechaktes aufrichtig oder unaufrichtig ist." (Searle Art. 1979, 146). In unserem Fall geht es darum, ob der intentionale Zustand des Beters, der Grundlage seines betenden Sprechaktes ist, auch tatsächlich den Wahrheitswert Gottes enthält, der aus der biblisch erfolgten Begegnung Gottes mit dem Menschen in Liebe und Glaube zu erkennen ist. – Oder ob der Beter nicht mehr mit einem Gott, sondern aufgrund seines intentionalen Zustandes mit einem Monster oder einem Baal oder einem Hampelmann kommuniziert (z. B. der intentionale Zustand der Magie). Was wir weiter unten Gattungskern der Klage nennen, bringt auf relativ qualifizierte Weise den Repräsentationsgehalt der Klagekommunikation des Menschen mit Gott zutage und verleiht dem Sprechakt des Klagegebets seine biblisch-normative „Aufrichtigkeitsbedingung".

einzelne in seiner Not angesprochen hat, zum Gegenüber des exilierten Volkes. An diesem textintern aufscheinenden Gegenüber orientiert sich der aktuelle Sprechakt der Klage, wodurch eine dem Volk Israel wie auch Jahwe entsprechende Klagekommunikation entsteht. Die Ausdrucksform des individuellen Klageliedes (mit den entsprechenden aktuellen Erweiterungen durch andere der Gegenwart bewußte Ausdrucksformen, die allerdings ähnliche Motive und Inhalte weiterbringen) transportiert und rettet die entsprechenden inhaltlichen Momente der heilsgeschichtlich entstandenen Klagebeziehung des Menschen zu Gott. Dabei kann die Ausdrucksseite wechseln bzw. für ähnliche Inhalte unterschiedlich verlaufen, je nachdem, welche sprachlichen Formen aus den entsprechenden „Sitz im Leben" (z. B. aus dem des Jahwekrieges oder des Tempelkultes u. ä.) gewählt werden. So ist es offensichtlich strittig, welche Ausdrucksformen Deuterojesaja für das inhaltliche Bedeutungssyndrom des heilenden Zuspruchs Jahwes in der Notsituation gewählt hat: die Ausdrucksform des Heilsorakels, der Rechtsproklamation, der Selbstdarstellungsformel usw. (s. u. 5.2.2). So wichtig die durch die unterschiedlichen Ausdrucksformen eingebrachten Bedeutungsnuancen und -transformationen auch sind: Die Inhaltsseite bleibt durch die unterschiedlichen historischen Sprachformen hindurch relativ konstant. Historisch gesehen wird sich in unterschiedlichen geschichtlichen Situationen oft die Ausdrucksform ändern müssen, damit die Inhaltsseite gerettet wird. Ausdrucksformen nämlich haben die Tendenz, zu verschleißen, Bedeutungskraft zu verlieren und mißverstanden zu werden. Dies gilt sowohl für ganze Gattungen bzw. Textsorten (vgl. z. B. den erheblichen Gattungsunterschied zwischen mittelalterlichem Minnelied und modernem Schlagertext, obwohl es in beiden Texten um die gleiche „Sache" geht) wie auch für Einzelformen auf der Wort- und Satzebene (so kann die Ausdrucksform des Heilsorakels in der entsprechenden Kommunikationssituation gerade das Gegenteil des intendierten Inhalts bewirken und nicht Vertrauensbegegnung, sondern magischen Zugriff provozieren). Unsere sprachliche strukturale Analysemethode geht von der Textoberfläche eines Exemplars der Gattung „individuelles Klagelied", in unserem Fall von Ps 22, aus und nimmt damit die in diesem Exemplar auch tatsächlich exemplarisch vorkommenden *Ausdrucksformen* dieser Gattung wahr. Auf dem Weg zur *Texttiefenstruktur* versucht die Analyse durch die Ausdrucksformen hindurch zu den entscheidenen *inhaltlichen Strukturen* vorzudringen. Dadurch wird die Zeitgebundenheit der Gattungsform relativ aufgehoben und macht der relativ konstanten inhaltlichen Seite der Klagekommunikation Platz. Wir sind auf der Suche nach diesem *konstanten Kern der Klage*, weil unser Erkenntnisinteresse auf den „„überzeitlichen" normativen Kern der jüdisch-christlichen Klagekommunikation zwischen Gott und Mensch gerichtet ist. Die Ausdrucksformen an der

Textoberfläche können als solche nicht mit gleicher Normativität wie dieser Kern qualifiziert werden, weil sie die historisch abhängigen Varianten der inhaltlichen Strukturen darstellen: So könnte man heute die Ausdrucksformen für die projektive Feindbenennung im Ps 22 (brüllende Löwen, Stiere, Büffel von Baschan usw.) kaum mehr mit der heutigen konnotativen Semantik projektiver Redeweise in Zusammenhang bringen. Damit steht die hermeneutische Frage an, welche Ausdrucksformen heute das für die Klage konstitutive Strukturelement der Feindbenennung und -projektion realisieren können[8].

Um die inhaltliche Seite der verschiedenen Klageformen deutlich fassen zu können, haben wir denn auch die Bedeutungszusammenhänge der im Ps 22 vorkommenden Formen mit den entsprechenden Aussagewerten, wie sie die historisch-kritische Exegese entdeckt hat, in Kap. 4 so ausführlich erörtert. Denn die synchrone Analyse erhellt nur die durch den als Bedeutungssystem aufgefaßten Text möglichen denotativen und formal-konnotativen Vereindeutungen der in ihm vorkommenden semantischen Werte. Vor allem für die semantischen Werte der Texttiefenstruktur galt es, die entsprechenden inhaltlichen Bedeutungssyndrome zu finden, wie sie in der durch die Begegnungsgeschichte Jahwes mit Israel entstandenen Glaubenspraxis und -reflexion zu verstehen sind. Dazu freilich kamen wir gerade über die form- und gattungskritische Diskussion der einschlägigen Ausdrucksformen und ihrer Inhalte. Was wir im Kap. 2 und 3 textintern unternommen haben, nämlich von der Ausdrucksform auf die tiefenstrukturelle Inhaltsseite zu kommen, haben wir im Kap. 4 textextern durch die historisch-kritische Diskussion der Formen und der Gattungsmerkmale, wie sie im Ps 22 begegnen, bis zu deren Bedeutungswurzel als Motive und Traditionen in der Geschichte Israels versucht. Sowohl auf dem Weg synchroner struktural-semantischer Textanalyse wie auch auf dem Weg historisch-kritischer Diskussion der einschlägigen Formen und Gattungen konnten wir durch entsprechende „Tiefbohrungen" sowohl zur inhaltlichen Tiefenstruktur des Textes wie auch zur genaueren Einsicht in die Bedeutungskomplexe der aufgefundenen Strukturelemente und Sprechakte gelangen.

Diese Überlegungen lassen nun folgende *terminologische Klärungen* zu: Unter *Gattung* verstehen wir die historisch relativ variable konventionelle Textsorte, mit der jemand in einer bestimmten Situation (Sitz im Leben) eine bestimmte Intention intersubjektiv regelgeleitet und damit mit der besseren Aussicht auf gelingende Kommunikation zum Ausdruck bringt. Die Gattung ist somit das textinterne Spiegelbild der pragmatischen Kommunikationssituation und vermittelt in ihr Intentionalität und Konventio-

---

8   Vgl. dazu Teil III und V in den folgenden Publikationen der Untersuchung; s. o. 1.1.

nalität von Sprechakten und ihren Inhalten. ‚Gattung‘ und ‚Sitz im Leben‘ sind also zueinander korrespondierende Größen. Sie haben geschichtlich-periodischen Charakter: Sie sind ebenso variabel wie die durch sie geschaffenen Ausdrucksformen. Diese geschichtlich-periodische Realisierung in einem bestimmten „Sitz im Leben" kann nicht leicht eine relative konstante durch die Geschichte hindurchgehende normative Dimension beanspruchen. Es genügt also nicht, für den gegenwärtigen Text Ps 22 eine Gattungssituation im Bundeskult des Tempels zu suchen und ihn dann dort ein für allemal zu plazieren, wobei dieser vorweg angenommene „Sitz im Leben" den dazu passenden Psalmtext ausschneidet und die übrigbleibenden Teile als „sekundär" (im Sinne von weniger ursprünglich, später, redaktionell und weniger wichtig) diffamiert. Hier wird *eine* Gattungssituation, die noch dazu ideologisch abhängig ist, zur einzig entscheidenden erhoben. Dies scheint ein ungeschichtlicher, ja mythischer Umgang mit Texten und ihren Situationen zu sein, welcher die diachrone Erzeugungs- und Rezeptionsgeschichte eines Textes nicht in den vielen entscheidenden Etappen methodisch gleichgewichtig ernst nehmen kann[9].

Auf dem Weg zu einer relativ überzeitlichen normativen Qualität von durch als konstitutiv erachtete Texte vermittelten Komumunikationsmöglichkeiten muß freilich von den Ausdrucksformen zu deren Inhaltsseite vorgestoßen werden. Wir haben uns also darauf zu konzentrieren, wie wir die relativ konstante inhaltliche Bedeutungsstruktur der einschlägigen Gattung und ihrer Formen methodisch vertretbar ent- und aufdecken können. Unser methodischer Versuch möchte über die Erstellung von Tiefenmodel-

---

9 Eine solche methodische Vorentscheidung, die einen einzigen „Sitz im Leben" zur entsprechenden Gattungsdifferenzierung heranzieht, entspricht auch nicht den zu untersuchenden inhaltlichen Strukturen der alttestamentlichen Texte, sofern man sich auf das Axiom einigt, daß die inhaltlichen Strukturen des Materialgegenstandes den formalen Strukturen des methodischen Formalaspektes zu korrespondieren haben. Denn Ideologisierung einer Gattungssiuation entspricht einem Zeit- und Geschichtsempfinden, das mit der Verheißungsstruktur alttestamentlichen Glaubens nicht kongruierbar ist, sondern eher dem mythischen Geschichtsbild entspricht, in dem Geschichte und Bedeutung in einem (historischen oder kultdramatischen) Punkt in relativer Zeitlosigkeit verschmelzen (vgl. zur Verheißungsstruktur Müller 1969, 33; Zirker 1964, 98 f.; 115 f.; Westermann 1977, 175). Hier erhebt sich schon das methodisch-hermeneutische Problem, ob solche „mythische" Methode nicht eine artfremde Vorentscheidung hinsichtlich der geschichtsbedeutsamen und -strukturierten Offenbarung des alttestamentlichen Gottes in Israels Geschichte heineinträgt und dann natürlich auch die entsprechenden verfälschenden Ergebnisse zeitigt. Nun ist es freilich aber auch m. E. übertrieben, die individuellen Klagelieder sich „zumeist jeder historischen Einordnung" entziehen zu lassen (Kraus 5/1978 LXII). Wir wählen den „Mittelweg" dieser Extremalternative und betrachten die relativ konstante Gattungsstruktur des Ps 22 an bestimmten historischen Knotenpunkten seiner Entstehung bzw. Rezeption und registrieren die damit verbundenen relativ variablen Sinnanreicherungen der Bedeutungsstrukturen (Ps 22 I und II).

len eines repräsentativen Gattungstextes und durch die Bedeutungsanreicherung der besonders in den Tiefenmodellen vorkommenden Propositionen und Illokutionen sowie des damit verbundenen Sprechaktverlaufes mit Hilfe der historisch-kritisch zu diskutierenden Motive und Traditionen dieses Ziel erreichen. Auf diese Weise gelangen wir zum inhaltlichen und relativ konstanten *„Gattungskern"* der israelitischen Klagekommunikation in ihrer normativen Qualität! Der Gattungskern kann somit nicht einem bestimmten „Sitz im Leben" korrespondierend zugeordnet werden, sondern stellt die inhaltliche Basis dar, auf der die darin vermittelte Kommunikationsstruktur in jedem möglichen „Sitz im Leben" und zu jeder möglichen geschichtlichen Situation mit den entsprechenden Ausdrucksformen (und dann wieder als realisierte Gattung) aktuell werden kann[10].

---

10 Zum Gattungsbegriff vgl. Richter 1971, 125-152. Richter gelangt zum Gattungsbegriff vor allem durch die Abstraktion der Ausdrucksseite entsprechender Texte (vgl. 128 f., 131-133). Der Bezug von Inhalt bzw. Geschichte zum Gattungsbegriff ist für Richter unsicher und problematisch (a.a.O., 137/151). Genau aber um diesen Bezug muß es uns von unserem Erkenntnisinteresse her (das ja über das exgetische hinaus ein praktisch-theologisches ist) gehen. Durch die deskriptive Gattungsbestimmung hindurch muß zur inhaltlich-normativen vorgestoßen werden. Deshalb suchen wir den semantischen (also inhaltlichen) Gattungskern auf, der das panchrone Struktur- und Verhaltensmuster (vgl. a.a.O., 187) biblisch-relevanter Kommunikation zwischen Mensch und Gott zutage fördert. Wir tun dies allerdings mit Hilfe einer intersubjektiv überprüfbaren Methode, die möglichst an den Text herangetragene inhaltliche Vorentscheidungen ausklammert (vgl. a.a.O., 176/189), nämlich durch die struktural-semantische Analyse der Reduktion von Varianten auf ein Basismodell (vgl. a.a.O., 181). Der Gattungskern zeigt die inhaltliche Seite der ausdrucksorientierten „Gattung" im Sinne Richters (vgl. a.a.O., 132 f.). Der funktionalen Qualität der Gattung korrespondiert die inhaltliche Sprechaktstruktur im Gattungskern (vgl. a.a.O., 145/151). Strukturelle Intentionalität und Funktionalität kann ohne die Inhaltlichkeit eines vorgegebenen Kommunikationsgefüges nicht auskommen, sondern setzt dieses voraus. Wir sind dabei so vorgegangen, daß wir aus den Gattungen der Klagelieder des Einzelnen (wieweit diese Lieder tatsächlich eine Gattung im Sinne Richters darstellen, muß fachexegetischen Arbeiten vorbehalten werden) das Gattungsexemplar Ps 22 als paradigmatisches ausgewählt und für die analytische Entdeckung des Gattungskerns herangezogen haben. Diesen Gattungskern fassen wir dann als potentiell generative Größe auf, die ganz unterschiedliche Gattungsrealisierungen mit unzähligen Ausdrucksformen (auch über die Ausdrucksformen der (hebräischen) Klagelieder des Einzelnen hinaus) produzieren kann. Zum entsprechenden Normenproblem vgl. Mette 1978, 295.
Wir arbeiten also mit einem *hermeneutischen Gattungskernbegriff*, mit dessen Hilfe die Funktion der Normativität biblischer Texte — ein Stück wenigstens — überprüfbar gemacht werden kann. Dieses Vorgehen wird den Kriterien des inhaltlichen Aspekts bei Richter durchaus gerecht (vgl. a.a.O.a, 174-190). Vgl. zum Problem vor allem auch die Ausführungen von Dormeyer zur Textpragmatik biblischer Texte: 1979, 8 ff., 90-112, zum Verhältnis von Tiefenstruktur, Handlungsanweisung, Sprechsituation und Hermeneutik 94 f., 105 f., 110 f., 111 f. „Der Hörer soll befähigt werden, in den ihm begegnenden Situationen, die in ihrer Oberfläche so unterschiedlich wirken, die Struktur der Interaktion als gleichbleibend wahrzunehmen. Dann vermag er auch, die in ihr verankerten Normen und Wahrheiten auf seine Situation zu übertragen" (a.a.O., 110).

So kann man nach allem was bisher über das Verhältnis von Individuum und Kollektiv sowie über die Kollektivierung individueller Klagegebete im Exil gesagt worden ist, nicht mehr behaupten, daß den beiden geschichtlich-situativ abhängigen Gattungen des Klageliedes des Einzelnen und des Klageliedes des Volkes zwei unterschiedliche Gattungskerne innewohnen. Ps 22 I und Ps 22 II sind vielmehr die mit unterschiedlichem „Sitz im Leben" korrespondierenden Gattungsrealisationen des einen und konstanten Gattungskernes, der die Kommunikationsstruktur zwischen klagendem Subjekt (gleichgültig ob einzelner oder Gemeinde) und Jahwe offenlegt[11].

Die Ausführungen zeigen, daß die Methode synchroner Textanalyse weder ungeschichtlich noch subjektfeindlich zu sein hat, sofern sie im Rahmenkontext von Subjekt und Geschichte durchgeführt wird. Die Gefahr der Ungeschichtlichkeit verfängt eher bei der oben apostrophierten Richtung

---

11 Mit der Unterscheidung von Gattungskern und Gattungsrealisation induzieren wir nicht wesentliche Größen auf ontologischer Ebene (vgl. Fuchs 1978 a, 23 f.). Somit impliziert das Analysevorgehen nicht, daß Geschichte etwa nur eine „Einkleidung" eines an sich ungeschichtlichen Kerns sei. Auch werden nicht alle späteren Klagenden zu Wiederholern der schon geschehenen und ontologisch strukturell festgelegten und als solcher normativen Klage des Ps 22 reduziert. Wir gehen vielmehr davon aus, daß es in der Geschichte nichts Ungeschichtliches gibt. Auch das, was in Ps 22 auf die Basisstruktur gebracht wird, ist geschichtlich entstanden und hat von sich aus auch geschichtliche Entwicklung. Genau das versuchen wir ja in diesem Kapitel darzustellen. Die Dimensionen der Normativität dieses geschichtlich gewordenen Textes (des Ps 22) beruhen also nicht darauf, daß sie als ontologisch-wesentlich und in diesem Sinn überzeitlich behauptet werden, sondern darauf, daß geschichtlich Gewordenes in seiner Vorbildlichkeit und Muster-Gültigkeit für weitere Geschichte anerkannt wird. Die Erstellung der Basismodelle ist ein Weg dazu, diese Mustergültigkeit reflektiertermaßen wahrzunehmen und durchzuführen. Typologie und Analogie zerstören nicht geschichtliches Denken, wenn sie sich nicht als ontologische Realitäten behaupten. Der systematisch-theologische Hintergrund dieser normative Dimensionen des Ps 22 ist die Normativität der biblischen Schriften (historisch festgemacht in deren Kanonisierung) für jüdische und christliche Geschichte überhaupt. Diese Normativität „von außen" entspricht auch der inneren Struktur der in der Bibel erzählten Glaubenserfahrungen: Auch sie leben von Erinnerungen, in denen typologische Vorbilder und analoge Mustergültigkeiten in der Gegenwart auf die Zukunft hin befragt und entfaltet werden. Unsere Analysemethode ist also der Weg, die geschichtlich gewordene und geschichtlich weiterwirkende mustergültige Kraft eines innerbiblischen Textes möglichst inhalts- und handlungsorientiert weiterzubringen. Die so statisch aussehende Methode ist ja die „Durststrecke" dafür, den Kommunikationsprozeß aufzudecken. Dies verhindert nicht, sondern provoziert, daß neue Klagende immer ihre eigene Wahl und Weise zu klagen selbst erkämpfen, erarbeiten und damit ins Recht setzen. Mit der Kategorie der Mustergültigkeit wird auch keine fremde Kategorie an den Ps 22 herangetragen, sondern die Kategorie, die bereits im Alten Testament selbst (im Formularangebot für potentielle Klagebeter) in die Geschichte (bis in unsere Gegenwart hinein) ausgezogen wird. Auch die Begriffe der Synchronizität und der Diachronie sind ja Begriffe, die innerhalb des Zeitspektrums bleiben. Wenn von Überzeitlichkeit die Rede ist, so ist sie natürlich als eine relativ sich in der Zeit befindliche zu verstehen.

in der Gattungsforschung, die lediglich auf *einer* historisch-pragmatischen Synchronebene der Gattung operiert und diese zum Maßstab ihrer entscheidenden Inhalte macht. Um dieser Gefahr vorzubeugen, empfiehlt es sich, den Begriff der Gattung überhaupt, vor jedem vorzeitigen Blick auf irgendwelche „Sitz im Leben", als innertextliche bzw. literarische Größe zu definieren, wobei unterschiedliche Texte dann einer Gattung zugehören, wenn sie (im Verlauf der Textoberfläche) eine vergleichbare textinterne Kommunikationsstruktur (hinsichtlich Illokution und Proposition) sowie Similaritäten in der entsprechenden Ausdrucksform aufweisen[12]. Nicht eine vermutete außertextliche Institution, Situation oder Ideologie, in denen ein Text als konventionelles Mittel zum kommunikativen Zweck phantasiert wird, können damit Grundlage für die Definition einer Gattung sein; sie ist vielmehr aufzufinden in dem, was die Gattung in sich als Kommunikationsstruktur und -prozeß widerspiegelt. Erst wenn diese hinreichend ausgehalten und womöglich aus sich heraus geklärt ist, kann die Gattung als ganze wie auch in ihren Einzelformen entsprechenden „Sitz im Leben"-Situationen und -momenten ohne Fixierungen locker und relativ mobil zugeordnet werden. Dadurch wird eine Gattung bzw. ein Gattungstext freigesetzt für ihre bzw. seine Betrachtung in verschiedenen geschichtlichen Situationen und im Zusammenhang mit den entsprechenden Subjekten (z. B. einzelner oder Exilsgemeinde), die sich auf ihre Weise in das textinterne Drama eines überkommenen gattungsspezifischen Textes integrieren.

Für den praktischen Theologen ist freilich nicht nur entscheidend, wie ein Text in verschiedenen biblischen Situationen rezipiert wird, sondern wie die darin aufgehobene Kommunikationsstruktur zwischen Gott und Mensch, also das, was wir oben mit Gattungskern definiert haben, so freigelegt werden kann, daß damit eine jederzeit und somit auch gegenwärtige theologisch qualifizierte Rezeption und Produktion entsprechender Kommunikation ermöglicht wird. Solcher Gattungskern ist zwar durchaus angereichert mit den unterschiedlichen Bedeutungszugängen aus den innerbiblischen Gattungsrealisationen (Ps 22 I, II und Ps 22 im Markusevangelium), doch ist dies so, daß er die Zugaben relativ unabhängig von ihren Ausdrucksformen in sich aufnimmt und als „harter Kern" der Gattung durch die Geschichte hindurch weiterträgt, so daß Textproduktionen möglich sind, die nicht die Ausdrucksformen des Ps 22 mehr zu übernehmen haben. In der Erstellung von Tiefenmodellen, die durch starke Abstraktion des Oberflächentextes die textinterne Kommunikationsstruktur und ihren Prozeß auf überschaubare Skizzen bringt, sehen wir einen möglichen methodischen Zugang zum Auffinden und zur arteigenen Strukturierung des relativ konstanten Gattungskernes eines Textes, derart daß dieser Kern wie ein Zellkern neue Texte generiert und in ihrer inhaltlichen Gattungsqualität zueinander vergleichbar macht.

---

12 Vgl. Hardmeier 1978, 29 ff.; 48 ff.; 116; 139-141; Schmidt 1973, 20 ff.

Hardmeier plädiert in eine ähnliche Richtung, ohne allerdings die klärende Unterscheidung zwischen Gattung und Gattungskern zu haben, was seine Ausführungen zeitweise widersprüchlich und undurchsichtig macht. „Wenn Gattungsstrukturen Kommunikationstypen darstellen . . ., dann erscheinen diese Gattungsstrukturen primär als typische semantische Konfigurationen in der Texttiefenstruktur."[13] Das Verhältnis von Gattungsstruktur und Texttiefenstruktur ist hier nicht genügend reflektiert, so daß auch die Rolle der stilistisch-sprachlichen Mittel (in den Psalmen etwa von kultorientierten Formulierungen) nicht − wie es richtig wäre − auf der Ebene der Gattung, sondern (trotz eines relativ dauerhaften Gebrauchs solcher sprachlicher Figuren: fälschlicherweise!) auf der Ebene des Gattungskernes angesiedelt wird[14]. Wir klären diese Schwierigkeit, indem wir die semantische Tiefenstruktur eines Textes als Kern seines Gattungscharakters ansehen. Während die Gattung, wenn auch mobile, so doch notwendige Korrespondenzen zum „Sitz im Leben" hat, sind Gattungskern und „Sitz im Leben" zwei durchaus unterschiedliche und zunächst nicht miteinander vermittelte Größen. Während der Gattungskern eine tiefenstrukturelle Abstraktion der *semantischen* Kommunikationsstrukturen ähnlicher Texte mit relativer Konstanz und Sychronizität darstellt, ist der „Sitz im Leben" eine *pragmatische* Größe, derart daß die konkrete Textausgabe einer bestimmten Gattung ihren durchaus unterschiedlichen situativ-geschichtlich wie auch soziokulturell variablen Ort hat[15].

Diese in der Tiefenstruktur eines Textes aufgehobene Fähigkeit, nicht nur in einer bestimmten historischen Situation als bedeutungsschaffendes Textmoment funktionieren zu können, sondern auch durch die verschiedenen Zeiten und Situationen hindurch je neu entsprechende Sinn- und Kommunikationsproduktionen anstoßen zu können, macht überhaupt seine Kapazität aus, Wirkungs- und Rezeptionsgeschichte zu haben. Dies gilt

---

13 Hardmeier 1978, 120. Vgl. Schweizer Art. 1979, 28-44. Wenn hier von „Tiefenmodellen" und „Tiefenstruktur" die Rede ist, so besteht die Suggestion, daß solche „Tiefen"-Wörter leicht als mythische Größen mißverstanden werden. Daß es sich hierbei um analytische Begriffe handelt, haben wir im zweiten Kapitel zu zeigen versucht.

14 Zum Verhältnis von Gattung und rhetorisch-konventionell normierter Sprachverwendung vgl. Hardmeier 1978, 148-153; besonders 141, auch 121.

15 Es scheint auf den ersten Blick problematisch, Semantik und Pragmatik so auseinanderzureißen (vgl. dazu auch Fuchs 1978 a, 122 f.). Denn wenn ich etwas sage, tue ich immer etwas, indem ich Beziehungen formuliere und forme. Ob es einen ablösbaren Text gibt, der nur das Gesagte (Semantische) isoliert und der von dem, was damit getan wird (Pragmatik), zu trennen ist, ist innerhalb eines Lebensvollzuges natürlich äußerst zweifelhaft. Eine solche Trennung ist nur rein methodologisch möglich, und nur sofern behauptet wird, daß das Gesagte in sich pragmatische Potenzen hat, nämlich die Absicht und Intention, außertextlich real zu werden. Nur unter dieser Voraussetzung konnten wir uns damit begnügen, den Text als solchen zu untersuchen. Der Grundsatz der Pragmatik, daß Sprechen immer auch Tun ist und daß das Gemeinte auch vom jeweilig damit Getanem her mitzudefinieren ist (Korrespondenz von Sprachspiel und Lebensform) bleibt damit unangetastet (vgl. a.a.O., 75 ff., Dormeyer 1979, 90 f.).

aber nur, sofern die Rezipienten fähig sind, durch die Ausdrucksformen hindurch die inhaltliche Struktur des Textes zu erfassen. Ist diese einmal begriffen, dann können auch zunächst unklare Ausdrucksvarianten an der Textoberfläche in ihrer Bedeutung entsprechend erschlossen und durch aktuellere Varianten substituiert werden. Ist die Kernstruktur einmal klargeworden, dann können überhaupt ganz neue Texte „generiert" werden[16], die auf ihre Art die überkommene inhaltliche Tiefenstruktur ausdrucksmäßig realisieren. Somit wird jeder Text in seiner textinternen Kommunikations- und Sinnstruktur durch unterschiedliche Zeiten und Situationen hindurch zur potentiellen Steuerungsgröße aktueller Interaktionen, und zwar dadurch, daß er rezipiert, in seiner illokutiven und propositionalen Kraft in Verbindung und Auseinandersetzung mit den Problemen und Verstehensmöglichkeiten der jeweiligen Interaktionsteilnehmer – durch deren Integration in das textinterne Drama und dessen Transformation in die eigene Situation – ernst genommen und so einer neuen Wirkungsmöglichkeit zugeführt wird. Ein Text ist damit in seinem Bedeutungskern immer eine virtuelle semantische „Instruktion", mit deren Hilfe potentielle Kommunikationspartner bzw. Institutionen entsprechende Wirklichkeiten als Sinn- bzw. Begegnungsentwürfe konstruieren können[17].

Dieses eben dargestellte Verständnis von Gattungskern und Text auf der einen und Gattungsrealisierung und „Sitz im Leben" auf der anderen Seite entspricht auch unserem methodischen Vorgehen: Der historisch-diachrone Durchlaufsteg des Gattungskerns als eines relativ zeitbeständigen, textlich „eingefrorenen" Kommunikationsmoments israelitischer Sozietät und Religiosität im Blickfeld des Klagegebetes kann dann nämlich an besonders interessanten, markierbaren, die textlich aufgespeicherte Kommunikationsstruktur in besonders ausdrücklicher Weise transformierenden und bedeutungsanreichernden historischen Situationen „angehalten" werden. Diese Momentaufnahmen gelangen gleichgewichtig zueinander in Augenschein und gehen in die Bedeutungsdimension des Gattungskerns ein. Dem kultischen „Sitz im Leben" der Gattungsrealisierung dieses Kernes muß dann nicht eine besondere Hochform unterstellt werden; die Frühgeschichte der Gattung (etwa im israelitischen Laiengebet) und ihre spätere Geschichte in der Exilsgemeinde (mit den entsprechenden auf der Gattungsstruktur aufbauenden Weiterführungen) sind nicht weniger wichtig als die institutionelle Verankerung der Gattung im zentralen Tempel- oder lokalen Heiligtumskult.
Versteht man die Gattungsqualität eines Textes also in ihrem Kern als eine semantische Texttiefenstruktur und „Sitz im Leben" als jeweilige (potentielle) Aktualisierung des in der Tiefenstruktur aufgehobenen Kommuni-

---

16 Zum Begriff des „Generativen" vgl. Fuchs 1978 a, 94 Anm. 127; zur Funktion der Tiefenmodelle als „Keimzellen" a.a.O., 284 ff.
17 Zum Text als Steuerungsgröße sowie zu seiner Betrachtung innerhalb der Instruktionssemantik vgl. Hardmeier 1978, 121/2; 142 ff.; Fuchs 1978 a, 139-164 (besonders Anm. 51). Vgl. auch Dormeyer 1979, 109; Schunack Art. 1973, 313-321.

kationsmomentes in einer bestimmten Situation bzw. einem bestimmten Kontinuum einer Volks- oder Menschengeschichte, dann eignet dem Gatungskern nicht nur etwas Generalisierendes und Abstraktes, sondern auch etwas Zeitkonstantes und potentiell Verzeitigendes an. Der Gattungskern garantiert die inhaltliche Konstanz, zugleich provoziert die darin schlummernde Produktions- bzw. Rezeptionspotenz in den historischen bzw. biographischen Situationen die jeweiligen Gattungsrealisierungen. Der Gattungskern ist auffindbar auf dem Weg intersubjektiv nachvollziehbarer Reduktionsoperationen entsprechender Texte. Texte mit gleicher Tiefenstruktur (auch zu unterschiedlichen Zeiten) sind deshalb nicht etwa Varianten der gleichen Gattung (die ja selbst eine geschichtliche Realisation der Tiefenstruktur darstellt), sondern des gleichen Gattungskernes[18].

Diese eben nochmal zusammengefaßte methodische und terminologische Voraussetzung hinsichtlich Gattung, Gattungskern und Geschichte berührt nicht zuletzt die Frage und das Problem der *Inspiration*: Jede durch die historisch-kritische Methode erkennbare Phase einer Gattungsstruktur hat, natürlich immer zusammen mit der Kernstruktur selbst, dann ihre gleichgewichtige heilsgeschichtliche und somit offenbarungstheologische Bedeutung. Innerhalb des biblischen Kanons unterschiedlich wichtige Primär- und Sekundärformungen einer Gattungsstruktur mit mehr bzw. weniger entscheidender Aussagekraft und Verbindlichkeit zu unterscheiden, wird damit gegenstandslos. Die Redaktionsphase einer bestimmten Gattungsrealisation ist damit gleichgewichtig mit der Entstehungsphase des entsprechenden Textes[19]. Bei näherem Zusehen stellt sich auch tatsächlich her-

---

18 Der Unterschied, der in dieser Konzeption zwischen Gattung und Gattungskern gemacht wird, erlaubt es auch, die struktural-semantische Analyse an der *Übersetzung* eines Textes vorzunehmen. So ist die deutsche Übertragung des Ps 22 aus dem hebräischen Text eine durch Sprachenübersetzung bedingte Variante auf der Ebene der Ausdrucksform, von der wir durch das Analysevorgehen auf die relativ invariante inhaltliche Bedeutungs- und Kommunikationsstruktur des Textes kommen bzw. gekommen sind (s. u. Kap. 2). Es macht im Grunde nämlich nur einen graduellen Unterschied aus, ob die Ausdrucksform für konstante Inhalte historisch-soziokulturell oder sprachenspezifisch charakterisiert ist. In beiden Fällen passiert eine Substitution des Basistextes durch phonologisch und morphologisch abweichende Lexeme, mit dem Ziel, soweit wie möglich den *Tiefensinn* des Textes durch die gewählten Varianten entsprechend an die Oberfläche zu bringen. Um des so ermöglichten Bedeutungstransportes in verschiedene kulturelle oder sprachliche Regionen hinein willen werden tiefensemantische Werte eingeführt, die bei all ihrer (vor allem konnotativen) Bedeutungsanreicherung in Oberflächenrealisierungen noch die semantische Kernstruktur eines Textes weiterbringen. (vgl. zu den die jeweiligen Variationen bestimmenden unterschiedlichen Ebenen von der Sprachgemeinschaft bis hin zur gruppen- und autorenspezifischen Sprache Fuchs 1978 b, 28 ff.).

19 Vgl. Braulik 1975, 244; Becker 1966, 6. In der Exegese hat der „Sitz im Leben" zwar immer auch eine bestimmte Bedeutung für die Selektion und Transformation der jeweiligen Sinnvermittlung biblischer Autoren. In unserem Analysemodell wird dies berücksichtigt dadurch, daß sich die semantischen Elemente an der Textoberfläche tatsächlich verändern können. Was aber durch alle geschichtlichen

aus, daß die Sprechaktintentionen eines sogenannten Primärtextes in den zeitlich späteren Sekundärtexten bereits innerbiblisch durch die entsprechenden aktualisierenden Varianten zwar modifiziert, im wesentlichen aber nicht nur durchgehalten, sondern in ihrer bereits angelegten Gewichtung verstärkt werden[20]. Damit wird im innerbiblischen Wirkungsprozeß eines Textes bereits vorgezeichnet, was wir verantwortlichen Umgang mit Texten mit normativer Qualität nennen und was diese Arbeit bis in die entsprechende normativ gebahnte gegenwärtige Aktualisierung des infragekommenden Textes bzw. seines Gattungskerns methodisch überprüfbar nachzeichnen will.

Die geschichtliche literarische (oder auch historische) Aktualisierung des *Ps 22 im Munde Jesu* reichert dabei zwar die im Text exemplarische Kernstruktur alttestamentlicher Klage mit den aktuellen Bedeutungsmomenten des Schicksals Jesu an, doch besteht die für uns wesentliche Botschaft in diesem Zusammenhang hauptsächlich darin, *daß* damit das jüdisch-israelitische Klagegebet ein Moment neutestamentlicher Christologie ausmacht und somit nicht nur für jüdisches, sondern auch für christliches Glaubens- und Gebetsverständnis konstitutiv ist. Denn die gattungsrelevante kommunikative Tiefenstruktur der Klage bleibt auch und besonders in der neutestamentlichen Rezeption erhalten[21].

Daraus erhellt, daß die Struktur des Gattungskernes semantischen (also inhaltlichen) Charakter hat und als solche ihre eigene generative und interpretative Dynamik entfacht, sofern sich Menschen auf ihr Kommunikationsmodell einlassen. Eben dies geschieht an der neuralgischen Stelle im Schicksal Jesu, am Kreuz! Gerade im Sinne einer „integralen Exegese", der es darum geht, daß das Alte Testament „letzten Endes mit den Augen der urchristlichen Propheten und Lehrer (zu) lesen" sei[22], muß die Verbindlichkeit einer Klagespiritualität behauptet werden. Das Gebet der Klage darf damit nicht mehr nur auf jüdische Spiritualität reduziert werden, die

---

Situationen hindurch konstant bleibt und konstitutiv zu bleiben hat, damit der Text von der Situation nicht absorbiert wird, ist die kommunikative Tiefenstruktur des für normativ angesehenen Textes. Dieser ist identisch mit *dem* Inhalt, der sich durch die verschiedenen Situationen hindurch als Interaktionsvorgabe zu behaupten hat.

20 Vgl. Becker 1966, 5: „In den Beispielen inneralttestamentlicher Neuinterpretation von Psalmen lehrt uns die Schrift selbst, in welchem Geist sie gelesen sein will, daß sie nämlich offen ist für weitere Aktualisierungen.", a.a.O., 13: „Demgegenüber stellen wir fest – es geht dabei um ein grundsätzliches hermeneutisches Prinzip –, daß die Zusätze der Bearbeiter nicht bloße Ungereimtheiten und fromme Bemerkungen schriftbeflissener Leser sind, sondern Wort Gottes, dem nach dem Willen des Redaktors die Kraft der Neuinterpretation zuzuerkennen ist, die den Psalm innerlich affiziert, gleichsam durchleuchtet und auf eine andere Ebene hebt." Vgl. auch a.a.O., 36 f.; vgl. ders. 1975, 8 ff.; 126 ff.; auch Braulik 1975, 244 (hier als Ergebnis einer Untersuchung von Ps 40).

21 Vgl. Becker 1966, 38-39. Ps 22 wird ja seinerseits zum Sinnmuster für den Tod Jesu: vgl. Steichele 1980, 247. Vgl. Teil II der Untersuchung.

22 Vgl. Becker 1975, 128; zur Notwendigkeit christlicher Klage vgl. Fuhs Art. 1981 b, 221.

mit dem Christusereignis abgegolten wäre. Die jeweilige redaktionelle Sinngebung eines überkommenen Textes innerhalb des biblischen Kanonbereiches ist eine „relecture" der „Urform" einer gattungsspezifischen Texteinheit. Die mit der Sinngebung verbundene Neuinterpretation geschieht dabei innerhalb der Sinntendenz der intendierten und materialen Textaussagen, also des zugrundeliegenden Gattungskernes. Diesem Tiefensinn oder „sensus plenior" eines Textes entspricht auf methodisch-analytischer Ebene die jeweilige semantische Tiefenstruktur mit ihrer Potenz, durch konkrete Aktualisierung ihrer selbst in bestimmten Situationen ein kreatives und damit kreatorisches hermeneutisches Glaubensgeschehen anzuzetteln[23].

5.1.2 Die Redesituation der Klage

Es mag als Binsenweisheit klingen, ist aber dennoch nicht so unbestritten, wie es anzunehmen wäre: Dem Sprechakt der Klage korrespondiert die unmittelbare Situation der Not. Dagegen wird allerdings die Konzeption der „fiktiven Klage" gestellt, die davon ausgeht, daß der sogenannte „Klagepsalm" im Kontext des Tempelkultes und der Toda-Feier (Dankfeier) sich nicht mehr mit der direkten Notsituation verträgt, sondern die Klage noch einmal erzählend und dramatisch nachspielend einbringt, aber nicht als Primär- sondern als Sekundärsprechakt, der eigentlich bereits in der Vergangenheit stattgefunden hat. Der jetzige Primärsprechakt der Redesituation sei dann der des Dankes. Die Bitte um Errettung sei damit bereits realiter (nicht nur als Erhörungsgewißheit) durch die erfolgte Rettung erhört. Voraussetzung für diese Auffassung ist häufig, daß die Psalmen im Rahmen einer kult- bzw. bundesfestideologischen Konzeption interpretiert werden, wonach am jahwistischen Bundesfest Gottes Treue im Zusammenhang mit kultischer Theophanie gepriesen wird[24].

---

23 Vgl. Becker 1966, 9-39 „Wer die Worte eines anderen übernimmt und neu interpretiert, ist sinngebender Verfasser." (a.a.O., 14); „freilich ist auch hier die Möglichkeit offen zu lassen, daß der durch Neuinterpretation entsprechende Sinn als *sensus plenior* in dem der Neuinterpretation vorgegebenen Text enthalten war." Dieser sensus plenior kann als der potentielle Vollsinn oder Tiefensinn eines Textes verstanden werden, der in dem schöpferischen Zusammenstoßen vom historischen Rezipienten und relativ konstanter Sinnstruktur eines Textes jeweils aktuell und partiell realisiert wird. Man kann so auf biblischem Gebiet den synchronen Text, vor allem seine Texttiefenstruktur, als „Material", als semantisches Vehikel der inspirationellen Qualität biblischer Texte überhaupt ansehen. Vgl. zum ganzen Problem der Inspiration im Zusammenhang mit Neuinterpretation innerhalb der biblischen Offenbarung a.a.O., 16, besonders 12 f. Zur Schriftgemäßheit und ihrer wenigstens teilweise intersubjektiven Überprüfbarkeit durch den Vergleich der Tiefenmodelle etwa einer Predigt mit der entsprechenden Perikope vgl. Fuchs 1978 a, passim, besonders 342-351; vgl. auch Art. 1981, 131 ff.
24 Vgl. Becker 1975, 61. Zur bundesfestideologischen (Weiser 6/1966, 22-35) bzw. kultideologischen (Mowinckel 1961, 134-157) Konzeption vgl. Becker 1975, 49

Man kann ja das Danklied des Einzelnen, die Hymnen (des Volkes) und auch die Volksklagelieder (bei kollektiven Katastrophen) hauptsächlich im Kult verankert sehen, nicht aber so leicht das Klagelied des Einzelnen, sofern man schon die ausschließlich kultische Herkunft der meisten Psalmen behaupten will. Doch muß man auch in diesen Fällen (und zwar nicht nur vereinzelt) freie Psalmendichtungen im Sinne dichterischer Rezeption kultischer Gedankenwelt und Sprachformen annehmen. Ehemals auf dem Tempel bzw. auf ein lokales Heiligtum bezogenes Sprachmaterial wird nun – relativ abgelöst vom ursprünglichen „Sitz im Leben" – zugunsten einer neuen Situation und einer neuen Verwendungsmöglichkeit schöpferisch verwendet[25]. Jedenfalls kann man sich schlecht vorstellen, daß individuelle Katastrophen den kollektiven Lobkult des Tempels mit der entsprechenden Erinnerung der kollektiven Heilstaten Jahwes hätten besonders verändernd bestimmen können. Im Gott lobpreisenden Ritus des Tempels hätte damit nur ein „Klagelied des Einzelnen" Platz, das im Grunde bereits Danklied ist.

Die eben apostrophierte fachexegetische Kontroverse scheint ein markantes Beispiel dafür zu sein, wie intuitiv vorgefaßte (unbewiesene) Ideologie-Thesen sich nur über den Weg der Vergewaltigung der jeweiligen Texte in diesen wiederfinden lassen. Dabei kann der Text selbst in seiner Ganzheit und seiner Gewichtung nicht mehr angemessen zur Beachtung kommen[26]. Schenkt man aber einmal dem Text das ihm zustehende methodische Interesse, dann ist nicht zu übersehen, daß die Klagelieder mit der klagenden Frage beginnen. Die diesem textsemantischen Datum inhärente text-

---

ff. bzw. 18 ff.; zum „Sitz im Leben" der Volksklagelieder vgl. Szörényi 1961, 71-75; Wolff Art. 1964; Steck 1972, 48 ff.; zum Verhältnis von Volksklagelied und Hymnus vgl. Crüsemann 1969, 208/9. Zum Tempelkult vgl. Maier Art. 1973.

25 Selbst die Volksklagelieder sind nicht derart mit dem Kult verknüpft, daß ihre Geschichte nicht „dichterische Rezeption der Form" und „literarische Gestaltung" zuließen, vgl. Wolff Art. 1964, 399; vgl. Gunkels Gattungsdiskussion 3/1975, 22 f., die auch die „freie Psalmendichtung" zuläßt. Die Psalmen sind vor allem dichterische Werke: Das literarische Schaffen selbst kann das Schema geschaffen haben. Es muß nicht von vorneherein und notwendig die kultische Pragmatik etwa des Heilsorakels (die äußerst unsicher ist, weil wir vom Tempelgottesdienst nicht viel wissen) vorausgesetzt werden. Freilich ist im Rahmen des Tempelkultes auch wieder nicht ein solcher „Sitz im Leben" auszuschließen. Ein relativ klarer und sicherer Ort, wo Psalmen gesungen wurden (im Hin- und Wegziehen) ist die Wallfahrt zum Tempel. Wo aber kein Tempel ist, kann das literarische Opus als „Ersatz" geschaffen worden sein. So entsteht eine zunehmende „Spiritualisierung", mit der Gebete losgelöst vom kultischen Akt gebetet werden. Solche Texte haben konkreten Gebetscharakter, ohne daß man nach einem besonderen institutionellen „Sitz im Leben" für sie forschen muß (zur Spiritualisierung vgl. Rowley 1967, 246 ff./266 ff.): gegen Ruppert, der die *kultische* Gattung der Klagelieder behauptet 1972 a, 15. Zugleich meint er, daß die individuellen Klagelieder den kultischen Volksklageliedern nachgebildet sind. Es dürfte hier das nicht-kultische Beten Israels bei weitem zu gering sowie die Abhängigkeit der individuellen Lieder von den Volksklageliedern bei weitem zu hoch veranschlagt sein (vgl. Albertz 1978, 48 f.).

26 Vgl. Westermann 1977, 125 ff.; Becker 1975, 50/1.

pragmatische Implikation kann nur bedeuten, daß die Situation der Not die Klage provoziert. Dagegen gibt es kein durchschlagendes Argument. Solcher Anruf der Gottheit ist immer älter als jeder Kult[27]. Andernfalls müßte der Gattungsunterschied zwischen Dank- und Klagepsalmen des Einzelnen konsequenterweise überhaupt aufgegeben werden! Dankpsalmen haben zwar auch Elemente der Klageerinnerung und der Bitte, doch begegnet in ihrem Texteingang nie eine klagende Frage, wenn man schon absieht von den unterschiedlichen Sprechaktverläufen der jeweiligen Gesamttexte. Wo Klage rekapituliert wird, wird sie immer als solche gekennzeichnet[28].

Beyerlin allerdings hat eine interessante These aufgestellt, mit deren Hilfe sowohl kultische Nähe der Klagelieder des Einzelnen wie auch der davon unangetastete präsentische Klagecharakter vermittelt werden kann. Die Lösung besteht darin, daß die *vertrauende Klage in sich Lobpreis Gottes ist*, der ja im Kult seinen angestammten Platz hat. „Ein hymnischer Lobpreis jedoch, von den Motiven bewegt, die göttliche Heilsmacht auf eine oder andere Weise zu vergegenwärtigen, fügt sich der noch nicht erhörten, fortdauernden Klage mit ihren Bitten vorzüglich ein."[29] Dem ist grundsätzlich zuzustimmen, sofern nicht notwendig jedes Klagelied des Einzelnen gattungskritisch auf diese vorexilische kultische Beheimatung im Jerusalemer Tempel reduziert wird. Eigenart der „Toda-Gattung" ist dabei, „daß sie nicht auf die besondere Erhörungs- und Heilserfahrung im aktuel-

---

27 Vgl. Gunkel 3/1975, 25; Crüsemann 1969, 211: „Denn das Gewicht gerade der Einführungsformel, des Anfangs jeder Gattung, ist von Gunkel mit Recht als entscheidend zur Gattungsbestimmung erklärt worden."; vgl. Kühlewein 1973, 65. Vgl. Keel 1969, 81 (Anruf und Gebet sind älter als der Kult!); auch Heiler 5/1969, 157 ff.; Szörényi 1961, 76-85, 332; Albertz 1978, 23-49; Rowley 1968,, 246 ff. Deshalb gilt: Die Spaltung zwischen liturgischem und unmittelbarem „Sitz im Leben" des Klagepsalms (vgl. Ruppert 1972 b, 36) ist problematisch, weil dadurch der liturgische „Sitz im Leben" von der anthropologischen Basis der Klage getrennt wird. Eine solche Trennung ließe die Texte nicht lange existieren. Der Gelübdecharakter beispielsweise ist nur fiktiv, wenn Ps 22, 23-32 (a.a.O., 35) *nach* der Errettung formuliert wird. Er würde dann auch bald verschwinden.

28 Anders Weiser 7/1966, 148. 151. Kraus bleibt undeutlich, vgl. 5/1978, 177; auch Botterweck sieht mit Beginn des Lobgelübdes und des Gotteslobs die Klage als Textsorte abgeschlossen, vgl. Art. 1965, 68 (demgegenüber behaupten wir vom Sprechaktverlauf aus, daß der Sprechakt der Klage den ganzen Text des Ps 22 und damit auch die entsprechende Situation der Not ausmacht); im Sinne unserer Auffassung votieren u. a.: Westermann 1957, 13; Perlitt Art. 1971, 371; Gunkel 3/1975, 193; Zirker 1964, 46-48. Zum unterschiedlichen Sprechaktverlauf bzw. – statisch gesprochen – zur unterschiedlichen Komposition von Dank- und Klagelied vgl. Westermann 1977, 49/50 mit 77; vgl. Becker 1975, 61: „Die Rekapitulierung der Klage zum Zweck des Bekenntnisses ist tatsächlich zu belegen; aber sie wird dann immer ausdrücklich als Rekapitulation eingeführt, so daß an der Danksagungssituation nicht der geringste Zweifel besteht."

29 Beyerlin Art. 1964, 211; vgl. dazu auch die hymnischen Anklänge in Ps 22, 4 im Kontext der später eingeführten kollektiven Heilserinnerung, s. o. 4.2.3 (3) mit Anm. 287.

len Einzelfall mit bekennendem Lobpreis antwortet, sondern daß sie noch inmitten der Not und im Verein mit den Bitten des Klagenden die Wundermacht Jahwes vergegenwärtigt, um so auch dem rettenden Wunder in der andauernden Not freie Bahn zu verschaffen." Diese Toda kommt primär „am Altar des Tempels" zum Vortrag[30]. Damit läßt Beyerlin den textinternen Sprechaktverlauf (Klage mit Notsituation – hymnische (kollektive) Heilserinnerung – Vertrauensarbeit – Bitte – Erhörungszuversicht – Lobpreis) mit einer ensprechenden textexternen Tempelsituation korrespondieren, so daß die aktuelle Notsituation – über die Brücke der hymnischen Heilserinnerung – nicht mehr dem kultischen Lobpreis widerspricht.

Zwei Momente freilich haben in der so konstruierten Gebetssituation keinen Platz (zumindest keinen notwendigen mehr): die individuelle Erinnerung und das Lobgelübde. Letzteres verliert an Bedeutung, weil das Lob, das erst versprochen werden sollte, bereits im entsprechenden sozialen Kontext der auf den Lobpreis Gottes zusteuernden kultischen Gemeinde geschieht. Der Sprechakt der Klage gelangt von dieser textexternen Situation her zu vorzeitig in den Sog des ausdrücklich kommunitären Gotteslobes und kann damit nicht mehr als gleichwertiger, sondern nur noch als untergeordneter Sprechakt zum Lob behauptet werden. Das so die Klage dominierende preisende Lob könnte dann allenfalls nach der Errettung in Verbindung mit dem Danklied noch etwas intensiver ausgesprochen werden. Die gattungskritischen Konsequenzen dieser Annahme wären allerdings problematisch: Man müßte auf einer vom Text weit entfernten Abstraktionsebene die Gattung des Lobpreises als die allen Psalmen zugrundeliegende Gattungsfigur akzeptieren, von der Klage und Dank nur zwei sekundäre und uneigenständige Entfaltungen sind. Zudem mag noch angeführt werden, daß das Einlösen eines solchen Gelübdes der „zweiten Toda" (des Dankes) nicht mehr als besonderer Schritt sehr attraktiv erscheint, so daß die zweite Toda in ihrer Innovationsarmut im Verhältnis zur ersten nicht unbedingt Gegenstand von so etwas Gewichtigem wie einem Gelübde sein muß. Die individuelle Heilserinnerung hat schließlich deswegen kaum einen Platz in der oben angedeuteten Gebetssituation, weil eine „private" Erinnerung im, die kollektiven Heilstaten Gottes an Israel vergegenwärtigenden, kultischen Rahmen des Tempels und seiner Aufgaben für Jahwe als Gott Israels einsichtigerweise kaum zu interessieren vermag[31]. Zumindest ist der „Sitz im Leben" von individueller Heilserinnerung und Lobgelübde bei dieser Konzeption nicht hinreichend geklärt.

Entscheidend an dem Beitrag ist allerdings, daß er indirekt die feste Verklammerung von Notsituation und Klage im Klagelied des Einzelnen bestätigt: Eher müßte man sich – wenn man schon einen kultischen Sitz im Leben annimmt – die entsprechende Pragmatik geändert umdenken, als

---

30 Beyerlin Art. 1964, 216; vgl. auch 223/4; 214.
31 Vgl. Albertz 1978, 26-32/48 f., wo gerade die individuelle Heilserinnerung ein Kennzeichen der relativ tempelfernen persönlich orientierten *Volks*frömmigkeit in den Klagepsalmen ist.

daß die Semantik des Textes es zuließe, getrennt von der Notsituation gedacht zu werden. Die gattungsideologischen Deutungen argumentieren dagegen umgekehrt: Die unterstellten pragmatischen Institutionen haben den Text in seiner semantischen Qualität zu bestimmen. Freilich dürfte bei Beyerlins Toda-Konzeption die Verknüpfung von Klagegebet und Kultpragmatik noch zu fixiert und zwingend sein, als daß sie (jedenfalls was diesen Aufsatz anbelangt) eine lockere Verhältnisbestimmung von persönlichem und kultischem Beten zuließe. Allenfalls für einen ganz bestimmten Zeitpunkt (beispielsweise die Zeit der Tempelzentrierung durch Joschija und danach) könnte diese Verknüpfung zugetroffen haben.

Insgesamt aber stellt sich die Frage: Muß diese Zuordnung von Klagelied und Tempel bzw. Kultort überhaupt sein, damit das Klagelied den Gütestempel „Gattung" bekommen kann? Es scheint eher so gewesen zu sein (wie in heutigen Kultfeiern auch), daß der Tempelkult nicht in der Lage war, die Klagesituation der einzelnen angemessen in das Gottesdienstgeschehen zu integrieren. Dies legt sich allein schon deswegen nahe, weil im kultischen Geschehen in der Regel die soziale Interaktion der Massenkommunikation anzunehmen ist, der überindividuelle und die Einzelschicksale generalisierende Tendenz eigen ist, während der soziologische Ort der individuellen Ausdrucksmöglichkeiten das Zweiergespräch bzw. der Gruppenkontext sein müßte[32]. Allenfalls als Formulare könnten die Klagetexte „aufgelegen" haben, damit einzelne − aber für sich und in kleineren Gruppen lokal wie auch innerlich abseits vom eigentlichen Kultgeschehen am Altar, jedoch noch irgendwie im Bannkreis des heilsträchtigen Tempels − so beten konnten[33]. Diese Formularzeit der Klagegebete nähert sich wie-

---

32 Zur soziologischen Perspektive in der Psalmenexegese vgl. Gerstenberger 1980, 6-13; zum entsprechend aufgefundenen Sitz im Leben der Bittzeremonie innerhalb einer Primärgruppe vgl. 134-147; besonders 143; vgl. auch Albertz 1978, 26 ff.

33 Man kann sich durchaus einen offenen und indirekten Kultbezug zum Tempel ähnlich wie die heutige Praxis an der Klagemauer vorstellen: Dort liegen Gebetbücher auf, aus denen die aktuellen Beter ihrer Situation gemäße Gebetstexte wählen, um an der Klagemauer zu beten. Man darf schon zu diesem Kultverhalten an der Klagemauer eine Kontinuität bis zurück in frühe Tempelzeiten vermuten, so daß zu diesem Verhalten in irgendeiner Weise eine vorgängige Substanz in der frühesten Geschichte Israels anzunehmen ist. So freilich sind die Klagelieder allerdings im weitesten Sinne kultbezogen: Wie der heutige Israelit zur Tempelklagemauer geht, ging man damals (wahrscheinlich häufig in Verbindung mit Wallfahrten) in den Tempelbereich, um dort gemäß der eigenen Situation und im Zusammenhang mit ihr Gebetsanleitungen zu entdecken und zu praktizieren. Solche Kultbezogenheit freilich zerstört nicht das Axiom, daß grundsäztlich die Klage in der Notsituation plaziert ist (zum „Gebetsformularscharakter" der Klagepsalmen vgl. Goeke Art. 1973, 13). In jedem Fall gilt: Das Bedürfnis zum Gebet speist vor allem beim Klagegebet den primär persönlichen Charakter und damit seine Vitalität vor dem, neben dem und über den Kult hinaus; vgl. Szörényi 1961, 67 ff., 332; Steck 1972, 36 ff.; Albertz 1978, 3/92.

der der Konzeption Beyerlins, jedoch so, daß nun das historische Gewordensein dieser Formulare klar macht, daß ihr Gebrauch im Kult sekundären Charakter hat. In dieser Beschränkung auf die zeitlich partielle Realisierung der bereits vorgängigen Gattungspotenz ist Beyerlins These zu akzeptieren. Doch hat diese Gattung — diachron gesehen — eine ganze Reihe von historischen Entstehungs- und Realisierungsmöglichkeiten.

Seybolds Untersuchung zu den Krankheits- und Heilungspsalmen bestätigt unsere Auffassung: Zwar kann man sich am Ende der eigentlichen kultischen Opferfeier individuelle Gebetsvorträge denken, doch kann es sich dann nur um Heilungspsalmen handeln, bei denen bereits die Genesung vorauszusetzen ist. Damit ist die Textsorte der Dankpsalmen fällig, mit deren Hilfe die soziale Reintegration nach der erfolgten Rettung am Rande der Toda-Feier und durchaus in Übereinstimmung mit ihren dominanten Sprechakt kultischen Gotteslobes vollzogen wird[34]. Daß der Kranke selbst im Heiligtum sein Gebet vorgetragen hat, kann Seybold nicht bestätigen. Das eigentliche Lobgelübde also wird der Kranke wohl allein oder in einer überschaubaren Gruppe (in der Sippe oder einer kleinen Kultgemeinde) gesprochen haben. Dies bedeutet nicht, daß nicht auch „privat" gebetete Psalmen sprachliche Kultgebundenheit wie auch intentionale Ausrichtung auf die Kultgemeinde (besonders eben durch das Gelübde, in ihr Gott zu loben) besäßen. Es „. . . sind diese Psalmen — so sehr sie im Leben des einzelnen verwurzelt sind — doch gleichsam indirekt an den Kultus des Heiligtums gebunden. Im Spannungsfeld dieser beiden Pole, der individuellen profanen Lebenssituation des Beters und des gedanklich präsenten und bestimmenden öffentlich-kultischen Lebens, sind die Krankheitspsalmen angesiedelt."[35]

Zwar ist Ps 22 keine sekundäre Ausgabe rekapitulierter Klage, doch muß man — nachdem dies klar ist — nun dennoch differenzierter zwischen einem Primär- und Sekundärsprechakt der Klage unterscheiden. Ps 22 ist als solcher die Realisation eines *Sekundär*sprechaktes im Sinne eines durch theologische und poetische Reflexion hindurchgegangenen Klageprozesses, insofern ihn der Dichter als Gebetsanleitung (wobei er nicht selbst unbedingt in der Situation der Klage sein muß) versprachlicht. Diesen Text kann nun jeder potentielle Notleidende, der bereit ist, in die Klage Israels

34 Vgl. Seybold 1973, 171-179; besonders 176/7.
35 Seybold 1973, 172; zur Errettung in Krankheitspsalm 30 vgl. auch Schreiner Art. 1969 b. Zum Sitz im Leben des Klagegebetes innerhalb einer kultorientierten Primärgruppe vgl. Gerstenberger 1980, 134-147, auch 147-160, besonders 151, wo zwar von kultischer Einbettung des Klagegebetes in eine lokale Opferzeremonie die Rede ist, allerdings im Zusammenhang mit der der Klage zugrundeliegenden Notsituation. — Im Bezug auf das Klagelied schreibt Gerstenberger zusammenfassend: „wichtig ist, daß es als echte Bittrede zwecks Abwendung der Not und nicht erst im Rückblick auf schon überstandene Gefahr rezitiert worden ist. . . . In den Texten selbst und in ihrem Umkreis finden sich genügend Hinweise darauf, daß sie in tatsächlichen Bittsituationen gebraucht worden sind." (a.a.O., 163).

einzutreten, für seinen *Primärsprechakt* der Klage (unmittelbar in der Not) verwenden. Der Sekundärtext ermöglicht so qualifizierte Primärsprechakte der Klage. Er ist nur möglich, weil es grundsätzlich und schon vorher die Situation und das Gebet der Klage gegeben hat und gibt, zugleich ist er selber wieder Gebetsanleitung und Anstoß zu unmittelbar aus der Not herausbrechender Klage. Hinsichtlich des Sitzes im Leben für Ps 22 kann man also nicht zwingend auf eine kultische Toda-Situation rekurrieren, man kann aber auch nicht mit notwendiger Unmittelbarkeit die Klagesituation für den Psalmdichter voraussetzen, als könne er erst aus unmittelbarer Notsituation heraus zu diesen Worten finden[36].

Dabei geht es dem Dichter nicht um ein systematisches Konzept der Klage, vielmehr will er aus einer prinzipiellen Vertrauenssituation Jahwe gegenüber heraus im Sprechakt der Klage formulieren, welchen Stellenwert und welche Ausformulierung die Klage im Begegnungsgeschehen zwischen Gott und Mensch hat. Ähnlich wie die Propheten und andere Autoren alttestamentlicher Schriften hat der Autor ein „geschenktes Wissen" über das aus unterschiedlichen menschlichen Situationen heraus mögliche Beziehungsgeschehen zu Gott und dessen Versprachlichung. Aus diesem „Vorwissen" um das Verhältnis zwischen Gott und Mensch als einem Vertrauensverhältnis, derart daß des Menschen „Sich-fest-Machen" in Jahwe seine Existenzmitte ausmacht, vermittelt er ein Gebetsangebot mit normativer Qualität: So kann und sollte der gläubige Israelit klagen! Es zeigt, wie der Klagende den Gesamtsprechakt der Klage in Verbindung mit Bitte und Dank äußern darf. Der Psalmist legt so ein „mitgehendes Sprechangebot" vor. Er vermittelt darin theologische Dimensionen mit potentiell möglichen Situationen des Menschen. Letzteres erreicht er durch ein hohes sprachliches Empathievermögen, womit die Situation der Not in das Gebet hinein aufgenommen wird[37]. Einfühlungsvermögen in die Anthropologie und Reflexionsver-

---

36 Kaum kann ein Klagender aus einer unmittelbaren Notsituation heraus mit der Expression der Klage auch gleichzeitig poetisch werden und stilistisch seinen Text vervollkommnen.

37 Zum Begriff der Empathie sowie der sprachlich vermittelten Verhaltensverschreibung vgl. Fuchs 1978 b, 145 ff., besonders 174 Anm. 49. Entgegen mancher Kirchengebete, die oft mehr entfremden als daß sie zur Identifikation einladen, sind gerade die Klagegebete des Alten Testamentes durch ihre wahrscheinlich im Volk durchaus bekannten und weitverbreiteten Metaphern dazu geeignet, durch ihre sprachliche Qualität den jeweiligen Beter zu „umfangen". *Als Texte* sind sie somit in ihrer Formel- und Formularhaftigkeit Ausdruck der Treue Gottes. In ihnen (wie im „Ich bin mit dir") kommt in der konventionalisierten sprachlichen Struktur des Betens bzw. der prophetischen Verkündigung die Treue Gottes kontinuierlich auf sprachstrukturellem Gebiet durch die Geschichte hindurch zum Vorschein. (Heute dürfte dadurch, daß sich bleibende Begriffe verflüchtigt haben und keine neuen bergenden Begriffe dazugetreten sind, das Kontinuum dieser in der Sprache erfahrbaren Geborgenheit und Treue Gottes etwas verlorengegangen sein). Die Formel ist damit nicht etwas Lebloses, sondern ist offen dafür, in immer wieder neue Lebenszusammenhänge eingebettet zu werden, natürlich auch (auf literarischer Ebene) in neue Textzusammenhänge, wenn es darum geht, Leben zu vertexten und theologisch zu reflektieren. Damit erhält die Formel für sich wieder

mögen hinsichtlich der Theologie verbinden sich in seinem Gebet zu einem beziehungsorientierten Sprechakt.

Dabei ist die entscheidende Nähe des Autors zur Situation der Not dadurch vorhanden, daß er sich mit dem Klagenden *identifiziert*: er vollzieht eine literarische Versuchsidentifikation. So ergibt sich eine relative Unmittelbarkeit zum Klagegeschehen: Das Formular hat keinen starren Charakter, es ist gerade durch die Identifikation des Dichters dynamisch-personal gefärbt. Ähnlich wie der Prophet erfährt der Dichter einen Zwang zum Redenmüssen: Er muß sagen, was Klage ist! Wenn er auch selbst nicht unmittelbar in einer Notsituation ist, bestätigt doch diese notwendige Identifikation mit einem potentiell Klagenden (die vermutlich auch auf eigene Erfahrungen zurückgreifen kann) die grundsätzliche Sitz-im-Leben-Bezogenheit des Sprechaktes auf die Not. Der Dichter antizipiert bei der Produktion des Textes nicht die Situation des Dankes, sondern die menschlichen Elends.

Für den Gesamtsprechakt der Klage ist die *theologische Konzeption* Israels (besonders Jesajas) über das Verhältnis zwischen Gott und Mensch als einem „Sich-fest-Machen in Jahwe" (*ʾmn*) bedeutsam. Diese Terminologie des Glaubens offenbart den grundsätzlichen theologischen Ort, in dem ein solcher Gesamtsprechakt der Klage möglich und vorzuschlagen ist. Nur innerhalb dieses Gesamtkontextes von Mensch und Gott sowie ihrer gegenseitigen Erfahrungen und Geschichte kann ein Sprechakt vorgeschlagen werden, der die ganze Spannung zwischen Klage und Zuversicht erfaßt. Als mitgehendes Sprechaktangebot holt der Dichter den Klagenden ab, wo er steht. Zugleich führt er ihn hin auf das theologische Grunddatum israelitischer Existenz: auf das Vertrauen (*bṭḥ*) in Jahwe. Damit offenbart der Klagetext in prophetischer Weise, daß in diesem Sich-fest-Machen in Jahwe zugleich der Gegensatz des durch Erfahrungen möglichen Entwurzeltwerdens aus dieser „Festung" mitgedacht werden muß, jedoch nicht als dualistisches Gegenstück zum Vertrauen, sondern als ein entscheidendes Moment in ihm, das als Konflikt und Krise mit Jahwe durchlebt werden muß. Aus diesem Grund ist das semantische Feld des Verlassenseins keine Tatsachenfeststellung, sondern die aktuelle und punktuelle Spontaninterpretation des Notleidenden im Bezug auf sein erfahrbares Verhältnis zu Jahwe. Gerade die Verbindung von Frage und Anrede „mein Gott" verbietet das Verlassensein als Tatsachendiktum.

Es läßt sich also zusammenfassen: Der Dichter offenbart aus einem geschenkten Wissen um die Klagefähigkeit, die Klagemöglichkeit und die

---

Leben, sie ihrerseits gibt menschlichem Leben Einordnung und Sinn, allerdings nicht auf der Ebene einer Systematisierung, sondern einer Begegnungsstruktur (besonders hier bei der Klage); vgl. Görg Art. 1980.

Klagequalität des Menschen zu Gott heraus dem Notleidenden: So kannst du klagen im Sinne israelitischen Glaubens, wenn du mit mir sprichst! Dieser implizite weitere pragmatische Kontext des Ps 22 als Gebetsformular in der Kommunikation zwischen „Gebetsanbieter" und „Gebetsverwender" macht den in dieser Textsorte gegebenen sekundären *appellativen* Sprechakt aus: Der Dichter will mit seinem Klagevorschlag auf eine qualifizierte Klagepraxis der Jahwegläubigen Einfluß nehmen. Dies ist implizit ein Sprechakt der Verkündigung bzw. der Prophetie.

5.2 Der Ort des Ps 22 in der Geschichte alttestamentlicher Klagegattung

5.2.1 Frühgeschichte der Klage in den Prosatexten

Wendel hat in seinem Werk über das „freie Laiengebet im vorexilischen Israel" einige Realisationen von Klageprozessen entdeckt, die bereits die Konstanten alttestamentlicher Klage enthalten. Die neuere Exegese hat seine Ergebnisse oft vorausgesetzt und auch bestätigt[38]. Der methodische Zugang zur Frühform der Klage erfolgt über die traditionsgeschichtlich alten Erzählungen der Geschichtsbücher, indem dortige Klagetexte auf die entsprechenden „formgeschichtlichen Elemente" untersucht werden. Dies gilt besonders, wenn man die „Religion der Erzväter als Ausdruck der persönlichen Frömmigkeit" einschätzt[39]. Als beherrschende Erkenntnis ergibt sich dabei, daß das Klagegebet des Einzelnen seinen ursprünglichen

---

38 Vgl. Wendel 1931. Aus formgeschichtlicher Perspektive sind die von Wendel untersuchten Textteile zum großen Teil in den Erzählzusammenhang literarisch eingefügte Gebetstexte, die ihren primären „Sitz im Leben" in der traditionellen Gebetspraxis Israels hatten. Selbst wenn diese Texte dabei kultischer Herkunft wären (wofür aber kaum semantische Anhaltspunkte da sind), spricht die Tatsache, daß sie in solche Erzählkontexte eingefügt wurden, für deren mögliche, favorisierte und durchaus reale Situierung im kultentfernten Lebensbereich sogenannter „profaner" Alltagserfahrungen. Zum „Nebeneinander individueller Volksfrömmigkeit und offiziellem Jahweglauben" im Horizont früher Menschenschöpfungstradition (als charakteristisches Moment des persönlichen Gottes) vgl. Albertz 1974, 151-157, 172; kritisch dazu Vorländer Art. 1981, 172. – Zu den Autoren, die seine Ergebnisse bzw. die einschlägige Thematik aufgenommen und weitergeführt haben, gehören z. B. Szörényi 1961, Seybold 1973, Westermann 1977, Krinetzki 1965; und vor allem Vorländer 1975, Rose 1975, Albertz 1978, der – wie Vorländer – die entscheidende Bedeutung der persönlichen Frömmigkeit in Israel, besonders für die Exilszeit, herausstellt; vgl. die Literaturumschau Lang Art. 1980.

39 Albertz 1978, 77; vgl. Vorländer Art. 1981, 98 ff.; zu den „formgeschichtlichen Elementen" vgl. Wendel 1931, 6; 9 ff.

Entstehungsort im „Laiengebet" der Israeliten, also nicht etwa im direkt kultischen, schon gar nicht tempelkultischen Bereich hat. Im Zusammenhang mit solchem Gebet geht es nicht nur und zuerst um einen Kult-, sondern vor allem den schützenden „Alltagsgott", der „plötzlich" und aus jeder Situation heraus angeredet werden kann[40]. Dies gilt besonders für die Gebetssprechakte, die aus Extremsituationen menschlicher Erfahrungen heraus hervorbrechen: für den Jubel und die Klage[41]. Der persönliche, also vor allem auf die Erfahrungen des einzelnen bzw. der Kleingruppe orientierte und von diesen herkommende Gottesglaube kann mit seinen entsprechenden Gebetstexten nicht als Spätform des Alten Testamentes bezeichnet werden, sondern ist von vorneherein vorhanden und begleitet – die Frömmigkeit der Kultstätten und damit offizielle Religion von der Basis her speisend und mit ihr auch in Spannung stehend – die ganze Glaubensgeschichte Israels[42].

Dabei geht es – den untersuchten Erzähltraditionen hinsichtlich der Klage entsprechend – immer um die gleiche dreipolige Kommunikationsstruktur: Der *Beter* ruft in der *Not* zu *Gott*, und zwar in der Form der Klage, die Jahwe kritisiert und anklagt; das gegenwärtige Elend wird geschildert mit Hilfe der entsprechenden Schmerzexpressionen, dazu wird früheres Glück im Kontrast dazu erinnert; die Bitte bekommt von der drängenden Gegenwartsnot her ihre Wucht und wird im Zusammenhang mit dem Gelübde ausgesprochen, das Ausdruck des in die Gegenwart hereingeholten Erlösungsbeschlusses Gottes ist; nicht selten besteht die Notisuation in der Bedrängnis durch Feinde. Die Prosagebete enthalten also explizit bzw. implizit die drei „Akteure" des Klageprozesses: den Beter, Gott und die Feinde bzw. die jeweilige Not; sie enthält dazu die drei dominanten Sprechakte der Klage: die *anklagende Frage, intensive Bitte* und (implizit in den Gottesprädikaten der Anreden wie auch im Lobgelübde und in solchen Sätzen wie „Was willst du nun für deinen großen Namen tun?" (vgl. Jos 7, 9)) den *Lobpreis Gottes*[43] (sowie das Gelübde selbst). Der Bittsprechakt, der in den Prosatexten nicht direkt und ausgesprochen mit dem

---

40 Vgl. Wendel 1931, 96; Szörényi 1961, 67-344, Vorländer 1975, 193 ff., 305 ff.; Albertz 1978, 23-95.
41 Vgl. Westermann 1977, 21; Wendel 1931, 124. 170; besonders 115-122. Vorländer 1975, 245-276; Albertz 1978, 23-49, besonders 92 f.
42 Vgl. Wendel 1931, 116; Rose 1975, 263-268/269-275; Albertz 1978, 4-23; zum Spannungsverhältnis vgl. besonders 94; Lang Art. 1980, 57-58; Art. 1981, 53 ff. Wegen der schwierigen Forschungslage bleibt hier die Frage ausgespart, wo und ab wann der persönliche Schutzgott der einzelnen bzw. Sippen mit dem offiziellen nationalen Kriegs- und Kultgott Jahwe vermittelt bzw. in eins gesehen wird; vgl. Lang Art. 1981; s. u. 5.3.1.
43 Vgl. Wendel 1931, 128-130, 141 ff.; vgl. die Prosatextbeispiele und ihre Strukturierung 132 ff.; der Josuatext 135; vgl. Vorländer 1975, 195/6; Albertz 1978, 77-96.

Klageteil verbunden vorkommt, aber sehr wohl als eigener Sprechakt des Laiengebetes in massiver Weise vertreten ist, ist ebenfalls implizit im Sprechakt der Frage und des Gelübdes enthalten: „So besagt die Tatsache, daß eine bestimmte Bitte (oder eine Frage, die nur deren veränderte Gestalt darstellt und letztlich auf sie hinausläuft) nicht ausgesprochen wird, nichts gegen den Absichtscharakter."[44] Es kann ja nicht vergessen werden, daß es im Erzählzusammenhang des Kontextes ohnehin klar ist, daß der Klagende mit seinem Sprechakt auch eine bestimmte Bitte intendiert, deren inhaltliche Richtung den dem Klageteil vorausgehenden oder nachfolgenden Erzähltexten zu entnehmen sind.

Insgesamt geht es bei den Prosagebeten der Klage (wie in Ps 22) ebenfalls um die *Krise des Vertrauens zum persönlichen Gott*, die ausgesprochen wird und im Zuge dieses Sprechaktes in Richtung eines neuen Vertrauens und einer Steigerung der Zuversicht bewältigt wird. „Wieder wird uns hier das starke *Vertrauen* der privaten Laien-Frömmigkeit in Israel deutlich."[45] Entscheidend ist dafür die Kontinuität der Gottesbilder, die durch die geschichtliche Treue des Angesprochenen erlebbar ist, bzw. in der Erfahrung vermißt und dann eingeklagt wird. Mit der Krisis steht ja zugleich die „Ehre Jahwes" auf dem Spiel, womit das Sprechaktmoment des Lobpreises als Motiv der Klage deutlich wird, insofern nämlich, als Gott selbst mit seiner Ehre in Gefahr kommt, wenn er nicht eingreift. Dieses Moment unterstreicht vollends den Sprechakt der Bitte in der prosaischen Klage. Notlage, ihre Konsequenzen und ihre Beseitigung sind Gottes Sache: Letzteres vergrößert seine Ehre! Im Sinne dieser eminent theologischen Qualität der Klagetexte in Prosazusammenhängen kann Wendel resümieren: „In hohem Maße wird das Klagegebet Quelle zur Erfassung eines Wesensstückes israelitischer Frömmigkeit."[46] Im Zusammenhang damit läßt es aufhorchen, daß eine Verknüpfung von Noterlebnis und Schuldbewußtsein oder auch Schuldsuche in den erwähnten Texten kaum auffindbar ist[47].

Der knappe Überblick zeigt, daß in den alten alttestamentlichen Prosatexten aus vorexilischer Zeit die in konkrete Erzählsituationen eingelagerten Klagepassagen bereits die wesentlichen Elemente jüdischer Klage enthalten, freilich noch weniger zu einem von der konkreten Erzählsituation trennbaren integrierten Gesamtsprechakt der Klage profiliert, als dies in der elaborierten poetischen und theologisch reflektierten Literatur der

---

44 Wendel 1931. 139; vgl. auch 9-99.
45 A.a.O., 140; vgl. Vorländer 1975, 185-231; besonders Albertz 1978, 67-70.
46 Wendel 1931, 138; vgl. Vorländer 1975, 245-276; Albertz 1978, 23-49/77-96/ 178-190. Auch die erzählten Klagen (in Prosa-Texten) sind im Ansatz dichterische Texte, die losgelöst werden und in andere Bezüge und Kommunikationssituationen (erzählter wie auch realer Art) Eingang finden können: als Laiengebete! Zur Ehre bzw. Treue Gottes vgl. 141/2.
47 Dies wäre dann die Textgattung des Bußgebetes, vgl. Wendel 1931, 139.

Klagepsalmen der Fall sein konnte. Doch betet die breite „Basis" des Volkes bereits im Kern, was die Theologie und die Poesie der Psalmen später entfalten wird. So wird die sogenannte Laienfrömmigkeit Israels nicht nur durch die anspruchsvolleren und mehr im Zusammenhang mit dem Kult und seinen Denk- und Sprachfiguren entstandenen Klagepsalmen wesentlich beeinflußt, sondern sie wird sich auch konturierter und strukturierter in diesen wiedergefunden haben. Die Tiefenstruktur bzw. die Gattung der Klage in ihrer potentiellen Kommunikationsdynamik bleibt in beiden Stadien israelitischer Klage in analoger Weise die ähnliche.

Dagegen spricht auch nicht, daß manche Elemente der späteren elaborierten Formen der Klage in der Prosaklage nur implizit bzw. rudimentär angelegt sind. Recht defizitär scheint vor allem auf den ersten Blick die soziale Dimension beim eigentlichen Text der Prosaklage angelegt zu sein[48]. Bei näherer Erforschung der religio-sozialen Umgebung jedoch ist festzustellen, daß als Orte der Klagegebete selten die Einsamkeit des einzelnen denn die (kleineren) Kommunitäten an lokalen Kultstätten zu nennen sind. Vom „pragmatischen" (im Text erzählten) Kontext her eignet damit der Klage implizit auch die soziale Dimension des aufgebrachten Vertrauens, sie vor Menschen zu sagen[49]. Außerdem begegnet − und auch dies zeigt die soziale Ausrichtung − in der früheren Klage die „fürbittende Klage" für die anderen, vor allem für das Volk (zu dem natürlich auch der Beter gehört). Der „negative Sozialbezug" zu Feinden begegnet ebenfalls nicht selten[50]. Im Hinblick auf die (im direkten Klageteil der Prosatexte) defizitären Momente gilt, daß die Basisstruktur der Klage als Gattung dennoch realisiert ist, auch wenn nicht alle propositionalen und illokutionären wichtigen Strukturelemente (des Tiefenmodells) an der Textoberfläche Varianten aufweisen, sondern wenn− sofern Leerstellen da sind − diese in jedem Fall offen sind und bleiben für entsprechende Sprechaktergänzungen. Die Gattung ist (potentiell) vorhanden, wenn der realisierte Text solche Erweiterungen nicht negiert und sie damit textsemantisch nicht inkohärent werden läßt, so daß man sie aussperren müßte, wollte man nicht einen unsinnigen Text erzeugen. Das positive Angelegtsein für einen Teilsprechakt der Klage (z. B. als die ergänzte − bzw. erschließbare Bitte in der prosaischen Frühklage, wo sie nicht explizit ausgesprochen wird) kann als hinreichend für die entsprechende Konsistenz der Gattungsstruktur angesehen werden. Mit der normativen Dimension des Tiefenmodells vertreten wir also keine Ideologie der Ganzheit, als müßten alle Strukturelemente gleichwertig (wie etwa im Ps 22) im Text gleicher Gattung realisiert sein. Die normative integrative Dimension der Tiefenstruktur der Klage ist nicht nur offen für unterschiedliche situative Varianten, sondern auch für unterschiedliche Dominanzen und Defizite, sofern eine Dominanz nicht die defizitäre

---

48 Vgl. Westermann 1977, 153.
49 Vgl. Wendel 1931, 127; Albertz 1978, 3/94/169-178; Gerstenberger 1980, 134-147.
50 Vgl. Wendel 1931, 126. 132 (im Bezug auf Ri 15, 18 bzw. Jos 7, 7-9); vgl. zum ganzen auch Westermann 1977, 125-146, besonders 130/1 und 150 ff.

Komponente erdrückt und ausschließt[51]. Die Nichtentfaltung eines Teilsprechaktes spricht nicht gegen die Gattungskohärenz, wenn nicht durch die entfalteten Passagen die potentielle Ausfaltung des defizitären Teilsprechaktes negiert wird[52].
Dominant in der früheren Klage ist vor allem das Moment der *Anklage Gottes in der Frageform*[53]. Spätere Klagetexte werden die verschiedenen Teilsprechakte der integrierten Gesamtklage tatsächlich unterschiedlich elaborieren. Ps 22 ist in diesem Zusammenhang insofern eine Hochform alttestamentlicher Klage, als er die Dominanzen unterschiedlicher Zeiten und keine erkennbaren Defizite von Sprechakten (verglichen mit deren „Ausfällen" in der Früh- bzw. Spätklage) aufweist. So bringt Ps 22 noch den Sprechakt der Anklage in der Klage, wie die Prosatexte ihn aufbringen, zugleich freilich entfaltet er den Sprechakt der Bitte, der in der frühen Klage nur implizit enthalten ist und in der späteren Klage so dominant wird, daß er die Anklage verschlingt. Diese Beobachtung spricht einmal mehr für die Auswahl von Ps 22 als Urtyp alttestamentlicher Klage[54].

Hochinteressant ist, daß Wendel bezüglich des *Gelübdes* in vorexilischen Prosatexten (vor allem auf die Königszeit bezogen) schreibt, Gelübde seien bereits sehr frühe „Spiritualisierungen" der realen Opferkulte. In ihnen schenkt der einzelne (als rein persönliche Sache) ein Versprechen, weil er in Not ist und (nur) von Jahwe Hilfe erhofft. Als kultischer Gott des Volkes Israel wäre Jahwe dann auch als solcher persönlicher Gott des einzelnen. „Individualismus und Sozialismus in Israels Religion gehen neben einander her."[55] Der Gelobende schüttet Gott seine Seele aus und ist der Erhörung gewiß. Dabei kann das Gelübde überall aus der Notsituation heraus – auch

---

51 Vgl. dazu auch den methodischen Ansatz in der analytischen Beurteilung der Schriftgemäßheit einer Predigt im Bezug auf den Schrifttext, über den sie zu predigen beansprucht: Fuchs 1978 a, 344-351; 360-365. Die dort verglichenen Tiefenmodelle der entsprechenden Texte haben inhaltliche Strukturen und entsprechen dem, was wir hier als Gattungskern definieren. Wer über einen bestimmten Text, wie dort Lk 6, 20-26, also über den Anfangsteil der Feldrede, predigen will, muß dessen kommunikative Tiefenstruktur und damit dessen inhaltliche wie beziehungsorientierte Gattungsqualität (als innovative prophetische Rede Jesu) ernst nehmen. Der Vorteil dieses Verfahrens innerhalb der Homiletik besteht darin, daß nicht nur Inhalte, sondern auch die Beziehungsaspekte eines Schrifttextes in dessen normative Qualität eingehen. Zu den Kriterien, die über die Kongruenz zwischen Basisgattung und aktualisierender Rezeption und Weiterverkündigung entscheiden, vgl. a.a.O., 297/8.
52 Vgl. methodisch ähnlich, Seybold 1973, 182.
53 Vgl. Westermann 1977, 152/3; zu den Unterschieden zwischen Früh- und Spätform der Klage vgl. 150-154, hier besonders 153.
54 Vgl. a.a.O., 142; zur Spätform der Klage vgl. 155-164; s. u. 1.3.1.
55 Wendel 1931, 116 (zu Gen 25, 22); auch 100/115/117. Vgl. in diesem Zusammenhang die Berufungsgeschichte des Moses, die untrennbar individuelle (auf Moses bezogene) und kollektive (auf Israel bezogene) Dimensionen hat; vgl. Ex 2, 23-3, 17. Vgl. zum Thema und zur Forschungsgeschichte vom Kollektivismus und Individualismus in der Religion Israels Albertz 1978, 1-23. Zum Gelübde vgl. Vorländer 1975, 195 ff.

außerhalb des Jahwelandes – ausgesprochen werden und hat als solches den Charakter der Ehrung Gottes. Hinsichtlich des Beters hat es die Funktion, in ihm aus der im Gelübde begonnenen persönlichen, gegenseitig frisch versicherten Treuebeziehung heraus Vertrauen entstehen zu lassen. Gott wird als solidarischer Gott erhofft und direkt angesprochen. Den Gelübde-Vertrag beantwortet die Gottheit im Augenblick des Betens nicht. Gerade vom Charakter des Gelübdes wie auch der Anklagedimension in der Frühform der Klage her läßt sich mit Keel behaupten, daß das ursprüngliche Klagelied des Einzelnen relativ beziehungslos zum Kult und damit als eine eigenständige Größe der „Basis" zu denken ist[56].

Übrigens zeigen unter anderem die Arbeiten von Wendel, Westermann und Albertz recht eindrücklich, daß es anthropologisch wie auch form- und gattungskritisch vorteilhafter ist, das Klagegebet nicht als Unterabteilung des Bittgebetes zu verhandeln (s. o. 4.1.3). Dies gilt vor allem wegen der konstanten Einführung der Klage mit der Frage, die in Bittgebeten nicht begegnet. Es kann mit Beyerlin auch nicht als sinnvoll erachtet werden, „wo immer in Psalmen eine Bitte verlautet, ein Klagelied anzunehmen"[57]. Wollte man die Klagegebete den Bittgebeten subsumieren, so würde man gattungskritisch die historische Situation der Spätform jüdischer Klage fixieren, in der die Bitte allmählich die Klage verdrängt. Die degenerierende Sonderentwicklung der Klagegattung würde dann fälschlicherweise zu ihrer Wesensbestimmung herangezogen werden.

5.2.2 Hochform der Klage und Entstehungsgeschichte des Ps 22

Die Frühform israelitischer Klage ist dadurch charakterisiert, daß sie im literarischen Kontext von Erzählungen begegnet. Mögen die eigentlichen Klagetexte in den narrativen Abschnitten auch älter sein als diese Erzählungen und so bereits einen eigenen spirituellen bzw. kultischen „Sitz im Leben" gehabt haben, so sind sie doch nur in der literarischen Verknüpfung mit Erzähltexten überliefert. Eine literarisch völlig andere Form im Überlieferungsprozeß liegt vor, wenn sich die Verschriftlichung von Klagegebeten aus den Narrationen emanzipiert und so für sich eigenständige Gebetstexte schafft, die die Intention haben, in einem außertextlichen Kontext, also auf pragmatischer Ebene, die entsprechende „Erzählung" zu generieren. Jeder potentielle Beter macht mit diesen Texten, wie es auch der erste Beter getan hat, seine eigene Geschichte vor und mit Gott aus. Literarisch kommt dies dadurch zum Vorschein, daß die Gebetstexte nicht

---

56 Vgl. Keel, 1969, 83; Wendel 1931, 118-120/122; Albertz 1978, 165-198.
57 Beyerlin 1977, 39 Anm. 28; vgl. Seybold 1973, 179, der allenfalls die Bußgebete den Bittgebeten zuschlagen könnte; vgl. Westermann 1977, 17. 27; Art. 1973, 85 f.; Wendel 1931, 124. 141; vgl. Albertz 1978, 23 ff./178 ff.

mehr durch einen textinternen Prosatext abgestützt und im gleichen Zug zunehmend theologisch reflektierter und poetisch elaborierter gestaltet werden. Ps 22 I (V. 2-3/7-27) ist ein Beispiel solcher Textklasse als Klagelied des Einzelnen in vorexilischer Zeit.

Oben wurde bereits auf die Bedeutung des israelitischen Laiengebetes für den Gottesdienst an lokalen Kultstätten wie auch für den Tempelkult hingewiesen. Dies gilt nicht nur auf diachroner Ebene für die der Verschriftlichung und damit verbundenen Kultannäherung von Klagegebeten *vorausgehenden* Volksfrömmigkeit (als Frühform der Klage), sondern auch synchron für die *gleichzeitig* zu den verfaßten Psalmengebeten (und mit ihrer Verbalisierungshilfe weitergebrachten) lebendige „private" (also relativ kultentfernte) Laienfrömmigkeit. Man kann hier kaum nur von zeitlich aufeinanderfolgenden Epochen reden, vielmehr werden beide „Zeiten" und Prozesse zueinander synchron stehen, wobei allerdings im Zug der mit Ps 22 I beschriebenen Entwicklung dominanzmäßig eine poetisch und theologisch reflektiertere Gebets*form* anzunehmen ist. Sie entsteht in einer sozial-pragmatischen Feldweite von elliptischer Form mit zwei Konzentrationspunkten: einmal im individuell-personal-familiären Bereich (und in den entsprechenden „Gruppengottesdiensten"), zum anderen im kultischen Leben offizieller lokaler und überregional zentraler Kultorte. Denn dazwischen bewegt sich das spirituelle Leben des Volkes Israel als des Volksganzen wie auch als eines Volkes von Einzelpersonen, -familien und -schicksalen.

In dieser religio-kulturellen pragmatischen Spannung entstehen der Gattung auch ihre Übergangsformen: wenn z. B. Krankheitspsalmen von einem Gesunden (vielleicht einem Priester oder einem Verwandten) stellvertretend für den Kranken im Heiligtum zitiert werden[58]. Diese spannende Interdependenz von personaler Spiritualität und kultischem Gottesdienst zeigt sich im Hinblick auf das Klagegebet vor allem darin, daß die der Klage korrespondierende Erfahrung der Verborgenheit Gottes kaum kongruierbar ist mit der unmittelbaren Situation des Kultes, der ja als der Ort gilt, wo Gott — gerade als der Heilige — als der Nahe und Anwesende gepriesen wird. Die existentiell erlebbare Verborgenheit Gottes wird nicht am heiligen Ort erfahren, sondern am profanen und dort in aller Vitalität,

---

58 Vgl. Seybold 1973, 172. Wenn Ruppert schreibt, daß in den späteren Psalmen vom ursprünglichen kultischen „Sitz im Leben" nur noch die Formen übriggeblieben sind, die dann der Beter im privaten Gebet aufnimmt, so setzt er voraus, daß für dieses private Gebet eine Notwendigkeit und Sehnsucht bei den einzelnen besteht. Nur anthropologisch und theologisch notwendige Sprechakte haben eine solche Kraft zur Integration unterschiedlicher Formen und Elemente. Dies freilich spricht rückwirkend dafür, daß diese notwendigen Sprechakte bereits vor und neben einer bestimmten kultischen Umgebung in der Frömmigkeit des Volkes Israel vorhanden waren (vgl. 1972 a, 41). Vgl. Albertz 1974, 153-157; 1978, 26/7.

und zwar vom Individuum oder von kleinen Gruppen. „Von dort wird diese Erfahrung in den Gottesdienst eingebracht und dominiert so im Psalter. Sie gehört zwar ins Ritual, aber sie verdankt sich ihm nicht: Daß Gott sein Angesicht verborgen habe, ist keine Lehraussage, sondern eine Gebetsaussage — mit Sprengkraft im Blick auf das Ritual."[59] Ähnliches gilt übrigens auch für die Erinnerung der Heilstaten, die ja ebenfalls ein wichtiges Element im Klageprozeß sind: „Was die Väter immer wieder erzählten, weiß jeder, auch ein einfacher Bauer wie Gideon hat das parat und kann darauf jederzeit zurückgreifen."[60] Jüngst hat Gerstenberger die Bedeutung der Gruppe (der Familie, der Verwandten und Bekannten, der Sippe, des Stammes usw.) für die Entstehung und Verwendung der Klage- bzw. Bittgebete und deren entsprechende Verbindung mit lokalen, mehr sippenorientierten Heiligtümern betont[61].

Daß schließlich die Klage, selbst wenn sich die Betroffenen (besonders wenn es sich dabei um hochgestellte Persönlichkeiten handelt) aus der Sippe heraus an offizielle „signifikante Andere" des Jahweglaubens wandten, nicht kultorientiert sein mußte, zeigt die Tatsache, daß die entsprechende klagende Anfrage an den Gottesspruch über einen Propheten außerhalb des kultischen Bereiches an Jahwe erging, und zwar lange Zeit auch nur wegen persönlicher Nöte einzelner. Bei Amos steht dementsprechend dem Sich-Wenden an Jahwe am Kultort gegenüber, daß sich Betroffene nur über den Propheten an Gott wenden können[62]. Als diese Institution der durch einen Mittler vollzogenen Gottesbefragung (spätestens mit dem Exil) wegfällt, bleibt „nur noch" die fragende Klage als direkter Sprechakt des Betroffenen zu Gott. Der gleichsam personalisierte Sprechakt der Klage über den Propheten fällt in der prophetenlosen Zeit weg[63]. Dies zeigt auch die semantische Bedeutungsveränderung des hebräischen drš: Bedeutete es in der Frühzeit das Fragen nach dem Gottesspruch über einen Mittler, so bedeutet es in der Spätzeit das „Sich-in-der-Not-an-Jahwe-Wenden", also den Sprechakt der Klage[64]. Von der vital als Not erlebten Situation der Individuen, Gruppen und Volksteile im Exil her ist einsichtig, daß das entsprechende gottesdienstliche Leben (mindestens bis zum 2. Tempel) von der Dimension der Klage, wie sie von der anklagenden Frage über die Bitte

---

59 Perlitt Art. 1971, 371.
60 Kühlewein 1973, 132, vgl. auch 133; (kritisch dazu Albertz 1978, 48); vgl. Botterweck Art. 1965, 64; Seybold 1973, 183; Groß/Reinelt 1978, 10; Schmidt 1979, 299 f.; 302 ff.
61 Jedenfalls gilt dies bis zur Kultzentralisation auf den Jerusalemer Tempel durch Joschija sofern überhaupt deren Breitenwirkung angenommen werden kann; vgl. Rose 1975, 166 ff. Im Bezug auf Gerstenberger ist zu sagen, daß der eben angedeuteten Gewichtung seiner Ergebnisse natürlich auch der soziologische Ansatz seiner Textuntersuchungen entspricht: vgl. Gerstenberger 1980, 3-13; 163 ff.; ähnlich bereits Albertz 1974, 150-172.
62 Vgl. Ruprecht Art. 1971, 462 ff., besonders (zum letzteren) 463.
63 Vgl. Becker 1977, 45.
64 Vgl. Ruprecht Art. 1971, 464; zur exilischen Klagefeier vgl. 465.

bis hin zur Erhörungsgewißheit und dem auf Zukunft offenen Gotteslob als spirituelle Bewältigung der Situation charakterisiert ist, bestimmt war.

Wenn man nun von der früheren bis in die spätere Zeit Israels, jedenfalls bis zur exilischen Zeit, in der Ps 22 seine Endredaktion erfahren hat, davon reden kann, daß „private Frömmigkeit und Kult im Normalfall nicht als gegensätzliche, sondern als komplementäre Größen zu betrachten (sind), die sich gegenseitig beeinflussen und bereichern"[65], muß man dabei auch nicht unbedingt annehmen, daß die poetische und theologische Kraft in jedem Fall und unbedingt nur bei den Leuten des Tempels zu suchen sei. Auch die „Laien" sind in Völkern mit weitgehend mündlicher Kultur zur „Stegreifschöpfung" solcher Formen fähig. Es ist dabei oft zwecklos, die konkrete Herkunft eines Psalms in Richtung auf kultische bzw. private Situierung zu eruieren, zumal diese Frage von der wechselseitigen Durchdringung beider Frömmigkeitsbereiche her auch zweitrangig ist[66]. Trotzdem wollen wir wenigstens versuchen, genauer herauszufinden, wie denn die Gebete der Psalmen entstanden sein mögen. Ein Paradigma dafür liefern uns die Psalmen, bei denen mit relativer Sicherheit die Not klar als Krankheit erkennbar ist[67].

Ihren ersten und unmittelbare „Sitz im Leben" haben die *Krankheitsgebete* in der persönlichen individuellen Situation der Kranken, denn in ihr als Redesituation wird die Klage akut. Freilich können die Klagen des Kranken auch einen sekundären „Sitz im Leben" an der wohl meist nur lokal anzunehmenden und relativ schnell erreichbaren Kultstätte haben: nämlich über einen Gesunden, der stellvertretend für den Kranken am Heiligtum betet. In beiden Fällen sind die Gebete und das Gelübde darauf hingeordnet, in der kultischen Feier des Geheilten mit der Gemeinde auch ein gutes Ende zu haben, so daß der Beter seinen Lobpreis einlösen kann und im gleichen Zug die ersehnte Rehabilitation (des durch die Krankheit ja auch religiös Angeschlagenen) in der Gemeinde erhält[68]. Das geschieht bei der Todafeier, und zwar als eine den Beter wieder integrierende Erneuerung des Gottes- und Umweltverhältnisses: In dieser Situation haben die *Heilungspsalmen* ihren „Sitz im Leben" (vgl. Ps 30).
Diese als Ziel anvisierte kultische Praxis, auf den die Krankheitspsalmen zugesprochen werden, färbt natürlich auch deren Vokabular entsprechend ein. „Ist die individuelle Lebenslage des Kranken der Ort der Krankheitspsalmen, so gilt doch, daß sie in räumlicher wie zeitlicher Orientierung auf die gottesdienstliche Stätte hin ausgerichtet sind, die ihnen gleichsam als gedanklicher Bezugs- und Fluchtpunkt präsent wird."[69] So waren die

---

65 Keel 1969, 83; vgl. auch Seybold 1973, 172; Schmidt 1979, 303.
66 Vgl. Keel 1969, 82 ff.
67 Z. B. Ps 31, vgl. dazu Seybold 1973, 11 ff.; zum Ps 22 vgl. a.a.O., 72, wo Ps 22 nicht zu den Krankheits- bzw. Heilungspsalmen gerechnet wird.
68 Vgl. a.a.O., 168. 171/2.
69 A.a.O., 172; vgl. zu Heilungspsalmen (Ps 30) 173/4; Schreiner Art. 1969 b; zum

Krankheits- und auch die Heilungsgebete – vom Ursprung her – nicht als liturgische Formulare bzw. Gebetsvorlagen produziert worden und vorhanden[70]. Sie wurden allerdings in den Kult eingebracht: freilich als situative und individuelle Kreationen, als „Laiengebete" und „Selbstzeugnisse", die aus dem persönlichen Erleben von Not und entsprechender Gotteskrise herausgewachsen sind. Die Niederschrift erfolgte vermutlich zum Zwecke der „Dokumentation" (bei den Krankheitsgebeten, und zwar in Richtung auf das Zeugnis dafür, daß der Beter in der Not zu Gott gebetet hat) und der „Proklamation" (bei den Heilungspsalmen, und zwar in Richtung auf das Zeugnis dafür, daß der Beter effektiv erhört und geheilt ist)[71]. Ganz ähnlich wie die Votivtafeln unserer heutigen Wallfahrtsstätten wurden die Texte zum öffentlichen Zeugnis und Bekenntnis für diesen Einzelfall und dann auch als Gebetsangebot für Gottesdienstbesucher mit ähnlichen Situationen im Tempelbereich hinterlegt. Dort also konnten sie die Grenze vom Einzelfall zum generellen Formular überschreiten, was diese Texte (durch die spirituelle Integration vieler möglicher Beter in die Gebetsformulare hinein) in solcher Weiterverwendung am Leben erhalten und auch weitertradiert hat.

Zwischen dem Hinterlegen der individuellen Texte und der Weiterverwendung kann man die redaktionelle Arbeit von Dichtern im Heiligtumsbereich annehmen, die so manchen individuellen Text generalisierend und theologisch-inhaltlich vervollkommnend abgerundet haben. Doch dürften weder Poesie und Theologie noch literarische Tätigkeit überhaupt Monopol des Tempels bzw. eines Heiligtums gewesen sein[72]. Man kann sich auch gut vorstellen, daß von Laiendichtern und -theologen verfaßte generelle Gebetstexte im Umlauf waren, von denen die Sammlungen des Tempels nichts wußten. In beiden Fällen jedenfalls wurde dabei vom ursprünglich individuell persönlichen Bezugspunkt – um der generellen Verwendungsabsicht willen – mit Hilfe konventionierter Typik (die natürlich vor allem aus der überregionalen und immer verallgemeinernden kultischen Sprache kommen kann) abstrahiert; zugleich damit wurden die „Träger" einer genaueren theologischen Reflexion „eingezogen". Die sprechende Figur der Psalmen wird zur typologischen Konstruktion. So wurde es möglich, daß sich Beter mit unterschiedlicher persönlicher Situation und wohl auch mit unterschiedlicher Glaubensakzentuierung in diese Texte integrieren konnten[73].

Damit wird eine doppelte Entwicklung angestoßen; einmal können Texte, die ursprünglich auf konkrete Situationen rekurrieren, auf analoge Notsi-

---

stellvertretenden Beter Seybold 1973, 172; zur Toda-Feier 176; zur Neuerung der hältnisse 177 ff.
70 Ähnlich: Seybold 1973, 183; abweichend: Gerstenberger.1980, 1 ff.
71 Vgl. Seybold 1973, 184; Keel 1969, 84.
72 Vgl. Keel 1969, 85.
73 Vgl. Seybold 1973, 168; Görg Art. 1980, 217.

tuationen übertragen werden; zum anderen können diese von poetischen und theologischen Könnern (im Tempelbereich) aufgearbeiteten Texte durch die Gläubigen wieder ins Volk selber kommen, so daß sie dort – als willkommene Formulierungsangebote – die spontan-individuellen Gebete ihrerseits verbal wie auch in ihren theologischen Konturen strukturieren. Im Zuge der dominant mündlichen Gedächtnisweitergabe im damaligen Israel ist eine solche wechselseitige Einflußnahme gut vorstellbar, wobei freilich nicht unbedingt immer an ganze Psalmtexte gedacht werden muß, sondern unter Umständen auch an besonders eingängige Formulierungen, die recht einfühlsam der Situation des Gläubigen respondieren. Diese Partikel ersetzten dann weniger ansprechende Passagen bereits bekannter und verwendeter Gebetstexte. Umgekehrt konnten letztere eine stärkere glaubensaufbauende und theologische Kraft dadurch erhalten, daß sie sich durch besonders elaborierte Exemplare der jeweiligen Gebetsgattung in ihrem integrierten Sprechaktverlauf ergänzen und verbessern ließen, dergestalt daß man dazu provoziert wurde, ihre defizitären Momente aufzuheben. Die durch die verbale und theologische Reflexion gegangenen und typisierend überarbeiteten Psalmtexte wandern demnach als Gebetsformulare ins Volk zurück: Der Verwendungscharakter beschränkt sich also nicht auf die liturgische Agende im Heiligtum selbst, sondern reicht in die Stätten des Alltags hinein. Dort allein waren in der Regel Krankheit und Not aktuell; liturgische Formulare im engeren Sinn konnten höchstens die Heilungs- und Dankpsalmen gewesen sein[74]. In diesem lebendigen Prozeß des Wechsellaufs zwischen Alltag und Kult bleibt jeder Text als solcher offen für individuelle Umdeutung wie auch für generalisierende Neuinterpretation. Dazwischen erfolgt in gegenseitiger Befruchtung von stehenden Wendungen aus dem kultischen Vokabular wie auch von situativ kreativen und poetischen individuellen Eingaben die anwachsende schöpferische literarische Tätigkeit der Kult- und Laienpoeten bzw. -theologen Israels. Diese literarische Energie, die noch einmal ihre spezielle Eigenständigkeit gegenüber Laiengebet und kultischem Gebet besitzt, ist methodisch nicht zu niedrig zu veranschlagen. Ihr verdankt sich mit größter Wahrscheinlichkeit ein Großteil des Psalters[75].

---

74 Vgl. Keel 1969, 83; vgl. Seybold 1973, 168.
75 Vgl. Keel 1969, 85. Im Tempelbereich bzw. im Bereich lokaler Kultstätten lagen die Psalmtexte wahrscheinlich für viele zugänglich auf. Die Frage ist natürlich, für wie viele und in welchem soziologischen Kontext die jeweilige Klage vor sich ging. Auch hinsichtlich der Kirchenlieder (Gotteslob) stellt sich die Frage, für wen denn das einzelne Lied zuerst geschrieben wurde. Bestimmt sind nicht alle Lieder von vorneherein für die Groß-Gemeinde konzipiert worden. Die Ursituation mancher (vor allem moderner) Lieder wird wohl die Ausdrucksmöglichkeit für einen Gruppengottesdienst gewesen sein. So könnte man sich auch vorstellen, daß die Klagegebete zunächst als Ausdruck für einzelne in kleineren überschaubaren Gruppen geschrieben wurden, die dann auch in einer persönlichen Atmosphäre (am Kult-

Die Psalmen sind nach diesen Ausführungen das Resultat eines lebendigen Texterzeugungsprozesses zwischen Individuum und Kollektiv, zwischen Alltag und Tempel, zwischen Laien und Priestern, deren poetische und theologische Inspiration – bei den Klagepsalmen im Kontext menschlicher Notsituation – die nötige Versprachlichungsenergie liefern. Es ist also unwahrscheinlich, daß israelitisches Beten allein vom Kultgeschehen her aufgesogen und manipuliert wurde. Vielmehr konnten nur solche Texte im Kult und auf ihn zu bedeutsam werden, die der Alltagserfahrung der Menschen respondierten: Nur solche konnten sich demnach auch im Traditionsprozeß Israels durchsetzen.

Der lebendige Prozeß zwischen der Situation und Kreativität der Laien auf der einen und dem Tempelkult auf der anderen Seite hatte wahrscheinlich – zeitweise wenigstens – auch seine vermittelnden intermediären Räume an den Lokalheiligtümern, wo Sippen und Gruppen zusammenkamen und der einzelne sowohl als Individuum wie auch in seinen unmittelbaren sozialen Bezügen mehr in Erscheinung treten konnte. Auch wandernde oder lokale Propheten und Priester als „Ritualexperten" kann man sich vorstellen, die in die Klagesituation des einzelnen vor seiner Sippe mit den entsprechenden Gebetsrezitationen auf Jahwe zu vermittelnd eintraten. Im ganzen freilich scheinen solche Annahmen noch zu wenig an alttestamentlichen Texten gesichert und noch zu sehr von methodischen Vorentscheidungen geprägt zu sein[76].

Der lebendigen gegenseitigen Entsprechung von Individuum bzw. Einzelsippe und dem auf das Ganze des Volkes orientierten Kult (von Lokalkultstätten wie auch) am Tempel und damit auch den aus dieser Entsprechung hervorgegangenen Gebetstexten korrespondiert die entscheidende jüdische Glaubens- und Kommunikationsstrukur, nach der *einzelne* und *Volk* in ihrem Erwählungsglauben und damit in ihrer *Gottesbeziehung* aufeinander zu- und angewiesen sind. Die drei Akteure des Klagegebetes spiegeln diese Struktur wider: Der einzelne Beter, die anderen (als Feinde oder als Brüder) und Gott. Die durch die Noterfahrung scheinbar ausgesetzte Zugehörigkeit zum Volk wird dabei über die Jahwebeziehung rehabilitiert:

---

heiligtum lokaler Art) gebetet werden konnten. Erst allmählich gelangen die Gebete (vor allem besonders gebrauchte und gute Exemplare) durch entsprechende Rezeption der jeweiligen Entscheidungsträger in das „generelle Gebetbuch" für einen größeren Teil in Israel bzw. in das Gebetbuch als Lied für die Großkirche. Die Gebete bzw. Lieder werden dann als Angebot der Identifikation wie auch erfahrungsorientierter theologischer Sinnanreicherung des Lebens angenommen.

76 Vgl. Gerstenberger 1980, 3 ff. 165. 168 ff.; vgl. zum wohl etwas problematischen Analogieverfahren (durchgeführt mit soziologisch orientierter Analyse und gegenseitigen Übertragungen) zwischen babylonischer Beschwörung und israelitischem Gebet a.a.O., 64 ff. Richtig gesehen ist m. E. die stärkere Konzentration des Forschungsinteresses auf die sekundären soziologischen Räume des Sippenglaubens zwischen Individual- und Volksglaube (vgl. a.a.O., 169).

Erst über sie werden im aktuellen Gebetsklageprozeß die konkreten Feinde zu Brüdern. So wird im Gebet die religiös bedeutsame Reintegration erreicht, und zwar nicht nur und vor allem nicht zuerst eine textexterne kultische, die im entsprechenden Ritual vollzogen wird, sondern eine textintern-intentionale, die die *Gesinnungsänderung* des Betenden erreicht. Letzteres kann ja ohne ersteres geschehen und umgekehrt. Der sozialen Restitution objektiver (von seiten der Gemeinschaft) wie auch subjektiver (von seiten des einzelnen) Art geht also die *Glaubenserfahrung* voraus. Sie ist bereits als Gebetsbegegnung strukturell so organisiert, daß sie sich mit der kollektiven und individuellen Erinnerung und dem Ansprechen Gottes wieder auf Gott als den Gott des Beters und des Volkes (der Gemeinde) und damit auf die Menschen zubewegt. Die Not wird in ihrer Isolations- und Verzweiflungsgefahr zuallererst in der wichtigsten Region, nämlich in der *Einstellung* des Beters, überwunden, noch bevor die Not als Realität verschwindet. In der neu erlebten Nähe Gottes durch das Gebet wird die soziale und individuelle Heilung im Glauben vorweggenommen und damit ermöglicht. Beter und Gemeinde werden damit im gemeinsamen theologischen Bezugsrahmen, nämlich im Vertrauen auf den Gott des Heils, antizipatorisch geheilt und heilend aufeinander zu gebracht[77]. In dieser Grundstruktur ist auch die im Exil geschehene Kollektivierung des ursprünglich individuellen Klagespalms intentional angelegt.

Exkurs: Das Heilsorakel

Im Zusammenhang mit der Pragmatik der Klagepsalmen ist vor allem die Institution des Heilsorakels zu diskutieren. Begrich hatte (im Anschluß an Mowinckel) die Existenz der Institution des Heilsorakels in Israel nachgewiesen[78]. Danach konnte ein einzelner an der Kultstätte (meist im Tempel, nach Gerstenberger auch an lokalen Kultstätten als den Orten, wo der Klagende den göttlichen Zuspruch durch den Liturgen befragt) in vorexilischer Zeit um ein Orakel für seine Situation nachfragen[79]. Der Priester des Heiligtums erstellte den Betroffenen ein Heilsorakel (besonders in der Form: „Fürchte dich nicht . . ., ich bin dein Heil . . .‟), wonach der Beter die Sicherheit zugesprochen bekommt, daß Gott ihn erhört hat und erretten wird. Begrich findet, daß dem Klagelied des Einzelnen wie auch dem priesterlichen Heilsorakel der gleiche Stoff gemeinsam ist. Er belegt diese Ansicht mit Hilfe der außerisraelitischen akkadischen Parallelliteratur und

77 Vgl. Seybold 1973, 160/1. 183; Zirker 1964, 46-48.
78 Vgl. Begrich Art. 1928, 221-260; Ruppert Art. 1972, 576; Merendino Art. 1972, 1 ff.; besonders 15.
79 Vgl. Ruppert Art. 1972, 576; Gerstenberger 1980, 134-169; zum Begriff des Schutzorakels im Zusammenhang mit Asylsuchenden vgl. Delekat 1967, kritisch dazu Becker 1975, 34-37; zur Forschungsgeschichte des Heilsorakels vgl. Vincent 1977, 124-136.

aus Jesajastellen (besonders 41, 8-16), wo ebenfalls die Abhängigkeit des Propheten vom kultischen Vorgang des Heilsorakels gesehen wird[80]. Dabei werden Klagelieder und Jesajapassagen als sich bestätigende Belege für die Tradition des Heilsorakels angeschaut.

Doch ergibt sich hier eine methodische Problematik, sofern nämlich belegt werden kann, daß die deuterojesajanischen Stellen nicht notwendig auf das Heilsorakel als Traditionsmotiv angewiesen sind. In diesem Fall müßte dann auch die entsprechende Hypothese hinsichtlich der Klagelieder zu Fall kommen, sofern die Psalmen nicht positiv diese Tradition nahelegen. Merendino hat nun überzeugend nachgewiesen, daß die Hypothese des Heilsorakels in Hinsicht auf die deuterojesajanischen Passagen nicht fällig und zwingend ist: „Deuterojesaja ist wohl mit der Sprache der Psalmen vertraut, er weist die gleichen Begriffe und Wendungen wie die Klagelieder des Einzelnen auf. Das besagt aber längst nicht, dass er an eine Institution wie die des priesterlichen Heilsorakels anknüpft, und dass es eine solche Institution überhaupt gab. Bei der Erklärung der individuellen Klagelieder wird sie deswegen für ein höchst fragwürdiges Postulat gehalten, auf das man am besten verzichten sollte."[81]

Der Autor belegt, daß die Redeformen von Jes 41, 8-16 auf die Selbstvorstellungsformel Jahwes zurückgreifen, in der Jahwe eine Heilszusage als göttliches Erweiswort (ich bin Jahwe, fürchte dich nicht) ausspricht. Solche Selbstvorstellungsformeln begegnen besonders in Gerichtsreden und werden in Deuterojesaja inhaltlich mit den Heilszusagen verbunden[82]. Ja, wenn der Prophet die Tradition der Rechtsproklamation Jahwes vor Augen hat, dann geht die Selbstvorstellungsformel zurück bis auf die alte Überlieferung des sogenannten Jahwekrieges[83]. Zum ganzen paßt, daß in Jes

---

80 Vgl. Merendino Art. 1972, 2/15; Becker 1975, 63; Vincent 1977, 137-196.

81 Merendino Art. 1972, 1; abgesehen einmal davon, daß – selbst wenn man das Heilsorakel als pragmatische Rahmenbedingung annehmen müßte – Begrich den Beweis schuldig bleibt, daß das Orakel zwischen Klage und Lobpreis der Klagepsalmen gesprochen wurde und somit den Stimmumgumschwung bewirkt hätte; vgl. Becker 1975, 65.

82 Vgl. Merendino Art. 1972, 20-23; vgl. 25: „In der Gerichtsrede wie auch in der Heilszusage gibt sich Jahwe als Gott zu erkennen; sein Gottsein zeigt er aber daran, daß er als mächtiger Richter auftritt . . . Dadurch also, dass Jahwe durch sein Sich-Zuwenden und -Abwenden Gericht vollzieht, läßt er sich als Gott erkennen; als solcher verwirft er die Götter und ihre Anhänger, als solcher wendet er sich Israel zu. . . . Die Verknüpfung der Selbstvorstellungsformel mit dem Gedanken des Gerichtes erklärt sich also von der Tradition der Rechtsproklamation her." – Vgl. kritisch dazu Vincent 1977, 165-174, besonders 169, 258: er postuliert als Materialgrundlage für Deuterojesaja (wieder) eine integrierte Ritualmotivik (einschließlich Heilsorakel) aus der Jerusalemer Kultprophetie im Kontext der Königsideologie: vgl. a.a.O., 252-258.

83 Zum heiligen Krieg vgl. Kraus Art. 1977; nicht mehr als Realität, sondern als Theologumenon in rein literarischem Fortleben bei Deuterojesaja vgl. Becker 1965, 54 ff.; zum Verhältnis von Jahwekriegtradition und den Heilserinnerungen des Auszugs aus Ägypten und des Schilfmeererlebnisses vgl. Kühlewein 1973, 138; auch Merendino Art. 1972, 34/5; a.a.O., 26/7: „Nimmt man an, daß die Formel ‚fürchte dich nicht' unter anderem auch im göttlichen Zuspruch im Jahwekrieg ihren Sitz im Leben hatte, so wie später auch die zur Erkenntnisformel erweiterte Selbstvorstellungsformel darin einen Sitz im Leben erhielt, so kann man mit

41 keine bittende Anfrage des Volkes vorliegt, was ja ein Heilsorakel erst herausfordern könnte. Damit können die deuterojesajanischen Stellen nicht als Beleg für die Institution des Heilsorakels hinsichtlich der Klagelieder des Einzelnen herangezogen werden. Vielmehr muß auch hier – im Sinn der methodisch stark zu gewichtenden semantischen Textkohärenz – eher angenommen werden, daß es sich in Klageliedern wie auch bei Jesaja um Vertrauensäußerungen handelt, die auf ältere Redeformen traditioneller göttlicher Zusprüche zurückgreifen, hier auf die Ausdrücke des göttlichen Zuspruchs im Jahwekrieg bzw. auf Jahwe-Selbstvorstellungsformeln mit dem entsprechenden Heilszuspruch. „Es handelt sich nicht um direkten, bewussten Anschluss an irgendwelche Institutionen oder Traditionen, sondern um den Gebrauch altbewährter Sprache, die für den Beter ihre Kraft und ihren Sinn noch beibehält, auch wenn ihr ursprünglicher Rahmen nicht mehr besteht."[84] Die diesbezüglichen Perfektformen weisen also nicht auf ein außertextlich anzunehmendes Heilsorakel (paraphasiert: Du hast mich im Zuspruch des Orakels erhört!), sondern müssen als präsentisch-futurische Formulierungen vertrauender Heilsgewißheit angesehen werden, wonach die zukünftige Rettung in Gott bereits beschlossen ist. In der Situation drohenden Unglaubens und fast schon realer Resignation spricht der Prophet den Exilierten die künftige Hilfeleistung Jahwes als dessen „feststehende und sichere Entscheidung" zu[85].

Die „Sicherheit" des Vertrauens basiert nicht auf einem kultischen Heilsorakel, das immer der Gefahr der Verdinglichung ausgeliefert ist, sondern auf der Identität des Gottes, der erwählt, der am Volk Gericht gehalten hat, der seine Heilszusagen nicht zurückzieht, sondern betreibt, indem er Gericht hält an den Völkern, und so – in der Not des Exils – den Bund erneuert und die Erwählung weiterführt. Die Beziehung zu diesem heilsgeschichtlich identischen und treuen Jahwe und zu seiner Verheißung schafft die neue Zuversicht: Fürchte dich nicht, ich helfe dir![86] Im Sinne dieser Verheißung wird nun auch die am Horizont bereits als heraufkommend gesehene politische Befreiung als Anzeichen des künftigen Heils gesehen. „In der Umwälzung der politischen Verhältnisse sieht er (Deuterojesaja) das Werk Jahwes für sein Volk, den Erweis seiner göttlichen Macht und seiner liebenden Zuwendung zum Volk. In dem, was geschieht, erschliesst sich ihm Jahwe als der souveräne Befreier des Volkes."[87]

---

grosser Wahrscheinlichkeit folgendes annehmen: bei der Verkündigung seiner Botschaft von der heilbringenden und gerichthaltenden Proklamation des göttlichen Rechtes im geschichtlichen Raum hat Deuterojesaja nicht an den institutionellen Vorgang des priesterlichen Heilsorakels gedacht – falls es ihn gegeben hat –, sondern er hat über die Tradition der Rechsproklamation auf die ältere Tradition des Jahwekrieges zurückgegriffen." Vgl. Vincent 1977, 165 f., 195 f., 257.

84 A.a.O., 17; vgl. Fuhs Art. 1981, 883-885.
85 Merendino Art. 1972, 19; vgl. auch 14. 18. 31, besonders 25 und 28 (s. o. 4.1.2).
86 Vgl. a.a.O., 24, 39 ff.
87 A.a.O., 33; „es war also nicht die Absicht des Propheten, jene alte Tradition zu aktualisieren, sondern umgekehrt: Das Verständnis der jetzigen Stunde als der Stunde des erneuten Eingreifens Jahwes für sein Volk und der Befreiung vom Untergang läßt ihn seine Botschaft in der Sprache der alten Tradition der Kriege Jahwes, durch die Israel errettet und zum großen Volk gemacht wurde, umkleiden." (a.a.O., 33); vgl. Limbeck Art. 1977, 9; Keel 1969, 66 .f.; auch Heiler, 5/1969, 157 f.; abweichend dazu Vincent 1977, 194 f.

Die verblüffende Ähnlichkeit des zur Debatte stehenden deuterojesajanischen Textes und seiner Glaubensstruktur mit den Klageliedern des Einzelnen muß nicht auf eine literarische Abhängigkeit von Deuterojesaja und den Klagepsalmen beruhen, sondern kann − wenn man gar auch Ps 22 als (im ganzen) exilisch-nachexilische literarische Neuschöpfung (was nicht ganz unmöglich wäre) ansieht − „vielmehr an zwei selbständigen Verdichtungen der gleichen allgemeinen geistigen Erfahrungen denken" lassen[88]. Hinter dem Strukturplan des Klageliedes steht also eher das Schema des Jahwekrieges als das einer kultischen Institution.

Im Sinne gesteigerter literarischer Kreativität und möglicher literarischer Neuschöpfung sowie gegen eine allzu forcierte kultorientierte Psalmenexegese wendet sich auch Ruppert in seiner Analyse des Ps 25. Er hält den Text für ein ursprünglich literarisches Produkt der Nachexilszeit mit einer Fülle geprägter Gebetsformulierungen (besonders aus älteren Psalmen), freilich mit der thematischen Bestimmung durch die Weisheitstheologie. „Die Grenze kultorientierter Psalmenexegese . . . beginnt dort, wo das lebendige, in den kultischen Institutionen beheimatete oder doch wurzelnde Gebet Israels durch Gebets*literatur* abgelöst wird. Diese nimmt zwar noch traditionelle Elemente israelitischen Betens, bisweilen (wie z. B. in Ps 25) auch noch seine traditionelle Form auf, überlagert aber dies alles fast völlig durch neuartige Elemente anderer Tradition."[89] Genau auf dieser Grenze kann man sich meines Erachtens Ps 22 II angesiedelt vorstellen: Er ist noch nicht völlige Neuschöpfung, sondern hat in sich noch den alten Kern eines Klageliedes des Einzelnen (Ps 22 I) aus der vorexilischen Zeit, wird aber im Exil durch weitere aktualisierende Passagen kreativ für das Beten des Volkes wie auch des einzelnen aus der akuten Notsituation heraus weitergebracht[90]. Theologisch entspricht dieses Weiterbringen der Verkündigung des Deuterojesaja: Gebetsliteratur und prophetische Literatur treffen sich in der Exilszeit in der theologisch-spirituellen Verarbeitung der Verbannungserfahrungen[91]. Der leidende Gottesknecht in

---

88 Merendino Art. 1972, 15. Eine literarische Neuschöpfung läge vor, wenn es keinen zusammenhängenden Grundtext (z. B. Ps 22, 2-3/7-27) gäbe, sondern in kreativer Weise Einzelformen und -traditionen zur Textgestalt geformt worden wären. Zur Eigenqualität dichterischer Kreativität vgl. Keel 1969, 84; Becker 1966, 20/1; Wolff Art. 1964, 401: Dabei geht es methodisch nicht mehr dominant um die Zuordnung von Texten als ganze Gattungseinheiten zu entsprechenden (meist kultischen) Situationen, sondern um das Auf- und Nachspüren von Formen bzw. Gattungselementen, die ein Gesamttext in sich − literarisch-kreativ − aufnimmt. Vgl. Becker 1966, 20-22 (hier bereits auf die vorexilische Zeit bezogen); Braulik 1975, 129; 213.
89 Ruppert Art. 1972, 582; vgl. auch 578; Vorländer Art. 1981, 112.
90 Nach Becker sind bereits größte Teile von V. 23-27 eventuell „wuchernde Nachbildung", die schon als ausgesprochenes Danklied nichts mehr mit dem ehemalig kultisch ausgerichteten „Sitz im Leben" zu tun haben. Dies dürfte allerdings problematisch sein! Ausführlicher s. u. 5.2.3.
91 Zwar gibt es keine durchschlagenden Kriterien der Gleichzeitigkeit von Jes 53 und Ps 22. Sie gehören allerdings in die gleiche Situation: So spricht man, wenn man klagt! Das Exil hat eine solche Situation entstehen lassen. Beide gehören von ihrer Entstehung bzw. aktualisierenden Rezeption her in diese Periode. Nach Albertz besteht tatsächlich eine bewußte Verbindung zwischen Deuterojesaja und der individuellen Frömmigkeit, und zwar über den Schnittpunkt der Klagepsalmen des

Deuterojesaja kann überhaupt als die personifizierte Konzentration dessen angesehen werden, was in den Klageliedern des Einzelnen bis dahin bereits an Beziehungsmöglichkeit zwischen Mensch und Gott gebündelt war. Spiritualität und Prophetie stehen im alten Israel zueinander komplementär und bleiben sich gegenseitig kaum zurück[92].

Die Ausführungen Merendinos sind (auf dem Gebiet des Deuterojesaja) das Pendant zu einem Aufsatz, den Kilian ein paar Jahre früher direkt hinsichtlich des Heilsorakels in Ps 22 geschrieben hat. Recht vehement lehnt der Verfasser darin – im Vergleich mit den entsprechenden Parallelfällen in Ps 35, 60 und 91 – die Annahme eines Heilsorakels auch für Ps 22 ab. Er plädiert für die präsentisch-futurische Übertragung des V. 22 b als Ausdruck des Vertrauens auf Gottes Nähe, ohne daß die Situation beseitigt wäre, also für das Ernstnehmen des Lobgelübdes als Gelübde, im ganzen also dafür, daß die Erhörungsgewißheit durch den textinternen Sprechaktprozeß hinreichend erklärt ist[93].

Nicht der „Sitz im Leben" des Heilsorakels ist also für die Gattung des individuellen Klageliedes konstitutiv geworden, sondern die Gattung hat ihre eigenständige Konstitution darin, daß ein Jahwegläubiger in der Situation der Not zu Gott betet und in diesem Gebet neues Vertrauen und neue Gemeinschaftsfähigkeit erlangt. Dieser generelle „Sitz im Leben" der

---

Einzelnen: „Deuterojesaja . . . knüpft bewußt an Vorstellungen und Formen der individuellen Frömmigkeit an." (1974, 161) „. . . wichtig ist jedoch, daß er innerhalb einer breiteren exilischen Bewegung steht, subreligiöse Vorgänge und Vorstellungen für den Jahweglauben in Anspruch zu nehnen." (a.a.O., 162).

92 Zu den Gottesknechtsliedern vgl. Blank Art 1980; bezüglich Ps 22 vgl. Deissler 3/1966, 88-91. Zur „prophetischen" Qualität der „Volksfrömmigkeit" in Israels Exilszeit vgl. Albertz 1978, 178-190, besonders 186 ff.

93 Vgl. Art. Kilian 1968, 175. 179. 182-184. „Wenn sich nun trotzdem die letzte Vertrauensäußerung unmittelbar vor dem Lobelement von dem vorausgehenden abhebt, sei es durch Intensität, Totalität, etwaige Kürze oder vor allem durch die Suffixkonjugation als Perfectum confidentiae, und dadurch die anderen übertrifft, so hängt das mit dem Aufbau des Klageliedes zusammen, das eine aufsteigende Linie aufweist. . . . Somit hängt die Besonderheit der letzten Vertrauensäußerung vor dem Lobgelübde nicht mit einem äußeren kultischen Ereignis zusammen, sondern mit der Klimax des individuellen Klageliedes, das seinen Höhepunkt findet im letzten Bittschrei und der letzten Vertrauensäußerung, die dann sofort zum Lobelement überleitet." (183/4). Insgesamt zum Problem des Heilsorakels bzw. Stimmungsumschwungs in den Klagepsalmen vgl. ähnlich Zirker 1964, 44-55. 83: Auch er nimmt präsentisches Perfekt in der noch bestehenden Not an, indem im Glauben die zukünftige Rettung vorweggenommen wird; das Gelübde ist nicht etwa nur eine Form des Redens, sondern realistisch gemeint; vgl. Westermann 1977, 47-55: Westermann bleibt 51 merkwürdig undeutig und widersprüchlich einmal nimmt er das Heilsorakel in der Mitte der Klagepsalmen an, zum anderen schreibt er: „*Innerhalb* dieser Psalmen ist etwas Entscheidendes geschehen; etwas, was das Reden des hier Redenden verwandelt." (Hervorhebung von mir). Textexterne und textinterne Dimensionen sind hier nicht sauber voneinander geschieden. Zur präsentischen Bedeutung des Perfekts vgl. auch Müller 1969, 34/5; kritisch zum Heilsorakel äußert sich auch Perlitt Art. 1971, 369: „Wieweit dieses Schweigen (sc. Gottes) kultisch aufzubrechen, also durch einen Orakelspruch aufzuheben war, bleibe dahingestellt; die Intensität der Klagen und Bitten spricht nicht eben für eine gleichsam ‚regulär‘ erfolgte Antwort des ertaubten Gottes." Vorsichtig ist auch Seybold 1973, 166.

Gottesbeziehung Israels bzw. des Israeliten ist primär und hat allenfalls die Institutionen des Heilsorakels an sich gezogen, nämlich als Verstärkung dessen, was der Gebetsverlauf ohnehin aufweist und wozu er hinführt. Dann braucht freilich der Zuspruch nicht mehr zwanghaft zwischen Klage und Lob plaziert zu sein, sondern er wird eher am Ende des Gesamtgebets als im Grunde nicht notwendige und damit sekundäre Bestätigung des bereits entstandenen Gottesvertrauens erfolgen, ähnlich wie Beyerlin die Klage innerhalb des Gottesdienstes im Sinne der Heilsvergegenwärtigung ortet[94]. Dies dürfte freilich vor allem in Verbindung mit lokalen Kultstätten, weniger in Hinsicht auf den Tempel zu denken sein.

Auch das Heilsorakel *erklärt* ja nicht den textintern ablaufenden Vertrauensprozeß. Denn damit ein priesterlicher Zuspruch akzeptiert werden kann, muß der Beter ohnehin prädispositiv das Vertrauen aufbringen, dem Zuspruch zu glauben[95]. Im Grunde wird durch den priesterlichen Zuspruch nur textextern extrapoliert und in die Begegnung zwischen Beter und Priester (als den Mittler zu Gottes Wort) hinein dramatisiert und projiziert, was der Text bereits direkt antizipiert: er setzt sich innerhalb seiner eigenen inhaltlichen Struktur in spannungsreicher Weise selbst voraus, daß Gott erhören will und nahe ist. Das Heilsorakel brächte also, selbst wenn man es akzeptierte, keinen neuen oder gar anderen Sprechakt des Betens in den Prozeß der Klage ein. Auch ein Orakel ist „nur" ein Wort, dessen Realisierung erst in der Zukunft liegt.

Dazu kommt noch ein *inhaltlich-theologisches Argument*: Die Gefährlichkeit des Heilsorakels liegt darin, daß es ablenkt von der Beziehung zu Gott bzw. diese in einem Spruch objektiviert, der die Veränderung der Notsituation auf mythische Weise garantieren könnte. Nicht die Beziehung stände dann mehr im Zentrum des Betens, sondern die Erlangung des positiven Orakelwortes. Solches gefährlich in die Richtung beschwörender Magie laufende Umgehen mit Jahwe wäre nicht mehr offen für die Nähe Gottes *in* der Not. Gott wird dabei nämlich erst dann als nahe erfahrbar werden können, *wenn* er die Not beseitigt haben wird. Das Orakel kann zu leicht in erster Linie als Garantie für die Rettung und erst sekundär als krisenreiche Beziehungsaufnahme mit Jahwe aufgefaßt werden. Demgegenüber geht es dem Sprechaktverlauf des Ps 22 zuerst darum, sich der Treue Gottes im Vertrauen zu vergewissern und *deshalb* zur entsprechenden Erhörungsgewißheit hinsichtlich der Not zu gelangen. Dieser Unterschied zwischen Gottvertrauen und Gottesbemächtigung ist oft so dünn wie eine Membrane, aber zutiefst entscheidend. Aus diesem Grund wird auch theologisch-inhaltlich vom Jahweglauben her der Jahwekult kaum auf längere Zeit und ohne kritische Distanz die von Hause aus heidnische Institution des Heilsorakels praktiziert haben. Die „alten" personalen und dialogisch angelegten Redeformen des Erweiswortes und der Selbstvorstellungsformel Jahwes im Kontext seines Gerichts- und Heilswerkes bzw. seines aktiven Beistands gegen die Feinde im Jahwekrieg entsprechen dem Jahweglauben jedenfalls inhaltlich-theologisch eher als das Heilsorakel, abgesehen einmal von der in der Institution des Heilsorakels laufenden Gefahr der Verluste

---

94 Vgl. Beyerlin Art. 1967, 208 ff.; Becker 1975, 65; zum folgenden Gerstenberger 1980, 134-147.
95 Vgl. sogar Westermann 1977, 51.

der Heils*geschichte* durch die Sicherung des Heils in den Tempelkult hinein (s. o. 4.2.1 (3))[96]. Mit der Aktualisierung des Ps 22 I für die Exilszeit zum Text Ps 22 II (s. u. 5.2.3) sind wir bereits in zeitlichen Kontakt mit den entsprechenden Texten bei Deuterojesaja gekommen: Beide brauchen zu ihrem Verständnis nicht notwendig die Institution des Heilsorakels, sondern werden allein schon einsichtig auf dem Hintergrund der Erinnerung und der Identität des Gottes Israels und seiner Erwählungsgeschichte mit dem Volk, die als Jahwes Heilswille in der Not des Exils vergewissert werden.

Aufgrund unserer Einsicht in die Fachliteratur und der entsprechenden Überlegungen können folgende „Sitze im Leben" des Ps 22 I, also der Psalmfassung, wie sie bis ausschließlich der Exilszeit entstanden und verfügbar war, annehmen:

1. *Ps 22 I ist ein Klagelied des Einzelnen, das seinen Ursprung in der persönlichen Frömmigkeit des Volkes als eines Laiengebetes hat.* Dieser Ursprung hat eine entstehungsgeschichtliche wie auch eine gleichzeitig-rezeptionsgeschichtliche Dimension: Das Klagelied hat seinen ersten vitalen Ursprung in einer konkreten Notsituation; zugleich aber bekommt es, einmal auf die Ebene eines generalisierenden Gebetsformulars gehoben, seinen dauerhaft-vitalen Ursprung durch die lebendige Bereitschaft konkreter Personen, sich mit ihrer Situation in den Text zu integrieren. Damit ist Ps 22 I die am Kultheiligtum oder im Volk bzw. in gegenseitiger Inspiration entstandene poetische Versprachlichung und Verschriftlichung eines theologisch reflektierten Klageprozesses, der im Angesicht der Not und im Angesicht Gottes gebetet wird. Als solcher wirkt er wieder auf die Verbalisierungsfähigkeit und Glaubensstruktur des Laiengebets zurück.

2. *Ps 22 I wird gebetet in der Situation und am Ort der Not, freilich im Blick auf die Kultstätte* (lokaler Art oder auch im Tempel), wo der Gerettete sein Lobgelübde mit Dank, Opfer und Verkündigung einlösen *wird.* Diese zukünftige Situation der Errettung und ihrer Proklamation vor der Gemeinde wird im Lobgelübde in die Gegenwart des Beters als Vision der Hoffnung eingebracht. Ermöglicht wird das Lobversprechen und das darin

---

96 Vgl. Wildberger Art. 1970, 313; Görg Art. 1980, 225 ff.; Merendino Art. 1972, 24. Es gibt ja auch die Exoduserzählung nicht deswegen, weil sie einen kultischen „Sitz im Leben" im erinnernden Schauspiel hätte. Die Erzählung des jahwistischen Autors kann nicht auf eine kultisch-dramatische Institution rekurriert oder gar als ihr Reflex reduziert werden. Anlaß für seine Verkündigungsarbeit ist vielmehr, daß er sich damit auf eine konkrete aktuelle geschichtliche Situation bezieht, in der die Exoduserinnerung aktuell wird (hier womöglich auf die Unterdrückungssituation vieler als Fremdarbeiter unter Salomon, die an die Entfremdung in Ägypten erinnerte). Diese provoziert die theologischen Operationen mit theologisch formuliertem Gut aus der Tradition in Richtung auf die für die Gegenwart entscheidende Theologie. Ähnlich ist Ps 22 das Werk eines Dichters, der nicht weniger über Glaubenssubstanz verfügt als der Jahwist.

implizierte Gotteslob durch das Vertrauen bis hin zur Erhörungsgewißheit, wie es im textinternen Sprechaktverlauf mit Gott entsteht[97]. Die Hinordnung zur Reintegration in das Gemeinde- und Gottesdienstgeschehen konnte leicht zur Folge haben, daß ursprüngliche Klagetexte in den Heiligtums- bzw. Tempelbereich von Gläubigen, die ihr Lobgelübde in der Form des Dankliedes einlösen wollten, mitgebracht und als Dokumente überstandener Not zurückgelassen wurden. Der Tempel wurde dadurch zum Umschlagplatz solcher Texte, die durch Weiterverwendung und − wenn nötig, durch Überarbeitung − als Formulare von anderen Pilgern in ihren Alltag hinein mitgenommen werden konnten[98].

3. *Dies schließt nicht aus, daß Ps 22 I auch an der Kultstätte selbst vom Notleidenden bzw. seinem Stellvertreter gebetet werden konnte*, vor allem wenn man sich *lokale Heiligtümer* vorstellt, wo das Klagegebet im Stammeskreis vor einem priesterlichen oder prophetischen Kultliturgen verrichtet wurde, der eine *entsprechende Heilszusage* aussprechen konnte, die aber nicht zwischen Klage und Dank plaziert zu sein brauchte, sondern sich der Klage als Verstärkung und Bestätigung des bereits im Gebet selbst entstandenen Vertrauens anschließen konnte. Im Grunde wird dabei lediglich in eine textexterne Figur des Rituals ausgelagert, was bereits in der Dramatik des Textes selbst vor sich geht: nämlich der erlebte Zuspruch, daß Gott trotz aller scheinbar gegenteiliger Erfahrung nahe ist! Im eigentlichen Tempelkult scheint das Klagelied des Einzelnen keinen Ort zu haben, allenfalls am Rande oder in kleineren Gruppen (von Wallfahrern). Es ist aber auch hier energisch daran festzuhalten, daß die Situation der Not der persönliche „Sitz im Leben" des Beters bleibt. Die *Einlösung* des Gelübdes kreiert dann die Gattung des individuellen Dankliedes und geschieht in der eigentlichen Todafeier der lokalen Kultstätte bzw. im Todakult des Tempels.

4. *Eine außertextliche Institution des Zuspruchs wie z. B. das kultisch-priesterliche Heilsorakel als pragmatisch-textexterne notwendige Bedingung der Möglichkeit anzunehmen*, daß das Klagelied des Einzelnen im

---

97 Es liegt hier also keine fiktive Klage vor; gegen Gese Art. 1968, 11-12: Gese allerdings bleibt, was dieses Urteil anbelangt, zeitlich undeutlich, ob nämlich Ps 22 ein Danklied bei der vorexilischen Toda und damit eine fiktive Klage ist (offensichtlich als Klageerhörungsparadigma, vgl. Seybold 1973, 162) oder ob er dies in Richtung auf die nachexilische Zeit sagt, in der er die Verwendung von Ps 22 als Lehrgedicht im Sinne der Weisheit interpretiert. Er unterscheidet also zu wenig ausdrücklich vor- und exilische bzw. nachexilische Zeit als unterschiedliche Möglichkeiten des „Sitzes im Leben" für Ps 22.

98 Der ursprüngliche Beter wird also seinen Text mitgebracht haben, er kann ihn aber als solchen nicht im Heiligtum selber beten, weil er nicht mehr in der Situation der Not ist. Freilich können die im Heiligtum verfügbaren Texte für die Pilger, je nach ihrer aktuellen Situation in der Zeit ihrer Wallfahrt, diese Texte für ihr privates Gebet nutzbar machen. Vgl. Becker 1966, 20 f.

Sinn von Ps 22 gebetet werden kann, ist vom *semantisch kohärenten Textverlauf her unnötig* und von den Ergebnissen der religionswissenschaftlichen Forschung über die Gottesdienstkultur in Israel her nicht ausreichend begründbar. Der „Stimmungsumschwung" ist bereits textintern einleuchtend, freilich nicht zuerst als psychologisches, denn als theologisch-zentriertes Phänomen, das allerdings psychologische Relationen enthält.

5.2.3 Klagegebet im Exil und Redaktionsgeschichte des Ps 22

Nach der *Frühgeschichte der Klage in den Prosatexten* und der damit verbundenen Vor- und Begleitgeschichte der Psalmenentstehung und nach der eigentlichen *Hochgeschichte der Produktion und Verschriftlichung von Psalmengebeten* im Wechselfeld von Individuum, Familienverband und Großkult gelangen wir nun zur Redaktionsgeschichte des Ps 22 und damit in die exilisch-nachexilische Zeitstufe. *Theologisch* wird die Klage hier zu ihrem Höhepunkt getrieben[99]. Es wurde bereits des öfteren darauf hingewiesen, daß die Exils- bzw. unmittelbare Nachexilszeit einen bedeutsamen Einfluß auf die vermutlich endgültige Textfassung des Ps 22 hatte[100], bevor der Psalm in den Gebetskorpus des synagogalen Gottesdienstes (in der Diaspora vor und nach dem Exil) bzw. des 2. Tempels aufgenommen wurde. Aller Wahrscheinlichkeit nach erfährt Ps 22 I im Erfahrungsfeld des Exils folgende Veränderungen bzw. Neuinterpretationen[101]:
Die Klagegebete des Einzelnen werden *kollektiviert* und als Klagegebete des Volkes verwendet. So nimmt Ps 22 die kollektive Heilserinnerung der Väter in seinen Text auf (V. 4-6), außerdem die entsprechenden hymnischen Elemente der Volkslieder überhaupt (V. 4, auch V. 28 ff.). Darin klingt das aktuell und akut gewordene Thema der Erwählung an: Ist Jahwe jetzt — nach der Katastrophe für das ganze Volk (nicht mehr nur — wie in den individuellen Klageliedern — für einzelne) — noch in „unserer Mitte"?
Dies ist das Problem des deuteronomistischen Geschichtswerkes, das die weiterziehende Erwählung (unter anderem durch den Rückgriff auf die Väter) gesichert wissen möchte: „Man will die Erwählung tiefer in der Geschichte verwurzeln."[102] Ähnlich stellt sich das Problem für Deuterojesaja, bei dem die Erwählung Israels durch die Erinnerung der Berufung Abrahams wieder in den Sichtkreis des der Verzweiflung nahen Volkes gerät[103].

---

99 Vgl. Albertz 1978, 186 ff.; Stolz Art. 1980 a, 138-146; s. u. 5.3.1.
100 S. o. 4.2.3 (3); hier geht es vor allem um die Passagen Ps 22, 4-6 und 28-32.
101 Vgl. Becker 1966, 24 ff.; zum Zusammenbruchcharakter des Exils vgl. Mosis Art. 1978, 55-70.
102 Wildberger Art. 1970; vgl. 314 ff.; Zitat 317; vgl. Rose 1975, 168 f.
103 Vgl. Becker 1975, 81; Wildberger Art. 1970, 318/9; Rendtorff Art. 1954, 3 f., 7 f., 13.

Diese nach rückwärts in die Geschichte gelenkte Identifikationsarbeit mit den jüdischen Urgestalten, wobei sich das Volk im Schicksal bzw. in der Verheißung einer Einzelgestalt wiederfindet, ist strukturell daraufhin ausgerichtet, auch für die Zukunft eine solche für das Kollektiv identifikationsoffene Einzelgestalt literarisch zu schaffen bzw. im Bezug auf eine historische Gestalt (vielleicht den Prophet selber) zu konzipieren: Dies tut Deuterojesaja in der Gestalt des *Gottesknechtes*. Dem kollektiven Verständnis einer Einzelgestalt korrespondiert zugleich in verblüffender Weise die kollektive Verwendung der Klagelieder des Einzelnen. Das strukturelle Vorgehen ist in all diesen Vorgängen das gleiche[104]. Die Umgestaltung der Klagelieder des Einzelnen zu Gebeten des Volkes ist ein diese Gebete modifizierender spiritueller Reflex auf die Idee vom Erwähltsein und -bleiben in den Urgestalten göttlicher Berufung. Von daher ist es natürlich leicht möglich, daß die individuellen Passagen in den Klageliedern des Einzelnen kollektiv verstanden werden: Das gilt für die Schilderung der notvollen Gegenwart (Ps 22 V. 7-9) wie auch für die individuelle Heilserinnerung (V. 10-11): Gerade letztere kann als Geschaffenwerden des einzelnen mit dem bei Deuterojesaja verstärkt auftretenden Theologumenon der Verbindung von Schöpfungs- und Erwählungsgeschehen auf die Heilserinnerung des Volkes ausgezogen werden: „die Erwähltheit Israels ist bereits gegeben mit seinem Eintreten in die Existenz."[105]

---

104 Vgl. Albertz 1978, 180-186; Görg Art. 1980, 224-226. „Wie die Exulanten sich an die vom Propheten geschaffene Figur des Gottesknechtes klammern können . . ., so mag sich jedes in Bedrängnis geratene Glied des Volkes als von Gott Geschlagener vorfinden und in dem Knecht wiederfinden, in dem YHWHs ‚Wille sich erfüllt'." (a.a.O., 225/6). Die deuterojesajanische Gestaltung des leidenden Gottesknechtes kann als die Personifizierung dessen angesehen werden, was in den Klageliedern als Gebetssprechakt abläuft. Was vorher Kommunikation war, wird jetzt zur Person hypostasiert und konzentriert, und damit für die Identifikation nochmal in einem weiteren Sinn freigegeben: Jetzt nicht mehr nur auf der Ebene der Integration in einen Textverlauf und damit in die intendierte Beziehung zwischen Gott und Mensch, sondern auf der Ebene einer Identifikation mit einer Person, in die hinein das eigene Schicksal projiziert und von dessen Schicksal her die eigene erhofft wird. Die Beziehung zu Gott läuft hier also über die Identifikation Israels mit dem leidenden Gottesknecht und damit in die gleiche Beziehungsstruktur, die der leidende Gottesknecht zu Jahwe bzw. umgekehrt Jahwe zu diesem Gottesknecht hat.

105 Wildberger Art. 1970, 320; vgl. auch Keel 1969, 62; Groß/Reinelt 1978, 134; vgl. hinsichtlich der Funktion Jahwes als des Schöpfers der ganzen Welt Jes 44, 24; vgl. auch Westermann 1966, 22 f. (Gott ist Schöpfer und als solcher der Herr der Geschichte: Beide Motive haben den Sinn, Gott „groß zu machen": entgegen der Realerfahrung, in der der Gott Israels durch dessen Niederlage als der Schwache und Unzulängliche vor den Göttern der Sieger erscheint.) Ganz deutlich vgl. Vorländer 1975, 274/5, 304: „Insbesondere in exilisch-nachexilischer Zeit wird die Vorstellung vom persönlichen Gott auf das Verhältnis Jahwes vom Volk Israel übertragen. Die für den persönlichen Gott typischen Bezeichnungen ‚mein usw. Gott', . . . ‚Gott meines usw. Vaters', ‚mein usw. Schöpfer' werden

Die Gestalt des Gottesknechtes bringt diese Idee der kollektiven Identifikation mit einer Einzelgestalt, nun angereichert mit den Zügen gegenwärtiger Leiderfahrung, in die Zukunft weiter, derart daß den Gottesknecht Heil erwartet. In ihm können sich die Exulanten an einen Leidenden und Gottverlassenen klammern, in der Hoffnung, daß ihnen (als einzelnen wie auch als Volk) die gleiche Zukunft gegeben ist wie dem Gottesknecht: nämlich Heil und Leben[106]! Der Gottesknecht könnte Ps 22 beten: Mit ihm kann es auch das geschlagene Israel; beide können es im festen Vertrauen an die Erwählungs-, Geschichts- und Schöpfungsmacht Jahwes. In solcher Identifikation und in solcher persönlichen Gebetsspiritualität lernt Israel am eigenen Schicksal, was es heißt, daß die Erwählung im Leiden und im Elend nicht zurückgenommen wird, sondern Jahwe weiterhin nahe ist und mitgeht. So wird klar, „wie jetzt die persönliche Frömmigkeit breit in die Religion des Restvolkes einströmte."[107]

Es muß hier nicht der Frage nachgegangen werden, ob zwischen Deuterojesaja und den überkommenen Klagegebeten literarische Abhängigkeit besteht, ob die Gestalt des Gottesknechtes die personifizierende Verdichtung der bereits im Gebet der Exulanten vollzogenen Kollektivierung der individuellen Klagelieder darstellt, oder ob der Gottesknecht diese Kollektivierung provoziert hat: Unwichtig ist es für unser Erkenntnisinteresse, wer hier zuerst da war und wer von wem abhängig ist[108]. Entscheidend für beide ist vielmehr der durch die Situation der Not gehende Prozeß des Glaubens, der gegenwärtige Erfahrung in der Begegnung mit Gott spannungsreich „vermittelt": Dieses Glaubensbewußtsein verdichtet sich in dem Sicheinbinden des versprengten Volkes auf der Ebene der Prophetie in eine Individuationsgestalt genauso wie auf der Ebene der Gebete in die individuellen Klagelieder[109]. Was früher immer wieder einzelne an Elend

---

nun von Israel in bezug auf Jahwe gebraucht. Die deuterojesajanischen Heilsorakel reden Israel wie eine Einzelperson an, der der Prophet den Schutz und die Hilfe ihres persönlichen Gottes zusagt. Zugleich werden die ursprünglich individuell gemeinten Psalmen zu Gebeten des Volkes uminterpretiert." Vgl. Albertz 1974, 26-51; Steck 1972, 48 ff.; Rose 1975, 168-169/269-275; besonders 274, wo das Überleben des Jahweglaubens im Exil der persönlichen Frömmigkeit (in der Familie) zugeschrieben wird; vgl. ausführlich dazu Albertz 1978, 92/178-190.
106 Vgl. Görg Art. 1980, 225-227; Zimmerli 2/1975, 197.
107 Albertz 1978, 189; vgl. Vorländer Art. 1981, 98 ff., 110-113.
108 So plädiert Braulik im Anschluß an Gettier für die Vorzeitigkeit von Ps 22 zu Deuterojesaja und der entsprechenden Abhängigkeit (wegen der auffallenden wortmäßigen Bezüge: z. B. „Wurm" V. 7 a, vgl. Jes 41, 14), vgl. Braulik 1975, 174 Anm. 226, während Becker 1975, 82 dafür plädiert, daß Ps 22 II (also in seiner kollektivierenden Neuinterpretation) von der Gestalt des Gottesknechtes und damit von Deuterojesaja abhängig ist. In beiden Fällen müßte man als Redaktionszeit die Jahre nach 550 annehmen: vgl. Westermann 1966, 7 ff.
109 Dies mag man im Sinne unkultischer geistiger Nachdichtungen verstehen, so daß hier der Anfang der späteren frömmigkeitlichen oder anthologischen Psalmendichtung bzw. -redaktion angelegt ist, vgl. Becker 1975, 82; zur anthologischen Psalmeninterpretation 72 ff.; vgl. Deissler 1963, 20/1, 89-91; auch Braulik 1975,

erlebt haben, was sie aber nur partiell mit der Volkssituation und dem Kult vermitteln konnten, wird jetzt zur Erfahrung des gesamten Volkes bzw. der zersprengten Gruppen. Die Not des einzelnen wird im Exil die Sache des Volkes und umgekehrt[110]. Der ungeheure kollektive Zusammenbruch Israels war die reale Basis für einen ungeahnten religiösen Aufbruch. „Inhaltlich steht die kollektivierende Neuinterpretation im Dienst der exilisch-nachexilischen Heilsverkündigung, die um folgende Ideen kreist: Befreiung Israels aus der . . . Exilssituation, Heimkehr und Wiederherstellung des Volkes, . . . Es handelt sich um die zentralen Anliegen des Alten Testaments, auch der Geschichtswerke. Hier ist der Entstehungsgrund des Alten Testaments zu suchen. Aus Sagen und Überlieferungen werden heilsverkündende und -begründende Geschichtswerke, aus Worten der Propheten Prophetenbücher, aus kultischen Gebeten eines Volkes, das Israel heißt, die alttestamentlichen Psalmen."[111]

Die Klagelieder erfahren zur gleichen Zeit eine „*Eschatologisierung*": Mit der Kollektivierung ist zugleich eine Eschatologisierung[112] der Psalmen aus der Perspektive der prophetischen Verkündigung verbunden: Die kollektive Heimkehr aus dem Exil wird als ein eschatologisches Ereignis gesehen, bei dem das Heil endgültig anbrechen wird. Der neue Exodus wird wunderbarer und nachhaltiger sein als der Exodus aus Ägypten[113]. Dazu gehört, daß die Völkerwelt bei diesem Ende in das Lob Gottes einbezogen wird (vgl. Ps 22, 29 f.). Die für diesen Tag vorausgeschaute Anerkennung Jahwes durch die Völker wird jetzt bereits dem Volk Israel als Lobbekenntnis in den Mund gelegt[114]. Deuterojesaja geht es darum, daß das geschlagene

---

183; zum Zusammentreffen und zur gegenseitigen Ergänzung von Psalmen und Prophetie (sowie der Eschatologie) vgl. Westermann 1977, 108-110; a.a.O., 179 plädiert er dafür, daß die Exoduserinnerung, die auch bei Deuterojesaja eine entscheidende Rolle spielt, auch für Ps 22, 4 ff. zu bemühen sei; vgl. Braulik 1975, 175.

110 Vorher war eben die Integration der Not des einzelnen in dem offiziellen Volkskult (des Tempels) nicht (wenigstens nicht im offiziellen Teil) möglich. Die kollektive Noterfahrung Israels ist der reale Hintergrund für die Kollektivierung der Klagelieder des Einzelnen, damit für das theologische Ernstnehmen der Not überhaupt! Vgl. Albertz 1978, 180 ff.

111 Becker 1975, 89; zur Kollektivierung der Psalmen vgl. überhaupt 85 ff.; auch 1966, 29 f. Zur „Katastrophe" als innere Wende des Gottesglaubens im Exil vgl. Vorländer Art. 1981; Lang Art. 1981, 73 ff.

112 Zur Eschatologisierung des Ps 22 vgl. Gunkel 5/1968, 93/4; zum Prozeß als solchen vgl. Beyerlin 1977, 63 (im Bezug auf Ps 126); Kraus Art. 1972 a, 216-218 (bezüglich Deuterojesaja); vgl. die Definition bei Müller 1969, 222: „Als eschatologisch ist ein Geschehen nicht schon dann zu bezeichnen, wenn es von den von ihm Betroffenen als endgültig angesehen wird, sondern erst, wenn seine Endgültigkeit als zukünftig erwartet wird."

113 Vgl. Becker 1966, 25; Seybold 1973, 137/8 Anm. 30.

114 Vgl. Jes 12; und 25, 6 f.; Wildberger Art. 1970, 320; Becker 1975, 95 ff.; 1966, 27; Vorländer Art. 1981, 108 ff.

Volk trotz dieser Erfahrung Gott seine Größe und Geschichtsmächtigkeit im Lob zuerkennt und darauf vertraut. Gegenüber allen anderen Göttern wird sich Jahwe als der Wirkmächtige erweisen. Deswegen erscheint er als der Schöpfer der ganzen Welt (Jes 44, 24, auch 46, 8-10). Die Gerichtsreden haben in diesem Zusammenhang die Funktion, den Anspruch der fremden Götter auf ein relevantes Gottsein zunichte zu machen[115].

Die bereits dargestellte innere Struktur des *Lobgelübdes* in den Klagepsalmen wird somit kollektiv und eschatologisch ausgeweitet und verlängert: Im festen Glauben lobt Israel, die erhoffte Zukunft bereits antizipierend, in der Gegenwart, wofür es später Gott – nach Errettung aus der Notsituation – in voller Freude preisen kann und wird[116]. Von einem gegenwärtig gedachten Gesinnungswandel der Heiden oder gar einer Missionierung kann kaum die Rede sein[117]. Damit verbindet sich wiederum das Motiv von der

---

115 Vgl. Westermann 1966, 18; zum Monotheismus bei Deuterojesaja (als Vergleichgültigung, nicht Existenzabsprechung der anderen Götter) vgl. Wildberger Art. 1977, 506-530, vgl. Jes 43, 10-23. 21-24; 44, 7-8.; s. u. Anm. 117.

116 Vgl. Jes 25, 6 ff.; 44, 23: „Er *hat* es getan!"; vgl. Kraus Art. 1972 a, 217; Westermann 1977, 108; Merendino Art. 1972, 34. Der Ruf zum Lob „hat durchweg perfektische Begründung . . ., die als schon geschehen voraussetzt, was Deuterojesaja erst ankündigt." (Westermann 1966, 19).

117 Vgl. Braulik 1975, 175, Anm. 228 (Der Unterschied, den der Verf. hier allerdings zwischen der Anmerkung und dem Haupttext aufmacht, ist mir nicht einsichtig: Die Hinwendung der Völker zu Jahwe geschieht ja nicht über eine besondere Aktion Israels an den Heiden, sondern über die Geschichtsmächtigkeit Jahwes selber, der Israel errettet und *so* die Völker über seine Beziehung zu Israel zur Anerkennung bringt!) Wenn es Deuterojesaja darum geht, die Götter als ohnmächtig und wirkungslos zu erweisen, dann hat dies auch Konsequenzen für die Völker: Durch die Irrelevanz der Götter müssen sie die Überlegenheit Jahwes anerkennen (vgl. Jes 49, 7; 45, 14 f. 24). Diese Anerkennung ist aber nicht identisch (auch im Ps 22 nicht!) mit dem Anteil am direkten Heil Israels. Es wird in den in diesem Zusammenhang entscheidenden Stellen Jes 45, 22-24 und 51, 4 nicht explizit ausgedrückt, daß die Völker – wie Israel – Heil erlangen, sondern der Ruf zur Umkehr ergeht an die Enden der Erde, damit sie die Stärke und das Recht Jahwes anerkennen. An die Enden der Erde ergeht also eine eigenartig blasse Heilsansage: Nirgendwo wird reflektiert oder ausgemalt, wie dieses Heil aussehen wird, wohingegen das Heil für Israel sehr ausführlich geschildert ist. Die sehr allgemeine, enthusiastische Aussage erinnert stark an das kosmische Lob, das Jahwe nicht nur von Menschen, sondern von der ganzen Schöpfung zuteil wird. Die gesamte Schöpfung, die vom unmittelbaren und erzählbaren Heilsereignis an Israel nicht direkt betroffen ist, wird im lobpreisenden Sprechakt Israels zugunsten der Universalität dieses Lobpreises mit ausgesprochen. Hier zeigt sich, was früher bereits gesagt wurde (s. o. 4.2.3 (3)): Der Sprechakt geht direkt an Gott und nicht etwa auch noch indirekt an die Völker oder gar den Kosmos (z. B. Tiere, Bäume usw., was ja relativ unsinnnig wäre); vgl. Westermann 1966, 14. Von diesem Kontext her werden auch die Gerichtsansagen an die Völker wieder einsichtig: Die Völker können nicht durch Missionierung und Gesinnungsänderung in die gleiche Heilsbeziehung zu Jahwe eintreten, in der Israel zu ihm steht, ihr „Part" in dem ganzen Drama zwischen Gott und den Menschen besteht darin, sich das Gericht ansagen zu lassen, Israel, dem Volk Jahwes, am Ende zu dienen (gerade dies steht in eigenartiger Spannung zu direkter Heilserfahrung) und womöglich so auf einem anderen Weg, den aber

Königsherrschaft Jahwes (vgl. Jes 24, 23)[118]. Das verbale Material aus der Königszeit als auch der kultischen Denkfigur der Thronbesteigung Jahwes wird dazu verwendet, die eschatologische Hoffnung auf Jahwe, den endgültigen König von Israel und der ganzen Welt, auszuformulieren. Die Anklänge an das Wortfeld von „König", „Herrschaft" und „Völkerhuldigung" sind im Ps 22, 28-30 unübersehbar. Die Ähnlichkeiten dieses Wortfeldes mit Protojesaja zeigen, daß Ps 22 in seiner Jetztfassung nicht allzu spät (kaum erst nachexilisch) angesetzt werden darf, denn noch fehlt hier das die eschatologische Hoffnung bremsende Element der enttäuschenden Nachexilserfahrung des zweiten Tempels und der weiterdauernden Diaspora. Diese „Parusieverzögerung" ist auch bei der Heilsverkündigung des Deuterojesaja noch nicht zu spüren[119].

Israel weder provozieren könnte noch in der Hand hat, mit Jahwe in Verbindung zu kommen.

118 S. o. 4.2.3 (3); vgl. Becker 1975, 45 Anm. 13; 93 f.; 1977, 46 f.; 68 f. zur Tendenz theokratischer Strömung im Zusammenhang mit der Übertragung der Königsidee auf das Volk vgl. a.a.O., 63-73. Im Zusammenhang mit Deuterojesaja schreibt der Verfasser: „Die rein ideelle Inanspruchnahme des Königtums für das Volk unter Preisgabe aller realen Königserwartung kommt daher nicht von ungefähr. . . .Israel ist der Jahweknecht, . . ." (a.a.O., 64; dahinter steht die Denkfigur, daß das Königtum Jahwes auf eine irdische Figur übertragen wird). Historische Voraussetzung dazu ist, daß das empirische Königtum, wie spätestens in Israel mit dem Exil, verschwunden ist, und „an dessen Stellen die Theokratie, die unmittelbare Königsherrschaft Gottes, tritt." (a.a.O., 42). Theokratische Strömungen sind feststellbar bei Proto- und Deuterojesaja (a.a.O., 63 ff.). Vgl. auch Schmidt 1979, 307/8; Gunkel 5/1968, 93; Groß/Reinelt 1978, 124.

119 Protojesaja gehört „in die für ganz Israel entscheidenden Jahre des letzten Drittels des achten vorchristlichen Jahrhunderts", vgl. Kaiser 2/1963, 2. Zur desolaten Situation auch noch nach dem Exil vgl. Mosis 1978, 63 ff.; Kraus Art. 1972 a, 216 ff. im Vergleich zu 219 ff.; zur Resignationszeit in einem armseligen Tempel vgl. Kellermann Art. 1978, 52: Die Situation von Ps 22 II dürfte spätestens kurz vor dem Aufbruch in die Heimat oder kurz nach der Ankunft in ihr, wo die Enttäuschung noch nicht Platz gewonnen hat, anzusiedeln sein.
Die meisten Autoren sprechen sich tatsächlich für eine zeitliche wie auch inhaltliche Verbindung von Deuterojesaja und Ps 22 aus: Vgl. Gunkel 5/1968, 94/5; Deissler 1963, 20/1, 89-91; Becker 1966, 28 ff.; Kilian Art. 1968, 185; Westermann Art. 1971 a, 501; 1977, 179/108-110; Schottroff Art. 1971, 517; Ruprecht Art. 1971, 466; Perlitt Art. 1971, 378 ff.; Merendino Art. 1972, 15/ 33 ff.; Braulik 1975, 181-3 (Im Zusammenhang mit der Verwandtschaft von Ps 40 a mit 22); Vorländer 1975, 304, 274/5; Dijkstra Art. 1977, 218; Kraus 5/ 1978, LX; abweichend davon Groß/Reinelt 1978, 135, der — für unsere Auffassung zu spät — an die Zeit der Weisheit denkt; dagegen: Keel 1969, 191; die Merkmale der Weisheit scheinen nicht vorhanden, vgl. Kraus 5/1978, LX; Braulik 1975, 180; auch Keller Art. 1976, 42: Die Weisheit würde dem Gelübde reserviert gegenüberstehen, man hätte es wohl gleich in direktes Lob verwandelt; vgl. zur Klageunfähigkeit der Weisheit Westermann 1977, 58; außerdem ist das Stichwort der Umkehr der Völker V. 28 ein spezielles Stichwort der Prophetie: vgl. Wolff Art. 1964, 101; Westermann 1957, 56. Gese vertritt die Einflußmischung bezüglich Ps 22 aus Lehrgedicht, Apokalyptik und Weisheit (Art. 1968, 12): dagegen Becker 1975, 96; Steichele 1980, 244, Anm. 149. Es ist nicht

So werden noch relativ ungebrochen kultische und verbale Reminiszenzen sowie die damit verbundenen Denk- und Sprachfiguren in Ps 22 wie auch bei Deuterojesaja eschatologisch aufgefüllt: Aus dem Toda-Mahl wird das eschatologische Hochzeitsmahl, das Jahwe den Völkern auf den Zion bereitet (vgl. Jes 25, 6). Damit kann eine Spiritualisierung einhergehen, nicht nur hinsichtlich des Opfers in Richtung auf das Gotteslob, sondern auch in Hinsicht auf das Sättigungsmahl[120]. Das Ausfahren der im ursprünglichen Ps 22 I angelegten Momente bis hinein in die räumliche und zeitliche Entgrenzung ist eindrucksvoll genug: An die Stelle des einzelnen und seiner Wiederherstellung tritt das Volk im Exil, das auf seine kollektive und endgültige Wiederherstellung als Zionsgemeinde in der Herrschaft des Königs Jahwe hofft. Dort wird der Lobpreis Israels universal sein, weil alle Völker dann die heilvolle Beziehung Jahwes zu Israel anerkennen müssen[121]. In die gleiche Richtung könnte auch das Verständnis der gewagten Stelle vom Niederfall der Toten gehen: Das Königtum Jahwes ist universal in jeder Hinsicht! Auch die Ausweitung auf die zukünftigen Generationen, denen die zu geschehende Heilstat der Befreiung aus dem Exil bzw. das endgültige Heil des großen Tages Jahwe (also die Zukunft als eschatologisches Perfekt) verkündet wird[122], gehört hierher, zumal gerade nach der Zerstörung des Tempels die lebendige Tradition für Israels Glauben und Bestand lebenswichtig geworden ist.

Zudem kann nun das Stichwort der „Armen" aus Ps 22 I aufgenommen und aktuell weitergeführt werden. Dabei wird deren theologische Bedeutung weitergetrieben. Sie meint in der prophetischen Verkündigung die, die jahwetreu sind. Darin zeigt sich eine entscheidende Wende, die besonders bei Ezechiel durchschlägt: Seit dem Exil geht man nicht mehr ohne weiteres in der Kriteriologie des „Jahwetreuen" vom Volksganzen aus, sondern fragt nach dem einzelnen, seinem Glaubensgehorsam und seiner Bereitwilligkeit, dem Gesetz Jahwes zu folgen[123]. Möglicherweise ist gerade die

---

auszuschließen, daß Ps 22 später so verstanden und gebetet wurde. Doch soweit wollen wir den Text hier nicht weiterverfolgen: vgl. dazu ausführlich Teil II der Untersuchung, wo die apokalyptische Profilierung der Eschatologie und die weisheitliche Denkwelt hinsichtlich des Verständnisses von Ps 22 näher besprochen werden.

120 Becker bringt hier eine alte Leseart von V. 30 a in Ps 22: „Es haben gegessen und gehuldigt die Mächtigen der Erde." und bringt diese Übersetzung in den Zusammenhang mit dem eschatologischen Mahl: 1966, 49; zur möglichen Spiritualisierung vgl. Zirker 1964, 90 f. (im Bezug auf das Kultopfer), allerdings kaum auf das Mahl: 85 ff.; vgl. auch Rendtorff 1967, 65.

121 Vgl. Seybold 1973, 137/8, Anm. 30.

122 Vgl. Kraus 5/1978, 183/4; Becker 1975, 96 f. (im Zusammenhang mit Jes 61, 9): Hier können Anklänge an die alten Nachkommenschaftsverheißungen mitgehört werden: Die Nachkommenschaft wird zahlreich sein und das Land besetzen. Diese Anklänge sprechen strukturell dafür, daß der Gottesknecht nicht etwa nach seinem Tod neues Leben bekommt, sondern daß seine Lebensqualität in den Nachkommen weitergeht (a.a.O., 96); vgl. Fuhs Art. 1981 b, 218 f.

123 Vgl. Gunkel 3/1975, 210/1; Becker 1975, 83; 1977, 64/5; Wildberger Art. 1970, 323; zur Orientierung am einzelnen in Israel bei Ezechiel vgl. Mosis Art. 1978, 67 ff.; Kraus Art. 1972 a, 216/7. In die gleiche Richtung geht das Diktum Westermanns (1977, 145 ff.), nach dem die reiche Entwicklung der Klagelieder des Einzelnen den allmählichen Zerfall des Gottesvolkes als Gesamtheitsgröße be-

Aufnahme der Gebetsart von individuellen Klagepsalmen in dieser Zeit und *deren* Kollektivierung ein spiritueller Reflex auf diese Neuorientierung. So geht die Entwicklung weiter von der Exilsgemeinde, zur „Tochter Zion" bis hin zum idealen Israel und zum „heiligen Rest".

Im Sprachspiel alter Kult- und Königstradition Jerusalems werden so seit dem Exil eschatologische Aussagen gemacht[124]. Die Sprechaktstruktur des ursprünglichen Klageliedes des Einzelnen erhält damit eine arteigene Weiterführung im Sinn der Verheißungsstruktur des Jahweglaubens: Die individuelle Erhörungsgewißheit mündet in die eschatologische, zunächst in die Zuversicht, daß Israel wieder aus dem Exil befreit wird, dann aber in die Hoffnung, daß damit das endgültige Heil eingeleitet ist.

Nach dem Befund der Fachliteratur legt sich im ganzen die Annahme nahe, daß Ps 22 II in der Exilszeit kurz vor oder gleichzeitig zu Deuterojesaja (also etwa nach 550) seine jetzige Textform erhalten hat. Bedeutend weniger Beziehungen als zu der prophetischen Heilsbotschaft sind dem Psalm sicher mit dem ebenfalls im Exil entstandenen deuteronomistischen Geschichtswerk (nach 560) anzumerken, in dem die gegenwärtige Leidsituation mit der Schuld, dem fehlenden Engagement Israels und der Gotteslegitimation als dem Richter in Verbindung gebracht wird. Davon schweigt Ps 22 gründlich[125].

5.3 Theologische Tendenzen in der Geschichte alttestamentlicher Klage

In den Psalmen werden „Hauptmotive vorgegebener Offenbarungsüberlieferungen vom lobpreisenden Gottesvolk aufgegriffen, bisweilen neu interpretiert, um andere heilsgeschichtliche Inhalte erweitert, mannigfach entfaltet und so im Lobpreis auf Gott zugewendet. Damit schließt sich der Kreis der Offenbarung."[126] Dies bewahrheitet die Entstehung und Entwicklung des Ps 22, indem er in seinen auf Gott zu gemachten Sprechakt-

---

deutete. Dies ist insofern plausibel, als die Klagelieder Feinde im eigenen Volk benennen und sie, vor allem in späteren Klageliedern, als Frevler bezeichnen. Anstelle des *Volkes als* jahwetreue Größe tritt so allmählich, durch die Diffamierung anderer Volksmitglieder, der *einzelne* Jahwetreue bzw. die *Gemeinde* der Jahwetreuen. Die Entwicklung geht weiter bis in die Elitegruppen der neutestamentlichen Zeit, vor allem der Qumrangemeinde; vgl. auch Keel 1969, 130/1, 202, Anm. 152; Lang Art. 1981, 88 ff.

124 Dieses assoziative Verfahren dichterischer Gestaltung hat bereits viel mit der frömmigkeitlichen Psalmendichtung zu tun: vgl. Becker 1975, 73 ff.; 94 f.; 1966, 31. 50/1; 1977, 44. 70/1; auch Braulik 1975, 183.

125 Vgl. Albertz 1978, 178. Zum Unterschied von Deuteronomium und Deuterojesaja vgl. Wildberger Art. 1970, 316-318, besonders 323; Becker 1977, 49. Zur Schuldfrage Steck Art. 1980 b, 60 (auch hier geht es nicht darum, daß die Ursache für die Klagesituation im Verhalten des Beters zu suchen sei); Seybold 1973, 159. 175 ff.; Zirker 1964, 118; Wendel 1931, 139.

126 Groß/Reinelt, 1978, 8-9; vgl. Krinetzki 1965, 27; Wendel 1931, 138.

„Logien" entscheidende theologische Züge, Entwicklungen und Konzentrationen des Jahweglaubens widerspiegelt. Obgleich bislang vieles davon schon angedeutet wurde, wollen wir am Schluß dieser alttestamentlichen Darlegung noch einmal im ganzen und zusammenfassend davon sprechen.

5.3.1 Zur Theologie des Klagegebetes vor und im Exil

Man kann die Klagegebete Israels als existentielle und begegnungsbezogene Verdichtungen des theologischen Prozesses zur Entmagisierung und Purgierung israelitischen Gottesglaubens ansehen. In der krisen- und konfliktreichen Sprechsituation der Klage bündelt sich tatsächlich das Wesen israelitischen Glaubens, denn im Schock der jeden naiven und magischen Gottesglauben erschütternden Noterfahrung kommt die Theologie ins Problem des „Trotzdem": Wie verträgt sich gegenwärtige Unheilerfahrung mit der heilvollen Verheißung Jahwes, mit dem Sinn des Gottesglaubens überhaupt? Diese vital-klagende Frage bohrt an der neuralgischen Stelle der Verborgenheit und Unverfügbarkeit Gottes und seiner Heilsverheißung. Dabei ging es durchweg um die religiöse Primärerfahrung, für die die Klage direkter Ausdruck ist: „Nicht die (theoretische) Nichtexistenz Gottes, sondern die (praktische) Unwirksamkeit Gottes war die Anfechtung, die den Menschen zerriß."[127]

Es gibt vermutlich drei Möglichkeiten, mit solcher Anfechtung im Gottesglauben zurechtzukommen: zum ersten den *mythisch-magischen* Weg, der im Ritus, im Kult bzw. in abergläubischen Konventionen das Heil in der beschwörenden Besitzergreifung Gottes — oder mindestens eines Teiles von ihm — in den affektiven Zugriff bekommen möchte; zum zweiten den *ideologischen* Weg, der durch synchrone, argumentativ zusammenhängende Theoreme abstrakte weltanschauliche Systeme baut und so auf Gott einen kognitiven Zugriff startet. Ein Beispiel innerhalb der Theologie ist die Theodizee-Denkfigur: Leid gibt es, weil . . . (z. B. als Folge der Bosheit des Menschen bzw. der Gerechtigkeit Gottes). Konkrete Einzelerfahrungen werden entgeschichtlicht und generalisiert und auf einer sekundären Erklärungsebene „verarbeitet". Solche argumentativen Erklärungen vermitteln den Schein, als sei menschliches Leben durchschaubar, wenn man nur den richtigen Syllogismus zur Verfügung hat. Daß zur Verarbeitung von Leiderfahrungen gerade Geschichte, Prozeß und interpersonale Begegnung gehören, wird durch solche ideologisch-synchronen Systeme nicht nur ausgeblendet, sondern oft auch verhindert[128].

---

127 Perlitt Art. 1971, 367/; vgl. auch 377; Dijkstra Art. 1977, 218 ff.; Gerstenberger Art. 1980, 67/8; Kraus 5/1978, LXXVII-LXXX; Behler Art. 1965.
128 Vgl. die entsprechende Kritik Perlitts am Heilsorakel Art. 1971, 369; zur Kritik an ideologisierender Argumentation in diesem Zusammenhang vgl. a.a.O., 367, 382; Dijkstra Art. 1977, 218/9; Oswald Art. 1980, 711; Gerstenberger Art. 1980, 72; zu den mythisch-ideologisierenden Operationen vgl. genauer Fuchs

So bleibt schließlich der Weg übrig, den uns auch die Klagegebete zeigen: Der Weg der *existentiell-persönlichen Gebetsbegegnung mit Gott im Sinne eines Konflikt- und Krisengespräches*, das sowohl das eigene Ich wie auch Gott selbst als Partner von Leben ernst nimmt, indem beide unaufrechenbare Geheimnisse sein dürfen: Erst in solchem Kontext können die Behauptung des Menschseins des Menschen und die Anerkennung des Gottseins Jahwes erfolgen. So geht es in der Klage um „eine elementare Erfahrung aller menschlichen Hinwendung zu Gott: Er ist unverfügbar, schweigt, wendet sich ab, entfernt sich, entzieht sich – in die Verborgenheit."[129] Die Sicherheiten im Umgang mit Gott zerbrechen: Er ist nicht kalkulierbar[130].

1978, 171-177. Damit wird dem argumentativ begrifflichen Denken nicht prinzipiell abgesprochen, etwas von der Wirklichkeit der Gottesbegegnung zu erfassen. Bei allem methodischen und thematischen Ausklammern konzeptioneller systematisch-theologischer Erklärungen für das Leid ist unsere Arbeit deshalb nicht „theologiefeindlich", sondern gerade ein argumentativer Versuch, das Leidproblem theologisch zu reflektieren, freilich im Horizont des Begriffs „sprachliche Interaktion", also der „Theo-Logie" als der im Gebet realisierten Gott-Anrede (s. u. Kap. 6, Anm. 6). Der Hinweis auf die notwendige Begegnungsbeziehung des Menschen zu Gott in der Klage kann dabei die konzeptionelle Kraft systematischer Theologie provozieren, damit das, was hier prozeßhaft auf dem Boden biblischer Botschaft eruiert wird, auch im Horizont schlüssiger und angemessener Theoreme (besonders in der Gotteslehre und Gnadenlehre) eingeholt werden kann.

129 Perlitt Art. 1971, 370; vgl. Fuhs Art. 1981 b, 215, 217 f., 221.

130 Einem Hinweis von M. Görg entsprechend dürfte die Klage überhaupt der Ort sein, wo ein wesentlicher Unterschied zwischen der Spiritualität Israels und der der orientalischen Umwelt festzustellen ist. Das Spezifikum Israels, das vor allem in der Klage zum Vorschein kommt, ist in der Möglichkeit Israels zu sehen, Jahwe derartig zu vertrauen, daß auch in einem Krisengespräch Klage und Anklage riskiert werden können. (Religionssoziologisch hat die Klage vermutlich ihren Ursprung in der nomadischen Lebenswelt. Seßhaftes Leben und Kulturlandreligion tendieren mehr aufgrund ihrer stabilisierenden Tendenzen auf Bittgebete und Bittzeremonien zu, die das Bestehende erhalten bzw. ausbauen sollen. Die Klage dagegen bricht aus der Erfahrung der Ohnmacht und Zerbrechlichkeit, aus der Instabilität auf und steuert neue Lebenszusammenhänge an.) Dies schlägt sich auch im Hiobbuch nieder, wo die allgemeine Klage zunehmend und sich konzentrierend in den Vorwurf an Gott mündet. Der Vorwurf ist also ein integrierender Bestandteil israelitischer Klage (vgl. dagegen die babylonische Beschwörung, Gerstenberger 1980, 64-112). Während nun religionsgeschichtlich das Schicksal des Weisen darin besteht, daß er Wohlergehen erfährt, erscheint in Hiob der Held als der leidende Weise, als der „leidende Gerechte". Das „Prae" vor den religionsgeschichtlichen Parallelen ist dabei das Herausfallen aus dem Tun-Ergehen-Zusammenhang. Noch wichtiger freilich als das Theologumenon, daß Gott „nimmt und gibt", ist die Tatsache, daß Gott ständig und aus jeder Situation heraus *anrufbar* ist und bleibt (vgl. Hiob 1, 20/21!). In der theologischen Hochform der Klage wächst zudem die Einsicht, daß das Fragen in sich (nicht als Klagesprechakt, sondern als Versuch, Wissen und Erfolg einzuholen) zwecklos ist. Die Frage wird als das angesehen, was sie existentiell und im Bezug zu Gott ist: Ausdruck der Begrenztheit des Menschen, der menschlichen Vorläufigkeit und Geschöpflichkeit, wobei freilich mitgeglaubt

Dies erlebten einzelne in ihrer Beziehung zum (als) persönlichen Schutzgott (geglaubten Jahwe) schon immer, denn individuelles Leben gibt es
kaum ohne Leiderfahrung, ist ohne Katastrophen irgendwelcher Art und
damit ohne physische, ökonomische und existentielle Nöte nicht denkbar.
Das Problem des sich entziehenden Heiles ist das Problem des einzelnen
seit eh und je. Es ist auch – zeitweise – zum Problem des ganzen Volkes
im Verhältnis zu seinem Bundesgott geworden, nämlich zu bestimmten
Zeiten politischer Bedrängnisse, in denen die Klagelieder des Volkes fällig
waren[131]. Doch haben offensichtlich über längere Zeit hin solche Schock-
erfahrungen nie so entscheidend tief gegriffen und sich theologisch so
bestimmend niedergeschlagen, wie dies im Gebet des einzelnen der Fall
war und wie dies in der globalen-nationalen Katastrophe des Exils für ganz
Israel erfolgte. Die Auseinandersetzung, die der einzelne mit Jahwe in der
Not führen *mußte*, muß jetzt das Volk als Ganzes austragen.

Das deuteronomistische Geschichtswerk wie Proto- und Deuterojesaja sind
eindrucksvolle Zeugnisse der Bewältigung dieses Problems: Man kann in
ihnen eine Art von heilsgeschichtlich-reflektierender bzw. prophetisch-
appellativer Klageliteratur sehen, die auf dem Grund der durch gegenwärtige Noterfahrungen drängend gewordenen Frage nach dem „Warum" entstanden ist. Während der Deuteronomist dominant mit der Schuld Israels,
die ungeheuren Möglichkeiten durch die Erwählung Gottes vertan zu
haben, als geschichtstheologischer Erklärungsfigur operiert, dominiert in
der prophetischen Literatur der Aspekt des direkt heilvollen Zuspruchs in
die Notexistenz Israels hinein: Dieser Zuspruch gilt bei aller Untreue des
Volkes[132].

Was die Klagelieder des Einzelnen strukturell enthalten, entfaltet die prophetische Exilsliteratur. In der Notsituation entsteht aufgrund neuen Vertrauens zur Heilszusage Gottes wieder eine neue Beziehung: Gott wird als
nahe geglaubt, obgleich er aktuell (was erfahrbare Heilstaten anbelangt)
nicht als der Nahe erlebbar ist. Gegen Verzweiflung. Resignation und Un-
glauben gibt es nur dieses neue Vertrauen und den Mut, auf den „neuen"
Gott zuzugehen, dessen Erwählung und Liebe weder aus dem gegenwärti-

---

wird, daß Gott diese Flüchtigkeit des Menschen sucht, vgl. Schmidt 1969,
213-217. Zur Souveränität und Verborgenheit Gottes (ebenfalls im Zusammenhang mit der Klage Hiobs) vgl. Görg Art. 1981, 704; „sie (sc. die göttliche
Autonomie) in ihrer Unberechenbarkeit und absoluten Potenz ist es, woran
Hiob verzweifelnd Anstoß nimmt. Gott ist nicht eine menschlichen Ansprüchen
zugängliche Rechtsinstanz."

131 Zu den Klageliedern des Volkes vgl. Westermann 1977, 39-48; zu deren „Sitz
im Leben" vgl. Wolff Art. 1964; Steck 1972, 48 ff.; Albertz 1978, 23-49.

132 Vgl. Dijkstra Art. 1977 (im Zusammenhang mit Jes 45, 14 ff.); Wildberger Art.
1970, 314-321 (zum Deuteronomisten und zu Deuterojesaja); zur Schuldfigur
und programmatischen Theologie beim Deuteronomisten vgl. Stolz Art. 1980 b,
181; bzw. Albertz 1978, 178.

gen Wohlergehen ablesbar noch vom Schuldkonto Israels her kalkulierbar sind[133]. Die am Wendepunkt vom alten zum neuen Gott stehende Krise provoziert die unmittelbare Sprechbegegnung klagender Frage mit Jahwe: „Im Exil gedieh die Warumfrage."[134] Auf sie, ausgesprochen oder unausgesprochen, kann der Prophet Gott antworten lassen: ‚Fürchte dich nicht, ich bin bei dir!'[135] Wozu sich persönlicher Glaube schon vorexilisch durchringen mußte[136], dazu wird jetzt Israel als Ganzes gebracht: Im vertrauensvollen Rückblick auf die heilsgeschichtlichen Taten Israels und auf die „schöpferische" Erwählung[137] kann nun im Blick auf die Identität dieses Gottes als auch des jetzigen Gegenübers zum notleidenden Israel die *Innovation* des Gottesverhältnisses im Horizont der Heils*verheißung* (nicht des Heilsbesitzes!) angetrieben und zutiefst erfahrungsrelevant ernstgenommen werden.

Die Wiederentdeckung der Nähe Gottes in der Not und die damit verbundene eschatologische Hoffnung auf Rettung, die bereits in die Gegenwart hinein zugesagt ist, sind tatsächlich „etwas qualitativ Neues"[138] gegenüber jeder Gottes-„Beziehung", die Jahwe in der Gegenwart testen und ihm weder Zukunft noch Geheimnis lassen will. Die Verheißungsstruktur der göttlichen Offenbarung, eschatologischer Glaube und die Unverfügbarkeit Gottes sind die entscheidenden Momente genuin alttestamentlicher Gottesbeziehung. Es „äußert sich die Endgültigkeit des Bundesschlusses in der Tendenz auf sachliche und zeitliche Unbeschränktheit der gegenseitigen Bindung."[139]

Deren Glaubensstruktur korrespondiert, wie oben dargelegt, mit der Struktur des Klagegebets, vor allem des Gelübdeelementes[140]. Die Strukturana-

---

133 Vgl. Merendino Art. 1972, 32 ff., besonders 34; Vorländer Art. 1981, 97 ff.
134 Perlitt Art. 1971, 380.
135 Vgl. Merendino Art. 1972, 2 ff., besonders 41; Görg Art 1980, 224 ff. Daß hier die Klagefrage und der Prophet zueinander in bezug gebracht werden, soll natürlich nicht als direktes Frage-Antwort -Spiel verstanden werden, sondern als potentielle literarisch-theologische Entsprechung, vgl. Merendino Art. 1972, 36; Gunkel 5/1968, 95.
136 Vgl. Albertz 1978, 178 f./180 f./183 f.: Zur Verbindung von persönlicher Frömmigkeit und exilischer Heilsprophetie a.a.O., 186-190. Die Frage bleibt hier natürlich offen, wie oft dieses Sich-Durchringen im Sinne des Sprechaktes der Klage gelungen und erfolgreich war: Vgl. Gerstenberger Art. 1980, 72: „Aber manchmal blieb diese Antwort aus und der Klagende mit sich allein (vgl. Ps 22, 3)."
137 Zum Verhältnis von Schöpfung und Erwählung in exilischer Verkündigung vgl. in diesem Zusammenhang Wildberger Art. 1970, 318 ff., besonders 320; Merendino Art. 1972, 38; Mosis Art. 1978, 62; Vorländer Art. 1981, 107 ff.; Rendtorff Art. 1954.
138 Vgl. Haag Art. 1976, 176 hinsichtlich Ps 42/43; zum gleichen Psalm Schreiner Art. 1969 c.
139 Müller 1969, 222, vgl. auch ff.-224; Merendino Art. 1972, 39-41.
140 Vgl. Müller 1969, 28 ff.; s. o. 4.2.3 (2).

logie zwischen den Klagepsalmen des Einzelnen und der prophetischen Exilstheologie ist also kaum zu übersehen: Gott bleibt in der Mitte Israels, aber Israel braucht viel Vertrauen, um Gott diese Zusage in der Situation der Not abnehmen zu können. Die Beziehungskrise wird überwunden durch das Ernstnehmen der Verheißungsstruktur wegbegleitender Heilsgeschichte, in die Jahwe mit Israel eingetreten ist. Zukünftiges Heil wird als in Gott „perfekt" beschlossenes geglaubt und setzt so Potenzen der Hoffnung und des Mutes für die Gegenwart frei. Für das zum „Wurm" gewordene Israel *gilt* – und das ist das Novum und das Proprium des Gottesglaubens Israels –: „Die Gewißheit der Erwählung eröffnet Israel Zukunft."[141]

In der Versöhnung (nicht etwa in der Aufhebung) des *Paradoxons* von Noterfahrung und geglaubtem Heilswillen Gottes, die durch die aktuelle personale Klagebegegnung *mit* ihm erfolgt, werden alle bisherigen Gedanken über den Knecht Jahwes „gründlich transzendiert und die alttestamentlichen Erwählungsaussagen noch einmal in ein völlig neues Licht gestellt."[142] Es handelt sich dabei um ein Paradox wie auch um dessen „Versöhnung" bzw. dessen Wirksamwerden in seinem innovatorischen Potential par excellence: Der plausible Gottesglaube als System von Gottesbezug und Wohlergehen mit den entsprechenden Operationsregeln des affektiven (über Magie und Mythos) und des kognitiven (über zwanghafte Argumentation und Ideologie) Zugriffs[143], diese Wahrscheinlichkeit der „Doxa" begegnet dem *Para-Dox*, dem Skandalon des von diesem Gottessystem her Unwahrscheinlichen und Antiplausiblen und gerät so gründlich in die Krisis, in die *Unterscheidung* von verfügbar gemachtem und unverfügbarem *Gott* und damit in die *Entscheidung* für den einen oder anderen.

Die reale Basis, die dieses Paradox erleben läßt, ist die *Erfahrung realen Leides*: Sie ist die Voraussetzung, die Bedingung der Möglichkeit, die Widersprüchlichkeit des scheinbar glatten Gottesverhältnisses, das Leiderfahrungen negiert, durch Verschärfung zu denunzieren, die Aporie des Wahrscheinlichen aufzudecken und den unwahrscheinlichen, den neuen Gott

---

141 Wildberger Art. 1970, 320; vgl. Perlitt Art. 1971, 367; auch Behler Art. 1965, 144.

142 Wildberger Art. 1970, 321.

143 Affektive und kognitive Dimensionen können natürlich nur „in mente" so auseinanderdividiert werden; in Wirklichkeit geht es hier um eine Dominanzaussage, wobei beide Dimensionen sich jeweils unterschiedlich anteilig gegenseitig verstärken: vgl. Fuchs 1978 b, 12-45; 1978 a, 164-174. Ähnlich wie nämlich die Magie Gott in den Griff bekommen will (z. B. durch die Lobphasen am Eingang der babylonsichen Psalmen, s. o. Anm. 130: im System der Lobkategorien der außerisraelitischen Psalmen fehlt die Klage, die die Anklage riskiert), verdrängt auch eine ideologisierende Systematik die Klage, sofern sie Gott als Gegenstand menschlicher Denkkunst, ja fast in der Kategorie des Neutrums in den Griff bekommen möchte. Die Sehnsucht nach Verfügbarkeit und Sicherheit speist beide Operationen.

zuzulassen und anzuerkennen. Die Gefahr der Krisenerfahrung für das alte Gottesbild ist zugleich die Chance für das neue[144]. Der Jahweglaube ist durch die „Feuerprobe der Exilszeit" und damit durch die Krise des Paradoxons des Gotttesglaubens überhaupt gelaufen und hat somit an kaum auslotbarer Tiefe gewonnen. Gottes Heilszuspruch ist nun keine Frage der Sekurität, des Dogmas oder der Magie, sondern ein Beziehungsproblem, eine Frage des Vertrauens, des Miteinandersprechens, des Miteinandergehens. Das Mitsein Gottes hat „dialogische Strukturen"[145]. Mit dieser Art von Beziehung und Offenbarung hat Gott in Israel angefangen, in solcher Beziehung will er bei ihm bleiben.

Das Paradoxon des Glaubens an einen guten Gott angesichts eigener (und fremder) Leiderfahrung, wird es aufgebrochen im Schock der indivduellen bzw. kollektiven Katastrophe, kann nur aus der Beziehung mit Jahwe bewältigt werden, also zutiefst theologisch-dialogisch, indem Gott als der im Sprechakt der Klage angegangen und schließlich anerkannt (gelobt!) wird, dem die aktuelle Verborgenheit zugestanden und von dem heilvolle „Entbergung" erhofft wird. Gottes Güte ist nicht ohne weiteres mit Unheilserfahrungen negier- noch mit Glückserfahrungen positiv definierbar: Sie ist unberechenbar. Gott wird im Exil als einer erfahren und bewußt, „der über Gericht und Erbarmen, Verhüllung und Enthüllung frei verfügt . . ."[146] „Die alte Einheit zwischen ganzheitlichem Wohlergehen und Gegenwart Jahwes ist zerbrochen. Aber dadurch ist der Glaube erst zu seiner Freiheit und damit ganz zu sich selber gekommen. Nur im Vertrauen auf das frühere Handeln, auf die Weisungen und Verheißungen, aber ohne die erfahrbare Gegenwart Jahwes, schafft sich der Glaube nun unter Einsatz des ganzen Lebens diese Gegenwart. In einem dauernden Kampf setzt er sich gegen jegliches Negieren . . . dieser Gegenwart mit allen ihren Wirkungen und Konsequenzen zur Wehr."[147]

In einer solchen Gottesbeziehung im Angesicht der irdischen Zustände und im Angesicht der Verheißung des gegenwärtig geglaubten und hörenden Gottes hört die Klage nimmer auf: um dieses Gottes, um des Menschen, um der Hoffnung willen. Sie wird zur durativen Dimension der Gottesbeziehung überhaupt. Genau dies geschieht auch offensichtlich im weiteren

---

144 Vgl. zum Begriff des Paradoxons sehr erhellend Schäfer Art. 1973; zu „religiösen Paradoxien" Ramsey Art. 1972; vgl. dazu sehr ausführlich Teil II und III der Untersuchung.

145 Görg Art. 1980, 338; vgl. ff.; Wildberger Art. 1970, 324; vgl. Merendino Art. 1972, 39 ff.; „Jahwe wendet sich an Israel als den, den er als sein Du erkennt; er erkennt Israel als sein Gegenüber, zu dem er in innigem Verhältnis steht. Diese Anrede, die eine lange Geschichte wechselseitiger Beziehungen in Erinnerung bringt, ist bereits an sich ein hoffnungsvoller Anfang." (a.a.O., 39).

146 Perlitt Art. 1971, 382, vgl. auch 377, 381.

147 Keel 1969, 225/6.

Verwendungsprozeß des Ps 22 im Gottesdienst der synagogalen Gemeinde nach dem Exil, also einige Zeit nach der Heimkehr, als Enttäuschung und Resignation die Träume vom Tag des Heils zunichte gemacht haben. So entsteht im Kontext der weiterhin aktuell bleibenden Klagegebetsliteratur die Gemeinde der Jahwetreuen; an die Stelle der bislang fraglos angenommenen Nation Jahwes tritt nun die Gemeinschaft derer, die Jahwe treu bleiben, indem sie ihm die Treue trotz gegenteiliger Erfahrung zutrauen. „Im Exil bricht eine Differenz auf, die Differenz zwischen dem völkischen, dem nationalen Bestand ‚Israel‘ und dem, was vor Gott Israel heißt."[148] In tiefer theologischer Entsprechung zu der theologiegeschichtlichen Entwicklung des ursprünglich individuellen Klageliedes (Ps 22) zum kollektiven Verständnis im Exil kann man die durch das Exil angestoßene Tendenz sehen, daß sich nunmehr die Gemeinchaft Israels aus den einzelnen aufbaut.

Diese Entwicklung vollzieht sich übrigens nicht nur bei den Exulanten, sondern auch bei den Daheimgebliebenen: Das neue „Dennoch des Glaubens" und die damit verbundenen Umstrukturierungen des Jahwevolkes stellen sich auch bei den zuhause gebliebenen Juden ein, die *dort* in der Minorität und Diaspora leben. Ps 126, ein Gebet in dieser Situation, „ist das Zeugnis eines sehnsüchtig wartenden, heilsgewiß antizipierenden Glaubens, der, im Leiden gereift, Gott anheimzustellen gelernt hat, der die Tränen als Saat begreifend, standfest-geduldig die Ernte erharrt."[149]

Die Situation der Diaspora ändert sich auch nicht wesentlich nach der Heimkehr der Exulanten: Die Not wird zum Dauerzustand[150], die Klage erfährt eine Präsentierung auf einen längeren Zeitraum hinweg.

Gottes-Lob (als seine Anerkennung) und Gottes-Klage gehen ineinander über, ja, die Klage wird Ausdrucksrealisat des Lobes: „Das Loben löst das Klagen nicht ab, Gottes Nähe löscht seine Ferne nicht aus, seine Gerechtigkeit vertreibt das Leiden nicht. So ist gerade der Elende, der sein Elend vor Gott ausbreitet und durchhält, der, welcher zu Gott gehört."[151] Ohne das Gottvertrauen, das der Klageprozeß entstehen läßt, können Israel und

---

148 Mosis Art. 1978, 69-70, vgl. auch 67 ff.; Keel 1969, 131; zum geistigen Führungsanspruch der sozialen Oberschicht im Exil, der „Gola", vgl. Vorländer Art. 1981, 88 ff.
149 Beyerlin 1977, 70, vgl. 62/67-70 (er bringt Ps 126 vor allem in Verbindung mit der Joel-Prophetie) s. o. Kap. 2, Anm. 95; vgl. Görg 1980, 240.
150 Zur Fortdauer der Notsituation auch nach dem Exil vgl. Mosis Art. 1978, 63 f., 70 ff.
151 Stolz Art. 1980 a, 142. Dieser Präsentisierung entspricht auch die Tendenz in späteren Psalmen, statt des Lobgelübdes gleich das Lob zu singen: vgl. Westermann 1977, 41; Stolz Art. 1980, 142; 136, Anm. 25 markiert Stolz als wesentlichen Unterschied zu den babylonischen Psalmen, daß in den Psalmen Israels nicht, wie dort, die Klage vom Lob übertönt wird, sondern daß der Gottesdienst Israels sich der Realität stellt und die Gottesferne aushält.

Israelit nicht existieren. Der Gottesdienst Israels stellt sich damit der Realität und hält – im Gebet – die Gottesferne aus.

In dieser nachexilischen Zeit gelangt Ps 22 in eine nachkultische und unliturgische Phase, die bereits notwendig mit dem Exil eingesetzt hat, aber nun auf lange Zeit, in der nichts anderes mehr als Diaspora, Enttäuschung und Tempelprovisorium erwartbar ist, weiterzieht und Israel dazu bringt, sich darauf einzurichten, Fremdling zu sein[152]! Dieser Dauerhaftigkeit von Not- und Klagesituation entspricht die präsentisierende Verwendung des Ps 22 in den Gottesdiensten der kleinen jüdischen Gemeinden in der Diaspora und das Selbstverständnis der darin lebenden Jahwetreuen[153]. Die Sprechakte des Psalms bleiben die gleichen, doch beziehen sie sich in der neuen historischen Kommunikationssituation sozialer und spiritueller Art nicht mehr (nur) auf akute Ereignisse, sondern auf einen Dauerzustand der Not. Ps 22 wird zum Gebet von einzelnen und Gruppen als Teilen einer Minorität, die diesen Status als Elend erlebt und unmittelbare Rettung nicht in Aussicht haben kann.

In solcher Situation erfahren der Sprechakt der Klage und sein Prozeßverlauf, wie sie Ps 22 zeigt, neue Funktion und Bedeutungsqualität. Die Klage wird so zu einem *ständigen Reintegrationsvorgang in die Beziehung zu* Gott und im gleichen Zug *in die Solidarität der bedrängten Gemeinde.* Klage, Bitte und Lob kommen nicht nacheinander, sondern geraten ineinander zu einer eigenartigen Gleichzeitigkeit, die allenfalls phasenbedingte Dominanzen des einen oder anderen Sprechaktes zulassen. „Der Beter des Psalms ist simul clamans et laudans . . . Er (sc. der Psalm) dient der Einübung in eine Glaubensexistenz, in der es möglich ist, auch angesichts der Not, der Abwesenheit Gottes und seiner Gerechtigkeit, das Lob Gottes laut werden zu lassen. Die Ferne Gottes wird nicht überwunden, sondern durchgehalten. . . . Dies geschieht aber nicht isoliert, sondern in einer Gruppe, die Israel repräsentiert; freilich nicht das sichtbare Israel, wie es sich einst im Kult darstellte, sondern eine Gemeinschaft ‚Elender‘, die in besonderer Weise auf die künftige Herrschaft Gottes wartet.“[154]

Damit ist Ps 22 nicht mehr so sehr Ausdruck eines akuten Vorgangs denn einer *Haltung*, die die Wirklichkeit wahrnimmt *und* an den Gott des Heiles glaubt[155]. Freilich schließt dieser „Haltungscharakter“ im Verständnis des

---

152 Zum unliturgischen bzw. nachkultischen Charakter vgl. Beyerlin 1977, 68; Stolz Art. 1980, 137 (dagegen 135); zum Begriff des „Fremdling" vgl. Mosis Art. 1978, 63 f.

153 Zum Selbstverständnis als „Arme" vgl. Stolz Art. 1980, 142, Anm. 51;zur Lage nach dem Exil vgl. Albertz 1978, 190-194, besonders 192.

154 Stolz Art. 1980 a, 144; vgl. dazu die Ausführungen von Klinger über „simul oppressus et liberatus, semper liberandus" im Horizont lateinmaerikanischer Theologie: Art. 1980, 53-55.

155 Vgl. Stolz Art. 1980 a, 145; von daher geht auch der Zugang zur späteren Apokalyptik, an die Gese anknüpft, und in deren Zeit er Ps 22 situieren möchte (Art. 1968, 13 f.).

Ps 22 in dieser Zeit nicht aus, daß in einer akuten Situation von einzelnen oder Gemeinden der Psam auch (wie ehemals) als akuter Klagepsalm, als emotional angereicherter Hilferuf in lebensbedrohender Not gebetet werden kann. So hat der Ps 22 mindestens wieder die Potenz, seine unmittelbare Zeit- und Prozeßqualität von Not, Klagebegegnung und Verheißung zu entfalten. Immerhin bleibt er gerade als von der Gemeinde gepflegtes und tradiertes Gebet für die akute Verwendung weiterhin offen und verfügbar. Die durch das im synagogalen Gottesdienst vollzogene regelmäßige Beten des Ps 22 aufgebaute Prädispositon und Glaubenseinstellung können leicht in die aktuellen „privaten" Nöte des einzelnen gelangen und auf den dortigen Klageprozeß verstärkend rückwirken[156].

Zusammenfassend kann festgestellt werden: Der Bruch der Exilserfahrung wird zum Durchbruch der entscheidenden Gottesbeziehung, die auf der einen Seite die Realität des Menschen sieht und seinen Selbst-Wert behauptet und auf der anderen Seite Gott Gott sein läßt, ihm Treue in seiner Heilsverheißung zutraut und ihn in der gegenwärtigen Not als den gegenwärtig nahen Jahwe im Sprechakt der Klage anspricht, so daß der Beter aus der Begegnung mit dem als gegenwärtig geglaubten, erinnerten und erhoff-

---

156 Vgl. Schmidt 1979, 303; Stolz Art. 1980, 136 ff. Nicht von ungefähr gehört gerade in diese Zeit auch die Kanon-Entstehung des Psalters: Er hat seinen „Sitz im Leben" weniger als Gesangbuch für den zweiten Tempel denn im synagogalen Gottesdienst der nachexilischen Minoritätsgemeinde und hat dort eminent existentielle Bedeutung sowohl für den einzelnen wie auch für die Kommunität; vgl. Reindl Art. 1978; Schmidt 1979, 303. Für die *Endgestalt* des Psalters im Milieu der Weisheit plädiert aus guten Gründen Reindl a.a.O., 44; dies ist zusammen zu sehen mit der frömmigkeitlichen Psalmendichtung vgl. Becker 1975, 85-98, und der Thora- bzw. Weisheitstheologie und -frömmigkeit, die mit der schwindenden Relevanz des Tempels immer entscheidender wird. Kanongeschichtlich wird man anzunehmen haben, daß nur Teilsammlungen für den nachexilischen Tempel kodifiziert wurden, während die jetzt vorliegende Einteilung auf die Sabbatparaschen des synagogalen Lesegottesdienstes zugeschnitten gewesen ist, vgl. Reindl, a.a.O., 40-42. Dafür, daß die Psalmen vor allem in die Gebetssammlungen der exilierten israelitischen Gemeinden eingingen, spricht auch, daß so viele Klagelieder (die Einzelnen und auch kollektive bzw. kollektivierte) darin aufgenommen sind, vgl. Westermann 1977, 200/1; Reindl a.a.O., 48; Gese Art. 1974 e, 163. Vgl. dazu auch Westermann 1977, 195 ff., der in den gattungsbezogenen Grundsprechakten der Psalmen, nämlich des Lobes und der Klage, die für die Psalterentstehung relevanten Einteilungskriterien sieht. „Es ergibt sich also das klare Bild, daß die erste Hälfte des Plalters überwiegend Klagepsalmen, die zweite überwiegend Lobpsalmen enthält," (a.a.O., 201). In dieser Makrostruktur des Psalters spiegelt sich die Mikrostruktur der Klagelieder. In diesen Sprechakten und den entsprechenden Kommunikationsmöglichkeiten zwischen Gott und Mensch sowie der dahinterliegenden Sehnsucht nach Gottvertrauen überhaupt ist wahrscheinlich der eigentliche anthropologisch-spirituelle „Sitz im Leben" der Psalmen aufzusuchen, der noch einmal unterhalb des sozioreligiösen „Sitz im Leben" innerhalb des synagogalen Gottesdienstes liegt und diesen erst ermöglicht! Zum synagogalen Gottesdienst vgl. Schäfer Art. 1973.

ten Gott neues, bzw. erneuertes Vertrauen auf Jahwe zur Bewältigung der Gegenwart schöpft. Darin liegt die entscheidende „gottmenschliche Korrespondenz"[157] von menschlichem Vertrauen und göttlicher Verheißung in der Situation akuter oder permanenter Not: realisiert und verbalisiert im Sprechakt der Klage.

Schließlich betonen gerade neuere Forschungen im alttestamentlichen Bereich die entscheidende Bedeutung der Exilserfahrung für den alttestament-lichen Gottesglauben[158]. Nach Vorländer setzt sich bei Deuterojesaja ein personal und situativ relevanter *Monotheismus* durch. Während Jahwe bisher zum guten Teil von den Israeliten als Glieder ihres Volkes verehrt wurde, so „erfolgte nun im Exil auf breiter Basis eine persönliche Hinwendung zu Jahwe."[159] Jahwe wird immer mehr zum persönlichen Gott jedes einzelnen und über den einzelnen erst wieder zum Gott der Gemeinde bzw. des Volkes. Möglicherweise wurde tatsächlich erst in und nach dem Exil, nachdem die Hochliturgie des Tempels verschwunden war, der Hochgott Jerusalems zum persönlichen Gott von einzelnen und Gruppen, so daß er erst in dieser Zeit sich gegen die magische und mythische Kulturlandreligion, die mit den persönlichen Bedürfnissen des einzelnen und der Familie bislang immer irgendwie noch dichter verbunden war, durchsetzen konnte[160]. Oder treffen sich persönlicher Schutzgott des israelitischen Laiengebetes (einschließlich dessen Berührungspunkten mit Kultstätten Jahwes) und offizieller kultischer Hochgott des zentralen Tempelheiligtums im prophetisch-spirituellen sowohl für den einzelnen wie für das Kollektiv entscheidenden Krisenverhalten der Exulanten zur integrierten Begegnungs-verehrung des *einen* „offiziellen" und für Gemeinde und Individuum im Alltag *lebensrelevanten* Gottes[161]?

---

157 Botterweck Art. 1965, 64.
158 Vgl. dazu den aktuellen Literaturbericht Lang Art. 1980, 53 ff.: zur Frage nach der Monolatrie, dem persönlichen Gott und dem Monotheismus in Israel innerhalb der neueren alttestamentlichen Forschung; zum Monotheismus beim Deuteronomisten vgl. Stolz Art. 1980 b, 181; zur Korrespondenz des aufkommenden Monotheismus bei Juden und Heiden vgl. Lang Art. 1980, 53/4; Vorländer Art. 1981, 104 ff. (Deuterojesaja ist Zeitgenosse von Zarathustra).
159 Vorländer 1975, 298; Art. 1981, 110 f.; vgl. Lang Art. 1980, 57; Art. 1981, 73 ff.
160 Vgl. Rose 1975, 266; Lang Art. 1980, 55/6.
161 Vgl. dazu Albertz 1974, 164; 1978, 92-96/178-190; Lang Art. 1980, 58; zu den den Monotheismus vorbereitenden Momenten, vor allem was die alltagsbezogenen vitalen Dimensionen anbelangt, bereits vor dem Exil vgl. Rose 1975, 272-275 (von seiten der deuteronomistischen Schultheologie) und Stolz Art. 1980 b, 179 ff. (von seiten der Propheten vor dem Exil). Die angesprochenen Probleme können hier nur angedeutet werden: Wo in der alttestamentlichen Tradition bzw. Geschichte hat der persönliche Gott Platz? Gehört er religionsgeschichtlich gesehen zur Kulturland- und da besonders zur Stadtreligion oder aber zur nomadischen bzw. Bauernreligion? Im Bezug auf die nomadische oder Bauernreligion bedeutet „mein Gott" den personalen und persönlichen Schutzgott, der im dynamischen Prozeß die ständig bestehende Gefährdung (Unsicherheit)

Deuterojesaja jedenfalls, provoziert durch die aktuelle Gefahr des Götzen-
dienstes von seiten der Exulanten in Babylon, liegt alles daran, Jahwe als
den zu verkünden, der in jeder Hinsicht für Israel und die Israeliten der entscheidend relevante Gott war, ist und bleibt. Diese qualitative Einzigkeit
Gottes gegenüber allen anderen Göttern vermittelt er unter anderem in
seiner Schöpfungstheologie, nach der Licht und Finsternis , Heil und Unheil als Jahwes Schöpfungswerke genannt werden. Liegt hier ein explizit
theologischer Reflex auf das vor, was die Spiritualität der Klage des einzelnen schon lange zuvor realisiert hat, nämlich Gott als den anzusprechen
und als Adressaten anklagend beim Wort zu nehmen, von dem Tod und
Leben kommen[162]?

Endlich entspricht auch die Verheißungsstruktur der Klagegebete dem sich
in der Exilszeit durchsetzenden Monotheismus, weil geschichtliche Heilserinnerung und Eschatologie die Identität eines in die Gegenwart hinein-
reichenden treuen, in ihr als gegenwärtig mit „Sympathie" hörend geglaubten Gottes einfordern. „Es ist also ein typisches Symptom des Monotheismus, wenn eine Epoche der Nicht-Gegenwart, der nicht anschaubaren
Zeit als Offenbarungszeit stilisiert wird; für eine vergangene, der Gegenwart
gegenüber qualitativ andersartige Zeit kann eine Annäherung zwischen
Gott und der von ihm so verschiedenen Welt gedacht werden. Dasselbe gilt
natürlich auch für die Zukunft, welche in den meisten Ausprägungen des
Monotheismus eine wesentlichere Rolle spielt als die Vergangenheit . . ."[163]
In der prophetischen Heilsverkündigung wie auch im Klagegebet Israels
wird die Notsituation dadurch besprochen, daß vergangene und zukünftige
Heilserinnerungen in die bedrängende und notvolle Gegenwart gebracht
werden: damit der Jahwegläubige über die Klage nicht den Jubel und über
den Jubel nicht die Klage vergißt und verlernt!

Ein aufschlußreicher Zusammenhang von Glauben an einen persönlichen
Gott, Offenbarung als Begegnungsgeschichte, Werterfahrung der eigenen
Existenz, Wahrnehmung der Realität wie sie ist, Akzeptieren der Unverfüg-
barkeit Gottes und lebendiger Hoffnung auf seine Treue und Geschichts-
wirksamkeit tut sich hier auf. Im Gebet der Klage erscheinen all diese
Momente und qualifizieren es somit als Herzstück israelitischer (und christ-

---

durch seine Schutzhilfe und Schutztreue durchzustehen erträglich macht. Bereits vor dem Exil wird Jahwe als der persönliche Schutzgott im Zug der deute-
ronomischen Bewegung in der theologischen Schule Jerusalems weitergebracht.
Der persönliche Schutzgott bringt die dynamische Auffassung von der Präsenz
Gottes, während die Jerusalemer Theologie des Tempelpriestertums die statische
Gegenwart Gottes (auf dem „Thron" oder Schrein) verficht. (Allerdings findet
sich bereits in der Beweglichkeit der Bundeslade ein entscheidender Ansatz zur
mobilen Dimension des Gottes Israels: religionsgeschichtlich wird (in Ägypten)
aus der Kombination von Thron und tragbarer Barke, wo das Gottesbild steht,
der Tragthron, in dem mobile und statische Qualitäten der Gottheit verbunden
sind. Solcher Tragthron entspricht strukturell der Bundeslade). Das Exil hat die
theologische und spirituelle Arbeit in Israel dazu genötigt, breitenwirksam die
Positionen der Tempelkultidee mit der Schutzgottidee zu verbinden.

162 Vgl. Stolz Art. 1980 b, 179-180; besonders Albertz 1978, 37/38 und 180-183.
163 Stolz Art. 1980 b, 182; vgl. Vorländer Art. 1981, 97 f.

licher) Spiritualität. Im Zusammenhang mit der besonders im Markus-Evangelium aufscheinenden Gottesbeziehung Jesu und diese hier vorwegnehmend können wir schließlich Mosis zustimmen: „Der Bruch zwischen vorexilischem und nachexilischem Israel, der Bruch, der durch das babylonische Exil in die Geschichte, insbesondere in die Glaubensgeschichte Israels gekommen ist, ist m. E. größer als der Bruch zwischen nachexilischem Israel und Neuem Testament[164].

5.3.2 Zur Spätgeschichte der Klage

Westermann hat hinsichtlich der Spätgeschichte der Klage in Israel interessante und bedenkliche Beobachtungen angestellt. In den späteren Gebetstexten strömt die Klage „nicht mehr so frei und wild wie in den früheren"[165]. Sie wird immer stärker verdrängt durch zwei miteinander zusammenhängende Faktoren: einmal wird die *eigene Schuld* gesucht und anerkannt, zum anderen wird Gott von vornherein als der *gerechte Gott* gelobt. Gegenwärtige Leiderfahrung wird in der Argumentation und Denkfigur von Schuld, Gerechtigkeit und Strafe erklärt und plausibel gemacht. Die Exkulpation (Rechtfertigung) Gottes verhindert allmählich auch die Klage.

Im gleichen Zug tritt in späteren Gebetstexten an die Stelle des Lobgelübdes oft bereits das direkte Lob Gottes. Mit dem gänzlichen Verschwinden des Gelübdes — auch in der Sprach*form* — entschwindet auch der Notschrei der Klage und macht der anklagefreien Bitte Raum, der Bitte näm-

---

164 Mosis Art. 1978, 76/7. Vgl. dazu die weitere Entwicklung hin auf die nicht ideologiefreie Märtyrerideologie bei den Makkabäern und auf die Konzeption vom „leidenden Gerechten": In allen Fällen jedenfalls geht es darum, trotz der Leidsituation von der Nähe Gottes zu reden und sie darin auszusagen; zu den Makkabäern vgl. Limbeck Art. 1977, 12; Westermann 1977, 160 (vgl. Teil II des Projektes, s. o. 1.1). Das prozeßhafte Zusammendenken von Antithesen (hier: Noterfahrung und Heilsglaube) im Horizont sprachlicher Begegnung korrespondiert interessanterweise auch mit dem hebräischen Sprachdenken, dem die Tendenz zur Totalität und Integrität eigen ist; vgl. Alonso-Schökel 1971, 303-306. Zur theologischen Dimension solcher sprachlichen Tendenzen vgl. a.a.O., 304. Vgl. dazu den ganz gegensätzlichen Trend in gegenwärtiger Gesellschaft, zu desintegrieren und Antithesen aufzureißen vgl. Fuchs 1978 a, 161; zu diesem Trend als Ausdruck „europäischen" Denkens vgl. Alonso-Schökel a.a.O., 306. Spiegelt sich in solchem Unterschied die wachsende Unfähigkeit des „modernen" Menschen, Gegensätze auszuhalten und zu integrieren, so daß er sie entweder konfliktscheu flieht oder aber die zu ihm gegensätzlichen Pole diffamiert und in die Gegengruppe projiziert? (vgl. Fuchs 1978 b, 148-153). Den Sprechakt der Klage zu lernen, hätte dann durchaus gesellschaftskritische Dimension (vgl. Teil III des Gesamtprojekts).
165 Westermann 1977, 43, vgl. auch 44 f.; insgesamt zu diesen Ausführungen a.a.O., 130/142-147/153-164.

lich um das „Kontinuierliche" im Alltag, was einigermaßen leben und überleben, im ganzen freilich nichts Umbruchhaftes und schmerzhaft Neues mehr
erwarten läßt. Höhen und Tiefen menschlichen Lebens entschwinden damit allmählich aus dem Gebetsbewußtsein. „Es gilt wohl ganz allgemein,
daß in der Spätzeit einer Religion die kontinuierlichen Gebete die aus dem
Augenblick geborenen Notschreie überwiegen, zuletzt ganz oder fast verdrängen."[166]
Dadurch entsteht die Gefahr, daß das Beten nur noch diesseitig-präsentisch
wird, Gott nur noch vorsichtig „anfaßt", um nicht in Schuld und Elend
zu fallen. Der „status quo" soll erhalten bleiben, Katastrophen irgendwelcher Art können nicht mehr zugelassen und als solche wahrgenommen
werden. In der Notsituation selber wird Gott darum gebeten, den vorheri-
gen Zustand wieder herzustelen: Die innovative Kraft einer Katastrophe als
Wende des Lebens kommt nicht zum Zuge. Nicht das Vertrauen in eine
positive Konfliktbewältigung mit dem ernstgenommenen Gott als Partner
bestimmt die Kommunikation, sondern die fragenzerstörende Angst vor
einem willkürlichen Gott als potentiellen Menschenfeind. Auf Gottes geschichtliche Treue, also auf einen guten Gott kann dagegen im Zusammenhang mit der *defizienten* Situation der Menschen kaum fraglos, sondern
nur sehr zukunftsoffen, spannungsreich und fragvoll *vertraut* werden.

Zu *kurzschlüssige Verknüpfungen von Schuld und Leiderfahrung* lösen
einen bedenklichen Zirkel knechtischen Verhaltens und der Angst aus:
Gott wird vorschnell als der entschuldigt, der auf die Schuld der Menschen
gerechterweise mit Sanktionen reagiert, damit wächst überhaupt die Angst,
vor Gott schuldig geworden zu sein, aber auch vor ihm gerade im Augenblick des Gebetes und der Klage schuldig zu werden: Solche Beziehungsstruktur des Menschen zu Gott zerstört die eigenständige Qualität des
Menschen, Gott gegenüber als Partner sich und seine eigene Situation frag-
würdig ernst zu nehmen und vor Gott und seiner Verheißung einzuklagen.
Im gleichen Zusammenhang wird Gott selbst in seiner Unergründlichkeit
nicht mehr ernst genommen, weil sein Verhalten auf ein mechanisches
System von ‚actio' und ‚reactio', von Schuld und Strafe reduziert wird.
Zuerst noch stehen Klage und Sündenbekenntnis nebeneinander, dann
freilich fällt die Klage und ihr scharfer Kern der Anklage der Rechtfertigung Gottes zum Opfer[167]. „In dem Maß, in dem die Katastrophe von

---

166 A.a.O., 58; diese hier beschriebene Entwicklung ist im Alten Testament nur
    tendenziell feststellbar, jedenfalls nicht in der Extremform wie etwa in der baby-
    lonischen Gebetsliteratur (vgl. a.a.O., 58). Die Verheißungsstruktur auch jüdi-
    schen Betens bleibt offensichtlich durch die anwachsende eschatologische bzw.
    apokalyptisch-messianische Glaubensdimension erhalten. So bewahrt gerade Ps
    22 im Frömmigkeitsverständnis der späteren nachexilischen Zeit, obwohl von
    der Situation her das verbale Lobgelübde Ausdruck eines direkten Lobes ist,
    durch das beständige Beten des Psalmes die Hoffnung auf eine, wenn auch
    zeitlich weit entfernte Rettung.
167 A.a.O., 155/6; vgl. auch 130/142.

587 v. Chr. und das daraus resultierende Unheil mit den Sünden der Väter in Zusammenhang gebracht wurde, in dem Maße also dem menschlichen Versagen eine größere Geschichtsmächtigkeit als der Gnade und Treue Gottes zugemessen wurde, verschwand die Klage. War das gegenwärtige Unheil zu Recht über das Volk gekommen, gab es keinen Grund mehr, Gott dessentwegen anzuklagen."[168] Dies freilich geschah bereits in der theologischen Konzeption des deuteronomistischen Geschichtswerkes, das die Exilskatastrophe mit den Sünden Israels in ursächliche Verbindung brachte[169].

Die „fromme" Reflexion über Gottes gerechtes Handeln hat eigenartige Wirkung: Was vorher Anlaß der Klage war, wird jetzt Lob der Gerechtigkeit Gottes. „Damit ist die Polarität von Klage und Lob aufgehoben. Wo die Anklage Gottes verneint ist, kann es Klage im strengen Sinn nicht mehr geben. Die Klage scheidet aus dem Gebet aus."[170] Die Anklage und der Vorwurf wurden in Kapitel 4.2.1 (1) als konstitutives Moment der Klage erkannt. Wo aber Unheil und Sünde vorschnell direkt in Verbindung gebracht werden, liegt die Akzeptation näher als der Protest. Der alttestamentliche *Beter* wußte zutiefst, daß diese Theorie so nicht zutraf. Verunmöglicht sie nämlich von vorneherein einen wesentlichen Sprechakt menschlicher Kommunikation auf Gott zu, dann begegnet der Mensch nicht mehr als freier Partner einem unverfügbaren Gott, sondern er unterwirft sich dem *Wert* der Gerechtigkeit Gottes, den er in unnatürlich schneller Bereitschaft Gott als *systematische Größe* unterstellt. An dieser Stelle beginnt die Verobjektivierung Gottes und damit indirekt eine *gewalttätige Ingriffnahme,* die sich immer eigenartigerweise mit *Unterwürfigkeit* paart: Die Lehre von der Gerechtigkeit ist kalkulier- und planbar durch Gesetze. Wer gerecht ist, dem darf (!) selbst Gott nichts mehr anha-

---

168 Limbeck Art. 1977, 11; der Verfasser bringt hier auch ein Beispiel aus Dan 3, 26-28/32-34: „Und jetzt dürfen wir nicht einmal den Mund auftun." (a.a.O., 12).

169 Vgl. a.a.O., 11, auch Anm. 23 (dort findet sich entsprechende Literatur); Steck 1972, 49/50; vgl. Kühlewein 1973, 44-48; Albertz 1978, 178. Nachexilisch werden Aufbau und Bewußtsein einer neuen Gemeinde in Israel brisant. Deuteronomium plaziert das Zentrum der neuen Gemeinde im Gesetz. Die spätere Thorafrömmigkeit (strafender Gott und seine Grechtigkeit) bugsiert die Klage dann ziemlich aus der Gebetswelt hinaus. Die Priesterschrift ortet das Zentrum der neuen Gemeinde im kultischen System des neuen Heiligtums, des neuen Tempels. Auch diese Konzeption war für eine Klagespiritualität nicht günstig.

170 Westermann 1977, 156. Freilich bricht in der Spätzeit auch wieder die eigentliche Klage innerhalb des Gebetes auf, besonders in der Makkabäerzeit: Ps 44 hat Groß gerade wegen seiner Klage als Korrektur des deuteronomisch-deuteronomistischen Geschichtsverständnisses (möglicherweise aus der Makkabäerzeit) angesehen, vgl. Groß Art. 1971, 207-221; Limbeck Art. 1977, 12, besonders Anm. 24; Westermann 1977, 160 (Kaum gibt es freilich die Klage im Gebet, sondern nur getrennt von ihm, in der späteren Apokalyptik: vgl. a.a.O., 162/3; in 4 Esra beispielsweise erscheint die Klage nicht mehr im Gebet).

ben. So allerdings wird Gott in der Klage des alttestamentlichen Beters, in der Israel die Widersprüchlichkeit zwischen erlebter Negation und geglaubter Position Gottes aushält und noch einmal im Sprechakt auf Gott zu überholt, nicht „behandelt"[171].

Diese Überlegungen machen verständlich, daß sich im Zuge solcher theologischen Entwicklung und der damit verbundenen Gebetsfrömmigkeit die Klage aus dem Beten herauslöst und verselbständigt: Es gibt sie noch, aber *neben* dem Gebet! Übrig bleibt am Sprechakt des Betens aus der Not heraus nur noch das reine Bitt- oder Bußgebet[172]. Die Klage stirbt innerhalb der spirituellen Gottesbeziehung aus, weil sie die Anklage nicht mehr riskiert.

Damit hängt noch eine andere bedenkliche Entwicklung zusammen: Befanden sich in der Hochform der Klage, beispielsweise in Ps 22, die drei Komponenten der Klage (Gott, Beter-Ich und die Feinde bzw. Brüder) einigermaßen im Gleichgewicht, so geschieht in der Spätform der Klage eine Gewichtsverlagerung auf das Verklagen der Feinde als Frevler, als Schuldige. Eben dies provozierte die Einteilung des Volkes in Gute und Schlechte, in Gläubige und Ketzer. Wo der Mensch es nicht mehr wagt, Gott als Adressaten seiner Klage und damit als Verantwortlichen anzusprechen, wagt er es oft umso mehr, Menschen zu verklagen und kurzschlüssig für Mißstände verantwortlich zu machen. *Wo die Spiritualität Widersprüche nicht mehr aushält, werden letztere in die Umwelt hineinverlagert.* Entzweiung und Spaltung sind die Folgen[173]. *Aus der Beziehung mit Gott herausverdrängte Konflikte und Krisen lassen den Gläubigen konflikt- und krisenunfähig werden.* Aus diesem Blickwinkel zeigt sich die Spiritualität der Klage als Bedingung der Möglichkeit zum Aushalten zwi-

---

171 Zur Lehre der Gerechtigkeit in diesem Zusammenhang vgl. Westermann 1977, 156. Übrigens dürfte die Neigung von Gläubigen zum Schuld-Strafe-Schema bzw. zur beziehungsorientierten Klage aus tiefenpsychologischer Sicht etwas mit dem zwanghaften bzw. hysterischen Charakter zu tun haben. Jedenfalls kommt hier wie dort die Antinomie zwischen überraschungsfreiem synchronen System und innovations- sowie krisenoffener Begegnung zum Ausdruck; vgl. Fuchs 1978 b, 72-84; auch Fuhs Art. 1981 b, 215.
172 Vgl. Westermann 1977, 130, 157/8. Die Totenklage dürfte ein in Israel durchgängiges Beispiel für eine Klage sein, die nicht zum Gebetsleben und zur Beziehung mit Jahwe gehört: Vgl. Westermann 1977, 159 ff.; Limbeck Art. 1977, 14, Anm. 29; korrigierend dazu Gerstenberger Art. 1980, 65 f.
173 Vgl. Westermann 1977, 146/7. Ps 22 ist in dieser Hinsicht sehr gemäßigt: Zwar werden die Feinde als „Rotte von Bösen" (V. 17 a) bezeichnet, doch geschieht dies nicht zuerst als ein Verklagen der Feinde, sondern primär von der Gottesbeziehung her, die der Beter hat bzw. die Feinde nicht haben. In dem Augenblick jedenfalls wäre das Problem geregelt, wenn die Feinde keine Frevler wären und in die gleiche Gottesbeziehung einträten, die der Beter hier aufmacht. Aus der Perspektive des projektiven Charakters der Feindschilderungen wird dies um so mehr deutlich: In ihnen wird die Gefahr dramatisiert, die der Beter in Richtung auf seine eigene Gottesbeziehung wittert.

schenmenschlicher Spannungen und Krisen und zur Verhinderung vorschnell emotional entlastender sündenbockartiger Schwarzweißzeichnun-
gen[174].

Fassen wir mit Westermann zusammen: „In den Klagen der frühen Zeit ist
die Anklage Gottes beherrschend; in der späten Zeit wird sie allmählich
aus dem Gebet ausgeschieden, um dann *neben* dem Gebet noch einmal
zum Leben zu erwachen. . . . Was bedeutet es für das Gottesverhältnis
des Volkes und des einzelnen im A. T., daß die Klage, die ihren Nerv in der
frühen Zeit in der Anklage Gottes hatte, mit dem Verstummen dieser allmählich selbst zurücktrat und zuletzt ganz in die Bitte eingeebnet wird?
Was bedeutet die Klage für das Gottesverhältnis? Was bedeutet es für das
Verständnis des Gebetes im N. T., daß das aus Lob (Dank) und Bitte bestehende Gebet im nachexilischen Israel daraus entstand, daß die Klage
verstummte?"[175] Diese Anfragen wird man sich gestellt sein lassen müssen
(s. u. 6.2).

---

174 Vgl. Fuchs 1978 b, 139-153; auch 1978 a, 164-171 (zur sozialpsychologischen
   Notwendigkeit, Wirklichkeit durch kognitive und emotionale binäre Distink-
   toren auf überschaubare Modelle zu reduzieren). Vgl. dazu besonders Schwager
   1978, dessen Erkenntnisgewinn über das Verhältnis von Gewalt und Erlösung
   (im Zusammenhang mit den Sündenbockmechanismen) im Alten Testament mit
   unseren Ergebnissen hinsichtlich der Klagefähigkeit korrespondieren.
175 Westermann 1977, 164.

6 Ergebnisse und Ausblick

Am Ende dieses Teils der Untersuchung angelangt, ist nur eine Zusammenfassung möglich, die den vorläufigen Charakter eines „Scharniers" haben kann: Die Ergebnisse werden konzentriert und dem weiteren Forschungsverlauf mit seinen unterschiedlichen Fragestellungen und methodischen Zugängen zugeführt (s. o. 1.1).

In zwei Anläufen werden die Resultate referiert: einmal durch die vergleichende Zusammenfassung der mehr „statischen" Struktur*elemente* und Motive, besonders bezogen auf Kapitel 2 und 4, zum anderen durch die Zusammenfassung der mehr „dynamischen" Größe des Sprechakt*prozesses* im Klagegebet. Letztere Perspektive bezieht in den Vergleich die Kapitel 3 und 5 verstärkt mit ein.

6.1 Semantische Strukturen und exegetische Einsichten im Vergleich

Zum besseren Verständnis für den Ort der Zusammenfassung innerhalb des in Kapitel 1 und 5.1.1 gebrachten Gesamtkonzeptes soll das methodenkritische Ergebnis vorgezogen werden:

Innerhalb des Bezugsrahmens der praktischen Theologie als *Handlungswissenschaft* wurde Ps 22 als *Interaktionstext* aufgefaßt und mit der entsprechenden Methode analysiert. Zwischenmenschliche Interaktion lebt (mit unterschiedlichen Dominanzen) von den beiden Dimensionen der Beziehung und des Inhalts: Dem ersten Aspekt entspricht die am Kommunikationsmodell orientierte strukturale Analyse, dem zweiten die Diskussion der alttestamentlichen Motive und Traditionen. Natürlich kamen bei beiden methodischen Zugängen auch die jeweiligen Inhalte bzw. Beziehungen mit ins Spiel, aber immer so, daß die inhaltlichen Momente der strukturalen Analyse die Ergänzungen der historisch-kritischen Resultate benötigten, und daß die relationalen Ergebnisse der exegetischen Diskussion die ständige Einbindung in die Struktur des vorliegenden Textes brauchten. Denn dies war die methodische Voraussetzung, daß die im Sprechakt der Klage impliziten Theologieentwürfe nicht vom Sprechakt selbst getrennt und für sich generell behandelt werden dürften.

Dabei sind wir auf der Suche nach einer am Ps 22 orientierten konstitutiven Vor-Lage für heutiges Klagegebet: und zwar in seiner inhaltlichen wie in seiner relationalen Dimension. Auf dem Weg in die Richtung dieses Gesamtziels geht die vorliegende Arbeit die Strecke bis zur Markierung der bibeltheologischen Grundlegung im Horizont des Alten Testamentes. Im Rahmen dieser Beschränkung liefert die folgende Zusammenfassung die ersten beziehungsorientierten und inhaltlichen Konstitutiva (die noch durch die neutestamentliche Diskussion zu vertiefen sind; vgl. Teil II der Untersuchung) für das Interaktionsmuster jüdisch-christlicher Klage.

Die folgenden Vergleiche zeigen, daß sich die Ergebnisse der beiden methodischen Zugänge gegenseitig ergänzen und bereichern. Jeder Anlauf zum Ps 22 (nämlich einmal durch Kapitel 2 und 3, dann durch Kapitel 4 und 5) wurde getrennt vom anderen durchgeführt, was ja die methodische Voraussetzung für die gegenseitige Horizonterweiterung und Kritikfähigkeit sein mußte[1]. Im Resultat läßt sich feststellen, daß die exegetischen Beiträge die von der Analyse erhobenen Repräsentanzbegriffe (aus den Tiefenmodellen) als (was die einschlägigen Motive, Formen und Traditionen angeht) ihre eigenen diesbezüglichen Schlüsselbegriffe ausweist (s. u. 6.1.1). Dies gilt auch für den Sprechaktprozeß im Zusammenhang mit der Theologie der Klage (s. u. 6.1.2). Kommen wir nun zu den Ergebnissen im einzelnen:

6.1.1 Strukturelemente und Motive

Die Abschnitte
Zu Abschnitt I:
Die Feinanalyse der Psalmeröffnung (2.1.3) zeigte schon, daß in ihr – in nuce – die entscheidende Begegnungsdimension der Klage aufgenommen ist: Der Notleidende beginnt im Elend die sprachliche Kontaktaufnahme in Form der Frage mit Gott, obgleich dieser ihn verlassen zu haben scheint. Diese Spannung läuft weiter im ganzen Abschnitt I: nämlich durch die Konfrontation der kollektiven und individuellen Heilserinnerung mit der Elendssituation des Beters, wobei die persönliche Heilserinnerung sich am Ende von Abschnitt I direkt mit der Gegenwart trifft (2.2.1). Das „Volk" erscheint dabei als der Akteur, der das Problem des Beters in der Form der Ironie und des Spottes formuliert.

Die Diastase zwischen Noterfahrung und Heilserwartung wird in der betenden Besprechung aufgerissen, ausgehalten und bis zum Ende des Abschnitts I auf die Spitze getrieben. Daß diese Differenz den Gebetsakt nicht erschlägt, dafür sind die Sprechakte des Fragens, des Schilderns und des Erinnerns verantwortlich. In allen dreien zeigt sich bereits die Kraft, die

---

1 Daß diese Trennung wenigstens einigermaßen nicht durch ein zu informiertes Vorverständnis des Analysanten beeinflußt wurde, war unter anderem auch ein Grund dafür, daß die synchrone Analyse vorgezogen wurde: Im Werdegang der Arbeit erfolgte erst danach das genauere Studium der speziellen alttestamentlichen Literatur, während vorher nur einige wenige Aufsätze und generelle Lehrbücher herangezogen wurden, die allzu grobe Mißverständnisse verhindern sollten. Dieser Trennung ist auch zuzuschreiben, daß manches aus den Analyseergebnissen später aus der alttestamentlichen Perspektive wiederholt werden muße.

dem ganzen Psalm die Energie gibt: das Vertrauen, das noch neue Erwartungen zuläßt.

Die Motive des alttestamentlichen Verstehenshintergrundes (4.1.2) bestätigten diesen Befund der Analyse und reichern ihrerseits die einschlägigen Elemente und Prozesse mit ihren Inhalten an: So ist der Glaube an einen persönlichen Gott, der den einzelnen bzw. die Gemeinschaft schützt und deshalb mit der fragenden Klage angesprochen werden kann, wenn er als der „Ferne" erfahren wird, ein zum Zentrum alttestamentlicher Frömmigkeit gehörender Bestandteil (4.2.1 [1]). Damit verbunden ist die Tatsache, daß das Vertrauen auf Gott als ein Sich-fest-Machen in ihm den beziehungsorientierten Ausgangspunkt jeder Jahwebeziehung ausmacht (4.2.1 [2]). Dieses Vertrauen wurzelt auch tatsächlich in dem gesamten israelitischen Glauben in der erzählten und erinnerten Geschichte Gottes mit den Vorfahren bzw. auf biographischer Ebene mit der Lebensgeschichte des einzelnen (4.2.1 [3]).

Auch das Eingespanntsein israelitischer Lebensvollzüge und der entsprechenden Interaktionen in das dreigliederige Feld zwischen den einzelnen (bzw. die Gemeinde), die anderen (als Feinde oder als Freunde) und Gott findet seine Entsprechung in den Modellen, wo sich der Beter als Adressant, Gott als Adressat und die anderen in ihren Aktionen als Adjuvanten bzw. Opponenten wiederfinden lassen. Wichtig ist dabei, und das entspricht auch israelitischem Glaubensverständnis, daß die Feinde und feindlichen Mächte im Gebet nicht angesprochen werden, sondern daß nur von Gott Rettung erwartet wird. Erst später, in Abschnitt III, werden die Freunde angesprochen und dazu aufgefordert, mit dem Beter Gott zu loben. Von den Gegnern wird nichts erwartet: weder daß man sie besiegen könnte, so daß sie unterlägen, noch daß sie durch Bittintervention von ihren feindlichen Aktionen Abstand nähmen. Die fragende Klage und das damit verbundene Vertrauen hat nur einen Adressaten, nämlich Jahwe.

Den Negativmodellen entspricht die totale Hoffnungslosigkeit, die äußerste Lebensbedrohung, ja sogar der bereits anwesende Tod (vgl. 4.2.2 [3]), die mit dem Abbruch der Beziehung zu Jahwe verbunden wären.

Zu Abschnitt II:

Beherrschendes Thema des Abschnittes II sind die Schilderung der extremen Notlage und der damit verbundene Sprechakt der Bitte, die im Zug der immer bedrängender geschilderten Situation äußerste Dringlichkeit und Intensität erreicht (2.2.2). In der Mitte des Abschnitts und in der Mitte des gesamten Psalms wird Gott in der direkten Rede als der angesprochen, der dafür verantwortlich ist. Dahinter liegt die Intention, Gottes Verantwortlichkeit nun im positiven Sinne (im Sinne der Rettung) einzuklagen (2.2.2 [3]).

Dieses An- und Sich-Beklagen wird auch von der alttestamentlichen Diskussion her als ein integrativer Bestandteil der Gottesbeziehung ausgewiesen (4.2.2 [1]). Die exegetischen Einsichten über den projektiven Charakter der Feinde sowie die räumliche und dynamische Todesvorstellung in Israel vertiefen die Einsicht darüber, daß sich die Klage des Beters an der äußersten Grenze seiner Existenz und an der neuralgischen Stelle seiner Gottesbeziehung befindet. Die feindlichen Mächte sind in einem überreichen (auch semantisch realisierten) Maße gegenwärtig, während Gottes Nähe nur noch in der Form der Bitte apostrophiert werden kann (4.2.2 [2-3]).

Während das Minusmodell das endgültige Versinken in den Tod zeichnet, bäumt sich der realisierte Text am Ende des Abschnitts II zur erhörungsgewissen Bitte auf. Gott wird paradoxerweise, obgleich nicht als nahe erfahrbar, als, der „Nahe" geglaubt. Dieses Profil des Abschnitts II konnte die Analyse nicht ausreichend erbringen. Den ganzen entscheidenden Bedeutungshintergrund dieses Momentes hat erst die Diskussion der Übertragung von V. 22 b (4.1.2), der einschlägigen Motive (4.2.2 [1] und 4.2.3 [2]) sowie des israelitischen Glaubens in seiner charakteristischen intensivsten Entfaltung erbracht (5.2-3). Im Bereich der Geschichte Israels steht die Exilserfahrung für diese paradoxe Verdichtung des Glaubens unheilerfahrener Menschen an einen heilenden Gott (5.3). Erst das eingebrachte Wissen aus der biblischen Tradition macht in diesem Fall den Folgetext verständlich.

Zu Abschnitt III:
Das letzte Drittel des Psalms konnte vollständig im positiven Tiefenmodell aufgefunden werden. An die Stelle des anklagenden und sich beklagenden Beters ist der lobpreisende Psalmist getreten; an die Stelle der Spötter und der Feinde eine hörende Gemeinde, die nun ebenfalls zum Lob Gottes aufgefordert werden kann; an die Stelle des fern erfahrenen und anfangs noch als fern geglaubten Gottes der Gott, der im Lobpreis als der erhörende und die Armen achtende Jahwe geglaubt wird (2.2.3 [1]). Der Lobpreis des Beters hat also expressiven und appellativen Charakter: er drückt sein eigenes Bedürfnis aus und richtet sich als Aufforderung sowohl an den Beter selbst wie auch an die anderen (2.2.1 [2]).

Strukturell bleibt die Dreigliedrigkeit des gesamten Gebetes erhalten, allerdings ändern sich die Vorzeichen der jeweiligen Beziehungen. Diese sind jetzt bestimmt durch die Kategorie der Achtung und Anerkennung: Im Lobpreis anerkennt der Beter Gott als den, der ihn und seine Situation achtet. Diese Achtung erfährt er nun auch (projektiv oder real) von der sozialen Umgebung (2.2.3 [2-3]). Die in der Analyse gefundenen Teilaspekte (2.2.3 [3]) des lobenden Sprechaktes (Verkündigen, Gottesfurcht, Umkehr, Feiern und Leben für Gott) konnten auch in der Motivdiskussion als Kernbegriffe israelitischer Anthropologie und Theologie identifiziert und ausgeführt werden (4.2.3). Auch die universale Ausweitung des Lobpreises erfuhr (4.2.3 [3]) seinen glaubensgeschichtlichen Hintergrund.

Nicht genügend konturieren konnte die Analyse den Sprechakt des Lobgelübdes, der in seiner zeitlichen Struktur erst aufgrund des gesamten Verheißungscharakters jüdischen Glaubens erklärt werden konnte (4.2.3 [2]). Hier zeigt sich schon, daß eine strukturale Analyse relativ grobkörnig „arbeitet" und in jedem Fall zur Vereindeutigung entsprechende Nachforschungen bei den theologischen Bedeutungssyndromen des Alten Testamentes nötig hat. Da also die Analyse sowohl hinsichtlich der Erhörungsgewißheit in Abschnitt II wie auch im Bezug auf die Struktur des Lobgelübdes zu kurz greift, kann sie für sich den Übergang von V. 22 zu V. 23 nicht hinreichend plausibel machen. Dies konnte erst durch die Betrachtung der einschlägigen Motive und Traditionen im Glauben Israels erreicht werden.

Das Minusmodell des Abschnittes zeigt endlich, wie sehr ein Versäumen bzw. ein Aussteigen aus dem Sprechakt der Klage von der partiellen Negationserfahrung in die totale und generelle Negation von Gott, Zukunft und irgendeiner Anerkennnung des Notleidenden bezüglich eines positiven Wertes gerät. Das negative Tiefenmodell ist damit eine äußerst scharfe Skizzierung dessen, was für den Israeliten Gottesferne und Todesnähe in ihren extremsten Formen ausmachen (4.2.2 [3]).

Der Gesamttext

Das positive Basismodell des Gesamttextes (3.2.1) zeigt einen konzentrierten Überblick über die wichtigsten Invarianten und damit Repräsentanzwerte (3.1) dessen, was der Text an positiver Welt ersehnt. Diese Werte entsprechen den entscheidenden Motivkomplexen der mit der Klage zusammenhängenden Theologumena und Beziehungsvorgänge zwischen Mensch und Gott (4.2 und 5.2-3). Es steckt den äußersten positiven Horizont der Gottes- und Menschenbeziehung ab. Im Horizont der alttestamentlichen Bedeutungsfelder (setzte man sie in diese Interaktion ein) zeichnet das Modell einen unkomplizierten und unmittelbar gelingenden Sprechakt der „Klage", der im Zug des Betens bereits seine volle Erfüllung erfährt. In Ps 22 ist der Sprechakt der Klage allerdings *so nicht* realisiert. Das positive Basismodell ist vielmehr die in das Utopische und Wundermäßige gehende Projektion eines „ideal" gelingenden Klageprozesses. Ps 22 verweigert sich solcher Klagesorte.

Umgekehrt spiegelt das negative Basismodell (3.2.1) das absolute Scheitern bzw. die Nihilierung der Klage und damit jegliche Beziehung zu Gott und Mensch. Der Beter versinkt in Hoffnungslosigkeit, Resignation und totale Notbedrängnis durch Feind und Elend. Auf dem alttestamentlichen Bedeutungshintergrund skizziert das negative Basismodell die Chaos- und Todeswelt, in die ein Jahwegläubiger eigentlich nie fallen kann, sofern er im

Prozeß der Klage mit Jahwe in Verbindung bleibt bzw. kommt (4.2.2 [3]; 5.2.2).

Der in Ps 22 realisierte Sprechakt bewegt sich *zwischen* den beiden extremen Beziehungs- bzw. Nicht-Beziehungswelten, wie sie das positive bzw. negative Basismodell des Gesamttextes zeichnen. Für seinen Klageprozeß steht das Tiefenmodell des realisierten Textes (3.2.2), das sowohl Werte aus dem positiven wie auch aus dem negativen Basismodell enthält. Der biblische Sprechakt der Klage bewegt sich damit, zieht man die einschlägigen Ausführungen aus Kapitel 4 und 5 hinzu, in einem widersprüchlichen und spannungsreichen Beziehungsfeld zwischen Mensch und Gott: Der Widerspruch entsteht dadurch, daß der Israelit weder seine *Realität* verleugnet noch seinen *Glauben* vergißt.

In der Klage kommen beide Konstitutiva israelitischer Anthropologie und Theologie zur krisen- und konfliktreichsten Auseinandersetzung mit Jahwe (5.2.1-2.3; 5.3.1). Menschlicher Behauptungswille und Anerkennung Gottes, die in der Anfangssituation der Klage zueinander in Differenz liegen, werden an ihrem Ende so aufeinander zugebracht (3.3; 5.3), daß die eine nicht die andere Größe ausschaltet, sondern daß sich schließlich in dialogisch entstandener und dialektisch zu begreifender „Einheit" die Behauptung des Menschen in der Anerkennung Gottes wiederfindet und die Anerkennung Gottes zum spirituellen wie auch sozialen Raum der Behauptung des Menschen wird.

Vorbedingung dieser dialogischen und dialektischen Einheit der erwähnten Widersprüche im Sprechakt der Klage ist freilich, daß sie geschichtlich-dialogische Demension hat (also in einem Prozeß entstehen darf), und daß die Beziehung zwischen Mensch und Gott bei aller Beziehungsmöglichkeit doch dialektisch (also widersprüchlich und different) bleibt: daß demnach keiner der Interaktionspartner den anderen in seiner Sperrigkeit, Freiheit und Geheimnisfähigkeit zu eliminieren versucht. Erst so kann der Satz richtig verstanden werden: Indem der Mensch in der Situation der Not seinen Glauben an einen heilvollen Gott behauptet, behauptet er sich, seine Hoffnungsfähigkeit und sein Leben.

Der Extremfall der Klage ist der Ernstfall jüdischen Glaubens. Noterfahrung und deren Schilderung sowie der Lobpreis in der Struktur des Gelübdes garantieren, bei aller darin auffindbaren Beziehungsdichte, die bleibende Differenz zwischen Mensch und Gott.

6.1.2 Sprechaktprozeß und Gebetsverlauf

Es hat sich sowohl in der Analyse wie auch in der exegetischen Betrachtung die Wichtigkeit des Sprechaktprozesses der Gesamtklage herausgestellt (vgl. die entsprechenden Ausführungen in 2.2.1-2.3 jeweils (3); 3.3;

4.1.2-1.3, 4.2.1 [1]/2.2 [1]/2.3 [1-2]). Begründetermaßen wurde dabei die Situation der Not als „Sitz im Leben" der Klage vorausgesetzt (2.1.3; 3.4; 4.1.2; 5.1.2). Im Basismodell des realisierten Textes erscheinen die drei Teilsprechakte auch im Objektbereich und damit an zentraler Stelle innerhalb der synchronen Grundstruktur. Ausschlaggebend freilich ist die darin implizierte Sequenzfolge der Einzelsprechakte im Gesamtprozeß der Klage, weil dieser Vorgang verantwortlich ist für die zeitliche Vermittlung der im Basismodell des realisierten Textes unvermittelt beieinanderstehenden Gegensätze. Biblische Klage hat, indem sie im zeitlichen Prozeß verläuft, geschichtlichen bzw. biographischen Charakter.

Die Gegensatzstruktur der Klage nämlich, die synchron mit dem Basismodell erhoben ist, bekommt nur dadurch ihre „Logik", daß sie im Sprechaktprozeß elementarisiert und auf die zeitliche Ebene projiziert wird. In solcher zeitlich erlebbaren Widersprüchlichkeit (3.3), die dem Sprechakt ihren Sinn verleiht, repräsentiert Ps 22 das Paradoxon der Klage: In der Erfahrung der Abwesenheit Gottes wird im Sprechakt seine Nähe reklamiert. An den Text ist eine Spannung angelegt, weil in der erfahrbaren Not und Verlassenheit die Solidarität Gottes eingeholt wird. Der Texteingang zeigt dies eindrücklich: Auf der Inhaltsebene wird die Gottesferne apostrophiert, auf der Beziehungsebene wird seine Hörnähe vorausgesetzt und sein Empathievermögen wie auch sein Einfühlungswille vermutet. Diese dialektische bzw. dialogische Aufarbeitung des Paradoxalen menschlichen Lebens und israelitischen Glaubens kann nicht „abgespannt" werden. So wird der Schock der Not-, Differenz- und Negationserfahrung im zeitlichen Prozeß des Gebetes und damit in der Kategorie der Begegnung mit Gott zutiefst anthropologisch und theologisch aufgearbeitet. In der lebendigen Selbstintegration des Beters in den Text hinein nimmt er die in der Theologie des Psalms eingefangenen prophetischen Dimensionen als aktuelle Verkündigung an: Er wird zum Wächter, der die Augen offen hält und sieht, was schon im Gang ist. Mitten im individuellen oder/und kollektiven „Exil" weiß er, daß die Wende bereits gekommen ist. Mitten in seiner Geschichte ist die Gegengeschichte Gottes im Gange. So wird der Klagende zum „Detektiv" bester israelitischer Theologie und Eschatologie (5.2-3).

Konzentrieren wir die Zusammenfassung kurz auf die Teilsprechakte und ihren Zusammenhang:

Zu Abschnitt I:
Abschnitt I repräsentiert den Sprechakt der Klage im engeren Sinn: als Gott an- und sich beklagendes Aussprechen der Not in der Form der Frage, der Notschilderung und der durch den Sprechakt des Erinnerns eingeholten Kontrasterfahrung (4.2.1 [1/3]). Zugleich wird in der Tatsache der Anrede selbst sowie durch die Heilserinnerungen Vertrauen und Erwartung ausgedrückt und für den Folgetext angelegt (2.2.1 [2]).

Anfang der Klage ist also nicht ein Sich-Fügen, sondern der Protest. Entscheidend für ihr Gelingen ist dabei, daß der Beter über sich selbst hinausblickt (in der Vätererinnerung sowie im Überstieg seiner eigenen Gegenwart auf seine bisherige Biographie zu), die positive Erfahrung der „anderen" einbringt und so gegenwärtige Fixierungen aufbricht. Die Bedingung der Möglichkeit, daß in dieser Art und Weise zu Gott geklagt werden kann, ist der Glaube an seine „Güte". Der Glaube an einen als heilvoll vermuteten Gott gehört dazu, damit überhaupt Klage erhoben werden kann (4.2.1; 5.2.3.; 5.3).

Zu Abschnitt II:
Im Gesamtsprechakt der Klage erscheint nun die Bitte (2.2.2 [3]; 4.2.2 [1]), die durch eine ausgiebige Notschilderung die Schubkraft des drängenden und absolut Not-Wendigen gewinnt. Sie ist der intentionale Ausdruck der in Abschnitt II angelegten Erwartungs- und Vertrauensakte und treibt diese weiter bis hin zur Erhörungsgewißheit (5.2.2).

Anstelle der Erinnerung, die sich auf die Vergangenheit bezieht, tritt nun die „Erinnerung" der in der Bitte erhofften guten Zukunft in die Gegenwart hinein. Frage und Anklage ziehen darin weiter, insofern nämlich indirekt (in der Notschilderung) und direkt (V. 16 c) Gott als der für die Not wie auch für deren Beseitigung Verantwortliche angesprochen ist (4.2.2 [2-3]). Im Ausdruck der Erhörungsgewißheit wird Gott positiv unterstellt, daß er diese Verantwortung wahrnimmt bzw. (in seinem Ratschluß) bereits wahrgenommen hat (4.2.3 [2]; 5.2.3).

Zu Abschnitt III:
Der letzte Teilsprechakt ist gekennzeichnet durch die Dimension der Anerkennung der Treue und Heilsfähigkeit Gottes (3.4). Sie findet ihren Ausdruck in der Verkündigung seiner Heilstat, in der Gottesfurcht und im Feiern (2.2.3 [3]; 4.2.3 [1-2]). Auf seiten derer, die „draußen " sind, zeigt sich die Anerkennung in Umkehr und Niederfall (Völker und Tote).

Im gleichen Zug weitet sich die Interaktionsfähigkeit des Beters in den sozialen Bereich hinein aus: Der bizentrische Dialog öffnet sich zum gemeindebezogenen Appell, in das Gotteslob miteinzustimmen (4.2.3 [1]). Selbst in diesem Sprechaktteil wandert die Klagefrage des ersten Teils in der Replik auf die erfahrene Not mit. Die erlebte Treue Gottes wird in Form neuer Erinnerung für die Nachkommen weitergebracht. Im Sinne der Intention, Gott ein möglichst universales Lob zu gönnen, streckt sich das Lob zeitlich und lokal bis an die denkbaren Grenzen hin aus (2.2.3 [3]; 4.2.3 [3]).

Die zeitliche Struktur des Lobgelübdes schließlich macht (gerade auch in Verbindung mit der Universalität des Lobpreises) deutlich, daß es sich auf den freien und mächtigen Gott, auf seine für den Menschen beschlossene Zukunft und damit auf seine geschichtliche Kompetenz für die Menschengeschichte(n) richtet. Er wird nicht nur für das gelobt, was von ihm effektiv gegenwärtig erfahrbar ist, sondern für das, was der Beter bzw. die Gemeinde von ihm erhoffen und erwarten (4.2.3 [2]; 5.2.2/2.3). Das Gelübde korrespondiert der Verheißungsstruktur alttestamentlicher Gotteserfahrung: als solches kann es als die sprituelle Basis eschatologischen Glaubens aufgefaßt werden. Die „lex orandi" korreliert der „lex credendi".

Hervorzuheben ist schließlich noch das Ergebnis, daß sämtliche Teilsprechakte integrierende Bestandteile der Gesamtklage sind und ihre Komposition innerhalb des gezeigten Gesamtverlaufs gestalten. Die einzelnen Sprechakte sind in diesem zeitlichen Verlaufweg eingespannt, weil sie sich in ihrem Wesen gegenseitig bedingen: So wird der Lobpreis (Abschnitt III) des Beters nur ermöglicht durch die versprachlichte Konzentration vergangener und zukünftiger Erinnerung (Abschnitt I und II) heilvoller Begegnungsgeschichten Gottes mit den Menschen in die Gegenwart hinein (3.4).

Der integrierte Gebetsverlauf von der klagenden Frage zur Bitte bis hin zum Lobpreis Gottes macht biblische Klage zu dem prophetischen Angebot an den einzelnen und an die Gemeinde, aus der realen Notsituation heraus dem „Gegenglauben" an Gottes Nähe und Heil Raum und damit ebensoviel Realität zu verschaffen. Kriterium gelingenden Klagebetens ist also nicht das Mirakel veränderter Notsituation, sondern das weitaus überraschendere Ereignis des Glaubens, der Hoffnung und der Liebe.

6.2   Plädoyer für das jüdisch-christliche Gebet der Klage

Die oben zitierten Anfragen Westermanns (am Ende von Kapitel 5.3.2) wollen am Schluß dieser Arbeit noch einmal aufgenommen werden. Es geht dabei um ein paar stichworthafte Hinweise, was das Verschwinden oder gar die Verdrängung der Klagespiritualität für die Beziehung des Gläubigen zu Gott wie auch im kirchlichen und sozialen Bereich zu den Menschen bedeutet. In diesem Rahmen können wir freilich nur einige Vermutungen äußern, deren Falsifizierung oder Verifizierung der kirchenhistorischen bzw. systematischen Theologie aufgegeben ist.

Obwohl das Gebet der Klage im frühesten Evangelienzeugnis des Neuen Testamentes, bei Markus, in Hinsicht auf Ps 22 im Munde Jesu eine bedeutsame Rolle spielt, ist es ebenso offensichtlich wie auch noch lange nicht ausreichend untersucht, warum die Klage im neuzeitlichen Christentum, jedenfalls was die Großkirchen anbelangt, kaum auffällt[2]. So kann man versucht sein, in der Entwicklung der Klage im Judentum (s. o. 5.3.2) eine Präfiguration der Klageentwicklung in der christlichen Frömmigkeits-

---

2   Sicher gibt es innerhalb der letzten Jahrhunderte Strömungen, die die Klagespiritualität wieder aufgebracht haben, z. B. den Pietismus. Auch wird man bedeutsame (auch kanonisierte) Gläubige und Mystiker finden, denen die Klage nicht fremd war. Dennoch kann man behaupten, daß seit geraumer Zeit die Klage als

geschichte zu finden. Es sprengt den Rahmen dieser Arbeit, danach zu fragen, wo die entsprechenden Einschnitte der Klageverdrängung innerhalb der Kirchengeschichte liegen, bzw. welche Gruppierungen die Spiritualität der Klage immer wieder haben aufleben lassen[3] und welchen Stellenwert innerhalb der Kirchengeschichtsschreibung und der theologischen Beurteilung sie haben.

Eine Vermutung wollen wir aber in diesem Zusammenhang gerne äußern: Hängt das Verschwinden der Klage womöglich mit der Entwicklung der Lehre von Gott zusammen? Eine systematische Lehre von Gott, die seine Qualitäten und Handlungen qualifiziert, klassifiziert und argumentativ zueinander in Verbindung bringt, wird sich immer wieder dem Ideologieverdacht aussetzen lassen müssen[4]. Die Dimension des Geheimnisses Gottes wird zu leicht als eine Eigenschaft unter vielen verhandelt und nicht mehr als die, die alle anderen umfaßt[5]. In einer solchen Theologie wird wenig reflektiert und verstandesmäßig eingeübt, daß der persönliche Gott nicht einer Weltanschauung verfügbar gemacht werden kann. Gläubigsein bedeutet nicht, einer Meinung in weltanschaulichen Dingen zu sein, sondern in ein Beziehungsfeld mit Gott einzutreten, das auch die spannungsreiche Beziehung mit anderen Gläubigen aufmacht. Spannungsreich wird diese Beziehung deswegen sein, weil die Beziehung Gottes zum einzelnen bei aller Ähnlichkeit immer auch in Spiritualität und Charismen unverwechselbar ist. Ein solches lebendiges Begegnungsgefüge kann nicht auf ein synchrones argumentatives Zustimmungssystem einer Weltanschauung gebracht werden. Will Theologie Reflexion über den Glauben sein, dann denkt sie über die geschichtliche Kommunikationsbeziehung zwischen Gott und Mensch und die dabei entstehenden und entstandenen sozialen Wirklichkeiten nach[6].

Gebetsmöglichkeit kaum im Bewußtsein des Gottesvolkes ist, ja sogar als nicht erlaubt, als „frevelhaft", „Gotteshadern" und „Rechten mit Gott" diffamiert wird. In der modernen Gesellschaft korrespondieren solche Killerphrasen natürlich mit der Tendenz, Leid und auch die Sprachformen des Leidens überhaupt nicht mehr zuzulassen (vgl. Richter 1979, besonders 127-188), sondern in die Therapieformen abzudrängen. Vgl. Fuhs Art. 1981 b, 215.

3 Teil IV der Untersuchung (in einer geplanten dritten Publikation zum Thema) wird sich auf die Frage konzentrieren, ob es einen inneren Zusammenhang gibt zwischen der Fähigkeit zur Innovation und zum Protest innerhalb kirchlicher Sozietäten auf der einen und einer damit womöglich verbundenen Spiritualität der Klage auf der anderen Seite, und in welchem genaueren Verhältnis beide zueinander stehen. (Eine solche Korrespondenz ist beispielsweise festzustellen in der Donatistenbewegung des 4. Jh. in Nordafrika; vgl Monceaux, P.: Histoire littéraire de l'Afrique chrétienne depuis les origines jusqu'à l'invasion arabe, Bd. 5, Paris 1920, 165-218.) Im Zusammenhang von kirchengeschichtlichen Neuaufbrüchen und der jeweiligen Rückbesinnung auf alttestamentliche Texte (wie hier auf die Texte der Klage) macht Vanoni eine interessante Bemerkung: „Die Pejorisierung des AT in der Kirchengeschichte geht paradoxerweise mit der Verdächtigung des immer wieder aufbrechenden Neuen parallel!" (Art. 1981, 68, Anm. 23).

4 Zum Begriff und Verständnis der Ideologie vgl. Fuchs 1978 b, 31 ff.; auch 1978 a, 171 ff.

5 Nach Karl Rahner ist demnach auch die Unverfügbarkeit Gottes eine Eigenschaft, die alle anderen göttlichen Qualitativa umgreift, vgl. Rahner Art. 1977.

6 Vgl. dazu genauer Fuchs 1978 b, 148-153; Art. 1981, 110-118 (zum Thema Wahrheit und Mitteilung, Offenbarung und Begegnung). Es geht uns nicht darum,

Der Vorwurf, daß die Gottesbilder des Alten Testamentes zu anthropo-morph seien, greift nicht: In den Bildern und Analogien des Alten Testa-mentes wird Gott „wenigstens" als personales Gegenüber gerettet, mit all den Ungereimtheiten und Geheimnissen, die diese Bilder als solche wie auch in dem, was sie bebildern, offen lassen. Wo Menschen sich aber mit mehr oder weniger großen Denksystemen und argumentativen Kategorien auf das Problem „Gott" stürzen, gehen sie mit Gott anthropomorpher (im Sinne menschlicher Denkmöglichkeiten) um als Israel. Diese Überlegung entlarvt die ungehemmte rationalistische Systematisierung Gottes noch einmal auf einer tieferen Ebene als Unfähigkeit, sich in Vertrauen und Mut auf die Begegnung mit Gott einzulassen. Damit sind wir beim Kernthema der Klage, ja des alttestamentlichen Glaubens überhaupt gelandet: beim Vertrauen zu Jahwe (*bṭḥ* und *'mn*). Die tiefere Wurzel dafür, nicht mehr klagen zu können und sich nicht mehr klagen zu trauen, liegt in der schwindenden Fähigkeit, seine Zuflucht nicht in sichernden und absichern-den Denkfiguren, sondern bei Gott zu finden.[7]

---

grundsätzlich argumentative Kategorien und weltanschauliche Systematisierungen gegen eine Beziehungsaufnahme mit Gott auszuspielen. Hier geht es vielmehr um den Gegensatz von schlechter, weil totalitärer Theologie, die einen ungeschicht-lichen, situationsenthobenen und un-menschlichen Gott vertritt, zu einer Theo-logie, die ihre Wurzeln immer wieder in dem Offenbarungsgeschehen der Bibel als einem geschichtlichen Kommunikationsgeschehen zwischen Gott und Mensch findet. Begriffe und Argumentationen für sich sind noch keine ungehemmten ko-gnitiven Systematisierungen, wenn sie nicht ideologisierende, mythisierende (un-geschichtliche) und fixierte (für sich abgeschlossene, nicht mehr offene) An-sprüche erheben. Die systematische Theologie, die hier attackiert wird, ist also jene extreme rationalistisch-neuscholastische Theologie, die Gott tatsächlich un-geschichtlich dachte und letztlich rationalistisch unendlich präzise Aussagen über ihn machte. Natürlich gibt es heute bessere Theologien; aber die Gefahr, dem Schwergewicht ungeschichtlicher Systematisierungen zu verfallen, ist die uralte Gefahr, in den Mutterleib des Mythos zurückzukehren.
Wahrheitswert ergibt sich immer dann, wenn ein Wort (Begriff) in eine Funktion (geschichtliche, biographische, gesellschaftliche Situation) eingesetzt und dort als erschließend erfahren wird (vgl. Klinger Art. 1980, 47-63). So gibt es in der Theologie die Prinzipien der Auferstehung, der Kirchlichkeit, der Sakramente, auch des Gebets, die alle in die jeweiligen Horizonte gesamtmenschlichen Lebens einzubringen sind. Es geht hier also auch nicht um eine Polarisierung zwischen Theologie wissenschaftlicher Art und der Spiritualität. Vielmehr muß die Theo-logie spirituelle (dialogische) Züge anlegen. Andererseits hat es die Spiritualität nötig, theologische Konturen anzunehmen. Ps 22 ist dafür ein Beispiel. Er ist theologisch durchdacht und transportiert Theologumena, wie sie in anderer Text-sorte nur in ausgeprägt hohen Theologien vorkommen. Aber diese theologischen Aussagen kommen in einer Textsorte zu Wort, die zugleich Begegnung ermöglicht und provoziert: nämlich die Begegnung zwischen den Menschen und Gott. Dieser Anredecharakter der Theologie (bezüglich Mensch und Gott, hinsichtlich der Kommunikation zwischen Menschen) muß nicht immer ausdrücklich und in jeder Textform gegeben sein, wohl aber in der Theologie wie auch in ihren Disziplinen immer wieder reflektiert und hintergründig benannt werden. Zu thematisieren ist dies jedenfalls immer wieder, wenn es der Theologie wirklich darum geht, ihre eigene Vermittlung mit zu reflektieren.
7 Vgl. Westermann 1977, 57; Limbeck Art. 1977, 14; kurzschlüssige Verknüpfungen wären demnach Leid und Strafe, Leid und Heimsuchung, Leid und Erprobung u. ä. Narrative bzw. dialogische Strukturen können überdies nicht ohne weiteres in

Wer freilich nicht mehr vertraut, beginnt zu kalkulieren und leistet sich keinen Konflikt. Er muß mit jeder Klage Angst bekommen, daß Gott etwas übelnimmt. Eine Theologie, die die Klage nicht mehr zuläßt, muß sich die Anfrage gefallen lassen, ob sie nicht in sich bereits den Keim der Selbstzerstörung trägt. Unter der Maskierung von Begriffen aus Tradition und Theologie bespricht sie einen Gott, der mehr Schöpfung des Menschen als durch die biblische Tradition geoffenbartes, unbedingt liebendes und gerade darin unverfügbares personales Gegenüber zum Menschen ist. Rahner hat beeindruckend aufgewiesen, daß die Personalität und Unverfügbarkeit Gottes wesentliche Voraussetzung dafür ist, die Liebe zu Gott und das Vertrauen zu ihm realisieren zu können: „. . . unsere Verkündigung muß den Mut haben zu sagen, daß die letzte Sinnfrage nur dann richtig gestellt ist, wenn sie die Frage der freien Liebe ist, die sich loslassen und das Unbegreifliche als das wunderbar und selig Selbstverständliche erleben kann." und er plädiert dafür: In der christlichen Verkündigung „darf kein Gott angeboten werden, der insgeheim dem menschlichen Egoismus untertan wäre, auch nicht dem sublimen Egoismus seiner Rationalität."[8]

---

argumentative überführt werden. Geschichten müßten dann auf abstrakte Thesen und argumentative Kurzformen reduziert werden, denen die Plastizität des Dramas fehlt. Es kommen hier nicht mehr Personen, sondern Werte und Ideen bzw. Fakten in „Interaktion" zueinander. Diese gelten aber nicht als Entscheidungsträger, sondern als sekundäre Begriffe, die für Wert- und Handlungsorientierung stehen. Diese Quintessenz oder „Moral von der Geschicht" einer Geschichte in einen normativen (z. B. weisheitlichen) Satz hinein ist eine Reduktion der Geschichte auf der Ebene der Argumentation und darf *nicht* mit der Tiefenstruktur verwechselt werden, die mit Hilfe unserer Methode aus den Geschichten eruiert wird. Letztere nämlich hat zwar auch generellen Charakter, bringt jedoch die Kommunikation und das Drama als solches in ein Kommunikationsmodell. Die Dramatik und der Kommunikationsprozeß der Geschichte bzw. des Dialogs bleiben im Modell erhalten, ja werden geradezu für die künftige generative Produktionsstruktur ähnlicher „Geschichten" gerettet. Das Generelle und bleibend Gültige in den Geschichten entspricht ihrer Tiefenstruktur. Auf der Ebene der biblischen Geschichten eröffnet sich so – neben den bisherigen Wegen der Theologie und in Ergänzung dazu – über die nachprüfbare Methode der struktural-semantischen Analyse bis hin zur Erstellung des Basismodells ein Zugang zu den Grundstrukturen der Offenbarung, letztere verstanden als Sammlung von Interaktionszeugnissen zwischen Gott und Mensch! Zu „Kurzformeln des „Glaubens" vgl. Karrer 1978.

8 Rahner Art. 1977, 449-450; vgl. Fuchs Art. 1981, 128. Das Gebot der Liebe Gottes ist also durchaus und notwendig mit dem Prozeß der Klage vermittelbar: Mit dem Prozeß der Liebe (über Emotion, Übereinstimmung, Annahme, Gegensätzlichkeit, Konflikt, Krise usw.) hängt das erkämpfte Vertrauen zusammen, sich eine Klage über Gottes Verborgenheit und Unbegreiflichkeit auch leisten zu können, ohne daß die Verbindung auseinanderfällt bzw. von einem Partner aufgekündigt wird! „Spiritualität" ist also immer dann verfehlt, wenn sie den Sprechprozeß des Menschen in Frage, Anklage, Bitte und Anerkennung nicht berücksichtigt, sondern *von vorneherein* Ergebenheit, ein Sich-Fügen in den Willen Gottes verlangt. Damit wird weder der Mensch in seiner psychischen Struktur noch Gott in seiner geschichtlichen Wegbegleitung des Menschen ernstgenommen. (So verschwindet wahrscheinlich die Textsorte der Klage aus dem Gebet in dem Maß, als Gott als der allmächtige, der Geschichte enthobene, der absolute und unbewegliche, als der fordernde, aber selbst apathische Gott verhandelt wird.) Darin wird Gott als personales Gegenüber zu den verschiedenen Phasen der Menschen und der Menschheitsgeschichte nicht mehr ernstgenommen.

Von daher fällt auch ein neues Licht auf die Theodizee-Frage und läßt das Problem aufkommen, ob diese in der Kategorie der „Rechtfertigung Gottes" nicht falsch gestellt ist! Besser wäre es, die Kategorie der „Begegnung" zu bemühen und nach dem normativen Kern und Anspruch der Begegnung mit Gott im Leid und Gottes mit den Leidenden zu forschen und in Gottes Solidarisierungstat in Jesus von Nazaret die Antwort zu erahnen (vgl. Teil II). Gottes Menschwerdung in Jesus Christus besteht nicht darin, daß er erklärt, warum es das Leid gibt, oder daß er sich gar rechtfertigte, sondern darin, daß er in Jesus die Bosheit der Menschen an sich heranläßt, mitleidet und stellvertretend leidet. Das bei jedem Menschen verständliche, wissensorientierte Zugreifen, warum etwas geschieht, wird auf der Ebene der Offenbarung nicht durch verfügbares Wissen beantwortet, sondern durch Begegnungsprozesse. Damit letztere gelingen, muß gerade die menschliche Frage nach dem Warum überboten und überholt werden durch von dem das zukunftsoffene Solidarisierungsangebot Gottes ermöglichte Verzichten auf eine abgeschlossene argumentative Antwort. So wird im Ps 22 die Eingangsfrage nach dem Warum nicht beantwortet, sondern im Begegnungsprozeß mit Gott aufgelöst und in ihrer Relevanz vermindert. Ein Begegnungsvertrauen zu Gott kommt ingang, das Geschichte als Erinnerung hinter sich und als Zukunft vor sich hat[9]. Wo dieses Vertrauen durch einen unangemessenen kognitiven Zugriff verkarstet, erstickt auch die Geschichtlichkeit der Offenbarung in einem präsentischen Wissenssystem.

Auch die Frage nach dem Verhältnis von Schuld und Not ist von daher neu zu bedenken. Beide Größen sind nicht kausal-kurzschlüssig (und damit emotional- und sozialpsychologisch erforschbare Sündenbockmechanismen und Gewaltstrategien   provozierend) aufeinander zuzubringen. Sie sind vielmehr, konkret und personal gesehen, voneinander zu trennen. Es gibt Not, für deren Erleben menschliche Schuld (auch die der anderen) nie ausreicht, so daß man ihr Eintreten als Strafe akzeptieren könnte. Auch kann Leid nicht vorschnell als gottgewollte Heimsuchung zu akzeptieren sein, bevor nicht die durchgestandene Phase des Konfliktes und der Rebellion riskiert worden ist. Es zeichnet den biblischen Gott aus, daß er errettet, ohne nach der Schuld zu fragen bzw. gerade die Schuldigen wieder durch neue Versöhnung überrascht. Schon gar nicht können Klage und Anklage des Menschen als Schuld vor Gott deklariert werden, denn gerade dem Klagenden, der Gott „stellt", stellt sich auch Gott, indem er ihn erhört und ihm Rettung verheißt. Das Vertrauen des Glaubenden kann dann soweit gehen, Gottes Heilswillen größer anzusetzen als Schuld und Unheil. Menschliches Leid muß noch eine größere „Heils"-Bedeutung haben als Strafe, Erprobung und Heimsuchung: Gott allein weiß, welche! Eben gerade deswegen ist er anzugehen und zu be-klagen[10]!

---

9 Zum Verhältnis von Geschichte, Vertrauen, Erzählen und Beten vgl. Fuchs Art. 1980.

10 Vgl. Limbeck Art. 1977, 14. Es gibt also einen Grund, einen Sinn, eine Bedeutung des Leidens. Doch diese Bedeutung weiß nur Gott selbst. Die Forderung, daß er sie uns hätte schon verraten können, ist zugleich die Forderung nach Abschaffung des Leidens überhaupt: denn in der unheiloffenen geschichtlichen Situation der Menschen kann so eine „informative Sinnvermittlung", die nicht zugleich mit der Aufhebung der Not verbunden ist, entweder, nicht verstanden werden, oder sie muß reiner Sarkasmus und Sadismus sein.

So wird der Sprechakt der Klage auch zu einer scharfen Kritik für eine Spiritualität[11], in der menschliche Geschichte und Emotionalität auf die synchrone Einheitsfigur einer falsch verstandenen Gottergebenheit reduziert worden sind. Der Mensch kann sich nicht in jeder Sekunde seines Lebens spontan und unmittelbar in die „Vorsehung" hineinbegeben. Diese Karikatur eines „geistlichen Menschen" nimmt nicht mehr ernst, daß zum menschlichen Sein, zu jeder menschlichen Beziehung immer beides gehört: „Widerstand und Ergebung", Distanz und Nähe, Klage und Hingabe. Erst das erstere gibt dem zweiteren die nötige Kraft und dramatische Energie und erlöst es von einer blutleeren Schemenhaftigkeit[12].

Alle Anerkennung katastrophaler Realität, die nicht durch die Klage geht, ist lebenstötend und unverantwortlich. Eine Gottesbeziehung, in der keine Konfliktgespräche möglich sind, ist seicht und lebensfern: Klageabstinenz bedeutet Beziehungs- und Lebensverlust!

---

11 Sicher ist nicht nur das Klagegebet für die jüdisch-christliche Spritualität konstitutiv. Es besteht auch eine normative Qualität der den Sprechakt der eigentlichen Klage ausklammernden Gebete bzw. theologischen Reflexionen im Alten Testament. Doch scheint uns deren normative Dimension sowohl in der Theologie wie auch in der Spiritualität der Gegenwart (und vermutlich der letzten Jahrhunderte) genügend vertreten zu sein. Uns geht es vor allem um eine notwendige und von den Texten der Bibel her belegbare stärkere Gewichtung und Betonung der Spiritualität der Klage, wie sie in den zahlreichen biblischen Klagetexten zum Vorschein kommen. Deren normative Qualität scheint uns nicht im angemessenen Maße ernstgenommen und realisiert zu sein.

12 Hier könnte ja der Gedanke aufkommen, daß die Klage aufgrund eines Mißverständnisses, nämlich aufgrund eines „Lesefehlers" der Realität (als Gottverlassenheit), nicht berechtigt wäre: Denn Gott verläßt den Menschen nicht, wie der Folgetext zeigt. Vom Ende her gesehen (wie auch aus systematischer Sicht) ist dies richtig, aber eben nicht vom Anfang her gesehen und von der aktuellen Begegnungssituation des Menschen mit Gott her. Ps 22 weist deutlich darauf hin, daß Gott als solcher geglaubt wird, der die Geschichtlichkeit und Zeitlichkeit des Menschen zutiefst ernst nimmt und so auch dessen Begegnungssuche in seinen speziellen Augenblicken, auch in denen der Not, möchte; vgl. Fuchs Art, 1979 b, 866 f. Der Mensch kann aufgrund seiner psychischen Struktur und geschichtlichen Verfaßtheit, also aufgrund seiner conditio humana nicht im Augenblick der Not spontan Gott loben; dies zu fordern wäre unmenschlich und führe auf Dauer zu einem Kommunikationsabbruch des die Zeit durchlebenden und durchstehenden Menschen mit Gott. Beten würde vielmehr eingeebnet auf eine spirituelle Verhaltensweise, die rigide ist bzw. aufgrund eines zwingenden systematischen Denkmodells von vornherein „erlebte" Wirklichkeiten fixiert (durch die Kategorie von Strafe, Prüfung, Rechtfertigung Gottes usw.); zur argumentativen „Leerstelle" bzw. Unverfügbarkeit menschlichen Lebens und der Gottesbeziehung vgl. Fuhs Art. 1981 b, 215/217/221; deshalb gilt: „Die Klage vor Gott ist also nicht nur ein legitimes, sondern ein unverzichtbares Element des Glaubens." (a.a.O., 221).

Literatur

Aichinger, I.: Die größere Hoffnung. Roman, Frankfurt a. M. 1978 (Amsterdam 1948) (= Fischer Taschenbuch 1432)

Alberts, J.: Massenpresse als Ideologiefabrik. Am Beispiel „Bild", Frankfurt a. M. 1972 (= Fischer Athenäum-Taschenbücher Sozialwissenschaften)

Albertz, R.: Weltschöpfung und Menschenschöpfung. Untersucht bei Deuterojesaja, Hiob und in den Psalmen, Stuttgart 1974 (= Calwer Theologische Monographien Reihe A Bd. 3)

—: Art. schreien (*sʿq*), in: Jenni/Westermann (Hrsg.): 1976, 568-575

—: Persönliche Frömmigkeit und offizielle Religion. Religionsinterner Pluralismus in Israel und Babylon, Stuttgart 1978 (= Calwer Theologische Monographien Reihe A Bd. 9)

Albrecht, H.: Die Kirche im Fernsehen. Massenkommunikationsforschung am Beispiel der Sendereihe „Das Wort zum Sonntag", Hamburg 1974 (= Konkretionen Bd. 19)

Alonso-Schökel, L.: Das Alte Testament als literarisches Kunstwerk, Köln 1971

Arens, A.: Die Psalmen im Gottesdienst des Alten Bundes. Eine Untersuchung zur Vorgeschichte des christlichen Psalmengesanges, Trier 1961 (= Trierer Theologische Studien Bd. 11)

Arens, E.: Gleichnisse als kommunikative Handlungen Jesu. Überlegungen zu einer pragmatischen Handlungstheorie, in: Theologie und Philosophie 56 (1981) 1, 47-69

Balla, E.: Das Ich der Psalmen, Göttingen 1912 (= Forschungen zur Religion und Literatur des Alten und Neuen Testaments H. 16)

Barreau, J.-C.: Beten als Befreiung statt Drogen und Rausch, Mainz 1977 (1974) (= Topos – Taschenbücher Bd. 61)

Barth, Chr.: Die Errettung vom Tode in den individuellen Klage- und Dankliedern des Alten Testamentes, Zollikon 1947

Bastian, H. D.: Theologie der Frage. Ideen zur Grundlage einer theologischen Didaktik und zur Kommunikation der Kirche in der Gegenwart, München 2/1970

Baumgartner, W.: Die Klagegedichte des Jeremia, Gießen 1917 (= Beihefte zur Zeitschrift für die alttestamentliche Wissenschaft 32)

Baumgartner, W. (Hrsg.): Hollenberg-Budde: Hebräisches Schulbuch, Basel und Stuttgart 1960

Bea, A.: Art. Gebet im AT, in: Höfer, J./K. Rahner (Hrsg.): Lexikon für Theologie und Kirche Bd. 4, Freiburg 1960, 538-540

Becker, J.: Gottesfurcht im Alten Testament, Rom 1965

—: Israel deutet seine Psalmen. Urform und Neuinterpretation in den Psalmen, Stuttgart 1966 (= Stuttgarter Bibelstudien 18)

—: Isaias – der Prophet und sein Buch, Stuttgart 1968 (= Stuttgarter Bibelstudien 30)

—: Wege der Psalmenexegese, Stuttgart 1975 (= Stuttgarter Bibelstudien 78)

—: Messiaserwartung im Alten Testament, Stuttgart 1977 (= Stuttgarter Bibelstudien 83)

Begrich, J.: Studien zur Deuterojesaja, (hg. v. W. Zimmerli), München 1963 (= Theologische Bücherei 20) (1938)

—: Die Vertrauensäußerungen im israelitischen Klagelied des einzelnen und in seinem babylonischen Gegenstück, in: Zeitschrift für die alttestamentliche Wissenschaft 46 (1928) 221-260

Behler, G. M.: Der nahe und schwer zu fassende Gott. Eine biblische Besinnung über Ps 139 (138), in: Bibel und Leben 6 (1965) 135-152

Belo, F.: Was will die materialistische Leseweise der Bibel? in: Concilium 16 (1980) 10, 544-549
–: Das Markus-Evangelium materialistisch gelesen, Stuttgart 1980 (Paris 1974)
Benjamin, W.: Ursprung des deutschen Trauerspiels, Frankfurt a. M. 1972 (= suhrkamp-Taschenbuch 69)
Bergmann, U.: Art. retten (*nṣl*), in: Jenni/Westermann (Hrsg.): 1976 a,96-99
–: Art. helfen (*'zr*), in: Jenni/Westermann (Hrsg.): 1976 b, 256-259
Bernet, W.: Gebet, Stuttgart 1970 (= Themen der Theologie 6)
Beyerlin, W.: Die *tôdā* der Heilsvergegenwärtigung in den Klageliedern des Einzelnen, in: Zeitschrift für die alttestamentliche Wissenschaft 79 (1967) 208-224
–: Die Rettung der Bedrängten in den Feindpsalmen der einzelnen auf institutionelle Zusammenhänge untersucht, Göttingen 1970 (= Forschungen zur Religion und Literatur des Alten und Neuen Testaments H. 99)
–: Der nervus rerum in Psalm 106, in: Zeitschrift für die alttestamentliche Wissenschaft 86 (1974) 50-64
–: „Wir sind wie Träumende". Studien zum 126. Psalm, Stuttgart 1978 (= Stuttgarter Bibelstudien 89)
Bitter, G.: Art. Gebet, in: Exeler, A./G. Scherer (Hrsg.): Glaubensinformation. Sachbuch zur theologischen Erwachsenenbildung, Freiburg i. Breigau 1971, 111-114
Blank, J.: Der leidende Gottesknecht (Jes 53), in: Pawlowsky/Schuster (Hrsg.): 1979, 28-67
Bloch, E.: Das Prinzip Hoffnung Bd. II, Frankfurt a. M. 1959
Boros, L.: Über das christliche Beten, Mainz 1973
Botterweck, G. J.: Warum hast du mich verlassen. Eine Meditation zu Ps 22, 2-22, in: Bibel und Leben 6 (1965) 61-68
Braulik, G.: Psalm 40 und der Gottesknecht, Würzburg 1975 (= Forschung zur Bibel 18)
Breuss, J.: Theorie des Evangeliums und pastorale Praxis. Schriftanalyse als Bekenntnisanalyse, Frankfurt a. M. 1979 (= Erfahrung und Theologie 2)
Buber, M.: Das Buch der Preisungen. Verdeutscht von Martin Buber, Köln und Olten 1958
Cardenal, E.: Zerschneide den Stacheldraht. Lateinamerikanische Psalmen, Wuppertal 3/1968
Crüsemann, F.: Studien zur Formgeschichte von Hymnus und Danklied in Israel, Neukirchen-Vluyn 1969 (= Wissenschaftliche Monographien zum Alten und Neuen Testament Bd. 32)
Daiber, K.-F.: Grundriß der praktischen Theologie als Handlungswissenschaft. Kritik und Erneuerung der Kirche als Aufgabe, München-Mainz 1977 (= Praxis der Kirche Nr. 23)
Deissler, A.: Art. Klagelied, in: Höfer, J./K. Rahner (Hrsg.): Lexikon für Theologie und Kirche Bd. 6, 2/1961, 312-313
–: Die Psalmen 1. Teil (Ps 1-41), Düsseldorf 3/1966
–: „Mein Gott, warum hast du mich verlassen . . .!" (Ps 22, 2). Das Reden zu Gott und von Gott in den Psalmen – am Beispiel von Psalm 22, in: Merklein, H./E. Zenger (Hrsg.): „Ich will euer Gott werden". Beispiele biblischen Redens von Gott, Stuttgart 1981, 97-121 (= Stuttgarter Bibelstudien 100)
Delekat, L.: Asylie und Schutzorakel am Zionsheiligtum. Eine Untersuchung zu den privaten Feindpsalmen. Mit zwei Exkursen, Leiden 1967
Dijkstra, M.: Zur Deutung von Jesaja 45, 15 ff., in: Zeitschrift für die alttestamentliche Wissenschaft 89 (1977) 215-222
Donner, H./R. Hanhart/R. Smend (Hrsg.): Beiträge zur Alttestamentlichen Theologie. Festschrift für Walther Zimmerli zum 70. Geburtstag, Göttingen 1977
Dormeyer, D.: Der Sinn des Leidens Jesu. Historisch-kritische und textpragmatische Analyse zur Markuspassion, Stuttgart 1979 (= Stuttgarter Bibelstudien 96)
Drijvers, P.: Über die Psalmen. Eine Einführung in Geist und Gehalt des Psalters, Freiburg-Basel-Wien 1961
Eaton, J. H.: The Psalms and Israelite Worship, in: Anderson, G. W. (ed.): Tradition

and Interpretation. Essays by Members of the Society for Old Testament Study, Oxford 1979, 238-273

Ebeling, G.: Wort und Glaube, Gesammelte Aufsätze Bd. 1, Tübingen 3/1967

Edel, R.-F.: Hebräisch-deutsche Präparation zu den Psalmen, Marburg 3/1966

Egger, W.: Nachfolge als Weg zum Leben . Chancen neuerer exegetischer Methoden dargelegt an Mk 10, 17-31, Klosterneuburg 1979 (= Österreichische Biblische Studien Bd. 1)

Eichhorn, D.: Gott als Fels, Burg und Zuflucht. Eine Untersuchung zum Gebet des Mittlers in den Psalmen, Bern-Frankfurt a. M. 1972 (= Europäische Hochschulschriften Reihe XXIII Theologie Bd. 4)

Elbogen I. (E. L. Rapp): Art. Gebet im Judentum, in: Galling, K. (Hrsg.): Religion in Geschichte und Gegenwart Bd. 2, Tübingen 3/1958, 1217-1218

Engel, H.: Krisis als prophetische Grundhaltung, in: Schiwy, G. (Hrsg.): 1971, 22-34

Ferré, F.: Die Verwendung von Modellen in Wissenschaft und Theologie, in: High (Hrsg.): 1972, 51-92

Ficker, R.: Art. jubeln *(rnn)*, in: Jenni/Westermann (Hrsg.): 1976, 781-786

Fohrer, G./H. W. Hoffmann/F. Huber/L. Markert/G. Wanke: Exegese des Alten Testaments. Einführung in die Methodik, Heidelberg 1973

Fuchs, O.: Soziale Erfahrung und die Sprache des Glaubens, in: Bitter, G./G. Miller (Hrsg.): Konturen heutiger Theologie. Werkstattberichte, München 1976, 45-58

—: Sprechen in Gegensätzen. Meinung und Gegenmeinung in kirchlicher Rede, München 1978 a

—: Die lebendige Predigt, München 1978 b

—: Gebet: Sprachliche Begegnung mit Gott, in: Katechetische Blätter 104 (1979 a) 12, 854-866

—: Bitte und Dank, Klage und Lob im Gebet, in: Katechetische Blätter 104 (1979 b) 12, 866-879

—: Funktion und Prozedur herkömmlicher und neuerer Methoden in der Textauslegung, in: Biblische Notizen (1979 c) 10, 48-69

—: Beten als Gabe und Aufgabe, in: Lebendige Seelsorge 31 (1980)4, 185-193

—: Zu Gert Ottos Predigtverständnis, in: Otto: 1981, 107-140

Füglister, N.: Leiden: Weshalb und wozu?, in: Pawlowsky/Schuster (Hrsg.): 1979,12-27

Füssel, K.: Was heißt materialistische Lektüre der Bibel? in: Una Sancta 32(1977) 46-54

Fuhs, H. F.: Art. *jāre'* (fürchten), in: Botterweck, G./R. Ringgren (Hrsg.): Theologisches Wörterbuch zum Alten Testament Bd. 3, Stuttgart-Berlin-Köln-Mainz 1981 a, 869-893

—: Klagen vor Gott. Lebensangst und Lebensbewältigung im Glauben Israels, in: Lebendige Seelsorge 32(1981 b) 5, 215-221

Gerlemann, G.: Art. Gefallen haben *(hps)*, in: Jenni/Westermann (Hrsg.): 1971 a, 623-626

—: Art. leben *(hjh)*, in: Jenni/Westermann (Hrsg.): 1971 b, 549-557

—: Art. essen *('kl)*, in: Jenni/Westermann (Hrsg.): 1971 c, 138-142

—: Art. sich sättigen *(śb')*, in: Jenni/Westermann (Hrsg.): 1976 a, 819-821

—: Art. fragen, bitten *(š'l)*, in: Jenni/Westermann (Hrsg.): 1976 b, 841-844

—: Art. Gefallen haben *(rṣh)*, in: Jenni/Westermann (Hrsg.): 1976 c, 810-813

Gerstenberger, E.: Jeremiah's Complaints. Oberservations on Jer 15, 10-21, in: Journal of Biblical Literature 82 (1963) 393-408

—: Art. Der klagende Mensch. Anmerkungen zu den Klagegattungen in Israel in: Wolff (Hrsg.): 1971 a, 64-72

—: Art. sich bergen *(hsh)*, in: Jenni/Westermann (Hrsg.): 1971 b, 621-623

—: Art. vertrauen *(bth)*, in: Jenni/Westermann (Hrsg.): 1971 c, 300-305

—: Art. verabscheuen *(t'b)*, in: Jenni/Westermann (Hrsg.): 1976, 1051-1055

—: Der bittende Mensch. Bittritual und Klagelied des Einzelnen im Alten Testament, Neukirchen-Vluyn 1980 (= Wissenschaftliche Monographien zum Alten und Neuen Testament Bd. 51)

362

Gerstenberger, G./W. Schrage: Leiden, Stuttgart-Berlin-Köln-Mainz 1977 (= Kohlhammer-Taschenbücher Bd. 1004: Biblische Konfrontationen)

Gese, H.: Psalm 22 und das Neue Testament. Der älteste Bericht vom Tode Jesu und die Entstehung des Herrenmahles, in: Zeitschrift für Theologie und Kirche 65(1968) 1-22

Gese, H.: Anfang und Ende der Apokalyptik, dargestellt am Sacharja-Buch, in: ders.: 1974 a, 202-230

–: Geschichtliches Denken im Alten Orient und im Alten Testament, in: ders.: 1974 b, 81-98

–: Erwägungen zur Einheit der biblischen Theologie, in: ders.: 1974 c, 11-30

–; Zur Geschichte der Kultsänger im zweiten Tempel, in: ders.: 1974 d, 147-158

–: Die Entstehung der Büchereinteilung des Psalters, in: ders.: 1974 e, 159-167

–: Vom Sinai zum Sion. Alttestamentliche Beiträge zur biblischen Theologie, München 1974 (= Beiträge zur Evangelischen Theologie Bd. 64)

Gesenius, W.: Hebräisches und aramäisches Handwörterbuch, Leipzig 16/1915

Gettier, J. A.: A study of Ps 22, New York 1972 (= Diss. Union Theological Seminary)

Goeke, H.: Die Anthropologie der individuellen Klagelieder, in: Bibel und Leben 14 (1973) 13-29/111-137

Görg, M.: Die „Wiedergeburt" des Königs (Ps 2, 7 b). Othmar Schilling zum 60. Geburtstag, in: Theologie und Glaube 60 (1970) 6, 413-426

–: Anfänge israelitischen Gottesglaubens, in: Kairos 18 (1976) 256-264

–: „Ich bin mit dir". Gewicht und Anspruch einer Redeform im Alten Testament, in: Theologie und Glaube 70 (1980) 2, 214-240

–: Art. *ja'ad* (bestimmen), in: G. J. Botterweck/H. Ringgren (Hrsg.): Theologisches Wörterbuch zum Alten Testament Bd. 3, Stuttgart-Berlin-Köln-Mainz 1981, 697-706

Greshake, G./G. Lohfink (Hrsg.): Bittgebet – Testfall des Glaubens, Mainz 1978

Groß, H.: Geschichtserfahrung in den Psalmen 44 und 77, in: Trierer Theologische Zeitschrift 80 (1971) 207-221

Groß, H./H. Reinelt: Das Buch der Psalmen Teil I (Ps 1-72), Düsseldorf 1978 (= Geistliche Schriftlesung Bd. 9/I)

Groß, H.: „Rechtfertigung" im Alten Testament. Bibeltheologische Beobachtungen, in: Müller/Stenger (Hrsg.): 1981, 17-29

Groß. W.: Die Herausführungsformel – Zum Verhältnis von Formel und Syntax, in: Zeitschrift für die alttestamentliche Wissenschaft 86 (1974) 425-453

–: Bileam. Literar- und formkritische Untersuchung der Prosa in Num 22-24, München 1974 (= Studien zum Alten und Neuen Testament Bd. 38)

–: Verbform und Funktion. „*wayyiqtol*" für die Gegenwart? Ein Beitrag zur Syntax peotischer althebräischer Texte, St. Ottilien 1976 (= Münchener Universitätsschriften. Arbeiten zu Text und Sprache im Alten Testament, Bd. 1)

–: Zur Funktion von *qatal*. Die Verbfunktion in neueren Veröffentlichungen, in: Biblische Notizen (1977) 4, 25-38

Große, E. U.: Texttypen. Linguistik gegenwärtiger Kommunikationsakte, Freiburg 1974 (Preprint)

–: Text und Kommunikation. Eine linguistische Einführung in die Funktionen der Texte, Stuttgart-Berlin-Köln-Mainz 1976

Güttgemanns, E.: Offene Fragen zur Formgeschichte des Evangeliums. Eine methodologische Skizze der Grundlagenproblematik der Form- und Redaktionsgeschichte, München 2/1971 (= Beiträge zur Evangelischen Theologie Bd. 54)

–: „Text" und „Geschichte" als Grundkategorien der Generativen Poetik, in: Gerber, U./E. Güttgemanns (Hrsg.): „Linguistische Theologie". Biblische Texte, christliche Verkündigung und theologische Sprachtheorie, Bonn 1972, 38-55 (= Linguistica Biblica 3)

–: Linguistisch-literaturwissenschaftliche Grundlegung einer neutestamentlichen Theologie, in: Michels, T./A. Paus (Hsrg.): Sprache und Sprachverständnis in religiöser Rede. Zum Verhältnis von Theologie und Linguistik, Salzburg 1973, 171-202

−: „Generative Poetik" − Was ist das?, in: Fischer, H. (Hrsg.): Sprachwissen für Theologen, Hamburg 1974, 97-113
−: Einführung in die Linguistik für Textwissenschaftler; 1. Kommunikations- und informationstheoretische Modelle, Bonn 1978 (= Forum Theologiae Linguisticae 2)
Gunkel, H.: Die Psalmen, Göttingen 1926 (5/1968 = 4/1929)
Gunkel, H./J. Begrich: Einleitung in die Psalmen. Die Gattungen der religiösen Lyrik Israels, Stuttgart 3/1975 (1/1933)
Gunneweg, A. H. J.: Vom Verstehen des Alten Testaments. Eine Hermeneutik, Göttingen 1977 (= Grundrisse zum Alten Testament Bd. 5)
Gutknecht, Ch./K.-U. Panther: Generative Linguistik. Ergebnisse moderner Sprachforschung, Stuttgart-Berlin-Köln-Mainz 1973
Haag, E.: Die Sehnsucht nach dem lebendigen Gott im Zeugnis des Psalms 42/43, in: Geist und Leben 49 (1976) 167-177
Haag, H.: Gott und Mensch in den Psalmen, Zürich-Einsiedeln-Köln 1972 (= Theologische Meditationen 28)
−: Wege und Schicksale des Judentums, in: Theologische Quartalschrift 160 (1980) 1, 64-69
Habermas, J.: Strukturwandel der Öffentlichkeit. Untersuchungen zu einer Kategorie der bürgerlichen Gesellschaft, Neuwied und Berlin 5/1971 (= Sammlung Luchterhand 25)
Hardmeier, Ch.: Texttheorie und biblische Exegese. Zur rhetorischen Funktion der Trauermetaphorik in der Prophetie, München 1978 (= Beiträge zur Evangelischen Theologie Bd. 79)
Heiler, F.: Das Gebet. Eine religionsgeschichtliche und religionspsychologische Untersuchung, München 5/1969 (1/1918)
Hengel, M.: „Was ist der Mensch?" Erwägungen zur biblischen Anthropologie heute, in: Wolff (Hrsg.): 1971, 117-135
Herkenne, H.: Das Buch der Psalmen, Bonn 1936 (= Die Heilige Schrift des Alten Testaments Bd. V/2)
Herms, I.: Theologie − eine Erfahrungswissenschaft, München 1978 (= Theologische Existenz heute Nr. 199)
Herrmann, S.: Die prophetischen Heilserwartungen im Alten Testament, Stuttgart 1965 (= Beiträge zur Wissenschaft des Alten und Neuen Testaments Bd. 85)
High, D. M.: Sprachanalyse und religiöses Sprechen. Mit einer Einführung von Helmut Peukert, Düsseldorf 1972 (= Patmos Paperback)
Hugger, P.: Jahwe meine Zuflucht. Gestalt und Theologie des 91. Psalms, Münsterschwarzach 1971
Hulst, A. R.: Art. Volk (´am/göj), in: Jenni/Westermann (Hrsg.): 1976, 290-325
Irsigler, H.: Einführung in das biblische Hebräisch I. Ausgewählte Abschnitte der althebräischen Grammatik, St. Ottilien 1978 (= Münchener Universitätsschriften. Arbeiten zu Text und Sprache im Alten Testament Bd. 9)
Jenni, E./C. Westermann (Hrsg.): Theologisches Handwörterbuch zum Alten Testament Bd. 1 und 2, München-Zürich 1971 und 1976
Jepsen, A.: Art. bṭḥ (vertrauen), in: Botterweck, G. J./H. Ringgren (Hrsg.): Theologisches Wörterbuch zum Alten Testament Bd. 1, Stuttgart-Berlin-Köln-Mainz 1973, 607-615
Jeremias, C.: Kultprophetie und Gerichtsverkündigung in der späten Königszeit, Neukirchen-Vluyn 1970 (= Wissenschaftliche Monographien zum Alten und Neuen Testament Bd. 35)
−: Die Reue Gottes. Aspekte alttestamentlicher Gottesvorstellung, Neukirchen-Vluyn 1975 (= Biblische Studien H. 65)
−: Die Erzväter in der Verkündigung der Propheten, in: Donner u. a. (Hrsg.): 1977, 217-222
Josuttis, M.: Verkündigung als kommunikatives und kreatorisches Geschehen, in; Evangelische Theologie 32 (1972) 1, 3-19
Kaiser, O.: Der Prophet Jesaja, Kapitel 1-12, Göttingen 2/1963 (= Das Alte Testament Deutsch Bd. 17)

Kalt, E.: Die Psalmen, Freiburg i. Br. 1935 (= Herders Bibelkommentar Bd. VI)

Karrer, L.: Der Glaube in Kurzformeln. Zur theologischen und sprachtheoretischen Problematik unserer religionspädagogischen Verwendung der Kurzformeln des Glaubens, Mainz 1978

Keel, O.: Feinde und Gottesleugner. Studien zum Image der Widersacher in den Individualpsalmen, Stuttgart 1969 (= Stuttgarter Biblische Monographien 7)

–: Nochmals Psalm 22, 28-32, in: Biblica 51 (1970) 405-413

–: Die Welt der altorientalischen Bildsymbolik und das Alte Testament. Am Beispiel der Psalmen, Zürich-Einsiedeln-Köln 1972

–: Erwägungen zum Sitz im Leben des vormosaischen Pascha und zur Etymologie von ‚päsäḥ‘ in: Zeitschrift für die alttestamentliche Wissenschaft 83 (1972) 414-434

Keel, O. (Hrsg.): Monotheismus im alten Israel und seiner Umwelt, Fribourg 1980 (= Biblische Beiträge 14)

Keller, C. A.: Art. geloben (ndr), in: Jenni/Westermann (Hrsg.): 1976, 39-43

Kellermann, U.: Psalm 137, in: Zeitschrift für die alttestamentliche Wissenschaft 90 (1978) 43-58

–: Zum traditionsgeschichtlichen Problem des stellvertretenden Sühnetodes in 2 Makk 7, 37 f., in: Biblische Notizen (1980) 13, 63-83

Kilian, R.: Ps 22 und das priesterliche Heilsorakel, in: Biblische Zeitschrift, Neue Folge 12 (1968) 172-185

Klein, R. W.: Israel in Exile. A Theological Interpretation, Philaldelphia 1979 (= Ouvertures to Biblical Theology)

Klinger, E.: Theologie im Horizont der Politik. Die Herausforderung Europas durch die lateinamerikanische Theologie, in: Castillo, S./H. Fries/E. Klinger/J. Mbiti/ W. Tannenberg/R. Schwarz: Herausforderung. Die dritte Welt und die Christen Europas, Regensburg 1980, 47-63

Knuth, H. Ch.: Zur Auslegungsgeschichte von Psalm 6, Tübingen 1971 (= Beiträge zur Geschichte der biblischen Exegese Bd. 11)

Koch, K.: Art. gemeinschaftstreu/heilvoll sein (ṣdq), in: Jenni/Westermann (Hrsg.): 1976, 507-530

–: Die Priesterschrift. Von Exodus 25 bis Leviticus 16. Eine überlieferungsgeschichtliche und literarkritische Untersuchung, Göttingen 1959 (= Forschungen zur Religion und Literatur des Alten und Neuen Testaments, Neue Folge H. 53)

Körner, J.: Das Wesen des Glaubens nach dem Alten Testament, in: Theologische Literaturzeitung 104 (1979) 10, 713-720

Koester, W.: Art. Klageweiber, in: Höfer, J./K. Rahner (Hrsg.): Lexikon für Theologie und Kirche Bd. 6, Freiburg i. Br. 2/1961, 313-314

Kopperschmidt, J.: Allgemeine Rhetorik. Einführung in die Theorie der Persuasiven Kommunikation, Stuttgart-Berlin-Köln-Mainz 1973 (= Sprache und Literatur 79)

Kraus, H.-J.: Art. Klagelieder Jeremiä, in: Galling, K. (Hrsg.): Die Religion in Geschichte und Gegenwart Bd. 2, Tübingen 3/1959, 1628-1629

–: Klagelieder (Threni), Neukirchen-Vluyn 3/1968 (= Biblischer Kommentar Altes Testament Bd. XX)

–: Gottesdienst im alten und neuen Bund, in: ders.: Biblisch-theologische Aufsätze, Neukirchen-Vluyn 1972 a, 195-234

–: Vom Leben und Tod in den Psalmen. Eine Studie zu Calvins Psalmen-Kommentar, in: ders.: Biblisch-theologische Aufsätze, Neukirchen-Vluyn 1972 b, 258 ff.

–: Vom Kampf des Glaubens. Eine biblisch-theologische Studie, in: Donner u. a. (Hrsg.): 1977, 239-256

–: Psalmen, 1. Teilband Psalmen 1-59, Neukirchen-Vluyn 5/1978 (= Biblischer Kommentar Altes Testament Bd. XV/1)

–: Theologie der Psalmen, Neukirchen-Vluyn 1979 (= Biblischer Kommentar Altes Testament Bd. XV/3)

Kremer, J.: Neueste Methoden der Exegese, dargelegt an 2 Kor 3, 6 b, in: Theologisch-praktische Quartalschrift 128 (1980) 246-259

Krinetzki, L.: Israels Gebet im Alten Testament, Aschaffenburg 1965 (= Der Christ in der Welt VI. Bd. 5 a)

Krings, H.: Der Mensch vor Gott. Die Daseinserfahrung in den Psalmen, Würzburg o. J.

Kühlewein, J.: Art. Mutter ('ēm), in: Jenni/Westermann (Hrsg.): 1971, 173-177

Kühlewein, J.: Geschichte in den Psalmen, Stuttgart 1973 (= Calwer Theologische Monographien Reihe A Bd. 2)

—: Art. Buch (sēfœr), in: Jenni/Westermann (Hrsg.): 1976 a, 162-173

—: Art. fern sein (rḥq), in: Jenni/Westermann (Hrsg.): 1976 b, 768-771

Kummer, W.: Grundlagen der Texttheorie. Zur handlungstheoretischen Begründung einer materialistischen Sprachwissenschaft, Reinbek 1975 (= rororo-Studium 51)

Labuschagne, C. J.: Art. antworten ('nh) I., in: Jenni/Westermann (Hrsg.): 1976 a, 335-341

—: Art. rufen (qr'), in: Jenni/Westermann (Hrsg.): 1976 b, 666-674

Läpple, A.: Wieder beten können. Eine Ermutigung, München 1979

Laing, R. D.: Phänomenologie der Erfahrung, Frankfurt a. M. 1969

Lang, B.: Vor einer Wende im Verständnis des israelitischen Gottesglaubens?, in: Theologische Quartalschrift 160 (1980), 53-60

— *(Hrsg.):* Der einzige Gott. Die Geburt des biblischen Monotheismus, München 1981

—: Die Jahwe-allein-Bewegung, in: B. Lang (Hrsg.): 1981, 47-83

Lehmann, K.: Auferweckt am dritten Tag nach der Schrift. Früheste Christologie, Bekenntnisbildung und Schriftauslegung im Lichte von 1 Kor 15, 3-5, Freiburg i. Br. 1968 (= Questiones disputatae 38)

Lettmann, R.: Lebensnahes Beten. Gedanken über unser Sprechen mit Gott, Kevelaer 1979

Levinson, P. N.: Die Psalmen als Ausdruck jüdischer Frömmigkeit, in: Diakonia 11 (1980) 2, 111-114

Limbeck, M.: Die Klage — eine verschwundene Gebetsgattung, in: Theologische Quartalschrift 157 (1977)1, 3-16

—: Bitt- und Klagegebet aus biblischer Sicht — ein Testfall des Glaubens, in: Sauer, J. (Hrsg.): Beten in unserer Zeit, Freiburg in Br. 1979, 105-126

Lippert, P.: Der Mensch Job redet mit Gott, München 1934

Lohfink, G.: Das Siegeslied am Schilfmeer. Christliche Auseinandersetzungen mit dem Alten Testament, Frankfurt a. M. 1965

Lohfink, N.: Gott und die Götter im Alten Testament, in: Theologische Akademie 6 (1969) 50-71

—: Zur Aussage des Alten Testaments über „Offenbarung", in: G. Oberhammer (Hrsg.): Offenbarung, geistige Realität des Menschen, Wien 1974, 135-151

—: Unsere Großen Wörter. Das Alte Testament zu Themen dieser Jahre, Freiburg 1977

—: Projektionen. Über die Feinde des Kranken im Alten Orient und in den Psalmen, in: ders.: 1977, 145-156

Lütcke, K.-H.: Contentanalyse, in: Fischer, H. (Hrsg.): Sprachwissen für Theologen, Hamburg 1974, 82-96

Luther, M.: Von wahrer und falscher Frömmigkeit. Auslegungen des 5. und 22. Psalms, Stuttgart 2/1977 (= Gütersloher Taschenbücher/Siebenstern 408) (1519 und 1521)

Magaß, W.: Der symbolproduktive Glaube. Thesen zur Literatur als produktiver Tradition, in: Linguistica Biblica 38 (1976), 1-48

Maier, J.: Tempel und Tempelkult, in: Maier/Schreiner (Hrsg.): 1973, 371-390

Maier, J./J. Schreiner (Hrsg.): Literatur und Religion des Frühjudentums. Eine Einführung, Würzburg 1973

Marböck, J.: Dimensionen des Menschseins in den Psalmen, in: Theologisch-praktische Quartalschrift 127(1979) 7-14

Martin-Achard, R.: Art. elend sein ('nh) II, in: Jenni/Westermann (Hrsg.): 1976, 341-350

Merendino, P. R.: Literarkritisches, Gattungskritisches und Exegetisches zu Jes 41, 8-16, in: Biblica 53 (1972) 1-42

Merklein, H./J. Lange (Hrsg.): Biblische Randbemerkungen. Schülerfestschrift für Rudolf Schnackenburg zum 60. Geburtstag, Würzburg 1974

Mette, N.: Zwischen Reflexion und Entscheidung. Ein Beitrag Karl Rahners zur Grundlegung der praktischen Theologie, in: Trierer Theologische Zeitschrift 87 (1978) 1, 26-34 und 2, 136-151

–: Theorie der Praxis. Wissenschaftsgeschichtliche und methodologische Untersuchungen zur Theorie-Praxis-Problematik innerhalb der praktischen Theologie, Düsseldorf 1978 (= Patmos-Paperback)

–: Praktische Theologie als Handlungswissenschaft. Begriff und Problematik, in: Diakonia 10 (1979) 3, 190-203

Metz, J. B./K. Rahner: Ermutigung zum Gebet, Freiburg i. Br. 1977

Michel, D.: Tempora und Satzstellung in den Psalmen, Mühlheim 1960

Moltmann, J.: Theologie der Hoffnung. Untersuchungen zur Begründung und zu den Konsequenzen einer christlichen Eschatologie, München 7/1968 (= Beiträge zur Evangelischen Theologie Bd. 38)

Mosis, R.: Das babylonische Exil Israels in der Sicht christlicher Exegese, in: Mosis (Hrsg.): 1978, 55-77

Mosis, R. (Hrsg.): Exil – Diaspora – Rückkehr. Zum theologischen Gespräch zwischen Juden und Christen, Düsseldorf 1978

–: Ich lege mein Wort in deinen Mund. Geistliche Impulse aus Jeremia, Freiburg i. Br. 1979

Mowinckel, S.: Psalmenstudien, I. Awän und die individuellen Klagepsalmen, Amsterdam 1961 (Kristiana 1921)

–: The Psalms in Israel's Worship I and II, Oxford 1962 (Oslo 1951)

Müller, H.-P.: Ursprünge und Strukturen alttestamentlicher Eschatologie, Berlin 1969 (= Beihefte zur Zeitschrift für die alttestamentliche Wissenschaft 109)

Müller, K.: Geschichte, Heilsgeschichte und Gesetz, in: Maier/Schreiner (Hrsg.): 1973, 73-105

Müller, P.-G./W. Stenger (Hrsg.): Kontinuität und Einheit. Für Franz Mußner, Freiburg i. Br. 1981

Mußner, F.: Die Auferstehung Jesu, München 1969 (= Biblische Handbibliothek Bd. VII)

Neumann, P. H. (Hrsg.): Zur neueren Psalmenforschung, Darmstadt 1976

Oßwald, E.: Glaubenszuversicht und Glaubensanfechtung im Alten Testament unter besonderer Berücksichtigung der Psalmen, in: Theologische Literaturzeitung 104 (1979) 10, 705-712

Otto, G.: Rhetorisch predigen. Wahrheit als Mitteilung: Beispiele zur Predigtpraxis. Mit einem Beitrag von Ottmar Fuchs, Gütersloh 1981

Pawlowsky, P./W. Schuster (Hrsg.): Woran wir leiden. Beiträge – Texte – Methoden, Innsbruck-Wien-München 1979

Perlitt, L.: Die Verborgenheit Gottes, in: Wolff (Hrsg.): 1971, 367-382

Pesch, O. H.: Sprechender Glaube. Entwurf einer Theologie des Gebetes, Mainz 1970 (= Reihe Erlöstes Dasein)

Peukert, H.: Wissenschaftstheorie – Handlungstheorie – Fundamentale Theologie. Analyse zu Ansatz und Status theologischer Theoriebildung, Düsseldorf 1976 (= Patmos Paperback)

–: Sprache und Freiheit. Zur Pragmatik ethischer Rede, in: Zerfaß, R./F. Kamphaus (Hrsg.): Ethische Predigt und Alltagsverhalten, München-Mainz 1977, 44-75 (= Praxis der Kirche Nr. 25)

Preuß, H. D.: Jahweglaube und Zukunftserwartung, Stuttgart-Berlin-Köln-Mainz 1968 (= Beiträge zur Wissenschaft vom Alten und Neuen Testament, 5. Folge H. 7)

–: Art. *jāṣā*, (herausgehen) in: Botterweck, G. J./H. Ringgren (Hrsg.): Theologisches Wörterbuch zum Alten Testament Bd. 3, Stuttgart-Berlin-Köln-Mainz 1981, 795-822

Rad, G. von: „Gerechtigkeit" und „Leben" in der Kultsprache der Psalmen, in: ders. Gesammelte Studien zum Alten Testament, München 1958, 238 ff.
—: Theologie des Alten Testaments Bd. I. Die Theologie der geschichtlichen Überlieferungen Israels, München 5/1966
—: Theologie des Alten Testaments Bd. II. Die Theologie der prophetischen Überlieferungen Israels, München 5/1968
Rahner, K./J. Sudbrack: Art. Gebet, in: Rahner, K. (Hrsg.): Herders Theologisches Taschenlexikon, Bd. 2, Freiburg i. Br. 1972, 254-367
Rahner, K.: Die menschliche Sinnfrage vor dem absoluten Geheimnis Gottes, in: Geist und Leben 50 (1977) 436-450
Ramsey, I. T.: Religöse Paradoxien, in: High (Hrsg.): 1972, 133-158
Reindl, J.: Psalm 1 und der „Sitz im Leben" des Psalters, in: Ernst, W./K. Feiereis/ S. Hübner/J. Reindl (Hrsg.): Theologisches Jahrbuch 1979, Leipzig 1978
Rendtorff, R.: Studien zur Geschichte des Opfers im Alten Israel, Neukirchen-Vluyn 1967 (= Wissenschaftliche Monographien zum Alten und Neuen Testament Bd. 24)
—: Die theologische Stellung des Schöpfungsglaubens bei Deuterojesaja, in: Zeitschrift für Theologie und Kirche 51(1954) 3-13
Richter, H. E.: Der Gotteskomplex. Die Geburt und die Krise des Glaubens an die Allmacht des Menschen, Reinbek bei Hamburg 1979
Richter, W.: Exegese als Literaturwissenschaft. Entwurf einer alttestamentlichen Literaturtheorie und Methodologie, Göttingen 1971
—: Grundlagen einer althebräischen Grammatik, Bd. 1 und 3, St. Ottilien 1978 und 1980 (= Münchener Universitätsschriften. Arbeiten zu Text und Sprache im Alten Testament B. 8 und 13)
Ricoeur, P.: Le conflict des interprétations. Essais d'herméneutique, Paris 1969
Ridderbos, N. H.: Die Psalmen. Stilistische Verfahren und Aufbau. Mit besonderer Berücksichtigung von Ps 1-41, Berlin-New York 1972 (= Beiheft zur Zeitschrift für die alttestamentliche Wissenschaft 117)
Ringgren, H.: Art. (jubeln/loben) hll, in: Botterweck, G. J./H. Ringgren (Hrsg.): Theologisches Wörterbuch zum Alten Testament Bd. 2, Stuttgart-Berlin-Köln-Mainz 1977, 433-441
Rose, M.: Der Ausschließlichkeitsanspruch Jahwes: Deuteronomische Schultheologie und die Volksfrömmigkeit in der späten Königszeit, Stuttgart 1975 (= Beiträge zur Wissenschaft vom Alten und Neuen Testament, 6. Folge H. 6)
Rosenzweig, R.: Solidarität mit den Leidenden im Judentum, Berlin-New York 1977 (= Studia Judaica Bd. 10)
Rossi-Landi, F.: Dialektik und Entfremdung in der Sprache. Zwei Beiträge, Frankfurt a. M. 1973
Rowley, H. H.: Worship in Ancient Israel. Its Forms and Meaning, London 1967
Ruppert, L.: Jesus als der leidende Gerechte? Der Weg Jesu im Lichte eines alt- und zwischentestamentlichen Motivs, Stuttgart 1972 a (= Stuttgarter Bibelstudien 59)
—: Der leidende Gerechte. Eine motivgeschichtliche Untersuchung zum Alten Testament und zwischentestamentlichen Judentum, Würzburg 1972 b (= Forschung zur Bibel 5)
—: Psalm 25 und die Grenze kulturorientierter Psalmenexegese, in: Zeitschrift für die alttestamentliche Wissenschaft 84 (1972) 576-582
Ruprecht, E.: Art. fragen nach (drš) 4 b-e, in: Jenni/Westermann (Hrsg.): 1971, 462-467
Schäfer, K.: Art. Paradox, in: Krings, H./H. M. Baumgartner/Ch. Wild (Hrsg.): Handbuch philosophischer Grundbegriffe. Studienausgabe Bd. 4, München 1973, 1051-1059
Schäfer, P.: Der synagogale Gottesdienst, in: Maier/Schreiner (Hrsg.): 1973, 391-413
Schaller, H.: Das Bittgebet. Eine theologische Skizze, Einsiedeln 1979
Scharbert, J.: Die Propheten Israels bis 700 v. Chr., Köln 1965
Schenker, A.: Das Gebet im Lichte der Psalmen, in: Bibel und Kirche 35 (1980) 2, 37-41

Schildenberger, J.: Ps 22. Todesleiden und Auferstehung, in: Erbe und Auftrag 57 (1981) 2, 119-123

Schilling, O.: Israels Lieder – Gebete der Kirche. Vergegenwärtigung der Psalmen, Stuttgart 1966

Schiwy, G. (Hrsg.): Christentum als Krisis, Würzburg 1971

Schmälzle, U. F.: Ehe und Familie im Blickpunkt der Kirche. Ein inhaltsanalytisches Forschungsprogramm zu Zielwerten in deutschen Hirtenbriefen zwischen 1915 und 1975, Freiburg-Basel-Wien 1979 (= Freiburger Theologische Studien Bd. 113)

Schmid, H. M.: „Mein Gott, mein Gott, warum hast du mich verlassen?" Psalm 22 als Beispiel alttestamentlicher Rede von Krankheit und Tod, in: Wort und Dienst: Jahrbuch der Kirche, Hochschule Bethel, Bethel 1972 (Neue Folge 11, Bd. 1971)

Schmidt H.: Das Gebet der Angeklagten im Alten Testament, Gießen 1928 (= Beihefte) zur Zeitschrift für die alttestamentliche Wissenschaft 49)

Schmidt, H.: Die Psalmen, Tübingen 1934 (= Handbuch zum Alten Testament, 1. Reihe Bd. 15)

Schmidt, S. J.: Texttheorie. Probleme einer Linguistik der sprachlichen Kommunikation, München 1973

Schmidt, W. H.: Transzendenz in alttestamentlicher Hoffnung. Erwägungen zur Geschichte der Heilserwartung im Alten Testament, in: Kairos 11 (1969) 201-217

–: Einführung in das Alte Testament, Berlin-New York 1969

Schnackenburg, R.: Gottes Herrschaft und Reich. Eine biblisch-theologische Studie, Freiburg 1959

Schnackenburg, R./J. Ernst/J. Wanke (Hrsg.): Die Kirche des Anfangs. Für Heinz Schürmann, Leipzig 1978

Schnackenburg, R. (Hrsg.): Zukunft. Zur Eschatologie bei Juden und Christen, Düsseldorf 1980 (= Patmos Paperback)

Schneider, H.: Die Psalmen im Gottesdienst des Alten Bundes. Ein Diskussionsbeitrag zum gleichnamigen Buch von A. Arens, in: Theologische Revue 58 (1962) 227 f.

Schottroff, W.: Art. gedenken (*zkr*), in: Jenni/Westermann (Hrsg.): 1971, 507-518

–: „Gedenken" im Alten Orient und im Alten Testament. Die Wurzel *Zakar* im semitischen Sprachkreis, Neukirchen-Vluyn 2/1967 (= Wissenschaftliche Monographien zum Alten und Neuen Testament, Bd. 15)

Schottroff, W./W. Stegemann (Hrsg.): Der Gott der kleinen Leute. Sozialgeschichtliche Bibelauslegung Bd. I Altes Testament, München 1979

Schreiner, J.: Berufung und Erwählung Israels zum Heil der Völker, in: Bibel und Leben 9 (1968) 94-114

–: Alttestamentlich-Jüdische Apokalyptik. Eine Einführung, München 1969 (= Biblische Handbibliothek Bd. VI)

–: Wenn nicht der Herr für uns wäre! Auslegung von Ps 124, in: Bibel und Leben 10 (1969 a) 16-25

–: Aus schwerer Krankheit errettet. Auslegung von Ps 30, in: Bibel und Leben 10 (1969 b) 164-175

–: Verlangen nach Gottes Nähe und Hilfe. Auslegung von Ps 42/43, in: Bibel und Leben 10 (1969 c) 254-264

–: Die Hoffnung der Zukunftsschau Israels, in: Hoffmann, F. u. a. (Hrsg.): Festgabe E. Kleineidam, Leipzig 1969 d, 29-48

Schreiner, J. (Hrsg.): Einführung in die Methoden der biblischen Exegese, Würzburg 1971

–: Die Psalmen als Lob Gottes: Gloria Dei – pax hominibus, in: Fleckenstein, F. (Hrsg.): Festschrift zum 100-jährigen Jubiläum der Musikschule Regensburg, Bonn 1974, 85-102

Schüngel, P.: Schule des Betens. Klage- und Dankpsalmen, Stuttgart 1974 (= Stuttgarter Kleiner Kommentar Altes Testament 22/II)

Schützeichel, H.: Der verborgene Gott, in: Trierer Theologische Zeitschrift 80 (1971) 290-307

Schunack, G.: Textverständnis, Textbegriff und Texttheorie, in: Ebeling, G./E. Jüngel/ G. Schunack (Hrsg.): Festschrift für Ernst Fuchs, Tübingen 1973, 299-321

Schwager, R.: Brauchen wir einen Sündenbock? Gewalt und Erlösung in den biblischen Schriften, München 1978

Schweizer, H.: Elischa in den Kriegen. Literaturwissenschaftliche Untersuchung von 2 Kö 3: 6, 8-23; 6, 24-7, 20, München 1974

–: Texttheorie und Beelzebul. Die Impulse Christoph Hardmeiers für die Methodik der Exegese, in: Biblische Notizen (1979) 9, 26-44

Searle, J. R.: Sprechakte. Ein sprachphilosophischer Essay, Frankfurt a. M. 1971

–: Intentionalität und der Gebrauch der Sprache, in: Grewendorf, G. (Hrsg.): Sprechakttheorie und Semantik, Frankfurt a. M. 1979, 149-171 (= suhrkamp-Taschenbuch Wissenschaft 276)

Sekretariat der Deutschen Bischofskonferenz (Hrsg.): Beten mit der Kirche. Hilfen zum Stundengebet, Regensburg 1978

Seligmann, I. L.: Erkenntnis Gottes und historisches Bewußtsein im alten Israel, in: Donner u. a. (Hrsg.): 1977, 414-465

Severus, E. von: Art. Gebet I, in: Klauser, T. (Hrsg.): Reallexikon für Antike und Christentum Bd. 5, Stuttgart 1972, 1134-1258

Seybold, K.: Das Gebet des Kranken im Alten Testament. Untersuchungen zur Bestimmung und Zuordnung der Krankheits- und Heilungspsalmen, Stuttgart-Berlin-Köln-Mainz 1973 (= Beiträge zur Wissenschaft vom Alten und Neuen Testament 5. Folge H. 19)

Smend, R.: Essen und Trinken – ein Stück Weltlichkeit des Alten Testaments, in: Donner u. a. (Hrsg.): 1977, 446-459

Smith, M.: Religious Parties among the Israelites befor 587, in: ders.: Palestinian Parties and Politics that Shaped the Old Testament, New York 1971, 15-56

Soggin, J. A.: Art. König (*moēloek*), in: Jenni/Westermann (Hrsg.): 1971 a, 910-920

–: Art. herrschen (*mšl*) in: Jenni/Westermann (Hrsg.): 1971 b, 930-933

Spaemann, H.: Wege ins Beten. Meditation und Gespräch, München 1972

Stähli, H.-P.: Art. sich niederwerfen (*ḥwh*) in: Jenni/Westermann (Hrsg.): 1971 a, 530-533

–: Art. fürchten (*jr'*), in: Jenni/Westermann (Hrsg.): 1971 b, 765-778

–: Art. verlassen (*'zb*), in: Jenni/Westermann (Hrsg.): 1976, 249-252

Steck, O. H.: Friedensvorstellungen im alten Jerusalem. Psalmen Jesaja Deuterojesaja, Zürich 1972 (= Theologische Studien 111)

–: „Aus der Tiefe rufe ich". Beten lernen im Alten Testament, in: W. Böhme (Hrsg.): Hat Beten Sinn?, Karlsruhe 1980 a, 30-49 (= Herrenalber Texte 19)

–: Beobachtungen zur Beziehung von Klage und Bitte in Psalm 13, in: Biblische Notizen (1980 b) 13, 57-62

Steichele, H. J.: Der leidende Sohn Gottes. Eine Untersuchung einiger alttestamentlicher Motive in der Christologie des Markusevangeliums, Regensburg 1980 (= Münchener Universitätschriften. Biblische Untersuchungen Bd. 14)

Stendebach, F. J.: Die Psalmen in der neueren Forschung, in: Bibel und Kirche 35 (1980), 2. 60-70

Stock, A.: Kleine strukturalistische Anfrage zum Methodenproblem, in: Merklein/ Lange (Hrsg.): 1974, 377-386

–: Textenfaltungen. Semiotische Experimente, Düsseldorf 1978

Stöger, H.: Grundlinien biblischen Betens, in: Lebendige Seelsorge 16 (1965) 77-79

Stolz, F.: Strukturen und Figuren im Kult von Jerusalem, Berlin 1970 (= Beiheft zur Zeitschrift für die alttestamentliche Wissenschaft 118)

–: Art. zuschanden werden (*bōš*), in: Jenni/Westermann (Hrsg.): 1971 a, 269-272

–: Art. helfen (*jš'*), in: Jenni/Westermann (Hrsg.): 1971 b, 785-790

–: Art. Herz (*lēb*), in: Jenni/Westermann (Hrsg.): 1971 c, 861-867

–: Art. werfen (*šlk*), in: Jenni/Westermann (Hrsg.): 1976, 916-919

–: Jahwes Unvergleichlichkeit und Unergründlichkeit in: Wort und Wahrheit, Neue Folge 14 (1977) 9-24

—: Psalm 22: Alttestamentliches Reden vom Menschen und neutestamentliches Reden von Jesus, in: Zeitschrift für Theologie und Kirche 77 (1980 a) 2, 129-148
—: Monotheismus in Israel, in: Keel (Hrsg.): 1980 b, 143-189
Storr, R.: Art. Gebet der Israeliten, in: Buchberger, M. (Hrsg.): Lexikon für Theologie und Kirche Bd. 4, Freiburg i. Br. 2/1933, 315-316
Strolz, W. (Hrsg.): Aus den Psalmen leben. Das gemeinsame Gebet von Kirche und Synagoge neu erschlossen, Freiburg -Basel-Wien 1979
Stuhlmueller, C. P. C.: Creative Redemption in Deutero-Isaiah, Rom 1970 (= Analecta Biblica 43)
Sudbrack, J.: Art. Gebet, in: Sacramentum Mundi Bd. II, Freiburg-Basel-Wien 1968, 158-174
—: Beten ist menschlich. Aus der Erfahrung unseres Lebens mit Gott sprechen, Freiburg-Basel-Wien 1981
Szörényi, A.: Psalmen und Kult im Alten Testament (zur Formgeschichte der Psalmen), Budapest 1961
Tsevat, M.: A Study of the Language of the Biblical Psalms, Philadelphia 1955 (= Journal of Biblical Literature Monograph Series, Vol. IX)
Thum, B./ Hillmann/K. Rahner/F. Wulf: Art. Gebet I-IV, in: Höfer, J./K. Rahner (Hrsg.): Lexikon für Theologie und Kirche Bd. 4, Freiburg 1960, 537-545
Vanoni, G.: Der Geist und der Buchstabe. Überlegungen zum Verhältnis der Testamente und Beobachtungen zu Dtn 30, 1-10, in: Biblische Notizen (1981) 14, 65-98
Vincent, J. M.: Studien zur literarischen Eigenart und zur geistigen Heimat von Jesaja, Kap. 40-55, Frankfurt a. M.-Bern-Las Vegas 1977 (= Beiträge zur biblischen Exegese und Theologie Bd. 5)
Vogel, M.: Einige Reflexionen über die jüdischen Gottesbegriffe, in: Concilium 13 (1977) 3, 155-159
Vorländer, H.: Mein Gott. Die Vorstellungen vom persönlichen Gott im Alten Orient und im Alten Testament, Kevelaer-Neukirchen-Vluyn 1970 (= Alter Orient und Altes Testament 23)
—: Der Monotheismus Israels als Antwort auf die Krise des Exils, in: Lang (Hrsg.): 1981, 84-113
Wambacq, B. N.: Psaume 22, 4, in: Biblica 62 (1981) 1, 99-100
Wanke, G.: Art. Staub (ʿāfār), in: Jenni/Westermann (Hrsg.): 1976, 353-356
Warning, R. (Hrsg.): Rezeptionsästhetik. Theorie und Praxis, München 1975
Weimar, P./E. Zenger: Exodus. Geschichten und Geschichte der Befreiung Israels, Stuttgart 2/1979 (= Stuttgarter Bibelstudien 75)
Weinrich, H.: Tempus. Besprochene und erzählte Welt, Stuttgart-Berlin-Köln-Mainz 2/1971
Weiser, A.: Die Psalmen, Göttingen 7/1966 (= Das Alte Testament Deutsch Bd. 14/15)
Wendel, A.: Das freie Laiengebet im vorexilischen Israel, Leipzig 1931
Werbick, H.: System und Subjekt, in: Böckle, F./F. X. Kaufmann/K. Rahner/B. Welte (Hrsg.): Christlicher Glaube in moderner Gesellschaft, Freiburg-Basel-Wien 1981, 101-139 (= Enzyklopädische Bibliothek Bd. 24)
Westermann, C.: Gewendete Klage. Eine Auslegung des 22. Psalms. Berlin (Ost) 1957
—: Art. Gebet II im AT, in: Galling, K. (Hrsg.): Die Religion in Geschichte und Gegenwart Bd. 2, Tübingen 3/1958, 1214-1217
—: Das Buch Jesaja. Kapitel 40-66, Göttingen 1966 (= Das Alte Testament Deutsch Bd. 19)
—: Art. loben (hll), in: Jenni/Westermann (Hrsg.): 1971 a, 493-502
—: Art. warten (jḥl) in: Jenni/Westermann (Hrsg.): 1971 b, 727-730
—: Anthropologische und theologische Aspekte des Gebetes in den Psalmen, in: Liturgisches Jahrbuch 23 (1973) 83-96
—: Der Psalter, Stuttgart 3/1974 (1967)
—: Ruf aus der Tiefe, in: Concilium 12 (1976) 11, 575-581
—: Lob und Klage in den Psalmen, Göttingen 1977 (5. erweiterte Auflage von: Das

Loben Gottes in den Psalmen) (= Das Loben Gottes in den Psalmen (1954); Struktur und Geschichte der Klage im Alten Testament (1954); Vergegenwärtigung der Geschichte in den Psalmen (1964); Zur Sammlung des Psalters (1964)

—: Der Aufbau des Buches Hiob. Mit einer Einführung in die neuere Hiobforschung von Jürgen Kegler, Stuttgart 1977 b (= Calwer Theologische Monographien Reihe A Bd. 6)

—: Theologie des Alten Testamentes in Grundzügen, Göttingen 1978 (= Grundrisse zum Alten Testament Bd. 6)

Wildberger, H.: Die Neuinterpretation des Erwählungsglaubens Israels in der Krise der Exilszeit. Überlegungen zum Gebrauch von *bāhar*, in: Stoebe, J. u. a. (Hrsg.): Wort — Gebot — Glaube. Festscnrift für Walter Eichrodt zum 80. Geburtstag, Zürich 1970, 307-324 (= Abhandlungen zur Theologie des Alten und Neuen Testaments Bd. 59)

—: Art. fest, sicher (*'mn*), in: Jenni/Westermann (Hrsg.): 1971, 177-209

—: Art. verachten (*n'ṣ*), in: Jenni/Westermann (Hrsg.): 1976, 3-6

—: Der Monotheismus Deuterojesajas, in: Donner u. a. (Hrsg.): 1977, 506-530

Wink, W.: Bibelauslegung als Interaktion. Über die Grenzen historisch-kritischer Methode, Stuttgart-Berlin-Köln-Mainz 1976 (= Urban-Taschenbücher Bd. 622)

Wolff, H. W.: Bibel, Das Alte Testament. Eine Einführung in seine Schriften und in die Methoden ihrer Forschung, Berlin 1970 (= Themen der Theologie VII)

Wolff, H. W. (Hrsg.): Probleme biblischer Theologie. Gerhard v. Rad zum 70. Geburtstag, München 1971

—: Der Aufruf zur Volksklage (1964), in: ders.: Gesammelte Studien zum Alten Testament, München 2/1973, 392-401 (= Theologische Bücherei 22)

Zeller, D.: Gott nennen an einem Beispiel aus dem Psalter, in: Casper, B. (Hrsg.): Gott nennen. Phänomenologische Zugänge, Freiburg-München 1981, 13-34

Zenger, E.: Die Mitte der alttestamentlichen Glaubensgeschichte, in: Katechetische Blätter 101 (1976) 8, 3-16

Zerfaß, R.: Praktische Theologie als Handlungswissenschaft, in: Klostermann, F./R. Zerfaß (Hrsg.): Praktische Theologie heute, München 1974, 164-177

Zimmerli, W.: Der Mensch und seine Hoffnung im Alten Testament, Göttingen 1968

—: Grundriß der alttestamentlichen Theologie, Berlin-Köln-Mainz 2/1976 (1972) (= Theologische Wissenschaft Bd. 3)

Zirker, H.: Die kultische Vergegenwärtigung der Vergangenheit in den Psalmen, Bonn 1964 (= Bonner Biblische Beiträge 20)

Zobel, R.: Der Dramentext — ein kommunikatives Handlungsspiel. Rezeptionsanalytische Untersuchung der Bedeutung eines Dramentextes in spezifischen Kommunikationssituationen, Göppingen 1975